EL ESPAÑOL AL DÍA

RECORDINGS FOR Turk and Allen: *EL ESPAÑOL AL DÍA, Book II*
Third edition, revised

I. RECORD *(Canciones populares)*
  NUMBER OF RECORDS: 1 12″
  SPEED: 33⅓ rpm

II. TAPES
  NUMBER OF REELS: 23 5″ full track
  SPEED: 3¾ ips
  RUNNING TIME: 9 hours

III. TAPES (SUPPLEMENTARY DRILLS)

IV. TAPE FOR TESTING PROGRAM
  NUMBER OF REELS: 1 5″ full track
  SPEED: 3¾ ips
  RUNNING TIME: 30 minutes

THIRD EDITION
REVISED

LAUREL HERBERT TURK
*Head, Department of Romance
Languages, DePauw University*

EDITH MARION ALLEN
*Supervisor, Foreign Languages
Indianapolis Public Schools
Indianapolis, Indiana*

EL ESPAÑOL AL DÍA
BOOK TWO

D. C. HEATH AND COMPANY
Lexington, Massachusetts   Toronto   London

Drawings and black and white maps by Winnifred Farnum Westlake

Colored maps by James Lewicki

Cover design by John Martucci

PREFACE to the THIRD EDITION, REVISED

As of 1968, *El español al día* is a three-volume rather than a two-volume series. To commemorate publication of the new Book Three, it seemed desirable to add a short set of additional oral drills to each text. In Book One a set of drills has been added for each review lesson, and in Book Two, for each group of three regular lessons. These extra drills appear after the Appendices in each text, and they are available on tapes entitled Supplementary Drills. Except for the addition of these drills, the Third Edition, Revised, does not differ from the original Third Edition, and therefore, the two editions may be used together in the classroom. The lesson tapes, records, testing programs, and other supplementary aids are likewise usable with either version of the textbooks.

PREFACE to the THIRD EDITION

The third edition of Book II of *El español al día* is completely revised. Extensive changes have been made in the dialogues, the exercises, the *lecturas*, and the illustrations, all of which serve to bring the text into line with present-day needs in foreign language materials.

El español al día, Book II, logically follows Book I, but it may be used in any second-year class. Realizing the importance of a complete mastery of verb forms in understanding, speaking, reading, and writing Spanish, three new preliminary lessons are devoted largely to a review of all the verb forms presented in Book I. The short dialogues, the question and answer drills, the substitution and other drills contain many familiar expressions and make possible the continuation of the audio-lingual work begun in Book I.

The first six regular lessons are designed for review of the basic grammatical points presented in Book I. Each of these lessons includes: (*a*) a *diálogo*, with a list of idiomatic expressions used; (*b*) questions on the *diálogo* to be answered in Spanish; (*c*) a brief explanation of the points of grammar reviewed, followed by pattern drills and other types of exercises; and (*d*) a *Para practicar* section which usually consists of a suggestion for a short original *discurso* to be presented by the student, who must now extend himself further into the field of self-expression.

The grammatical review in these six lessons is given in the form of summaries whenever possible; for example, the infinitive and interrogatives (Lesson I), the preterite and imperfect tenses (Lesson II), personal pronouns (Lesson III), indefinites and negatives (Lesson V), *ser* and *estar* (Lesson VI). Many of the exercises may be used for rapid class drill without having been assigned for study.

Since reading for pleasure is one of the goals in learning a foreign language, and because variety in reading materials is essential to the attainment of this goal, there appear at three-lesson intervals, beginning after Lesson III, seven supplementary *Lecturas*. There are sections which deal with men who were leaders in the Spanish exploration and conquest of the Americas, in the establishment of the early missions, in the liberation of the colonies from Spain, in the arts and other areas of general culture combined with short stories, folk tales, and other literary selections. The new idioms are listed at the end of each *lectura*, and difficult words or lines are translated in footnotes. The questions to be answered in Spanish serve as a means of checking comprehension and of encouraging the use of the spoken language. Each cultural *lectura* is followed by a comprehension or completion exercise. The *Estudio de palabras* will be helpful to the student in recognizing the meaning of new Spanish words and in relating them to English words or to Spanish words learned previously.

With Lesson VII begins the introduction of new grammatical material. The arrangement followed in Lessons VII–XXI is similar to that of Book I, with the dialogue, vocabulary, questions, grammatical explanation, exercises, including drill patterns, optional composition, and *Para practicar*, making up the content. The dialogues are based on everyday incidents and situations, such as shopping for clothing and a radio, entertaining friends, planning a winter excursion, getting a position in Mexico, and subsequent plans and arrangements for the trip.

Since the subjunctive mood is requisite to all phases of Spanish usage — understanding, speaking, reading, writing — it has been thoroughly treated in Lessons VIII–XVIII. The teacher who wishes to teach the subjunctive principally for understanding and recognition purposes may stress the substitution and pattern drill exercises and those which require choice of proper verb forms, eliminating the English-to-Spanish sentences in the exercises and the *composiciones*. On the other hand, the teacher who desires further drill may use Appendix D, which contains a complete summary of the uses of the subjunctive and additional exercises.

Variety in the type of exercises used — pattern drills, substitution, verb and idiom drill, recognition, English-to-Spanish rapid drills — and the coordination of these exercises with the dialogue, vocabulary, and grammar points under study are outstanding features of this series. Further drills in the use of the language are offered through the *prácticas* and the *Para practicar* sections. Imitation, repetition, memorization, and original expression are emphasized

throughout. Whenever it is practicable, the exercises, as well as the composi-
tions, deal with a single topic or with a connected series of incidents. Each
set of exercises attempts to cover fully not only the new points discussed in the
lesson, but also to review all important matters from early lessons.

In a separate section called *Cartas españolas* are included some basic points
concerning personal and business letters in Spanish. Some of the phrases and
formulas most commonly used in Spanish correspondence are included.

The second part of the text is devoted to reading selections chosen for their
interest, variety, and adaptability to use in the high school classroom. A number of selections in the earlier editions have been replaced by the following:
Temprano y con sol, El buen ejemplo, El alacrán de fray Gómez, La propina, four
items by Julio Camba, *Una moneda de oro,* the playlet *Mañana de sol,* the poems
of García Lorca and Antonio Machado, and selections from *Platero y yo.* Three
short stories, *La buenaventura, Golpe doble,* and *El libro talonario,* are placed
in a separate section for rapid reading and comprehension. These may be used
at the discretion of the teacher. All these selections provide the student an
opportunity to gain an appreciation of the humor, color, thought, and versatility
of the respective Spanish and Spanish American writers.

While it has been necessary to make certain adaptations of a large number
of the selections in order to bring them within the range of second-year reading,
great care has been taken to preserve the flavor of the original texts. Most of
the simplification has come through the elimination of difficult phrases or sentences and, in some cases, of entire paragraphs, but without destroying the
content. The explanations in the translation aids, the footnotes, and the lists
of idioms should facilitate the student's preparation of the assignments. Asterisks in the reading selections refer to examples explained in the translation aids.

Difficult words and constructions are translated in footnotes, while the
idioms of sufficiently high frequency to merit special attention are listed after
each reading selection. It is suggested that the student check the idiom list and
read carefully the translation aids before preparing the reading assignment. Then,
with the help of the footnotes, he should be able to read the material with relative
ease and pleasure. The series of questions in Spanish serve as guides for oral
work. The short exercises are also devised to encourage comprehension and
original expression.

The Appendices contain six songs,* a summary treatment of pronunciation,
the cardinal and ordinal numerals, the months and days of the week, a summary
of the uses of the definite and indefinite articles, the verb paradigms, in addition to
the summary of the uses of the subjunctive.

The illustrations, all of which are new, provide a wide range of supplementary background and information concerning the Spanish-speaking world.

* The six songs in this book, together with the six songs in Book I, are recorded on a single
twelve-inch record entitled *Canciones Populares.* The record was prepared especially for this course
under the direction of Mrs. Elena Paz Travesí, and it is available separately.

The end vocabularies are intended to be complete except for proper and geographical names which are identical in Spanish and English, a few past participles used as adjectives when the infinitive is given, and some words and expressions used only once in the poems of García Lorca and Antonio Machado and in *Platero y yo*, and which are translated in footnotes. The idioms are listed under the main word in the phrase and, for convenience, many cross listings are made. Stem-changing verbs and those with changes in spelling are indicated: **volver (ue), buscar (qu), empezar (ie;c)**. The English-Spanish vocabulary contains only the English words used in the English-Spanish exercises.

In the preparation of this text the authors wish to express their sincere appreciation for the valuable suggestions offered by many teachers who have used Books I and II of *El español al día*. Special thanks are expressed to Mrs. Elena Picazo de Murray, Mexico City, for her careful examination and helpful criticism of the dialogues and the general cultural sections in the *lecturas* of Part I. The authors are also grateful to Dr. Vincenzo Cioffari and the editorial staff of D. C. Heath and Company whose constructive criticism and sound observations have been most helpful at every stage in the preparation of this third edition.

EDITH M. ALLEN
LAUREL H. TURK

CONTENTS

ix

LECTURAS

LECTURAS RÁPIDAS

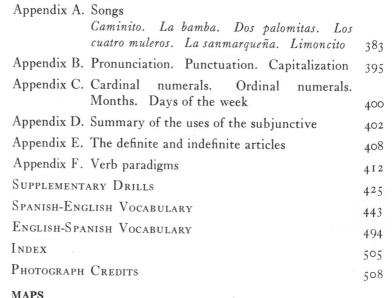

UN NUEVO HORIZONTE

Many world travelers have enjoyed cruises on the beautiful S.S. Argentina.

UN NUEVO HORIZONTE

« *¡ Venga amigo! Vamos a mirar el horizonte que se abre para los españoles y los hispanoamericanos en los países que Vd. visitó el año pasado. Ya tiene Vd. su pasaporte; aquí tiene Vd. su nueva guía al mundo hispánico del siglo veinte.* »

To Mexico, our nearest neighbor, you can go by plane, train, or car. If you insist on going by car and you relish adventure, inconvenience, and mishaps, then venture forth boldly and continue on from

Mexico to Guatemala, El Salvador, and the rest of the Central American countries over the Pan American Highway. If you are less venturesome, come along to South America and leave Mexico, Central America, and the Caribbean for an equally exciting trip later on in the year.

Shall we go by sea on a beautiful cruise ship like the S.S. Argentina down the east coast of the continent to Brazil, Uruguay, and Argentina? Or, shall we board a swift jet airliner for the west coast and a first glimpse of the majestic Andes which have so influenced life and progress in the continent to the south? If you have no preference, let's go flying down the Andes.

Our plane will first take us south-east to Venezuela's Maiquetía airport. From there a limousine will whisk us seven miles over a six-lane highway to Caracas. The modern look of the Venezuelan capital will astonish you, for no other Spanish-speaking city has been planned so carefully with an eye toward the future. Its avenues and buildings are marvelously contemporary; they present a new horizon to those interested in architecture and engineering. Much of the country's wealth is in oil,

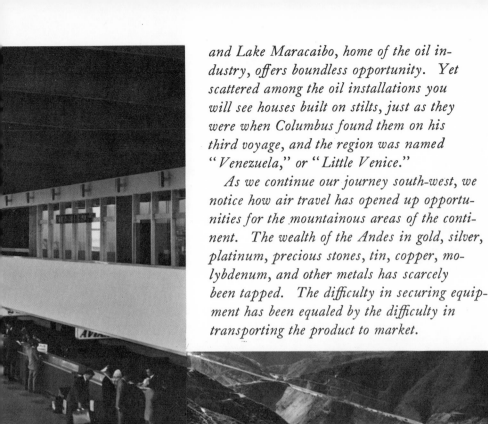

and Lake Maracaibo, home of the oil industry, offers boundless opportunity. Yet
scattered among the oil installations you
will see houses built on stilts, just as they
were when Columbus found them on his
third voyage, and the region was named
"Venezuela," or "Little Venice."

As we continue our journey south-west, we
notice how air travel has opened up opportunities for the mountainous areas of the continent. The wealth of the Andes in gold, silver,
platinum, precious stones, tin, copper, mo-
lybdenum, and other metals has scarcely
been tapped. The difficulty in securing equipment has been equaled by the difficulty in
transporting the product to market.

(Opposite) The Eldorado in Bogotá, Colombia, is only
one of the many international airports which await the
traveler to South America, but he will find few six-lane
highways like this one (above) which seems to skim the
mountain tops of Venezuela.

(Top) The new look of Madrid's Plaza de España is a contrast to the old look of El Rastro (bottom), a market where everything from mantillas to mattresses is sold. (Opposite, moving clockwise) A modern home in Caracas; an office building in Mexico City; some private homes in Mexico City; an outdoor class, University of Puerto Rico at Río Piedras.

Now, however, cargo planes deliver equipment and the market comes within range of the mining installation. Real opportunity beckons to the mining engineer.

In parts of the Spanish-speaking world other than Venezuela "modern living," as witnessed by the ultramodernistic office buildings, private homes, public buildings, and universities, is very much in evidence. Mexico City is a wonderful example of the old and the new existing side by side. At present on the outskirts of the city a startling new section, called the "Satellite City," is being developed to take care of the increasing population which is already close to five million. Perhaps the buildings most photographed in Mexico are those of the National University, with bold and colorful mosaics decorating their façades. Maybe some day you will be able to attend classes in the summer at the university, which are held mainly for students from other countries. But, as we have mentioned earlier, we shall visit Mexico at a later date.

New horizons are opening in the fields of health, public welfare, and education. The Pan American Health Organization has established sanitary codes, provided fellowships and study opportunities for doctors and technicians, and worked toward the eradication of communicable diseases such as yellow fever, small pox, and tuberculosis. Our own Peace Corps has worked in rural areas toward better living conditions, better nutrition, better work conditions and practices, and of course, better education.

Better education and more of it are two basic needs of the Spanish-

(Left) Tortilla making with a "mix" in Guatemala. (Below, left) Spain's children today go to this school while the Hostería del Estudiante (right), a restaurant in Alcalá de Henares, recalls university days in the town where Cervantes was born.

speaking world. High mountains, poor roads, and great distances have made compulsory education an unattainable goal. True enough, old and distinguished universities as well as new and modern ones provide education for the relatively few who can afford to continue to higher learning. A college education is still considered a rather rare privilege in the Spanish-speaking world. Industrial and technical schools are being built in many areas, but many more are needed. Some of these schools are sponsored by the United Nations, as the National Technical Education Council's Factory

In this technical school in Argentina students get professional training in metrology, the science of weights and measures. Here they are carrying out surface control operations on a slab of marble while the head of the school and a visitor look on.

School No. 3, in Argentina, whose mechanical metrology laboratory we see pictured above. Also sponsored by the United Nations is the Central American Research Institute for Industry in Guatemala, which recently developed an inexpensive corn flour "mix." Since tortillas made of corn are an important food in the Indian diet and preparing them a long, tedious process, this is indeed an important development. Exchange programs for teachers and students are encouraged by the governments of some of the countries and cultural centers have been established in many countries, but the horizon of education in the Hispanic world is still limited. Perhaps you, with your knowledge of the language, may some day be able to contribute toward educational expansion in Spanish America!

Bananas growing in Costa Rica.

South and Central America — and Spain too — are basically agricultural in their economy, and they spend countless dollars each year for agricultural experts. Much is being done in experimental farming, and frequently the expert consultants are from our own universities. Rice, cotton, sugar cane, coffee, tobacco, bananas, and hardwoods are basic to the economy of the tropical areas in Spanish America; cereal grains, hemp, and flax are equally important in the temperate zones; and oranges, dates, grapes, olives, corn, and rice are vital to the economy of Spain. Modern farm machinery is a great boon to this agricultural world as trucks replace oxen and combines replace the threshing board.

The grain and cattle countries of Latin America have long had packing houses and refrigeration plants. Now they have added pasteurization plants. Bottling works for our carbonated drinks are appearing everywhere, and popular brands are sometimes cheaper there than at your corner drugstore. Interested bacteriologists and pathologists, take notice!

Manufacturing is gaining impetus in the Spanish world. Until recently ready-to-wear stores were virtually unknown. Tailors and dressmakers flourished, and many still do, by providing custom-made clothing for their clientele. Now, however, the clothing industry is changing. Chic specialty shops are springing up in Madrid, Mexico City, and other capitals. In Quito, Ecuador, a factory has begun the production of men's and boy's suits.

Rayon, dacron, nylon, and other easy-to-wash, quick-dry fibers are being produced in newly-built factories. Perhaps on this trip you're taking most

(Above)   Coffee plants growing in Colombia.
(Right)   Puerto Nuevo Steam Plant, Puerto Rico.
(Below)   Threshing wheat, Oaxaca, Mexico.
(Courtesy PAA)

of your clothing from home, but when you travel again you'll be able to go on a shopping spree anywhere and find almost anything you need. The price may seem high in some places, but remember that it's costly to deliver equipment and set up factories.

Few automobiles are manufactured in the Spanish-speaking world, but many assembly plants have been built throughout Spanish America. Spain now produces its own compact car — a Spanish version of the Italian FIAT, called a SEAT. How easy it is to maneuver a SEAT through rush hour traffic in Barcelona!

And now, guidebook in hand, you can set out once more on a journey to the Hispanic world, either by SEAT, train, ship, or jet — take your choice. This year you'll be able to converse in Spanish from the very be-

(Top) An operator places bobbins on racks in a nylon factory in Argentina. Rayon and cellophane are also produced here. (Bottom) A modern mechanical crane unloads sugar cane from traditional Costa Rican carts at one of the largest sugar mills in the country.

ginning of your trip, and when you return home the chances are that you'll start planning another trip. A new horizon is opening up before you! « ¡ Buen viaje, amigo! »

EL ESPAÑOL AL DÍA

(Above) Heavy blankets and cool weather on the equator? Yes, in Otavalo, in northern Ecuador, where the altitude is quite high. (Opposite) The terrace of the Hotel Sucre, named for one of the great South American liberators, in La Paz, Bolivia, is a delightful spot for lunch. (By Ewing Galloway, N.Y.)

Preliminary Lesson I

Saludos

Carlos. Buenos días, señorita Flores.
Srta. Flores. Muy buenos, Carlos. ¿Cómo está Vd.?
Carlos. Muy bien, gracias.
Srta. Flores. ¿Tiene Vd. mucho que hacer hoy?
Carlos. No, hoy tengo poco que hacer. 5
Srta. Flores. ¿Va Vd. a comprar sus libros?
Carlos. Sí, tengo que ir a la librería para comprarlos.
Srta. Flores. ¿Dónde están sus amigos? No los veo.
Carlos. Creo que están en el café. ¿No tiene Vd. tiempo para ir a
tomar un refresco antes de volver a su oficina? 10
Srta. Flores. Sí, con mucho gusto. Vamos, porque tengo mucha sed.

---

antes de volver   *before returning*
buenos días   *good morning (day)*
con mucho gusto   *gladly, with great pleasure*
muy buenos   *good day (morning)*
tener (mucho) que (hacer)   *to have (much)*
  (*to do*)

tener que (ir)   *to have to (go)*
tener (mucha) sed   *to be (very) thirsty*
tener tiempo para   *to have time to*
tomar un refresco   *to have (take) a cold
  drink* (refreshment)
vamos   *let's go*

---

1. Memorize the dialogue so that you may repeat it with your teacher or with one of your friends.
2. Review the expressions on the next page so that you may substitute some of them in the dialogue above, or make up a new dialogue based on the model.

11

así, así   *so-so*
bastante bien   *quite well*
buenas tardes   *good afternoon*
como siempre   *as usual*

muy buenas   *good afternoon*
perfectamente bien   *fine*
¿ qué tal ?   *how are you?   how goes it?*
regular   *fair*

ir a almorzar   *to go to (take) lunch*
ir a casa   *to go home*
ir a la biblioteca   *to go to the library*
ir a la clase   *to go to class*

ir a la escuela   *to go to school*
ir al centro   *to go downtown*
ir al cine   *to go to the movie(s)*
ir de compras   *to go shopping*

3. For further practice memorize the following dialogue in which familiar forms of address are used:

MARÍA. — Hola, José.

JOSÉ. — Hola, María. ¿ Cómo estás ?

MARÍA. — Bien, gracias. ¿ Y tú ?

JOSÉ. — Como siempre, gracias. ¿ Qué hay de nuevo ?

MARÍA. — Nada.

JOSÉ. — ¿ Quieres ir al cine esta noche ?

MARÍA. — Sí, con mucho gusto. Sé que dan una película muy buena. ¿ Vamos a las siete ?

JOSÉ. — Sí, esa hora me parece bien. Pues, hasta luego.

MARÍA. — Adiós.

dar una película   *to show (present) a film*
esta noche   *tonight*
hasta luego   *see you (until) later*

me parece bien   *(it) is all right with me, (it) is O.K. with me*
¿ qué hay de nuevo ?   *what's new?*
¿ vamos a las siete ?   *shall we go at seven?*

PARA REPASAR   (*For review*)

In order to help you understand and use Spanish more readily this year, you will need to study again some of the verbs and expressions which you have used earlier.

I. Some common regular verbs [1] are:

comprar   *to buy*
contestar   *to answer*
entrar   *to enter*
esperar   *to wait (for), hope*
hablar   *to speak*
llevar   *to carry, take, wear*

mandar   *to send, order*
mirar   *to look (at)*
necesitar   *to need*
preguntar   *to ask* (a question)
tomar   *to take, drink, eat*
trabajar   *to work*

aprender   *to learn*
comer   *to eat, dine*

comprender   *to understand*
vender   *to sell*

abrir   *to open*
escribir   *to write*

recibir   *to receive*
vivir   *to live*

---

[1] In Appendix F, page 412, study the present, imperfect, preterite, future, and conditional indicative tenses, the present participle, and the past participle of regular verbs.

a. QUESTION AND ANSWER DRILL. Listen carefully to the question, then give the correct answer in Spanish. In this and similar drills your teacher may indicate with a gesture that a negative answer is expected.

1. ¿ Habla Vd. español ?   Sí, hablo español.
   ¿ Hablan Vds.   Sí, hablamos español.
   ¿ Trabaja Vd. mucho ?   Sí, trabajo mucho.
   ¿ Trabajan Vds.   Sí, trabajamos mucho.
   ¿ Aprende Vd. el español ?   Sí, aprendo el español.
   ¿ Aprenden Vds.   Sí, aprendemos el español.
   ¿ Come Vd. a las seis ?   Sí, como a las seis.
   ¿ Comen Vds.   Sí, comemos a las seis.
   ¿ Vive Vd. en esta ciudad ?   Sí, vivo en esta ciudad.
   ¿ Viven Vds.   Sí, vivimos en esta ciudad.
   ¿ Recibe Vd. muchas cartas ?   Sí, recibo muchas cartas.
   ¿ Reciben Vds.   Sí, recibimos muchas cartas.

2. ¿ Compró Vd. papel ?   No, no compré papel.
   ¿ Compraron Vds.   No, no compramos papel.
   ¿ Vendió Vd. los libros ?   No, no vendí los libros.
   ¿ Vendieron Vds.   No, no vendimos los libros.

For further drill ask for negative answers in 1 and affirmative answers in 2.

b. SUBSTITUTION DRILL. Say the sentence in Spanish, then repeat, substituting the subjects in parentheses for those in italics. In this type of drill be sure to make the verb agree with the subject and continue in the same tense of the verb.

1. *Los muchachos* miran el mapa.
   (Juan, Juan y yo, Vd., Tú, Yo, Ellos)
2. *El alumno* no comprende bien las frases.
   (Yo, Tú, María y yo, Las muchachas, Vd., Vds.)
3. ¿ Abre *ella* las ventanas ?
   (ella y yo, yo, los muchachos, Vd., Felipe, tú)
4. *Yo* no esperé a Juan.
   (Ella, Ella y yo, Vds., Tú, Nosotros, Mis amigos)
5. *Ella y yo* aprendimos la canción.
   (Dorotea, Yo, Los alumnos, Felipe, Tú, Vds.)
6. *José y Jorge* escribieron una carta en español.
   (José, José y yo, Yo, Vd., Ellos, Tú)
7. *Ella* necesitaba mandarlas.
   (Yo, Él, Los alumnos, Ana, Pablo y yo, Tú, Vd.)
8. *Mis padres* vivían en México.
   (Mi tío, Yo, Mi hermano y yo, Vd., Ella, Tú)
9. *Elena* los llevará a casa.
   (Yo, Tú, Vd., Los muchachos, Ana y yo, Mi amigo)
10. ¿ A dónde los mandarían *Vds.* ?
    (ella, Carlos y él, tú, Vd., yo, nosotros)

c. Give the Spanish for:

1. they are living. 2. I understand. 3. we shall eat. 4. he would carry. 5. they will open. 6. I answer. 7. he answered. 8. I was looking at. 9. he was waiting. 10. he sold. 11. he would write. 12. we learn. 13. we did not learn. 14. you received. 15. you (*pl.*) asked. 16. you (*fam. sing.*) spoke. 17. you (*fam. sing.*) will learn. 18. working. 19. eating. 20. living.

II. Some common verbs which have irregular forms in the present indicative are:

decir	digo dices dice decimos decís dicen
estar	estoy estás está estamos estáis están
haber	he has ha hemos habéis han
ir	voy vas va vamos vais van
oír	oigo oyes oye oímos oís oyen
poder	puedo puedes puede podemos podéis pueden
querer	quiero quieres quiere queremos queréis quieren
ser	soy eres es somos sois son
tener	tengo tienes tiene tenemos tenéis tienen
venir	vengo vienes viene venimos venís vienen

Eight common irregular verbs have regular forms in the present tense, except in the first person singular: **dar** (**doy**), **hacer** (**hago**), **poner** (**pongo**), **saber** (**sé**), **salir** (**salgo**), **traer** (**traigo**), **valer** (**valgo**), **ver** (**veo**). Also irregular only in the first person singular is **conocer** (**conozco**).

a. Complete each question and answer with the correct form of the present indicative tense of the verb in parentheses:

1. (decir) ¿ Qué ——— Vd. ? No ——— nada. 2. (dar) ¿ Quiénes les ——— a Vds. el dinero ? Nuestros padres nos ——— el dinero. 3. (estar) ¿ Dónde ——— el coche ? ——— en el garaje. 4. (querer) ¿ ——— Vds. ir conmigo ? No, no ——— ir con Vd. hoy. 5. (tener) ¿ ——— Juan y yo bastante dinero ? Sí, Vds. ———-bastante dinero. 6. (saber) ¿ ——— Vd. cuánto vale el sombrero ? Sí, ——— cuánto vale. 7. (poder) ¿ ——— tú venir a mi casa ? No, no ——— venir. 8. (hacer) ¿ Qué ——— Vds. ahora ? No ——— nada. 9. (ver) ¿ Quién nos ——— ? Nadie nos ———. 10. (traer) ¿ Qué te ——— tus tíos ? Mis tíos me ——— una pulsera. 11. (ser) ¿ ——— yo bastante alto para jugar al básquetbol ? Sí, tú ——— bastante alto. 12. (ir) ¿ Quiénes ——— a jugar ? Carlos y yo ——— a jugar. 13. (hacer) ¿ ——— sus padres y Vd. un viaje ? Sí, ——— un viaje por España. 14. (oír) ¿ ——— Vd. a su hermanito ? Sí, le ———. 15. (poner) ¿ Dónde ——— yo estos libros ? Vd. los ——— en esa mesa. 16. (salir) ¿ ——— tú a las ocho ? Sí, ——— a las ocho. 17. (conocer) ¿ ——— Vd. a aquella muchacha ? Sí, la ——— bien. 18. (tener) ¿ ——— Vd. tiempo para hablar ? No, no ——— tiempo ahora.

b. Give the Spanish for:

1. I give, do, go, say, know (*a fact*).
2. I leave, come, bring, hear, know (*a person*).

3. Mary and Jane come, bring, see, want, leave.
4. John and I come, see, go, make, say.
5. You (*fam. sing.*) make, say, leave, put, have.
6. You (*pl.*) can, hear, do, say, give.

III. Some stem-changing verbs, Class I,[1] are:

acostarse (ue)	*to go to bed*	empezar (ie)	*to begin*
almorzar (ue)	*to take lunch*	encontrar (ue)	*to encounter, find*
cerrar (ie)	*to close*	jugar (ue)	*to play (a game)*
comenzar (ie)	*to commence, begin*	mostrar (ue)	*to show*
contar (ue)	*to count, relate*	pensar (ie)	*to think*
costar (ue)	*to cost*	recordar (ue)	*to recall, remember*
despertarse (ie)	*to wake up*	sentarse (ie)	*to sit down*
devolver (ue)	*to return, give back*	volver (ue)	*to return, come back*

a. SUBSTITUTION DRILL.

1. *Yo* empiezo a leer.
   (Vd., Vd. y yo, Tú, Los alumnos, Vds., La muchacha)
2. *Los alumnos* les muestran las fotografías.
   (Dorotea, Ella y yo, Yo, Vd., Ellos, Tú)
3. ¿ Cuenta *Juan* el dinero ?
   (Vd., tú, yo, nosotros, él, ellos)
4. ¿ Juegas *tú* al fútbol ?
   (yo, Vds., él y yo, José, los muchachos, él)
5. ¿ La cierra *Vd.* ?
   (tú, Tomás, Vd. y yo, yo, las alumnas, Vds.)

b. The verbs in the following sentences are in the preterite tense. Read the sentences as they appear, then reread them, changing each verb to the present tense:

1. Empezó a llover. 2. Volví a casa en seguida. 3. Cerré la puerta. 4. Encontré a mi hermano en la sala. 5. Empezamos a hablar. 6. Jugamos a los naipes. 7. Mis padres se despertaron. 8. Comenzaron a hacernos preguntas. 9. Recordé el regalo para mi hermano. 10. Se lo mostré a él. 11. No costó mucho. 12. Conté el dinero. 13. Se lo devolví a mi padre. 14. Pensé en la hora. 15. Mi hermano y yo nos acostamos. 16. Me desperté a las siete y media. 17. Mi hermano no se despertó hasta las ocho. 18. Almorzó en el centro.

c. Give the Spanish for:

1. He goes to bed, awakens, recalls, thinks, counts, commences. 2. They encounter, close, sit down, begin, eat lunch, return. 3. I remember, show, count, find, close, play (*a game*).

---

[1] In Appendix F, page 412, review the present indicative of the stem-changing verbs, Class I. The forms in all other indicative tenses are regular.

*(Above) Traffic moves continuously around this fountain in Caracas'
Plaza Venezuela. (Opposite) Children enjoy a bit of freedom while
their nursemaids sew and visit together on a park bench in Buenos
Aires, Argentina.*

Preliminary Lesson II

¿ Qué hiciste tú ?

Teresa. Marta, ¿ qué hiciste ayer por la tarde ?
Marta. Fui [1] al centro.
Teresa. ¿ Fuiste en coche ?
Marta. No, fui en autobús, pero tuve que volver en taxi.
Teresa. ¿ Compraste muchas cosas ? 5
Marta. Solamente una blusa y unas medias. Pero, ¿ cómo pasaste tú la tarde ?
Teresa. Jorge y yo dimos un paseo por el parque. Hacía buen tiempo, como sabes, y pasamos dos horas allí paseando y hablando.
Marta. ¿ Vas a casa ahora ? 10
Teresa. Sí, porque en este momento me espera mi mamá.

ayer por la tarde *yesterday afternoon*	en este momento *at this moment*
dar un paseo *to take a walk, stroll*	hacer buen tiempo *to be nice weather*
en coche (autobús, avión, taxi) *by car* (*bus, plane, taxi*)	

1. Memorize the dialogue so that you may repeat it with one of your friends.
2. Make up short dialogues between students who have been downtown buying other articles of clothing or school supplies.

[1] Accents previously used on the first and third persons singular preterite of **ir** (also **dar, ser,** and **ver**) are now omitted.

PARA REPASAR

I. Some common verbs which are irregular in the preterite indicative tense are:

Inf.	Preterite
decir	dije dijiste dijo dijimos dijisteis dijeron
hacer	hice hiciste hizo hicimos hicisteis hicieron
querer	quise quisiste quiso quisimos quisisteis quisieron
venir	vine viniste vino vinimos vinisteis vinieron
estar	estuve estuviste estuvo estuvimos estuvisteis estuvieron
poder	pude pudiste pudo pudimos pudisteis pudieron
poner	puse pusiste puso pusimos pusisteis pusieron
saber	supe supiste supo supimos supisteis supieron
tener	tuve tuviste tuvo tuvimos tuvisteis tuvieron
traer	traje trajiste trajo trajimos trajisteis trajeron
dar	di diste dío dimos disteis dieron
ir, ser	fui fuiste fue fuimos fuisteis fueron
ver	vi viste vio vimos visteis vieron

In the forms listed above note that:

(1) There are no written accents on any of the forms, and that the first person singular ends in –e and the third singular in –o in the first ten.

(2) In the third person plural of **decir** and of **traer** the ending is –**eron**.

(3) The third singular of **hacer** is **hizo**.

(4) **Ir** and **ser** are alike in the preterite.

(5) Accents previously used on the first and third persons singular of **dar, ir, ser,** and **ver** are now omitted.

A few verbs have special meanings in the preterite tense. The preterite of **saber** usually means *learned, found out:* **Lo supo ayer,** *He learned it (found it out) yesterday;* that of **tener** often means *got, received:* **Tuve una carta,** *I got (received) a letter;* that of **querer** often means *tried:* **Quiso hacerlo pero no pudo,** *He tried to do it but couldn't.* With a negative **querer** often means *refused to, would not:* **No quisieron venir,** *They refused to (would not) come.*

a. QUESTION AND ANSWER DRILL.

1. ¿ Dio Vd. un paseo anoche ? — Sí, di un paseo anoche.
   ¿ Fue Vd. al cine ? — Sí, fui al cine.
   ¿ Vio Vd. una buena película ? — Sí, vi una buena película.
   ¿ Estuvo Vd. aquí ayer ? — Sí, estuve aquí ayer.
   ¿ Hizo Vd. un viaje el verano pasado ? — Sí, hice un viaje el verano pasado.
   ¿ Supo Vd. lo que pasó en el centro ? — Sí, supe lo que pasó en el centro.

2. ¿ Vinieron Vds. a la escuela anoche ? — No, no vinimos a la escuela anoche.
   ¿ Trajeron Vds. los libros a la clase ? — No, no trajimos los libros a la clase.

(*Top*) *Bell towers in the Plaza de Armas in Arequipa, Peru.* (*Courtesy PAA*)
(*Bottom*) *These buildings are devoted to the teaching of science at the National University, Mexico City. Notice the glass mosaic mural on the Science Auditorium, which represents "The Conquest of Energy."*

¿ Los pusieron Vds. en la mesa ?	No, no los pusimos en la mesa.
¿ Pudieron Vds. estudiar mucho ?	No, no pudimos estudiar mucho.
¿ Vieron Vds. un partido de fútbol ?	No, no vimos un partido de fútbol.
¿ Quisieron Vds. ir al parque ayer ?	No, no quisimos ir al parque ayer.

b. Complete each sentence with the correct form of the preterite tense of the verb in parentheses:

1. ¿ Qué (hacer) Vd. cuando Roberto le llamó ? 2. Me (poner) el sombrero y salí. 3. Yo (ir) al centro donde vi a varios amigos. 4. ¿ (Poder) Vds. encontrar un regalo de cumpleaños para mamá ? 5. Sí, pero nosotros (tener) que ir a varias tiendas. 6. Nosotros (saber) que todo es muy caro. 7. Nosotros le (traer) a ella una pulsera de oro. 8. ¿ Se la (dar) Vds. en seguida ? 9. No (poder) dársela hasta esta noche. 10. Se la dimos a ella cuando (venir) a llamarnos a las seis.

c. Say in Spanish, then repeat, changing the verb to the preterite:

1. No hago nada. 2. Juan me lo dice. 3. Mis amigos salen a las cinco. 4. Me traen muchos regalos. 5. Van en avión. 6. No quieren volver pronto. 7. No te oigo. 8. ¿ Qué ves ? 9. ¿ A dónde vas ? 10. María lo sabe. 11. ¿ Quién viene contigo ? 12. Nunca podemos hacerlo. 13. Papá nos da el dinero. 14. ¿ Hace Vd. mucho trabajo ? 15. ¿ Dónde pone Vd. los paquetes ? 16. Los pongo en la mesa.

d. Give the Spanish for:

1. I saw, went, put, came, was (**estar**).
2. We gave, found out, wanted, saw, came.
3. He made, had (got), could, put, brought.
4. They said, brought, were (**ser**), went, gave.
5. You (*fam. sing.*) gave, went, said, saw, put.
6. You came, gave, said, found out, wanted.

II. Certain verbs have changes in spelling in the first person singular preterite:

Inf.	*Preterite*
buscar	**busqué** buscaste buscó, *etc.*
llegar	**llegué** llegaste llegó, *etc.*
empezar	**empecé** empezaste empezó, *etc.*

Verbs ending in –**car** change **c** to **qu**; those in –**gar** change **g** to **gu**; and those in –**zar** change **z** to **c** in the first person singular preterite. In the vocabularies verbs of this type will be indicated thus: **llegar (gu)**. Since **empezar** is also a stem-changing verb, it will be listed: **empezar (ie;c)**.

Other common verbs of this type are:

acercarse (qu) *to approach*	comenzar (ie;c) *to commence, begin*
almorzar (ue;c) *to take lunch*	empezar (ie;c) *to begin*

gozar (c) *to enjoy*
jugar (ue;gu) *to play* (a game)
llegar (gu) *to arrive*

pagar (gu) *to pay, pay for*
sacar (qu) *to take out*
tocar (qu) *to play* (music)

creer (y)   **creí creíste creyó creímos creísteis creyeron**
leer (y)   **leí leíste leyó leímos leísteis leyeron**
oír (y)   **oí oíste oyó oímos oísteis oyeron**

In these verbs note particularly the change of **i** to **y** in writing the third persons singular and plural preterite, and the written accents on the other forms. **Caer**, *to fall*, has the same changes in the preterite.

a. Read in Spanish, then repeat, changing from the preterite to the present tense:

1. Llegué al teatro. 2. Pagué mi billete. 3. Me acerqué a un hombre. 4. Empecé a hablar con él. 5. Esta mañana jugué al béisbol con sus dos hijos. 6. Toqué el piano para Dolores, su hija mayor. 7. Almorcé con él en su club. 8. Antes de volver a casa saqué unos libros de la biblioteca central. 9. Los leí y más tarde Dolores los leyó también. 10. Busqué un regalo para mis amigos. 11. Juan no me oyó cuando le llamé. 12. No me creyó cuando le dije que no gocé de la música.

b. Give the Spanish for:

1. I take lunch, took lunch. 2. I arrive, arrived. 3. I play (*a game*), played. 4. I begin, began. 5. I approach, approached. 6. I take out, took out. 7. I paid, he paid. 8. I played (*music*), he played. 9. he reads, read. 10. he believes, believed. 11. he hears, heard. 12. we heard, believed.

(*Above*) This housing project, called the "*Centro Urbano Presidente Juárez,*" honors Benito Juárez, one of Mexico's great heroes, and provides housing for government employees in the capital. (*Opposite*) Mexico's principal gulf port, Veracruz, is the setting for the beautiful Hotel Mocambo.

Preliminary Lesson III

Grabando cintas

Tomás. Ricardo, ¿ dónde has estado ? Te llamé por teléfono y nadie contestó.

Ricardo. ¿ Qué hora era cuando me llamaste ?

Tomás. A eso de las siete y media.

Ricardo. Pues, he estado en casa de Roberto. Fui allá a ver su grabadora 5 de cinta. ¿ Sabes que su papá le ha comprado una nueva ?

Tomás. ¡ Qué bueno ! Roberto no me ha dicho nada de eso.

Ricardo. Esta noche hemos escuchado varias cintas de diálogos en español. Mañana por la noche pensamos grabar otra. ¿ Podrás ir conmigo a casa de Roberto ? 10

Tomás. ¡ Cómo no ! ¿ A qué hora irás ?

Ricardo. A las siete.

Tomás. Está bien. Pasaré por tu casa un poco antes de esa hora. Adiós.

Ricardo. Hasta mañana por la noche.

a casa de (Roberto) *to (Robert's)*	la grabadora (de cinta) *(tape) recorder*
a eso de *at about*	grabar *to record*
la cinta *tape*	llamar por teléfono *to telephone*
¡ cómo no ! *of course! certainly!*	mañana por la noche *tomorrow night*
en casa de (Roberto) *at (Robert's)*	pensar (+ *inf.*) *to intend*
está bien *all right, fine, O.K.*	¡ qué bueno ! *how fine (nice, wonderful)!*

1. Memorize the dialogue so that you may repeat it with one of your friends.
2. Be able to give the same dialogue using polite forms of address.

Answer in Spanish these questions based on the dialogue:

1. ¿ Quién llamó a Ricardo por teléfono ? 2. ¿ Quién contestó ? 3. ¿ Qué hora era cuando le llamó Tomás ? 4. ¿ Dónde ha estado Ricardo ? 5. ¿ Por qué fue a

23

casa de Roberto ? 6. ¿ Qué ha comprado el papá de Roberto ? 7. ¿ Qué han escuchado Ricardo y Roberto ? 8. ¿ Qué piensan hacer mañana por la noche ? 9. ¿ Podrá ir Tomás a casa de Roberto ? 10. ¿ A qué hora irán ? 11. ¿ Cuándo pasará Tomás por la casa de Ricardo ? 12. ¿ Qué dice Ricardo ?

PARA REPASAR

I. Verbs irregular in the future and conditional tenses are:

Inf.	*Future*	*Conditional*
1. **haber**	habré, –ás, –á, *etc.*	habría, –ías, –ía, *etc.*
poder	podré, –ás, –á, *etc.*	podría, –ías, –ía, *etc.*
querer	querré, –ás, –á, *etc.*	querría, –ías, –ía, *etc.*
saber	sabré, –ás, –á, *etc.*	sabría, –ías, –ía, *etc.*
2. **poner**	pondré, –ás, –á, *etc.*	pondría, –ías, –ía, *etc.*
salir	saldré, –ás, –á, *etc.*	saldría, –ías, –ía, *etc.*
tener	tendré, –ás, –á, *etc.*	tendría, –ías, –ía, *etc.*
valer	valdré, –ás, –á, *etc.*	valdría, –ías, –ía, *etc.*
venir	vendré, –ás, –á, *etc.*	vendría, –ías, –ía, *etc.*
3. **decir**	diré, –ás, –á, *etc.*	diría, –ías, –ía, *etc.*
hacer	haré, –ás, –á, *etc.*	haría, –ías, –ía, *etc.*

The future and conditional tenses have the same stem, and the endings are the same as for the regular verbs. The irregularity is in the infinitive stem used. In group (1) the final vowel of the infinitive has been dropped; in (2) the final vowel of the infinitive has been dropped and the letter **d** inserted for pronunciation; and in (3) different stems are used.

a. Begin each expression with **Dice que** and change the infinitive in italics to the correct future form. Repeat, beginning with **Dijo que** and changing the infinitive to the conditional tense:

1. *saber* terminarlo.
2. *poder* llevarlos al partido.
3. *salir* después de comer.
4. *hacer* el trabajo.
5. *poner* las cosas en la mesa.
6. no *tener* tiempo para ir conmigo.
7. no *querer* devolver los libros.
8. *haber* comprado el coche.
9. no *venir* al baile.
10. no *valer* la pena.

b. Give the Spanish for:

1. I shall have, place. 2. he will know (*a fact*), be able. 3. we shall say, do. 4. you will come, say. 5. it will be worth, would be worth. 6. I would have, leave. 7. we would do, say. 8. they would be able, want.

II. The compound tenses [1] are formed by using the auxiliary verb **haber** with the past participle. The past participles on the following page are irregular.

---

[1] In Appendix F, page 412, study the present perfect, pluperfect, future perfect, and conditional perfect indicative tenses. (The preterite perfect will be taken up later.)

abrir:	**abierto**	devolver:	**devuelto**	poner:	**puesto**
decir:	**dicho**	escribir:	**escrito**	ver:	**visto**
descubrir:	**descubierto**	hacer:	**hecho**	volver:	**vuelto**
		ir:	**ido**		

Also note the written accent on these forms: **creer, creído; leer, leído; oír, oído; traer, traído.**

a. QUESTION AND ANSWER DRILL.

1. ¿ Ha abierto Vd. la puerta ?   Sí, he abierto la puerta.
¿ Ha escrito Vd. la composición ?   Sí, he escrito la composición.
¿ Ha hecho Vd. el trabajo ?   Sí, he hecho el trabajo.
¿ Ha visto Vd. al profesor de inglés ?   Sí, he visto al profesor de inglés.
¿ Ha puesto Vd. el libro en la mesa ?   Sí, he puesto el libro en la mesa.
¿ Ha leído Vd. las frases ?   Sí, he leído las frases.

2. ¿ Ha ido María a la escuela ?   No, María no ha ido a la escuela.
¿ Ha vuelto ella del centro ?   No, ella no ha vuelto del centro.
¿ Ha devuelto ella el vestido ?   No, ella no ha devuelto el vestido.
¿ Ha dicho ella cuándo lo hará ?   No, ella no ha dicho cuándo lo hará.
¿ Ha traído ella el paquete ?   No, ella no ha traído el paquete.
¿ Ha descubierto ella lo que pasó ?   No, ella no ha descubierto lo que pasó.

b. Give the past participles of the following pairs of verbs:

1. creer, querer. 2. dar, decir. 3. estar, estudiar. 4. lavar, levantar. 5. llegar, llevar. 6. poder, poner. 7. vender, venir. 8. ver, volver. 9. ir, leer. 10. abrir, escribir. 11. descubrir, devolver. 12. hacer, traer.

c. Say in Spanish, then repeat, using the future perfect and the pluperfect tenses in each sentence:

1. Lo he devuelto. 2. Los han traído. 3. Nos hemos levantado. 4. Ella no les ha dicho eso. 5. ¿ Me has visto ? 6. Se lo hemos dado a él. 7. No lo han hecho. 8. No se lo hemos traído a Vd. 9. ¿ No han vuelto a casa ? 10. ¿ Por qué no las ha escrito Vd. ? 11. ¿ Lo has abierto ? 12. ¿ Lo has puesto en la mesa ?

d. Say in Spanish, then repeat four times, changing the verb to the imperfect, preterite, future, and present perfect:

1. Busco la casa. 2. Pongo las cosas en la mesa. 3. Hago el trabajo. 4. Oye la música. 5. Les decimos eso. 6. Salen del edificio. 7. No traen nada. 8. ¿ Sabes eso ? 9. ¿ Puede Vd. hacerlo ? 10. Empiezo a leer el libro.

e. Give the Spanish for:

1. I have opened, written. 2. we have seen, made. 3. she has returned, brought. 4. he has said, gone. 5. we had read, believed. 6. I shall have spoken, said. 7. they will have discovered, returned (*given back*). 8. he would have heard, been able. 9. you have put, done. 10. you have said, had seen.

The San Luis Rey Mission near Oceanside, California, was among the last of the twenty-one missions built in California in the late eighteenth century by the Franciscan monks to educate, train, and give religious instruction to the Indians. It still serves as a house of worship.

Lección primera

¿ Dónde pasó usted sus vacaciones?

Srta. Valles. Buenos días.

Alumnos. Buenos días, señorita Valles.

Srta. Valles. Me alegro mucho de verlos a Vds. Juan, ¿ cómo pasó Vd. el verano ?

Juan. Lo pasé trabajando en la tienda de mi tío Roberto. Me gustó 5 el trabajo y ahora trabajo allí todos los sábados.

Srta. Valles. ¡ Qué bueno ! ¿ Y Vd., Eduardo ?

Eduardo. Trabajé en una estación de gasolina. Con el dinero que gané, pienso comprar un coche algún día pero mi padre tiene otras ideas. 10

Srta. Valles. Pues, cuesta mucho tener coche, Eduardo, especialmente si no es nuevo. ¿ Y Vd., María ? ¿ Se quedó aquí todo el verano ?

María. No, señorita, hice un viaje interesante a California. Fui con mis padres y con mis hermanos menores. 15

Srta. Valles. ¿ Fueron Vds. en avión ?

María. No, señorita, en coche. Este año mi papá tuvo cuatro semanas de vacaciones; así es que tuvimos tiempo para visitar muchos sitios interesantes. ¡ Cuántos nombres españoles se encuentran en California ! Hay ríos, montañas, pueblos, 20 ciudades, calles y aún restaurantes con nombres españoles. Me dio mucho gusto poder pronunciarlos.

Srta. Valles. ¡ Qué bien ! También en otras partes de los Estados Unidos los [1] hay. Dorotea, ¿ se quedó Vd. aquí ?

Dorotea. En julio y agosto, sí, pero en junio mi hermana y yo visitamos 25 a nuestros abuelos que viven en Tampa. En la Florida el español se oye con mucha frecuencia y tuve oportunidad de hablarlo con varios muchachos que conocí allí.

---

[1] The pronouns **le, lo, la, los, las,** may be used to recall a previous noun without repeating it. In English an indefinite word such as *one, any, some, such* is used: **los hay,** *there are some (such).*

Srta. Valles. ¡Qué maravilloso! Pues, ¿ quién visitó otra parte del país?

Roberto. Yo, señorita Valles. Mi primo Jaime me invitó a pasar dos semanas en el estado de Nueva York. Mis tíos siempre pasan el verano en un lago muy bonito que está cerca del Canadá.

5 Es uno de los sitios más hermosos que jamás he visto.

Srta. Valles. Gracias, Roberto. Ahora nos queda tiempo para platicar solamente con dos personas más. (*Bárbara levanta la mano.*) ¿ Bárbara ?

Bárbara. Trabajé de secretaria en una oficina grande y a veces tuve
10 oportunidad de traducir [1] cartas del español al inglés. Así es que yo también practiqué el español en mi trabajo.

Srta. Valles. Sin duda tendrá Vd. otras oportunidades. ¿ Isabel ?

Isabel. Pues, no hice nada interesante. Ayudé a mamá por las mañanas y pasé las tardes leyendo revistas y periódicos
15 españoles o jugando al golf. Por las noches fui con mis amigos al cine, a veces a dar un paseo en coche. Otras veces nos quedamos en casa y bailamos, jugamos a los naipes o miramos la televisión.

Srta. Valles. Pero Vd. también ha pasado un verano agradable, ¿ verdad ?
20 Bueno, otro día hablaremos más. Hasta mañana.

PALABRAS Y EXPRESIONES

a veces *at times*
alegrarse (mucho) de *to be (very) glad to*
así es que *so, so that, thus, and so*
con mucha frecuencia *very frequently*
dar un paseo en coche *to take a ride, go riding*
hacer un viaje *to take (make) a trip*
maravilloso, -a *marvelous, wonderful*
me gustó (el trabajo) *I liked (the work)*
¿ (no es) verdad ? *isn't it true? etc.*

nos queda (tiempo) *we have (time) left*
por las mañanas (noches) *in the mornings (evenings)*
¡ qué bien ! *how nice (fine, wonderful) !*
sin duda *doubtless, without a doubt*
tener oportunidad de *to have an opportunity to*
todo (el verano) *all (summer)*
todos (los sábados) *every (Saturday)*
(trabajar) de *(to work) as (a, an)*

Preguntas

Answer in Spanish these questions based on the dialogue:

1. ¿ Cómo se llama la profesora ? 2. ¿ Cómo pasó el verano Juan ? 3. ¿ Le gustó el trabajo ? 4. ¿ Todavía trabaja allí ? 5. ¿ Dónde trabajó Eduardo ? 6. ¿ Qué piensa comprar algún día ? 7. ¿ Qué hizo María ? 8. ¿ Fue allá sola ?

[1] For forms of **traducir**, *to translate*, see **conducir**, page 237.

9. ¿ Fueron en avión ? 10. ¿ Cuántas semanas de vacaciones tuvo el papá de María ? 11. ¿ Se encuentran muchos nombres españoles en California ? 12. ¿ Se quedó en casa Dorotea ? 13. ¿ Qué hizo en junio ? 14. ¿ Quién la acompañó ? 15. ¿ Se oye el español en la Florida ? 16. ¿ A quién visitó Roberto ? 17. ¿ Dónde pasan el verano sus tíos ? 18. ¿ Cómo es el sitio ? 19. ¿ Dónde trabajó Bárbara ? 20. ¿ Qué oportunidad tuvo ella ? 21. ¿ Hizo algo interesante Isabel ? 22. ¿ Qué hizo por las mañanas ? 23. ¿ Cómo pasó las tardes ? 24. ¿ Qué hicieron sus amigos y ella por las noches ?

Gramática

1. Uses of the infinitive

a. Quieren (Pueden) leer. — They want to (can) read.
Piensa hacer el viaje. — He intends to take the trip.
Espero (Debo) aprenderlo. — I hope to (must) learn it.
Me gusta viajar. — I like to travel (To travel pleases me).
Es fácil comprender eso. — It is easy to understand that.

Common verbs which do not require a preposition before an infinitive are: **deber, desear, esperar, necesitar, pensar (ie), poder, querer, saber.**

An infinitive may be used as the subject of a verb or after an impersonal expression (last two examples).

b. Van (Aprenden) a hablar. — They are going (learning) to talk.
Me ayuda (enseña) a hacerlo. — He helps (teaches) me to do it.

Verbs of motion, the verbs **empezar (ie;c)** and **comenzar (ie;c)**, meaning *to begin*, and others, such as **aprender**, *to learn*, **ayudar**, *to help*, **enseñar**, *to teach, show*, **invitar**, *to invite*, require the preposition **a** before an infinitive.

c. Me alegro mucho de verlos a Vds. — I am very glad to see you.
Tuvimos tiempo para visitarlos. — We had time to visit them.
Tuve que ir al centro. — I had to go downtown.
Después de tomar café, salí. — After taking coffee, I left.
Al abrir la puerta, entró. — On opening (When he opened) the door, he entered.

In Spanish the infinitive is the verb form used after a preposition and after certain expressions such as **tener que**, *to have to*.

Al plus an infinitive usually means *on, upon*, plus the present participle, but the construction may replace a *when*-clause (last example).

Ejercicio 1. Question and answer drill.

1. ¿ Se alegra Vd. mucho de estar aquí ? — Sí, me alegro mucho de estar aquí.
¿ Le gusta a Vd. viajar en avión ? — Sí, me gusta viajar en avión.

¿ Da Vd. paseos en coche ?	Sí, doy paseos en coche.
¿ Tiene Vd. tiempo para estudiar ?	Sí, tengo tiempo para estudiar.
¿ Tiene Vd. oportunidad de practicar ?	Sí, tengo oportunidad de practicar.

2.
¿ Pueden Vds. hablar español ?	Sí, podemos hablar español.
¿ Esperan Vds. aprender más ?	Sí, esperamos aprender más.
¿ Deben Vds. practicar mucho ?	Sí, debemos practicar mucho.
¿ Quieren Vds. ir a México ?	Sí, queremos ir a México.
¿ Piensan Vds. hacer un viaje ?	Sí, pensamos hacer un viaje.

3.
¿ Aprende Vd. a leer el español ?	Sí, aprendo a leer el español.
¿ Empieza Vd. a escribirlo ?	Sí, empiezo a escribirlo.
¿ Va Vd. a trabajar mucho este año ?	Sí, voy a trabajar mucho este año.
¿ Enseño a los alumnos a hablar ?	Sí, Vd. enseña a los alumnos a hablar.
¿ Los ayudo a pronunciar bien ?	Sí, Vd. los ayuda a pronunciar bien.

Ejercicio ii.   Read in Spanish, supplying any words needed to complete each sentence:

1. Vamos —— salir ahora. 2. Necesito —— comprar un par de zapatos. 3. ¿ Quiere Vd. —— ir con nosotros ? 4. Vd. puede —— comprar la blusa en el centro. 5. Esperamos —— volver pronto. 6. No nos gusta —— pasar mucho tiempo allí. 7. Pensamos —— ir al cine esta tarde. 8. Ya empieza —— llover. 9. Debemos —— quedarnos en casa. 10. Me alegro —— estar aquí. 11. Después de almorzar podemos —— jugar a los naipes. 12. ¿ Tiene Vd. tiempo —— jugar ? 13. ¿ Quién ayuda a mamá —— preparar la comida ? 14. Ella le enseñará —— hacer el café. 15. ¿ Sabe Vd. —— preparar la ensalada (salad) ? 16. Sí, aprendí —— prepararla esta mañana. 17. Es muy fácil —— prepararla. 18. ¿ Le gusta a Vd. —— ayudar a su mamá ? 19. Sí, me gusta —— ayudarla. 20. Pienso —— hacerlo todos los días.

Ejercicio iii.   Give the Spanish for:

1. Upon arriving they went to the hotel. 2. Before entering they bought a newspaper. 3. I didn't have an opportunity to see them. 4. They didn't have time to call me. 5. They left without seeing me. 6. They had to return by plane. 7. John is glad to be here today. 8. He doesn't have much time left. 9. He has to take a trip to San Francisco. 10. His sister works there as (a) secretary.

2. Interrogatives

a. ¿ **Quién sale ?**	Who is leaving ?
¿ **A quiénes vio Vd. ?**	Whom did you see ?
¿ **De quién es el coche ?**	Whose car is it ? Whose is the car ?
¿ **Sabe Vd. quién vino ?**	Do you know who came ?

Near this very modern building which houses the San Salvador School for Girls in the capital city of El Salvador, you might find others whose architecture belongs to the Spanish colonial era.

¿ **Quién ?** (pl. ¿ **quiénes ?**) *who ? whom ?* refers only to persons and it requires the personal **a** when used as the object of the verb (second example).

Whose ? can only be expressed by ¿ **de quién ?** (pl. ¿ **de quiénes ?**) and the verb **ser.** All interrogatives bear the written accent in both direct and indirect questions.

b. ¿ **Qué compra María ?**   What is Mary buying ?
    ¿ **Qué es Juan ?** — **Es médico.**   What is John ? — He is a doctor.
    ¿ **Qué casa le gusta a Vd. ?**   What (Which) house do you like ?
    ¿ **Qué es esto ?**   What is this ?

¿ **Qué ?** *what ?* is both a pronoun and an adjective. As an adjective it may mean *which ?* For a definition, ¿ **qué ?** is used with **ser.**

c. ¿ **Cuál es su hermano ?**   Which one is his brother ?
    ¿ **Cuál es la fecha de hoy ?**   What is the date today ?
    ¿ **Cuáles quiere Vd. ?**   Which ones do you want ?
    ¿ **Cuál de los libros tiene ?**   Which (one) of the books does he have ?

¿ **Cuál ?** (pl. ¿ **cuáles ?**) *which ? which one(s)? what ?* is regularly used only as a pronoun. With **ser** use ¿ **cuál ?** unless a definition is asked for.

d. ¿ **cuánto, –a ?** how much (many) ?   ¿ **cuándo ?** when ?
    ¿ **dónde ?** where ?   ¿ **cómo ?** how ?
    ¿ **a dónde ?** where ? (*with verbs of mo-*   ¿ **para qué ?** why ? for what purpose ?
    tion)   ¿ **por qué ?** why ? for what reason ?

31

El Salvador's National Theater overlooks Central Park in the heart of San Salvador. (Courtesy PAA)

Central America has many volcanoes. These, in El Salvador, seem to rise out of the Pacific Ocean to meet the wing of the plane in the foreground.

Ejercicio i.   The teacher will direct the commands to individual students who will make a direct question of the latter part of each:

1. Pregúntele Vd. a (Juan) cómo se llama. ¿ Cómo se llama Vd. ?
cuándo viene. ¿ Cuándo viene Vd. ?
dónde vive. ¿ Dónde vive Vd. ?
a dónde va. ¿ A dónde va Vd. ?
cuántos hermanos tiene. ¿ Cuántos hermanos tiene Vd. ?

qué hora es. ¿ Qué hora es ?
qué casa le gusta. ¿ Qué casa le gusta a Vd. ?
qué es su padre. ¿ Qué es su padre ?
de quién es el lápiz. ¿ De quién es el lápiz ?
cuál es la fecha de hoy. ¿ Cuál es la fecha de hoy ?
quién es la muchacha. ¿ Quién es la muchacha ?
con quién estudia. ¿ Con quién estudia Vd. ?
cuánto tiempo estudia. ¿ Cuánto tiempo estudia Vd. ?

por qué no habla más. ¿ Por qué no habla Vd. más ?

qué compró ayer. ¿ Qué compró Vd. ayer ?
a quién vio anoche. ¿ A quién vio Vd. anoche ?
cuál de ellos salió. ¿ Cuál de ellos salió ?

Ejercicio ii.   Give in Spanish:

1. What house did he buy ? 2. Which one of the houses do you like ? 3. How many houses did you see ? 4. Whom did you see ? 5. Of whom are they talking ? 6. Whose hat is this ? 7. Which one is Dorothy's hat ? 8. How did you do that ? 9. When did you do that ? 10. How much time (How long) did you spend there ? 11. Where do you intend to go tomorrow ? 12. Why do you have to leave ? 13. Do you know what he has ? 14. How many brothers does he have ? 15. What is his father ?

Para practicar

a. Prepare a short **discurso** (*talk*) telling what you did during the summer vacation.

caution.   In preparing your **discursos** this year try to use only words and expressions which you have had previously.

b. Start the year right and keep a scrap book or have a bulletin board where you can put clippings about happenings in the Spanish-speaking world and about matters related to the study of Spanish.   Get into the habit of reading the newspapers and magazines carefully in your search for news.   It will repay you well.

Symbolic of *Venezuela's progress in education is the Central University in Caracas.
(Left) Students stop for a serious discussion
on the campus.*

The fifteen-story library towers above other modern buildings at the university.

Lección dos

Más vale tarde que nunca[1]

Eran las nueve menos cuarto. Marta y Dorotea charlaban a la puerta principal de la escuela mientras esperaban a sus amigos Carlos y Pablo. A poco llegó Carlos y le saludaron las muchachas.

Marta. Carlos, ¿ sabes dónde está Pablo ? Dijo que vendría temprano
esta mañana.   5

Carlos. No sé. Al salir de casa, no le vi. Como no quería llegar tarde,
decidí no esperarle.

Dorotea. Marta y yo llegamos hace diez minutos. Ya es hora de entrar.

Carlos. Un momento. Allí viene Pablo corriendo . . .

Marta. ¡ Hola, Pablo ! ¿ Qué pasa ? ¿ Por qué llegas tan tarde ?   10

Carlos. Creíamos que no llegarías a tiempo. ¿ No sabes que ya son casi
las nueve ?

Pablo. ¡ Cómo no ! Por eso venía yo corriendo. Pero puedo explicar.
Mi mamá no está en casa; ha ido a ver a mi abuela, que está
enferma, y mi papá salió temprano para tomar el tren de las seis   15
y media. Cuando me desperté eran las ocho y cuarto.

Dorotea. ¿ No tienes despertador ?

Pablo. Sí tengo uno, pero ya no funciona bien. Tendré que comprar
otro esta tarde. Aunque me levanté en seguida, no tuve tiempo
para desayunarme. No tomé más que un vaso de jugo de naranja,   20
y ya en la calle tomé un panecillo.

Carlos. Bueno, como se dice en español « Más vale tarde que nunca. »

Marta. Pero no es tarde. Según mi reloj nos quedan tres minutos. Las
clases empiezan a las nueve en punto y si nos damos prisa llegare-
mos a tiempo.   25

Dorotea. Pues, vamos. Al mediodía charlaremos más.

PALABRAS Y EXPRESIONES

(a las nueve) en punto *(at nine o'clock)*   a tiempo *on time*
  sharp   al mediodía *at noon*
a poco *shortly afterwards, immediately*   correr *to run*

[1] This proverb means *Better late than never.*

35

darse prisa *to hurry*
el despertador *alarm clock*
en seguida *at once, immediately*
funcionar *to function, work, run*
hace (diez minutos) *(ten minutes) ago*
jugo de naranja *orange juice*
llegar tarde *to be (arrive) late*
no . . . más que *only, not . . . more than*

por eso *for that reason, because of that, therefore*
¿ qué pasa ? *what's the matter? what goes on?*
ser hora de *to be time to*
(el tren) de las seis y media *the six-thirty (train)*
ya no *no longer*

Preguntas

Answer in Spanish these questions based on the dialogue:

1. ¿ Qué hora era ? 2. ¿ Dónde estaban Marta y Dorotea ? 3. ¿ A quiénes esperaban ? 4. ¿ Cuál de los muchachos llegó primero ? 5. ¿ Qué preguntó Marta ? 6. ¿ Vio Carlos a Pablo al salir de casa ? 7. ¿ Por qué decidió no esperarle ? 8. ¿ Cuándo llegaron Marta y Dorotea ? 9. ¿ Cómo venía Pablo ? 10. ¿ Qué le preguntó Marta ? 11. Según Carlos, ¿ qué creían ? 12. ¿ Está en casa la mamá de Pablo ? 13. ¿ A dónde ha ido ? 14. ¿ Por qué salió temprano su papá ? 15. ¿ Qué hora era cuando se despertó ? 16. ¿ No tiene despertador ? 17. ¿ Tuvo tiempo para desayunarse ? 18. ¿ Qué tomó ? 19. ¿ Qué se dice en español ? 20. ¿ Cuántos minutos les quedan a los muchachos ? 21. ¿ A qué hora empiezan las clases ? 22. ¿ Cuándo charlarán más ?

Gramática

1. Use of the preterite tense

Se levantó a las siete.   He got up at seven o'clock.
Pasaron dos horas allí.   They spent two hours there.
Conocí a Felipe.   I met Philip.
El año pasado trabajó allí a veces. Last year he worked there at times.

The preterite indicative tense indicates: (a) that an action began or ended; (b) that a past action or state was completed within a definite period of time, regardless of the length of time.

2. Use of the imperfect tense

The imperfect indicative tense [1] describes past actions or conditions without reference to the beginning or end of the action. Study these sentences in which the imperfect is used:

a. To describe conditions or situations, with no action taking place:

Era una mañana hermosa.   It was a beautiful morning.
La escuela estaba lejos de casa.   The school was far from home.

---

[1] Only three verbs are irregular in the imperfect indicative: **ir** (**iba**), **ser** (**era**), **ver** (**veía**).

b. To indicate habitual or customary past action:

Cuando yo era chica, siempre ayudaba a mi mamá.	When I was small, I always helped my mother.
Siempre iban allá cuando tenían tiempo.	They always went (used to go) there when they had time.

c. To describe conditions or an action in progress when something else happened; the preterite states what happened:

Charlábamos cuando llegó.	We were chatting when he arrived.
Era tarde cuando salió de casa.	It was late when he left home.

d. To describe mental activity in the past; thus, verbs meaning *believe, know, wish,* etc., are usually translated by the imperfect:

Yo no quería llegar tarde.	I didn't want to be (arrive) late.
Sabían que María estaba enferma.	They knew that Mary was ill.

e. To express time of day in the past:

Eran las nueve cuando entraron.	It was nine o'clock when they entered.

EJERCICIO I. Repeat each sentence as you hear it, then give each sentence again, changing the verb to the imperfect tense:

1. La casa es hermosa.
2. Los árboles son altos.
3. Es la una de la tarde.
4. Son las diez de la mañana.
5. María está enferma.
6. Hace buen tiempo.
7. Hay varios muchachos en la calle.
8. No tienen frío.
9. El parque está cerca de aquí.
10. Vamos allá todos los veranos.

EJERCICIO II.   Repeat each sentence as you hear it, then say it again, changing the first verb to the preterite and the second to the imperfect:

1. Dice que va a hablar con María. 2. Veo al muchacho que quiere un coche nuevo. 3. ¿Ven Vds. al señor que espera venderlo? 4. No lo compro porque es demasiado caro. 5. No dicen que necesitan más dinero. 6. Nos escribe que puede venir a visitarnos. 7. Contesta que no sabe bien la lección. 8. Les pregunto si tienen tiempo para hacerlo. 9. Sé que su amiga no vive aquí. 10. Tengo que salir aunque no quiero.

EJERCICIO III.   Repeat each sentence as you hear it, then repeat again, substituting the subjects in parentheses for those in italics. In these sentences both verbs have the same subject:

1. *Roberto* dijo que quería ir a México.
   (Yo, Nosotros, Pablo y Carlos, Vd., Tú)
2. Cuando *nosotros* teníamos doce años, fuimos a California.
   (yo, Juan, Vds., los muchachos, él y yo)

Industry moves ahead in Venezuela. (Left) The Macagua Power Plant located on the Caroni River, where it joins the Orinoco.

These boats are used by oil workers on Lake Maracaibo on the north coast.

3. *María* tenía frío cuando volvió a casa.
   (Vd., Tú, Nosotros, Juan y José, Yo)
4. *Mis padres* le vieron tres veces cuando estaban allí.
   (Ricardo, Yo, Vd., Vds., Pablo y yo)

EJERCICIO IV. Using the imperfect or preterite tense as required, complete each sentence with the correct form of the verb in italics:

1. ¿ *Estudiar* Vd. cuando yo *entrar*? 2. No, yo *hablar* con Juan cuando Vd. *abrir* la puerta. 3. Juan me *enseñar* una carta y él y yo la *mirar*. 4. El padre de Juan *recibir* la carta de mi abuelo y me la *mandar*. 5. Mi abuelo le *escribir* para decirle que *necesitar* más dinero. 6. Dijo que *vivir* en el campo y que *esperar* comprar un coche. 7. El padre de Juan no *comprender* la carta. También *ser* difícil leerla. 8. Naturalmente mis padres le *escribir* y le *mandar* el dinero. 9. ¿ Qué hora *ser*? *Ser* las cuatro y media. 10. Anoche Vd. y Juan *comer* con nosotros y luego nosotros *pasar* una hora mirando la televisión.

3. ADJECTIVES

a. **un coche hermoso** a beautiful car **varias muchachas altas** several tall girls
   otra familia grande another large family **mis primos españoles** my Spanish cousins

Adjectives have the same gender and number as the nouns they modify.
Descriptive adjectives (of size, color, nationality, and the like) usually follow the noun.
Limiting adjectives (*the, a, an, another, all, much, some, several,* numerals, possessives, and other adjectives which show quantity) usually come before the noun.

b. **el tercer viaje** the third trip **ningún hombre** no man
   un buen libro a good book **algunos países** some countries
   la primera parte the first part **algún día** some day
   un gran profesor a great teacher **una gran sorpresa** a great surprise

The adjectives **bueno, malo, uno, primero, tercero, alguno, ninguno** drop the final −o when used before a masculine singular noun. **Alguno** and **ninguno** become **algún** and **ningún**. **Grande,** *great,* becomes **gran** before any singular noun.

EJERCICIO I. Say in Spanish, then repeat, making these expressions plural:

1. otra buena idea. 2. el primer día. 3. algún muchacho español. 4. alguna señorita española. 5. este coche viejo. 6. ese viaje interesante. 7. el gran hombre. 8. aquella gran ciudad. 9. otro lago muy grande. 10. mi hermano mayor. 11. ese mal camino. 12. alguna buena oportunidad. 13. aquel país pequeño. 14. nuestro primo mexicano. 15. su revista nueva. 16. tu buen amigo.

EJERCICIO II. Give the Spanish for:

1. three large stores. 2. many interesting places. 3. my Spanish cousin (*f.*).
4. another new hat. 5. other Mexican cities. 6. the first day. 7. the first
week. 8. no boy. 9. no girl. 10. a great woman. 11. several small countries.
12. every Saturday. 13. the third car. 14. the third street. 15. all summer.

EJERCICIO III. Question and answer drill.

1. ¿ Tiene Vd. despertador ?   Sí, tengo un despertador.
   ¿ Siempre lo oye Vd. ?   Sí, siempre lo oigo.
   ¿ Se levanta Vd. en seguida ?   Sí, me levanto en seguida.
   ¿ Tiene Vd. tiempo para desayu-   Sí, tengo tiempo para desayunarme.
   narse ?

2. ¿ Toma Vd. el autobús de las ocho ?   Sí, tomo el autobús de las ocho.
   ¿ Siempre llega Vd. a tiempo ?   Sí, siempre llego a tiempo.
   ¿ A veces se da Vd. prisa ?   Sí, a veces me doy prisa.
   ¿ Es hora de salir ?   Sí, es hora de salir.

3. ¿ Llegó Vd. a las nueve en punto ?   Sí, llegué a las nueve en punto.
   ¿ Tuvo Vd. que darse prisa ?   Sí, tuve que darme prisa.
   ¿ Vino Vd. corriendo ?   Sí, vine corriendo.
   ¿ Entró Vd. hace cinco minutos ?   Sí, entré hace cinco minutos.

4. ¿ Fueron allá Vd. y ella ?   Sí, fuimos allá.
   ¿ Volvieron anoche Vd. y ella ?   Sí, volvimos anoche.
   ¿ Llegaron Vds. temprano ?   No, no llegamos temprano.
   ¿ Se acostaron Vds. en seguida ?   No, no nos acostamos en seguida.

4. CARDINAL NUMERALS

cien (mil) alumnos	one hundred (one thousand) pupils
ciento cincuenta y un días	one hundred fifty-one days
quinientas veinte y dos muchachas	five hundred twenty-two girls
un millón de hombres	a (one) million men
dos millones de dólares	two million dollars
mil novecientos sesenta y tres	one thousand nine hundred sixty-three

Review the cardinal numerals in Appendix C, page 400, and study the explanation of their uses.

Remember that the cardinal numerals are used to express the day of the month, except for **el primero**, *the first*.

EJERCICIO I. Read in Spanish:

1. 21 muchachos. 2. 31 muchachas. 3. 110 alumnos. 4. 1000 hombres.
5. 2000 coches. 6. 600 casas. 7. 365 días. 8. 500,000 discos. 9. 1,000,000 de
árboles. 10. 2,000,000 de dólares.

EJERCICIO II.   Read the following dates in Spanish:

1. el 4 de julio de 1776.   2. el 12 de octubre de 1492.   3. el 28 de septiembre de 1547.   4. el 7 de diciembre de 1941.   5. el 1 de enero de 1965.   6. el 2 de mayo de 1808.   7. el 11 de noviembre de 1918.   8. el 25 de diciembre de 1964.

EJERCICIO III.   Answer in Spanish:

1. ¿ Cuántos años tiene Vd. ?   2. ¿ Cuántos alumnos hay en esta clase ? 3. ¿ Cuántos alumnos hay ?   4. ¿ Cuántas alumnas ?   5. ¿ Cuántos estados hay en este país ?   6. ¿ Cuántos días hay en enero ?   7. ¿ En abril ?   8. ¿ Cuántos días tiene el año ?   9. ¿ Cuántos habitantes tiene esta ciudad ?   10. ¿ Qué fecha tenemos hoy ?   11. ¿ En qué año nació Vd. ?   12. ¿ En qué año nació su papá ?

Para practicar

Prepare a short **discurso**, telling what you did from the time you got up until you reached school.

This plaza, with its obelisk mirrored in the pool in the foreground, reflects the quiet and peaceful atmosphere which Caracas strives to achieve in such suburbs as Altamira.

Santander, on Spain's Cantabrian coast, is a shipping center as well as a resort city with beautiful boulevards and beaches.

Lección tres

Un nuevo alumno extranjero

Marta, Dorotea y Carlos salen de la escuela al mediodía. Se detienen un momento enfrente del edificio.

Dorotea. ¿ Dónde está Pablo ?

Carlos. No sé. Hace algunos minutos hablaba con un alumno extranjero.

5 *Marta.* ¿ Un alumno extranjero ?

Carlos. Creo que sí. Ah, allí vienen. (*Se acerca Pablo acompañado de un joven alto y moreno.*)

Pablo. Luis, quiero presentarle a mis amigos Dorotea Toler, Marta Lucas y Carlos Martín. Dorotea, ¿ me permites presentarte a

10 Luis Rivas, un nuevo [1] alumno de nuestra escuela ?

Dorotea. Tanto gusto.

Luis. Servidor de usted, señorita.

Pablo. Marta, te presento a Luis Rivas.

Marta. Mucho gusto.

15 *Luis.* El gusto es mío.

---

[1] Before a noun **nuevo** means *new* in the sense of *another, different,* and after the noun, *new, brand-new.*

"Las ferias" in Seville usually take place towards the end of April, and are a cause for great celebration.

Street scene in Segovia looking from the Plaza de San Martín toward the cathedral in the distance.

Pablo. (*Señalando a Carlos.*)   Carlos Martín, un buen amigo mío.

Carlos. Tengo mucho gusto en conocerle, Luis.   (*Le da la mano.*)

Luis. A sus órdenes.

Pablo. Luis va a ser alumno de nuestra escuela este año.

Todos. ¡ Qué bueno !   5

Carlos. ¿ De dónde es usted, Luis ?

Luis. De España.

Carlos. ¿ De Madrid ?

Luis. No, yo soy del sur; de Sevilla, que está en el sur del país.

Marta. ¿ Cómo es que estudia Vd. en los Estados Unidos ?   10

Luis. Pues, ¿ no conocen Vds. a Alfredo Turner ?   Ahora vive en Sevilla con mi familia y estudia allí en un colegio.   Yo vivo aquí con los señores Turner y voy a asistir a esta escuela este año.

Dorotea. Eso es muy interesante.   Yo no sabía que Alfredo había ido a España.   ¿ Cuándo decidió hacer eso ?   15

Pablo. Creo que fue en junio cuando tú estabas en la Florida.   ¿ Tú no sabes, Luis ?

Luis. Yo tampoco sé cuándo decidió hacerlo.   Solamente sé que sus padres le acompañaron a España en el verano.   Yo acabo de venir con ellos a los Estados Unidos.   Para mí es un gran placer 20 estar aquí, pero hasta ahora no he tenido oportunidad de conocer a muchas personas.

Carlos. Nos alegramos mucho de verle aquí, y tendremos mucho gusto en presentarle a todos nuestros amigos.

Luis. Muchas gracias.   Son Vds. muy amables.   25

43

a sus órdenes   *at your service*
acabar de (+ *inf.*)   *to have just* (+ *p.p.*)
acompañado, –a de   *accompanied by*
Alfredo   *Alfred*
asistir a   *to attend*
el colegio   *school*
creo que (sí)   *I believe* (*so*)
dar la mano a   *to shake hands with*
enfrente de   *in front of*
los señores (Turner)   *Mr. and Mrs.* (*Turner*)

¿ me permite(s) (presentarte) ?   *may I* (*present to you*) ?
señalar   *to point to, point out*
servidor de usted   *at your service*
tanto (mucho) gusto   (*I'm*) *pleased* (*glad*) *to meet you*
tener mucho gusto en   *to be very glad to*
(un buen amigo) mío   (*a good friend*) *of mine*
yo tampoco sé, no lo sé tampoco   *I don't know either, neither do I know*

Preguntas

Answer in Spanish these questions based on the dialogue:

1. ¿ Quiénes salen de la escuela?   2. ¿ Dónde se detienen un momento?
3. ¿ Qué pregunta Dorotea?   4. ¿ Con quién hablaba Pablo hace algunos minutos?   5. ¿ Cómo es el joven que acompaña a Pablo?   6. ¿ Cómo se llama?
7. ¿ Qué dice Dorotea cuando Pablo le presenta a Luis?   8. ¿ Qué contesta Luis?
9. ¿ Qué dice Marta?   10. ¿ Qué contesta Luis esta vez?   11. ¿ Qué dice
Carlos?   12. ¿ Y qué hace Carlos?   13. ¿ De dónde es Luis?   14. ¿ Dónde está
Sevilla?   15. ¿ Dónde vive ahora Alfredo Turner?   16. ¿ Dónde vive Luis?

PERSONAL PRONOUNS
Singular

SUBJECT	AFTER A PREPOSITION	DIRECT OBJECT
1. yo, *I*	mí, *me*	me, *me*
2. tú, *you*	ti, *you*	te, *you*
3. { él, *he*	él, *him, it* (*m.*)	{ le, *him* / lo, *it* (*m.*)
ella, *she*	ella, *her, it* (*f.*)	la, *her, it* (*f.*)
usted, *you*	usted, *you*	{ le, *you* (*m.*) / la, *you* (*f.*)
		lo, *it* (*neuter*)
	sí, *himself, etc.*	

Plural

1. nosotros, –as, *we*	nosotros, –as, *us*	nos, *us*
2. vosotros, –as, *you*	vosotros, –as, *you*	os, *you*
3. { ellos, *they*	ellos, *them*	los, *them*
ellas, *they* (*f.*)	ellas, *them* (*f.*)	las, *them* (*f.*)
ustedes, *you*	ustedes, *you*	{ los, *you* / las, *you* (*f.*)
	sí, *themselves, etc.*	

17. ¿ Quiénes acompañaron a Alfredo a España ?   18. ¿ Quién acaba de venir con ellos a los Estados Unidos ?   19. ¿ Qué va a hacer Luis este año ?   20. ¿ Se alegran los muchachos de verle allí ?

Gramática

SUMMARY OF PERSONAL PRONOUNS AND POSSESSIVE ADJECTIVES

a. para mí   for me   **con nosotros**   with us
  cerca de ella   near her (it, *f.*)   **conmigo, contigo**   with me, with you (*fam.*)

The pronouns used as objects of prepositions are the same as the subject pronouns except for **mí** and **ti**, first and second persons singular.   Remember the special forms **conmigo** and **contigo**.

Occasionally **mí**, **ti**, **nosotros**, **–as**, **vosotros**, **–as**, and **sí** (third person singular and plural) are used reflexively: **para mí**, *for myself;* **para sí**, *for himself, herself, yourself* (formal), *themselves, yourselves* (formal).   When used with **con**, **sí** becomes **consigo**, *with himself*, etc.   EXAMPLE: **Lo llevó consigo**, *He took it with him(self).*

When the verb is not expressed, the prepositional form of the pronoun is used alone: **A él le gusta el libro.   Y a mí también.**   *He likes the book.   And I (do), too.*

PERSONAL PRONOUNS		POSSESSIVE ADJECTIVES
	Singular	
INDIRECT OBJECT	REFLEXIVE OBJECT	
me, (*to*) *me*	me, *myself*	mi, mis, *my*
te, (*to*) *you*	te, *yourself*	tu, tus, *your*
le (se) $\begin{cases} (to)\ him,\ it \\ (to)\ her,\ it \\ (to)\ you \end{cases}$	se $\begin{cases} himself,\ itself \\ herself,\ itself \\ yourself \end{cases}$	su, sus $\begin{cases} his,\ its \\ her,\ its \\ your \end{cases}$
	Plural	
nos, (*to*) *us*	nos, *ourselves*	nuestro, –a, –os, –as, *our*
os, (*to*) *you*	os, *yourselves*	vuestro, –a, –os, –as, *your*
les (se) $\begin{cases} (to)\ them \\ (to)\ you \end{cases}$	se $\begin{cases} themselves \\ yourselves \end{cases}$	su, sus $\begin{cases} their \\ your \end{cases}$

Question and answer drill.

1. ¿ Habla Vd. con María ?   Sí, hablo con ella.
   ¿ Estudia Vd. con Pablo ?   Sí, estudio con él.
   ¿ Practica Vd. con los muchachos ?   Sí, practico con ellos.
   ¿ Puede Vd. ir conmigo ?   Sí, puedo ir con Vd.

2. ¿ Dan paseos con Vd. ?   Sí, dan paseos conmigo.
   ¿ Juegan con Vds. ?   Sí, juegan con nosotros.
   ¿ Son para Vd. estas revistas ? Sí, son para mí.
   ¿ Son para nosotros estos libros ?   Sí, son para Vds.

b. **Los veo.**   I see them.
   Le da la mano.   He shakes hands with him.
   No me lo dieron.   They did not give it to me.
   Se los llevó a ella.   He took them to her.

Direct and indirect object pronouns come before the verb. In negative sentences object pronouns come between the negative and the verb.

When there are two pronoun objects the indirect object always precedes the direct.

When both object pronouns are in the third person, the indirect **le** or **les** becomes **se**, and is often explained by *the addition of* the prepositional form after **a**: **a él, a ella, a Vd., a Vds., a ellos, a ellas.**

Me alegro de verle.   I am glad to see him.
Está escribiéndola.   He is writing it.
Van a vendérnoslo.   They are going to sell it to us.
Cómprelo Vd.   Buy it.
No se lo lleve Vd. a ellos hoy.   Don't take it to them today.

Object pronouns regularly follow and are attached to an infinitive, a present participle, or an affirmative command. In writing, it is necessary to put an accent mark on the stressed syllable of the present participle if any pronoun object is attached, and to the infinitive if two pronouns are attached. Also, when object pronouns are attached to an affirmative command the original stress of the verb remains and is usually indicated by a written accent.

Even though it is correct to say **La está escribiendo** and **Nos lo van a vender**, it is advisable to attach the pronouns, as indicated in the examples above.

Question and answer drill.

1. ¿ Tiene Juan el libro ?   Sí, lo tiene.
              la carta ?   Sí, la tiene.
              los lápices ?   Sí, los tiene.
              las plumas ?   Sí, las tiene.

(Insert) Avenida de José Antonio, known to many "madrileños" as the "Gran Vía," leads to the Plaza de España and the new office building, the Torre de Madrid. (Main photo) Jerez de la Frontera, in southern Spain, is the heart of the nation's grape and wine industries. This modern winery is one of the many in Jerez.

2. ¿ Ve María a Carlos ?   No, no le ve.
                Marta ?   No, no la ve.
                los niños ?   No, no los ve.
                las muchachas ?   No, no las ve.

3. ¿ Van a mirar el sombrero ?   Sí, van a mirarlo.
                la blusa ?   Sí, van a mirarla.
                los zapatos ?   Sí, van a mirarlos.
                las faldas ?   Sí, van a mirarlas.

4. ¿ Está Vd. leyendo el periódico ?   Sí, estoy leyéndolo.
                la composición ?   Sí, estoy leyéndola.
                los diálogos ?   Sí, estoy leyéndolos.
                las frases ?   Sí, estoy leyéndolas.

5. ¿ Compro el reloj ?   Sí, cómprelo Vd.
                la pulsera ?   Sí, cómprela Vd.
                los vestidos ?   No, no los compre Vd.
                las flores ?   No, no las compre Vd.

6. ¿ Le dio Vd. a Juan ese reloj ?   Sí, se lo di (a él).
   ¿ Le dio Vd. a María esa pulsera ?   Sí, se la di (a ella).
   ¿ Les dio Vd. a ellos los guantes ?   No, no se los di (a ellos).
   ¿ Les dio Vd. a ellas las blusas ?   No, no se las di (a ellas).

7. ¿ Le llevaron a María las flores ?   Sí, se las llevaron a ella.
   ¿ Le llevaron a Juan el sombrero ?   Sí, se lo llevaron a él.
   ¿ Nos trajeron los periódicos ?   No, no se los trajeron a Vds.
   ¿ Nos trajeron las tarjetas ?   No, no se las trajeron a Vds.

c. **Me desperté tarde.**   I woke up (awakened myself) late.
   Se llama Luis.   His name is (He calls himself) Louis.
   Levántense Vds.   Get up (Raise yourselves).
   Vamos a quedarnos aquí.   We are going to stay here.

Reflexive object pronouns are used when the subject and object are the same person or thing. Certain verbs are reflexive in Spanish even though the reflexive pronoun is not used in English (last example).

EJERCICIO I.   Question and answer drill.

1. ¿ Va Vd. a levantarse ?   Sí, voy a levantarme.
   ¿ Va Vd. a lavarse las manos ?   Sí, voy a lavármelas.
   ¿ Van Vds. a sentarse ?   Sí, vamos a sentarnos.
   ¿ Van Vds. a ponerse los zapatos ?   Sí, vamos a ponérnoslos.

2. ¿ Me permite sentarme ?   Sí, siéntese Vd.
   ¿ Me permite leer el periódico ?   Sí, léalo Vd.
   ¿ Me permite tocar el piano ?   No, no lo toque Vd.
   ¿ Me permite darle el dinero a ella ?   No, no se lo dé Vd. a ella.

EJERCICIO II.   Read in Spanish, then repeat, substituting a pronoun for the words in italics and place the pronoun in the proper position:

1. *Los muchachos* vienen esta noche. 2. Yo lo sé, pero *Felipe* no. 3. Él abre *la puerta*. 4. Abra Vd. *las ventanas*. 5. No deje Vd. aquí *sus lápices*. 6. No quiero vender *el coche*. 7. Está escribiendo *la composición*. 8. Vemos *a Isabel*. 9. ¿ Ve Vd. *a los niños* ? 10. Se lavó *las manos*. 11. Me puse *los zapatos*. 12. Hablan con *mi hermano*. 13. Entraron en *la escuela*. 14. El regalo es para *los señores Espinosa*. 15. Me escribió *la tarjeta*. 16. Déme Vd. *el dinero*. 17. Déme Vd. a mí *el dinero*, no a *José*. 18. A mí me gusta *el coche*. Y a *mi esposa* también. 19. Lleve Vd. *estas cosas* a casa. 20. Ella está sentada cerca de *los niños*. 21. ¿ Quiere Vd. leerme *la frase* ? 22. No lleve Vd. *los discos a su hermana*. 23. Tienen que ponerse *los zapatos*. 24. Viendo *a los muchachos*, salí también. 25. No escriba Vd. *la tarjeta a Dorotea*. 26. Póngase Vd. *el sombrero*. 27. Acabo de ver *a los jóvenes*. 28. ¿ Ha devuelto Vd. *el dinero a Carlos* ?

EJERCICIO III.   Give the Spanish for:

1. They give them to us.   2. He gives it to us.   3. We do not read them (*f.*) to you.   4. They sell it (*f.*) to us.   5. I sell them (*f.*) to her.   6. He is writing it to them.   7. Write it (*f.*) to her.   8. Do not bring them to us.   9. He has to get up.   10. We have to take it to her.   11. Can you show it to us?   12. Don't sit down yet.   13. May I sit down?   14. I am very glad to know you.   15. Selling it, he bought another.   16. We gave it to her, not to him.   17. He took it with him(self).   18. We are going to eat breakfast.   19. He wants to stay here. 20. We shall leave without seeing them.

d. Nuestra madre está enferma.   Our mother is ill.
   Mis amigos lo saben.   My friends know it.
   Salió con sus padres.   He left with his parents.

A possessive adjective has the same gender and number as the noun it modifies.

EJERCICIO I.   Question and answer drill.

1. ¿ Tiene María su cuaderno ?   Sí, María tiene su cuaderno.
  ¿ Tiene Eduardo su cuaderno ?   Sí, Eduardo tiene su cuaderno.
  ¿ Tienen Ana y Marta sus cuadernos ?   Sí, Ana y Marta tienen sus cuadernos.
  ¿ Tienen José y Juan sus cuadernos ?   Sí, José y Juan tienen sus cuadernos.

2. ¿ Vendieron Vds. su casa ?   No, no vendimos nuestra casa.
  ¿ Vendieron Vds. su coche ?   No, no vendimos nuestro coche.
  ¿ Vieron Vds. a sus primas ?   No, no vimos a nuestras primas.
  ¿ Saludaron Vds. a sus amigos ?   No, no saludamos a nuestros amigos.

EJERCICIO II.   Give rapidly in Spanish:

1. my friend, my friends.   2. my aunt, my aunts.   3. our school, our schools. 4. our uncle, our uncles.   5. Mary has her pencil. Mary has her pencils. 6. Charles has his book. Charles has his books.   7. He takes me to his house. She takes me to her house.   8. He talks with his teacher. She talks with her teacher.   9. Do you (*fam. sing.*) play with your companion? Do you play with your companions? 10. Are you going with your sister? Are you going with your sisters?   11. Can you (*pl.*) read to your brother? Can you read to your brothers?   12. Study your lesson.   Study your lessons.

Para practicar

Be prepared to introduce two of your friends to each other, then introduce one of them to your teacher.

MO.

Arkansas R.

Red R.

ARK.

LA.

TENN.

N. CAROLINA

MISS.

ALA.

S. CAROLINA

GA.

FLA.

Golfo de México

CUBA

Mar Caribe

Océano Pacífico

PANAMÁ

LA ESPAÑOLA

PUERTO RICO

Santo Domingo

Océano Atlántico

Unos descubridores españoles

Ponce de León ▬▬▬▬
Martín Fernández de Enciso ▬ ▬ ▬
Vasco Núñez de Balboa ••••••••••••
Hernando de Soto ⊓⊔⊓⊔⊓⊔

LECTURA I

Unos descubridores españoles

Ya sabemos que Cristóbal Colón descubrió el Nuevo Mundo en el año de 1492.[1] El año siguiente, en su segundo viaje a América, estableció en la Española, hoy Santo Domingo, la primera colonia permanente del hemisferio.

En los primeros años del siglo diez y seis los españoles descubrieron, con- 5 quistaron y exploraron una gran parte de las dos Américas. Muchos españoles vinieron a la Española o a Cuba y a otras islas en busca de oro y como no lo hallaron, algunos se dedicaron[2] a la agricultura y otros se marcharon a la Tierra Firme,[3] hoy la costa de Venezuela y Colombia. Al tiempo que conquistaban a los aztecas de la América del Norte, a los incas 10 de la América del Sur y a otras tribus de los dos continentes, establecían ciudades y construían casas, palacios, iglesias, misiones, escuelas, universidades, caminos y muchas obras públicas. España trajo a América su lengua, su religión, su literatura, sus costumbres, sus leyes y sus tradiciones. La raza indígena[4] no desapareció; en realidad, se formó una nueva 15 civilización.

Las primeras expediciones se limitaron, en su mayoría,[5] a las islas del Mar de las Antillas,[6] llamado hoy día el Mar Caribe. Las Antillas Mayores[7] son Cuba, Santo Domingo, Puerto Rico y Jamaica. Santo Domingo, la antigua Española o *Hispaniola*, comprende[8] ahora la República Domini- 20 cana y la república de Haití. Puerto Rico es una posesión de los Estados Unidos y Jamaica, de Inglaterra. Las Antillas Menores[9] comprenden un gran número de islas pequeñas, entre ellas las Islas Vírgenes, Martinica y Trinidad.

La verdadera exploración y conquista de América comenzó en la Es- 25 pañola. Ponce de León, que acompañó a Colón en su segundo viaje, fue uno de los primeros exploradores. En el año de 1508 conquistó la isla de Puerto Rico, de la que al poco tiempo[10] fue nombrado gobernador. Unos años después algunos ancianos indígenas le dijeron que en una tierra remota, situada al norte, se encontraba una región en que había una fuente 30 cuyas aguas tenían la virtud de rejuvenecer[11] a los que se bañaban en ellas. Recordando todas las maravillas que había visto en el Nuevo Mundo,

---

[1] *For a review of numerals, see Appendix C, page 400.*   [2] se dedicaron, *devoted themselves.*
[3] Tierra Firme, *Mainland.*   [4] indígena, *native, Indian.*   [5] en su mayoría, *for the most part.*
[6] Antillas, *Antilles.*   [7] Mayores, *Greater.*   [8] comprende, *comprises, includes.*   [9] Menores, *Lesser.*
[10] al poco tiempo, *after a short time.*   [11] rejuvenecer, *rejuvenate, make young.*

Ponce de León se puso en marcha hacia la isla de Biminí, donde, según la leyenda, estaba situada la fuente de la juventud.

Navegó [1] primero hacia el oeste y luego hacia el norte. Por fin, el domingo, 27 de marzo de 1513, descubrió una región cubierta de flores y
5 árboles. Le dio el nombre de la Florida, según unos, por haber llegado [2] el Domingo de Resurrección, o de Pascua Florida, y, según otros, por la gran abundancia de flores que se encontraban en todas partes. Ponce de León tomó posesión de la tierra en nombre del rey Fernando de España y buscó en vano la fuente de la juventud. Por fin, desilusionado, el explora-
10 dor tuvo que volver a Puerto Rico. Ocho años después trató de conquistar y colonizar la Florida, pero a causa de la hostilidad de los indios no pudo hacerlo.

En el año de 1510, cuando Martín Fernández de Enciso navegaba de la Española hacia la Tierra Firme, un día de repente saltó [3] de uno de los
15 barriles de provisiones un hombre a quien no le habían permitido formar parte de la expedición. Era éste [4] un pobre hidalgo [5] español, llamado Vasco Núñez de Balboa, que había pasado unos diez años en la colonia. Le acompañaba su perro Leoncico, que más tarde había de ayudarle mucho en las luchas [6] contra los indios salvajes.
20 Enciso iba a abandonar a Balboa en una isla desierta, pero éste protestó, diciendo que conocía bien las tierras a donde iban. Al saber esto, Enciso le permitió continuar con la expedición. Balboa guió a Enciso hasta el Golfo de Darién en la costa del istmo de Panamá.

Después de conquistar a los indios, los españoles establecieron un pueblo.
25 Andando el tiempo,[7] Balboa ganó para sí una gran popularidad, y por medio de una rebelión llegó a ser jefe [8] de la colonia. Con el propósito de aumentar [9] la colonia y de buscar oro, hizo varias expediciones al interior. Un día que [10] los españoles se repartían [11] oro en casa de un indio, éste les dijo que si habían venido para hacerse ricos, él conocía una región donde
30 podrían satisfacer sus deseos. Explicó que al otro lado de las montañas había un mar enorme, el Mar del Sur,[12] en que una nación poderosa [13] navegaba barcos grandes. Ésta fue la primera noticia que los españoles tuvieron del Océano Pacífico y del imperio de los incas.

En el mes de septiembre de 1513 Balboa salió con unos 150 hombres a
35 buscar el Mar del Sur. La distancia era corta, pero los exploradores tuvieron que pasar por una región tropical de mucha vegetación, habitada por indios salvajes. Por eso la expedición tardó diez y nueve días en llegar a la

---

[1] Navegó, *He sailed.* [2] por haber llegado, *for having arrived.* [3] de repente saltó, *suddenly there jumped.* [4] éste, *the latter.* [5] hidalgo, *nobleman.* [6] luchas, *struggles.* [7] Andando el tiempo, *As time passed.* [8] jefe, *head, leader.* [9] aumentar, *enlarge.* [10] que, *when.* [11] se repartían, *were dividing (among themselves).* [12] el Mar del Sur, *the Southern Sea.* [13] poderosa, *powerful.*

cumbre [1] de las montañas, desde donde Balboa vio por primera vez el gran océano.   Se quitó el sombrero, se arrodilló,[2] y dio gracias a Dios por haberle concedido [3] el privilegio de descubrirlo.   En seguida sus hombres hicieron una cruz de madera,[4] grabaron [5] en ella el nombre del rey Fernando y la colocaron allí en la montaña, con los brazos extendidos hacia los dos océanos.   Luego Balboa continuó hasta la costa donde, el 29 de septiembre, entró en el agua y en nombre del rey Fernando tomó posesión del Pacífico, con todas sus costas y sus islas.   Hay que añadir [6] que entre los compañeros de Balboa se encontraba Francisco Pizarro, que más tarde conquistó el imperio de los incas.

Balboa exploró las regiones vecinas [7] y visitó varias islas donde los indios le dieron perlas de gran valor.   En todas sus expediciones ganó la simpatía de la mayor parte de los indígenas.   Al volver a la colonia, le recibieron con entusiasmo.   El héroe creía que empezaba para él una gran carrera como representante del gobierno español, pero no contó con la envidia [8] de sus enemigos.[9]   Éstos le hicieron acusasiones falsas contra él, y el rey don Fernando, convencido de que Balboa era un hombre malo y poco inteligente, nombró a Pedrarias Dávila gobernador de la colonia.   Pedrarias, hombre cruel, envidioso y codicioso,[10] llegó a Panamá en el año de 1514 y poco después ordenó la ejecución de Balboa, acusándole de traidor.   Todo el mundo sabe que se cometió una gran injusticia, pues Balboa era un hombre justo que siempre contaba con la confianza [11] de sus soldados.   La república de Panamá ha honrado al descubridor dando su nombre a una ciudad y a la moneda del país, que se llama *el balboa.*

Hernando de Soto, otro descubridor honrado,[12] se distinguió primero en la conquista del Perú.   Siendo ya rico, volvió a España en 1536 y solicitó el título de gobernador de Cuba y de la Florida.   Dos años más tarde, con unos seiscientos hombres y diez barcos, de Soto partió de España en compañía de su bella esposa, doña Isabel.   Dejó el gobierno de Cuba en manos de doña Isabel y se dirigió a la Florida, donde esperaba hallar otra tierra tan rica como el Perú.   En el mes de mayo de 1539 llegó a la bahía del Espíritu Santo, llamada ahora Tampa Bay.

Durante dos años de Soto exploró los bosques hacia el norte y el oeste sin hallar las riquezas [13] que buscaba.   Tuvo que luchar [14] contra los indios salvajes, el desaliento [15] de sus soldados, los insectos y el hambre.   La marcha le llevó por las tierras que ahora forman los estados de la Florida,

---

[1] la expedición . . . cumbre, *it took the expedition 19 days to reach the summit.*   [2] se arrodilló, *he knelt.*   [3] por haberle concedido, *for having granted him.*   [4] cruz de madera, *wooden cross.*   [5] grabaron, *they carved (cut).*   [6] añadir, *(to) add.*   [7] vecinas, *neighboring.*   [8] envidia, *envy.*   [9] enemigos, *enemies.*   [10] codicioso, *covetous, greedy.*   [11] la confianza, *confidence.*   [12] honrado, *honest, honorable.*   [13] riquezas, *riches, wealth.*   [14] luchar, *(to) struggle.*   [15] desaliento, *discouragement.*

Georgia, las Carolinas, Alabama y Misisipí. Por último, en la primavera del año de 1541 descubrió el río Misisipí, que cruzó con sus hombres en unos barcos pequeños que ellos mismos construyeron. De los seiscientos hombres que empezaron el viaje, quedaron solamente trescientos.

5 Durante el año siguiente de Soto y sus compañeros continuaron su exploración hacia el oeste, pasando por los estados de Misurí, Arkansas y Oklahoma. Por fin, de Soto enfermó [1] y murió el 21 de mayo del año de 1542, a la edad de cuarenta y cinco años. Para ocultar a [2] los indios la muerte del valiente héroe, sus compañeros envolvieron su cadáver en una
10 manta [3] y de noche lo llevaron al río y lo arrojaron [4] en sus aguas.

MODISMOS

a causa de	*because of*	hoy día	*nowadays*
al otro lado	*on the other side*	la mayor parte de	*most (of)*
contar con	*to count on, have*	llegar a ser	*to become*
dar gracias a	*to thank*	poco después	*shortly afterward*
de noche	*at night*	ponerse en marcha	*to start*
en casa de	*in the house of*	por fin	*finally*
en nombre de	*in the name of*	por medio de	*by means of*
en todas partes	*everywhere*	por primera vez	*for the first time*
haber de (+ *inf.*)	*to be to*	por último	*finally, ultimately*
hacerse (+ *noun*)	*to become, make oneself*	todo el mundo	*everybody*
hay que	*one must, it is necessary to*	tratar de (+ *inf.*)	*to try to*

PREGUNTAS

1. ¿ En qué año descubrió Colón el Nuevo Mundo ? 2. ¿ Qué estableció en su segundo viaje a América ? 3. ¿ Qué hicieron los españoles en el siglo diez y seis ? 4. ¿ Para qué vinieron muchos españoles ? 5. ¿ A qué se dedicaron algunos ? 6. ¿ Cuáles son las Antillas Mayores ? 7. ¿ Qué comprenden las Antillas Menores ?

8. ¿ Quién fue uno de los primeros exploradores ? 9. ¿ Qué isla conquistó ? 10. Según algunos ancianos indígenas, ¿ dónde estaba la fuente de la juventud ? 11. ¿ Hacia dónde navegó Ponce de León ? 12. ¿ De qué estaba cubierta la tierra que descubrió ? 13. ¿ Qué nombre dio a esta tierra ? 14. ¿ En qué día llegó a la Florida ? 15. ¿ Pudo hallar la fuente de la juventud ?

16. ¿ Hacia dónde navegaba Enciso en el año de 1510 ? 17. ¿ Quién saltó de uno de los barriles ? 18. ¿ Cómo se llamaba el perro de Balboa ? 19. ¿ A qué golfo llegaron ? 20. ¿ Qué llegó a ser Balboa ? 21. ¿ Qué les dijo un indio a los españoles ? 22. ¿ Cómo se llamaba este mar ?

23. ¿ Cuántos días tardaron en llegar a la cumbre de las montañas ? 24. ¿ Qué hizo Balboa cuando vio el océano ? 25. ¿ Qué hicieron sus hombres ? 26. ¿ En

---

[1] enfermó, *became sick.* [2] Para ocultar a, *In order to hide from.* [3] envolvieron . . . manta, *wrapped his body in a blanket.* [4] arrojaron, *(they) threw.*

A liner passes through the Gaillard Cut in the Panama Canal.

qué día tomó Balboa posesión del Pacífico ? 27. ¿ Qué hicieron después sus enemigos ? 28. ¿ Quién ordenó la ejecución de Balboa ? 29. ¿ Cómo era Balboa ?
30. ¿ Cómo le ha honrado Panamá ?

31. ¿ Quién fue otro descubridor honrado ? 32. ¿ Dónde se distinguió primero ? 33. ¿ Qué título solicitó ? 34. ¿ Qué esperaba hallar en la Florida ?
35. ¿ Por cuántos años exploró los bosques ? 36. ¿ Por dónde le llevó la marcha ?
37. ¿ Cuándo descubrió de Soto el río Misisipí ? 38. ¿ Cuántos soldados
quedaron ? 39. ¿ Cuántos años tenía de Soto cuando murió ? 40. ¿ Qué hicieron
sus compañeros con su cadáver ?

ESTUDIO DE PALABRAS

a. *Exact cognates.* The ability to recognize cognates is of great value in
mastering a foreign language. Many Spanish and English words are identical in
spelling and meaning, although the pronunciation may vary: interior, tropical,
cruel.

b. *Approximate cognates.* A few principles for recognizing near cognates,
with examples from the preceding selection, are:

1. The English word has no written accent: América, religión, región.

2. Many English words lack Spanish final –a, –e, –o: permanente, parte,
azteca, continente, elemento, justo, insecto.

3. Certain Spanish nouns ending in –cia, –cio end in –ce in English: palacio,
abundancia, noticia, distancia, injusticia.

4. Spanish nouns ending in –dad end in –ty in English: universidad, realidad,
hostilidad, popularidad.

5. Most Spanish nouns ending in –ción are feminine and end in –tion in English: tradición, expedición, civilización, exploración, resurrección, vegetación.

c. *Less approximate cognates.* Other words with miscellaneous differences
which should be recognized easily, especially in context or when pronounced

55

in Spanish, are: raza, *race;* hemisferio, *hemisphere;* costa, *coast;* tribu, *tribe;* república, *republic;* posesión, *possession;* norte, *north;* público, *public;* agricultura, *agriculture;* misión, *mission;* literatura, *literature;* imperio, *empire;* conquista, *conquest;* remota, *remote;* virtud, *virtue;* oeste, *west;* barril, *barrel;* golfo, *gulf;* rebelión, *rebellion;* océano, *ocean;* pacífico, *pacific;* privilegio, *privilege;* futuro, *future;* entusiasmo, *enthusiasm;* héroe, *hero;* falso, *false;* inteligente, *intelligent;* título, *title.*

COMPREHENSION

Listen carefully to each sentence. Repeat the sentence, beginning your answer with **"Sí"** or **"No."** If the answer is **"No,"** make slight changes so that the statement will be correct.

1. Los españoles hallaron mucho oro en la Española y en Cuba.
2. Los incas vivían en la América del Sur.
3. Las Antillas Mayores se encuentran en el Mar Caribe.
4. Ponce de León acompañó a Colón en su primer viaje.
5. Ponce de León buscaba la isla de Bimini cuando descubrió la Florida.
6. Pronto halló la fuente de la juventud.
7. Balboa guió a Enciso hasta el Golfo de México.
8. Andando el tiempo, Balboa llegó a ser jefe de la colonia en el istmo de Panamá.
9. Balboa tomó posesión del Océano Pacífico en nombre del rey Fernando de España.
10. El rey Fernando nombró a Balboa gobernador de la colonia.
11. Hernando de Soto se distinguió primero en la conquista del Perú.
12. En la Florida de Soto halló otra tierra tan rica como el Perú.
13. Tardó solamente dos meses en descubrir el río Misisipí.
14. De los seiscientos hombres que empezaron el viaje con de Soto, quedaron solamente trescientos.
15. Hernando de Soto murió a la edad de cuarenta y cinco años.

Lazarillo y el ciego

The anonymous and immensely popular Lazarillo de Tormes (1554) *is the first, and perhaps the greatest, of the picaresque novels in Spain. The realistic picaresque novel, which developed in Spain in the sixteenth and seventeenth centuries, presents the experiences of a rogue, or* pícaro, *in the service of a series of masters, whose trades and professions are satirized. This selection is an adaptation of part of the first chapter of the novel.*

A mí me llaman Lazarillo de Tormes. Tengo ocho años de edad. Después de la muerte de mi padre, mi pobre madre vino a la ciudad de Salamanca para ganarse la vida. Allí se ganaba la vida preparándoles la comida a [1] unos estudiantes y lavándoles la ropa a otros. Más tarde ella fue a servir en una posada.

En aquel tiempo vino a la posada un ciego que preguntó a mi madre si yo podría servir para guiarle, y ella contestó que sí. Como pasamos varios días en Salamanca sin ganar mucho dinero, el ciego decidió irse de allí.   5

Para mostrar bien la inteligencia de este astuto ciego, contaré un incidente que me pasó con él. Llegando a un pueblo al tiempo que cogían las uvas, un hombre dio a mi amo un racimo de ellas. Estaban tan maduras que se caían del racimo. Por eso nos sentamos y él dijo:

— Yo quiero ser liberal contigo. Vamos a comer estas uvas y las divi- 10 diremos de esta manera: tú tomarás una uva y yo otra, pero tienes que prometerme no tomar cada vez más de una uva.

Comenzamos a comer, pero el traidor empezó a tomar dos uvas a la vez, pensando sin duda que yo hacía lo mismo. Pero yo, viendo que él no hacía lo que había prometido, tomaba tres a la vez. Cuando ya no quedaban 15 uvas, el ciego dijo:

— Lazarillo, me has engañado. Sé que tú has comido tres uvas a la vez.

— No, señor — dije yo. — ¿ Por qué sospecha usted eso ?

El ciego respondió:

— ¿ No sabes cómo sé que las comiste tres a la vez ? Pues, porque yo 20 comía dos y tú no decías nada.

MODISMOS

a la vez *at a (the same) time*	lo mismo *the same thing*
de esta manera *in this way*	tener ... años (de edad) *to be ... years*
en aquel tiempo *at that time*	*old (of age)*
ganarse la vida *to earn one's living*	

PREGUNTAS

1. ¿ Cómo se llama el muchacho ? 2. ¿ Cuántos años tiene ? 3. ¿ A dónde fue su madre ? 4. ¿ Qué hizo ella allí ? 5. ¿ Quién vino a la posada ? 6. ¿ Qué dio un hombre al ciego ? 7. ¿ Cómo estaban las uvas ? 8. ¿ Cuántas uvas iban a tomar ? 9. ¿ Qué empezó a hacer el ciego ? 10. ¿ Qué hizo Lazarillo ? 11. ¿ Qué dijo el ciego cuando ya no quedaban uvas ? 12. ¿ Cómo lo sabía ?

[1] preparándoles la comida a, *preparing meals for.*

Much of the wealth of Central America comes from its banana industry. Above you see (1) the washing of the bananas, (2) the packing of pre-cooled bananas in cartons, and (3) the loading of the cartons by conveyor belt onto a ship.

Lección cuatro

Vamos a almorzar

Es mediodía. Dorotea, Marta, Carlos, Pablo y Luis caminan despacio por la calle. Van hacia el centro.

Dorotea. ¿ Por qué no vamos a almorzar antes de ir a la librería ? Hay buenos restaurantes por aquí.

Carlos. A mí me gusta *La Fiesta*.   5

Marta. Y a mí también. Tienen buenas hamburguesas.

Pablo. Y buenos perritos calientes [1] también. Tengo tanta hambre que voy a tomar dos o tres.

Carlos. Es buena idea invitar a Luis a tomar perritos calientes. Tiene que conocer nuestros platos [2] populares. ¿ No quiere Vd. ir allá, Luis ? 10

Luis. Cómo no, con mucho gusto. Pero ¿ saben Vds. ? Todavía me parece extraño no volver a casa a las dos, que es la hora de la comida.

Carlos. ¿ La comida a las dos de la tarde ? No comprendo eso.

Luis. Pues, déjenme Vds. explicarles. En mi país las escuelas y las 15 tiendas se cierran a las doce y media o a la una, y todo el mundo vuelve a casa para la comida. Nosotros los alumnos volvemos a la escuela a las tres y nos quedamos allí hasta las cinco. Las tiendas y las oficinas se abren otra vez a las tres, o tal vez un poco más tarde, y no se cierran hasta las siete.   20

Marta. ¿ Entonces Vds. no toman el almuerzo al mediodía ?

Luis. En España las tres comidas que tomamos en casa se llaman el desayuno, la comida y la cena. En los restaurantes y en los hoteles se llaman el desayuno, el almuerzo y la comida.

Pablo. ¿ Y en los cafés también ?   25

Luis. De ninguna manera. Vamos a los cafés solamente para charlar con nuestros amigos y para tomar un refresco. Comemos en casa, en un hotel o en un restaurante.

Carlos. ¿ A qué hora cenan Vds. ? ¿ A las seis, como nosotros ?

Luis. No, en España cenamos muy tarde, a las nueve y media, a las 30 diez y, a veces, a las diez y media. Es una costumbre que no les gusta a los norteamericanos cuando están en mi país.

---

[1] perritos calientes, *hot dogs*. In Mexico **salchichas calientes** is used. [2] In Mexico **platillos** is used.

Dorotea. Para nosotros eso sería muy difícil. Nuestras escuelas se cierran entre las tres y las cuatro de la tarde, y las oficinas y las tiendas a eso de las cinco o las cinco y media. Como ya sabe Vd., comemos a las seis, o a las seis y media, cuando toda la familia está en casa.

5 *Carlos.* Pues, ya hemos llegado a *La Fiesta* y tenemos que celebrar la llegada de Luis. ¿ Entramos ?

PALABRAS Y EXPRESIONES

a mí también *I, too; so do I*
con mucho gusto *with much pleasure, gladly*
de ninguna manera *by no means, not at all*
déjenme Vds. explicarles *let me explain to you*
¿ entramos ? *shall we enter (go in) ?*
(es) buena idea *(it is) a good idea*
la hamburguesa *hamburger*

la hora de la comida *dinner time*
la llegada *arrival*
nosotros los alumnos *we pupils*
otra vez *again*
por aquí *around here*
tal vez *perhaps*
tener (tanta) hambre *to be (so) hungry*
todo el mundo *everyone, everybody*

Preguntas

Answer in Spanish these questions based on the dialogue:

1. ¿ Quiénes caminan despacio por la calle ? 2. ¿ Hacia dónde van ? 3. ¿ Qué quiere hacer Dorotea antes de ir a la librería ? 4. ¿ Cuál de los restaurantes le gusta a Carlos ? 5. ¿ Qué tienen allí ? 6. ¿ Por qué es buena idea ir allá ? 7. ¿ Quiere ir allá Luis ? 8. ¿ Qué le parece extraño todavía ? 9. ¿ En España a qué hora se cierran las escuelas y las tiendas ? 10. ¿ A dónde va todo el mundo ? 11. ¿ A qué hora vuelven a la escuela los alumnos ? 12. ¿ Hasta qué hora se quedan allí ? 13. ¿ A qué hora se abren otra vez las tiendas y las oficinas ? 14. ¿ Cuándo se cierran ? 15. ¿ Cuáles son las tres comidas que toman en casa los españoles ? 16. ¿ Cómo se llaman las tres comidas en los restaurantes ? 17. ¿ Para qué van a los cafés en España ? 18. ¿ Dónde comen allí ? 19. ¿ A qué hora cenan ? 20. ¿ Les gusta a los norteamericanos esta costumbre ? 21. ¿ A qué hora se cierran nuestras escuelas ? 22. ¿ A qué hora se cierran nuestras oficinas ? 23. ¿ A qué hora comemos ? 24. ¿ Qué van a celebrar los muchachos en *La Fiesta* ?

Gramática

1. Some uses of para, for

a. To express the purpose, use, or the destination for which something is intended:

Lo trajo para mí.   He brought it for me.
Las flores son para Ana.   The flowers are for Anne.
Salieron para México.   They left for Mexico.

b. To express a point of time in the future, often meaning *by:*

Esta lección es para mañana.	This lesson is for tomorrow.
¿ Estarán aquí para las seis ?	Will they be here by six ?

c. With an infinitive to express purpose, meaning *to, in order to:*

Estudiamos para aprender.	We study (in order) to learn.

EJERCICIO. Your teacher will read each sentence. When you hear the question based on the sentence, give the answer in Spanish, omitting any noun subject.

EXAMPLE: **El libro es para él. ¿ Para quién es el libro ? Es para él.**

1. Comemos para vivir. ¿ Para qué comemos ? 2. Los señores Espinosa saldrán mañana para la América del Sur. ¿ Para dónde saldrán mañana los señores Espinosa ? 3. Juan compró un billete para el sábado. ¿ Para cuándo compró Juan un billete ? 4. La blusa es para Dorotea. ¿ Para quién es la blusa ? 5. El sombrero es para Vd. ¿ Para quién es el sombrero ? 6. Todas las revistas son para mí. ¿ Para quién son todas las revistas ? 7. Trajeron regalos para los niños. ¿ Para quiénes trajeron regalos ? 8. Espera terminar el trabajo para las cinco. ¿ Para cuándo espera terminar el trabajo ? 9. Trabajamos para ganar dinero. ¿ Para qué trabajamos ? 10. Ella hizo el vestido para su hija. ¿ Para quién hizo ella el vestido ?

2. USES OF **se**

a. As an indefinite subject

Se dice que viven aquí.	They say (People say, One says, It is said) that they live here.

When **se** is used as an indefinite subject (*one, people, you, they*, etc.) the verb is always in the third person singular.

Se levanta uno tarde los domingos.	One gets up late on Sundays.

With a reflexive verb, and occasionally with other verbs, **uno** is used to express an indefinite subject.

b. To show passive voice

En México se habla español.	Spanish is spoken in Mexico.
Se abren las tiendas a las nueve.	The stores are opened at nine o'clock.
Ayer se vendieron las cosas.	The things were sold yesterday.

In the active voice the subject acts upon an object: *The man opens the doors at nine,* **El hombre abre las puertas a las nueve.** In the passive voice the subject is acted upon: *The doors are opened at nine,* **Se abren las puertas a las nueve.**

In Spanish the passive is often expressed by using the reflexive **se** before the third person of the verb, which is singular with a singular subject and plural with a plural subject. The subject often follows the verb in this usage.

EJERCICIO I.   Question and answer drill.

1. ¿ Se puede comer aquí ?	Sí, aquí se puede comer.
entrar por aquí ?	Sí, se puede entrar por aquí.
esperar aquí ?	Sí, aquí se puede esperar.
fumar aquí ?	Sí, aquí se puede fumar.
2. ¿ Se habla francés en México ?	No, en México no se habla francés.
inglés allí ?	No, allí no se habla inglés.
español aquí ?	No, aquí no se habla español.
portugués aquí ?	No, aquí no se habla portugués.
3. ¿ Se venden libros en la librería ?	Sí, en la librería se venden libros.
lápices allí ?	Sí, allí se venden lápices.
cuadernos allí ?	Sí, allí se venden cuadernos.
discos allí ?	Sí, allí se venden discos.

EJERCICIO II.   Give the Spanish for:

1. Paper is sold here. 2. Much Spanish is heard here. 3. It is. spoken in many classes. 4. Many books are read in the library. 5. It is known that there are five thousand books there. 6. The library is closed at five o'clock. 7. How does one say that in Spanish ? 8. In South America one travels much by plane. 9. How can one spend much time there ? 10. One gets up late there because the stores and offices are not opened until after nine o'clock.

3. SPANISH VERBS HAVING SIMILAR MEANINGS IN ENGLISH

tomar *to take, take up, eat, drink*	tener *to have* (*possess*)
llevar *to take, carry, wear*	haber *to have* (helping verb)
tocar *to play* (music)	volver (ue) *to return, come back*
jugar (ue; gu) *to play* (a game)	devolver (ue) *to return, give back*
saber *to know* (facts), *know how*	salir *to leave, go* (*come*) *out*
conocer *to know* (persons), *be acquainted*	partir *to leave, depart*
with	dejar *to leave* (*behind*)

EJERCICIO I.   Read in Spanish, giving the correct form of the infinitive in italics:

1. ¿ *Conocer* Vd. al señor Montera ? 2. No, no le *conocer* pero *saber* donde vive. 3. ¿ Quiere Vd. *tomar* un refresco antes de *llevar*le este paquete ? 4. No, no *tener* bastante tiempo. 5. Él *salir* hace una hora y lo *dejar* aquí. 6. Si yo le *devolver* el paquete, él *partir* para San Luis esta tarde. 7. Si él no lo *tener* al llegar a casa, va a creer que lo *haber* perdido. 8. Vd. pasa muchas horas *tocar* el piano. 9. ¿ Por qué no *jugar* Vd. al tenis conmigo ? 10. Para mí es fácil *tocar* el piano pero no *saber* jugar bien al tenis.

Terracing and planting give this sparsely populated highland region of Ecuador a look of prosperity. (Bernadine Bailey)

EJERCICIO II.   Question and answer drill.

1. ¿ Roberto dejó aquí este suéter ?   Sí, lo dejó aquí.
   ¿ Ya ha salido ?   Sí, ya ha salido.
   ¿ Salió a eso de las dos ?   Sí, salió a eso de las dos.
   ¿ Todavía está aquí ?   No, ya no está aquí.

2. ¿ Conoce Vd. a Ricardo Linares ?   Sí, le conozco bien.
   ¿ Sabe Vd. dónde vive ?   No, no sé dónde vive.
   ¿ Sabe Vd. que vive con su abuela ?   Sí, sé que vive con ella.
   ¿ Conoce Vd. a su abuela ?   No, no la conozco.

3. Vd. tiene una carta, ¿ verdad ?   Sí, tengo una carta.
   ¿ Se la ha escrito a Vd. su hermano ?   Sí, me la ha escrito.
   ¿ Tiene Vd. que escribirle pronto ?   Sí, tengo que escribirle pronto.
   ¿ Ya le ha escrito Vd. a él ?   No, todavía no le he escrito.

EJERCICIO III.   Write in Spanish (*Optional*):

1. Hasn't he arrived yet ? 2. No, he had to leave the car in the village. 3. Did he take a taxi ? 4. No, Paul took him home. 5. Who was playing the piano ? 6. I don't know, but Paul wanted to play football. 7. They left for the park at about five o'clock. 8. They did not recall that their father intended to leave for San Francisco. 9. He knows many persons who live there. 10. We know that he will go to the Hotel California.

Para practicar

Prepare a short **discurso** explaining school hours, store hours, and mealtimes in this country.

63

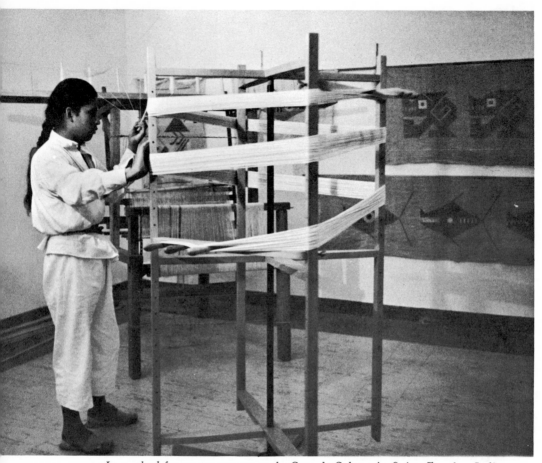

In a school for master weavers at the Casa de Cultura in Quito, Ecuador, Indian
weavers are taught new techniques and new designs which they may take back to
weavers in their villages. This photograph shows a weaver making raw wool ready
for spinning.

Lección cinco

Charlando en la calle

Dorotea, Marta, Carlos, Pablo y Luis ya han salido del restaurante La Fiesta.

Marta. Luis, ¿ le gustan nuestras hamburguesas ?

Luis. ¡ Cómo no ! ¡ He comido tres, con lechuga, tomate y mayonesa !
También me gustó mucho la soda de chocolate. Vds. tienen
platos muy originales.   5

Dorotea. Pues sí. Todos los países tienen sus platos especiales. Bueno,
ahora tenemos que ir a la librería. Carlos, ¿ has dicho que tienes
que ir al banco antes de comprar tus libros ?

Carlos. Sí, tengo que cobrar un cheque que me dio mi mamá.

Dorotea. Iré contigo si quieres. Yo también tengo que cobrar un cheque. 10
Este año tengo una cuenta a mi nombre.

Luis. Díganme por favor qué tengo que hacer yo. Esta mañana la
señora de Turner, mi madre norteamericana, me dio este billete.
¿ Es bastante para comprar mis libros ? (*Les enseña un billete de
veinte dólares.*)   15

Pablo. ¡ Veinte dólares ! ¡ Ya lo creo ! Vd. podrá comprar libros nuevos.
Yo voy a buscar unos de segunda mano.

Marta. Dorotea, ¿ has visto el libro que vamos a usar en la clase de
literatura inglesa ?

Dorotea. Sí, lo he visto. Es grande. Tendremos que leer mucho este año. 20

Carlos. ¿ Qué libro vamos a usar en la clase de español ?

Pablo. Un libro que tiene un poco de todo. La primera parte trata de la
gramática española, y la segunda contiene selecciones sobre la
historia y las costumbres de los países de habla española, varios
cuentos y una comedia. También tiene muchos diálogos y 25
prácticas.

Dorotea. Luis, ¿ va Vd. a estar en nuestra clase de español ?

Luis. Creo que sí, pero como oyente. Aunque tengo dos clases de
inglés, una de composición y otra de literatura me parece que
valdrá la pena asistir a la clase de español. Quiero aprovechar 30
todas las oportunidades para aprender bien el inglés.

Marta. Y tendremos la oportunidad de charlar con Vd. y de aprender algo
acerca de su país.

Carlos. ¿ Es Vd. músico ?

Luis. Oh no, no soy músico. Solamente toco un poco la guitarra.

Dorotea. ¿ Entonces Vd. podrá enseñarnos a cantar algunas canciones españolas ?

Luis. Pues cómo no. Con mucho gusto.

5 *Carlos.* Ya estamos enfrente de la oficina de correos. Tengo que comprar un sello antes de echar al correo esta carta para mi hermana.

Luis. ¿ Me permite acompañarle ? Necesito unos sellos de correo aéreo. Hay que mandar las cartas por correo aéreo, de otra manera tardan mucho en llegar a Sevilla.

10 *Pablo.* Los esperaremos aquí. Pero tenemos que darnos prisa porque nos queda poco tiempo.

Carlos. Volvemos en seguida. ¡ Y luego al banco y a la librería !

PALABRAS Y EXPRESIONES

a mi nombre   *in my (own) name*
acerca de   *about, concerning*
aprovechar   *to take advantage of*
contener (*like* tener)   *to contain*
el cuento   *short story*
de habla española   *Spanish-speaking*
de otra manera   *otherwise*
echar al correo   *to mail*
la guitarra   *guitar*
hay que (mandar)   *one must* or *it is necessary (to send)*
la lechuga   *lettuce*
la mayonesa   *mayonnaise*
el músico   *musician*
la oficina de correos   *post office*
oh   *oh*
original   *original*
el oyente   *auditor*

por favor   *please*
la selección (*pl.* selecciones)   *selection*
el sello de correo aéreo   *airmail stamp*
sobre   *on, about, concerning*
la soda (de chocolate)   *(chocolate) soda*
tardar mucho en   *to delay (be) very long in,
   take very long to*
el tomate   *tomato*
tratar de   *to deal with*
(un billete) de veinte dólares   *a twenty-
   dollar (bill)*
unos de segunda mano   *some second-hand
   ones, some used ones*
valer la pena   *to be worthwhile*
volvemos en seguida   *we'll be right back,
   we'll return at once*
¡ ya lo creo !   *yes, indeed! certainly! of
   course!*

Preguntas

Answer in Spanish these questions based on the dialogue:

1. ¿ De dónde han salido los cinco muchachos ? 2. ¿ Le gustan a Luis las hamburguesas ? 3. ¿ Cuántas comió ? 4. ¿ Con qué las tomó ? 5. ¿ Qué otra cosa le gustó mucho ? 6. ¿ A dónde tiene que ir Carlos antes de ir a la librería ? 7. ¿ Para qué tiene que ir al banco ? 8. ¿ Por qué quiere ir allá Dorotea ? 9. ¿ Qué le había dado a Luis la señora de Turner ? 10. ¿ Puede comprar libros nuevos ? 11. ¿ Qué clase de libros va a comprar Pablo ? 12. ¿ Cómo es el libro que van a usar en la clase de literatura inglesa ? 13. ¿ Qué contiene el libro de español ? 14. ¿ Qué clases de inglés tiene Luis ? 15. ¿ Por qué quiere asistir a la clase

de español ? 16. ¿ Es músico Luis ? 17. ¿ Qué toca ? 18. ¿ Qué podrá enseñarles
a los alumnos ? 19. ¿ Qué tiene que comprar Carlos en la oficina de correos ?
20. ¿ Qué necesita Luis ? 21. ¿ Por qué tiene que mandar las cartas por correo
aéreo ? 22. ¿ Entran todos en la oficina de correos ? 23. ¿ Por qué tienen que
darse prisa ? 24. ¿ A dónde tienen que ir después ?

Gramática

1. THE PERSONAL a

Esperaron a Luis.	They waited for Louis.
¿ Tienen muchos amigos aquí ?	Do they have many friends here ?
Visitaron a España.	They visited Spain.
¿ Ha visto Vd. a alguien ?	Have you seen anyone ?
¿ A quién saludó Vd. ?	Whom did you greet ?

When the direct object of the verb is a noun that indicates a definite person,
the personal a regularly precedes the object, except after **tener**. It is often
(but not always) used before unmodified geographical names. Also it is used
before such words as **quien, alguien, alguno, nadie, ninguno**, referring to persons.

Read in Spanish, supplying the personal a if needed:

1. Marta y Dorotea esperan —— Pablo. 2. Luis acompaña —— Pablo.
3. Las muchachas ven —— los dos jóvenes. 4. No conocen —— Luis. 5. Todos
miran —— el billete que tiene Luis. 6. Marta llama —— la hermana de Pablo.
7. Ella se llama —— Juanita. 8. Luis quiere conocer —— Juanita. 9. Luis
no conoce —— las otras muchachas. 10. ¿ —— quién saludaron entonces ?
11. Saludaron —— la señorita Martín. 12. Luis ya tiene —— muchos amigos.
13. Conoce bien —— Sevilla. 14. ¿ Acompañó —— alguien al cine ? 15. ¿ Conoció —— la señorita Alcalá ?

2. INDEFINITE AND NEGATIVE WORDS

Pronouns

algo *something, anything*	nada *nothing, (not) . . . anything*
alguien *someone, somebody, anybody*	nadie *no one, nobody, (not) . . . anybody (anyone)*

Pronoun or adjective

alguno *some(one), any; (pl.) some*	ninguno *no, no one, none, (not) . . . any (anybody)*

Adverbs

algún día *some day*	nunca } *never, (not) . . . ever*
siempre *always*	jamás }
también *also*	tampoco *neither, (nor or not) either*

Conjunctions

o *or*	ni *nor, (not) . . . or*
	ni . . . ni *neither . . . nor*

Tienen algo.	They have something.
No tengo nada *or* **Nada tengo.**	I have nothing (I haven't anything).
Nunca (*or* **Jamás**) **dijo nada.**	He never said anything.
No lo he hecho tampoco *or* **Tampoco lo he hecho.**	I haven't done it either.
Salió sin decir nada.	He left without saying anything.
¿ Qué tiene ? — Nada.	What does he have ? — Nothing.
Lee más que nadie.	He reads more than anyone.

If such words as **nada, nadie,** etc., follow the verb, **no** or some other negative must precede it; if they come before the verb or stand alone, **no** is not required. If a negative precedes the verb in English, the indefinite expressions, such as *some, any,* etc., are negative in the Spanish sentence. **Nunca** is more common than **jamás** for *never.* After **que,** *than,* the negatives are used.

¿ Ve Vd. a alguien ?	Do you see anyone ?
No vimos a nadie.	We did not see anyone (We saw nobody).

The pronouns **alguien** and **nadie** refer only to persons, unknown or not mentioned before, and the personal **a** is required when they are used as objects of the verb.

Alguno de los niños me llamó.	Some one of the children called me.
María cantó algunas canciones.	Mary sang some songs.
Ningún hombre puede hacer eso.	No man can do that.

Alguno and **ninguno,** used as adjectives or pronouns, refer to persons or things already thought of or mentioned. Before a masculine singular noun **alguno** is shortened to **algún** and **ninguno** to **ningún.**

¿ Ha visto Vd. jamás tal cosa ?	Have you ever seen such a thing ?
No, nunca.	No, never.
¿ Ha estado Vd. alguna vez en México ?	Have you ever (at any time) been in Mexico ?
Sí, varias veces.	Yes, several times.

In a question **jamás,** used after the verb, means *ever* and a negative answer is expected. When neither an affirmative nor a negative answer is implied, **alguna vez,** *ever, sometime, anytime,* is used.

EJERCICIO I. Question and answer drill. Negative answers will be given for I, 2, 3:

I. ¿ A quién ha visto Vd. ?	No he visto a nadie.
¿ A quién ha escrito Vd. ?	No he escrito a nadie.

¿ Qué ha comprado Vd. ?	No he comprado nada.
¿ Ha encontrado Vd. algo ?	No he encontrado nada.

2. ¿ Ha llamado Vd. a alguien ? — No, no he llamado a nadie.
¿ Ha visitado Vd. a alguien ? — No, no he visitado a nadie.
¿ Ha visto Vd. a alguno de ellos ? — No, no he visto a ninguno de ellos.
¿ Han venido algunos de ellos ? — No, ninguno de ellos ha venido *or* No, no ha venido ninguno de ellos.

3. ¿ Juega Vd. mucho aquí ? — No, nunca juego aquí.
¿ Juega aquí su hermano ? — No, tampoco juega aquí (No juega aquí tampoco).

¿ Baila y canta Vd. ? — No, ni bailo ni canto.
¿ Toca Vd. jamás el piano ? — No, nunca (jamás) toco el piano.
¿ Va Vd. allá jamás ? — No, nunca (jamás) voy allá.

4. ¿ Has comprado tus libros ? — Sí, los he comprado.
¿ Has leído algunos de ellos ? — Sí, he leído algunos de ellos.
¿ Has mirado las fotografías ? — Sí, las he mirado.
¿ Le has enseñado a María algunas ? — Sí, le he enseñado algunas.

EJERCICIO II. Read in Spanish, supplying an indefinite or negative word in each blank, as the meaning requires:

1. ¿ Hay —— en la mesa ? No hay —— allí. 2. ¿ Querían ——? No querían ——. 3. ¿ Buscó Vd. a ——? No busqué a ——. 4. ¿ Vio Juan a ——? No, volvió sin ver a ——. 5. —— escribió esta carta. —— de las muchachas la escribió. 6. ¿ Va Vd. a dar las flores a ——? De —— manera. 7. Luis pasó varias horas aquí sin hacer ——. ¿ Hizo —— ayer ? 8. Nunca compra —— en esta tienda. Ni yo ——. 9. ¿ Dieron —— a ——? Nunca dieron —— a ——. 10. ¿ Puede hacerlo —— de los muchachos ? —— muchacho puede hacerlo.

EJERCICIO III. Give in Spanish:

1. Do you have anything in your hand ? 2. No, I don't have anything. 3. Do you know anyone here ? 4. I don't know anyone. 5. I never spend much time here. 6. Charles has more friends than anyone. 7. John never buys anything in this store. 8. Nor Richard either. 9. Have you ever talked with him ? 10. He left without seeing anyone. 11. Some of the boys are going to the movie. 12. No boy knows that. 13. Isn't there anything on the table ? 14. There is nothing there. 15. He never gave anything to anyone.

Para practicar

Last Saturday you went downtown. You cashed a check at the bank; you bought stamps and mailed two letters, one by airmail; then, you had lunch in a restaurant with a friend. Include these activities in today's **discurso**.

(*Top*) *These Indian women work as laborers in a mine at an altitude of 15,000 feet in the Andes of Bolivia.* (*Bottom*) *Some of the anchovies which reach us in small tins or glasses are brought in by the boat load to El Callao, Peru.* (*Bernadine Bailey*)

Lección seis

Hablando por teléfono

Es miércoles. Son las siete y media de la noche y Marta está estudiando. Suena el teléfono y la señora de Lucas contesta.

Sra. Lucas. ¡ Bueno !¹
Pablo. ¿ Con quién hablo ?
Sra. Lucas. Con el número 2–25–36–18.   5
Pablo. ¿ Está Marta ?
Sra. Lucas. Sí. Un momento, por favor . . . Marta, alguien te llama por teléfono.
Marta. ¡ Diga !
Pablo. Habla Pablo.   10
Marta. Ah, ¿ cómo estás ?
Pablo. Muy bien, gracias. ¿ Y tú ?
Marta. Bien, gracias.
Pablo. ¿ Qué estás haciendo ? ¿ Estás ocupada ?
Marta. Sí, estoy estudiando mi lección de español. Después tengo 15 que leer un capítulo en mi libro de historia. ¿ Has tenido noticias de tu madre ? ¿ Y cómo está tu abuela ?
Pablo. No había tenido oportunidad de decirte que mamá volvió esta tarde, en el tren de las tres. Mi abuela está mucho mejor y pronto estará perfectamente bien.   20
Marta. ¿ Te trajo tu mamá el regalo de cumpleaños que te había prometido ?
Pablo. ¡ Sí, y qué gran sorpresa ! No puedes imaginarte lo que me trajo.
Marta. ¿ Fue el radio portátil que querías ?   25
Pablo. No, algo que me gusta mucho más. Me trajo un tocadiscos de los más modernos. Y mi abuela me mandó unos discos nuevos. Ya estoy haciendo planes para dar una fiesta el sábado por la noche. ¿ Puedes venir ?
Marta. ¡ Cómo no ! Con mucho gusto. ¿ Vas a invitar a muchas 30 personas ?

---

¹ Several Spanish expressions are used for the telephone greeting *Hello:* **Diga,** or **Dígame** (Spain); **Bueno** (Mexico); **Hola** (Argentina); **aló** (in many other countries).

71

Pablo. Unos quince o veinte muchachos, Luis Rivas, entre ellos. Va a traer su guitarra y después de tocar los discos nuevos, podremos cantar algunas canciones españolas.

Marta. ¿ Para qué hora nos invitas ?

5 *Pablo.* Para las ocho. Iré por ti a las ocho menos cuarto. Vamos a bailar y a cantar hasta las diez y media o las once. A esa hora vamos a tomar una pequeña merienda. Mamá va a hacer sandwiches tostados de queso y ensalada de patatas. También vamos a servir helado con jarabe de chocolate, y leche, coca

10 cola o limonada. ¿ Te parece bien ?

Marta. ¡ Magnífico ! Pero eso es más que una merienda y tu mamá tendrá que trabajar toda la noche para preparar tantas cosas.

Pablo. Sí. Ya sé que es mucho trabajo, pero mamá quiere hacerlo.

Marta. Pues, estaré lista a las ocho menos cuarto. Pues, te veo

15 mañana en la escuela, ¿ no ?

Pablo. ¡ Cómo no ! Hasta mañana.

PALABRAS Y EXPRESIONES

¡ bueno ! *hello!* (telephone)
el capítulo *chapter*
¿ con quién hablo ? *who is speaking? with whom am I speaking?*
de la noche *in the evening,* P.M.
¡ diga ! *hello!* (telephone)
la ensalada de patatas *potato salad*
¿ está (Marta) ? *is (Martha) at home?*
habla (Pablo) *this is (Paul), (Paul) is speaking*
imaginarse *to imagine*

ir por *to go for*
la merienda *light lunch, snack*
portátil *portable*
el regalo de cumpleaños *birthday gift*
el sábado por la noche *Saturday night*
sandwiches tostados de queso *toasted cheese sandwiches*
te veo mañana *I'll see you tomorrow*
tener noticias de *to have (receive) news of, hear from*
un tocadiscos de los más modernos *one of the latest record players*

Preguntas

Answer in Spanish these questions based on the dialogue:

1. ¿ Qué día es ? 2. ¿ Qué hora es ? 3. ¿ Qué suena ? 4. ¿ Quién contesta ? 5. ¿ Qué dice ella ? 6. ¿ Qué pregunta Pablo primero ? 7. ¿ Qué pregunta después ? 8. ¿ Qué está haciendo Marta ? 9. ¿ Qué tiene que hacer después ? 10. ¿ Quién está enfermo ? 11. ¿ Cómo está ella ? 12. ¿ Ha vuelto a casa la mamá de Pablo ? 13. ¿ Qué le trajo a Pablo ? 14. ¿ Qué le mandó su abuela ? 15. ¿ Para qué está haciendo planes Pablo ? 16. ¿ Cuándo va a dar la fiesta ? 17. ¿ Invita a Marta ? 18. ¿ Estarán allí muchas personas ? 19. ¿ Qué va a traer Luis Rivas ? 20. Después de tocar unos discos, ¿ qué podrán hacer ? 21. ¿ A qué hora irá Pablo por Marta ? 22. ¿ Hasta qué hora van a bailar y a cantar ? 23. ¿ Qué va a hacer la mamá de Pablo ? 24. ¿ Va a servir otra cosa ? 25. Según Marta, ¿ tendrá que trabajar mucho la mamá de Pablo ?

Gramática

1. Summary of the uses of **estar** and **ser,** *to be*

Estar is used:

a. To express *location* or *position*, whether temporary or permanent:

Están en casa.	They are at home.
Madrid está en España.	Madrid is in Spain.

b. With an adjective to indicate a state or condition of the subject, which may be relatively temporary or variable:

Ella está mucho mejor.	She is much better.
María estaba ocupada.	Mary was busy.
Estará lista a las ocho.	She will be ready at eight.

c. With a present participle to stress an action in progress:

¿ Qué estás haciendo ?	What are you doing ?
Estábamos estudiando.	We were studying.

Ser is used:

a. With a predicate noun or pronoun, or an adjective used as a noun:

Su padre es médico.	His father is a doctor.
No somos españoles.	We are not Spanish.

b. With the preposition **de** to show *ownership, origin,* or *material;* and with the preposition **para** to indicate *for whom* or *what* a thing is intended:

El coche era de Juan.	The car was John's.
Nuestro primo es de Chile.	Our cousin is from Chile.
La pulsera es de oro.	The bracelet is (of) gold.
Estas cartas son para Vd.	These letters are for you.

c. With an adjective to express a characteristic quality of the subject that is relatively permanent. This includes adjectives of color, size, shape, nationality, and the like:

Las casas son blancas (bonitas).	The houses are white (pretty).
Era un día hermoso.	It was a beautiful day.
El hombre es rico.	The man is rich.

d. In impersonal expressions (*it* + verb + adjective):

Es fácil comprender eso.	It is easy to understand that.

e. To express time of day:

¿ Qué hora es ? — Son las dos.	What time is it ? — It is two o'clock.

*At left is the modern Victoria Plaza Hotel in the Plaza Independencia, Montevideo,
and at the right, the unusual Palacio Salvo. The Palacio houses a television station,
a residential hotel, and offers a breathtaking view of the city. (Courtesy PAA)*

EJERCICIO I. Question and answer drill.

1. ¿ Está Vd. bien ?   Sí, estoy muy bien, gracias.
   ¿ Están bien sus padres ?   Sí, están muy bien, gracias.
   ¿ Está en casa María ?   Sí, está en casa.
   ¿ También están allí Juan y Pablo ?   Sí, están allí.

2. Su padre es médico, ¿ no ?   Sí, es médico.
   ¿ Son alumnas María y Juanita ?   Sí, son alumnas.
   ¿ Son alumnos Jorge y Vd. ?   Sí, somos alumnos.
   ¿ Qué soy yo ?   Vd. es profesor(a).

EJERCICIO II.   Use the correct form of **estar** or **ser,** as required. Give each
sentence in the present tense, then in the imperfect:

1. Marta —— en casa. 2. —— las siete y media de la noche. 3. Su familia
—— de México. 4. Su madre —— ocupada. 5. El padre de ella —— en México.
6. No —— difícil llamarle por teléfono. 7. La abuela de Pablo ya no ——
enferma. 8. El reloj —— muy bonito. 9. —— de oro. 10. ¿ Para quién ——
la pulsera ? 11. ¿ Quién —— tocando el piano ? 12. ¿ Dónde —— sentados
Luis y Roberto ?

EJERCICIO III.   Complete each sentence with the correct form of **estar** or **ser.**
You can tell which tense to use from the other words in the sentence:

1. ¿ Cómo —— tú hoy ? 2. ¿ De dónde —— tú ? 3. Mañana yo —— en
Nueva York. 4. Ayer —— en Chicago. 5. Hoy —— visitando a mis amigos.

Punta del Este, on Uruguay's coast, has been the scene of meetings important to nations of this hemisphere. (Courtesy PAA)

6. Mi hermana Isabel y yo —— de México. 7. Mi abuela no —— muy bien. 8. Isabel va a —— con ella hasta el primero de diciembre. 9. Hasta la semana pasada ella —— muy contenta. 10. Nueva York —— una ciudad muy interesante. 11. Mi padre vivía allí cuando —— joven. 12. Yo —— allí cuando conocí a Isabel. 13. —— las tres cuando me llamó por teléfono. 14. Dijo que —— muy cansada. 15. También dijo que —— descansando un rato. 16. ¿ —— Vd. leyendo el libro que le di la semana pasada ?

EJERCICIO IV. Write in Spanish (*Optional*):

1. It is eleven o'clock now. 2. Mr. López will be here this afternoon. 3. His company is large, isn't it ? 4. Yes, and some of his employees are Mexicans. 5. All the chairs that are made there are of wood. 6. The wood that they use is from Guatemala. 7. The building is on a wide street. 8. Near it is a large house which is of stone. 9. It is my uncle's. 10. Since he is tired of the noise, he wants to sell it.

EJERCICIO V. In this exercise there is a series of sentences. Following each sentence are questions whose answers can be found in the sentence. Answer each question with a complete Spanish sentence:

a. El tío de Juan es médico y es de Guatemala, pero está ahora en Nueva York.

1. ¿ Qué es el tío de Juan ?
2. ¿ Quién es médico ?
3. ¿ Es médico el tío de Juan ?
4. ¿ De dónde es el tío de Juan ?

75

5. ¿ Es de Guatemala el tío de Juan ?   7. ¿ Dónde está el tío de Juan ?
6. ¿ Quién es de Guatemala ?   8. ¿ Quién está en Nueva York ?

b. María está enferma y está en casa, pero está tocando la guitarra.

1. ¿ Quién está enferma ?   5. ¿ Quién está en casa ?
2. ¿ Cómo está María ?   6. ¿ Está en casa María ?
3. ¿ Está enferma María ?   7. ¿ Quién está tocando la guitarra ?
4. ¿ Dónde está María ?   8. ¿ Qué está tocando María ?

c. El reloj es de oro; es muy bonito y es de Pablo.

1. ¿ Qué es de oro ?   5. ¿ Cómo es el reloj ?
2. ¿ De qué es el reloj ?   6. ¿ Es bonito el reloj ?
3. ¿ Es de oro el reloj ?   7. ¿ Qué es de Pablo ?
4. ¿ Qué es bonito ?   8. ¿ Es de Pablo el reloj ?

2. IRREGULAR FORMS AND USES OF THE PRESENT PARTICIPLE

Verbs which have irregular present participles are:

decir:	**diciendo**	saying, telling	**creer:**	**creyendo**	believing
ir:	**yendo**	going	**leer:**	**leyendo**	reading
poder:	**pudiendo**	being able	**oír:**	**oyendo**	hearing
venir:	**viniendo**	coming	**traer:**	**trayendo**	bringing

a. In section 1 the use of the present participle with **estar** was explained.

b. **Pasan mucho tiempo hablando.**   They spend much time talking.
Leyéndolo, se aprende más.   (By) reading it, one learns more.

The present participle is used alone, as in English, or to express *by* plus the present participle. Object pronouns are regularly attached to the present participle and an accent mark must be written on the proper syllable.

Remember that the infinitive, not the present participle, is used after a preposition: **Después de verlos,** *After seeing them.*

EJERCICIO 1. Question and answer drill.

1. ¿ Están leyendo los periódicos ?   Sí, están leyéndolos.
   ¿ Están escribiendo las cartas ?   Sí, están escribiéndolas.
   ¿ Están mirando el mapa ?   Sí, están mirándolo.
   ¿ Están trayendo la fotografía ?   Sí, están trayéndola.

2. ¿ Estás llamando a María ?   Sí, estoy llamándola.
   ¿ Estás estudiando la lección ?   Sí, estoy estudiándola.
   ¿ Estás diciéndoles el cuento ?   No, no estoy diciéndoselo.
   ¿ Estás poniéndote los zapatos ?   No, no estoy poniéndomelos.

EJERCICIO II. Place the pronoun object correctly with the verb in each group:

1. (me) Dicen la verdad. Están diciendo la verdad. 2. (nos) Vd. trajo muchos regalos. Vd. estaba trayendo muchos regalos. 3. (los) Ponemos en el jardín. Estamos poniendo en el jardín. 4. (les) Escribo. Estoy escribiendo. 5. (las) Llevaban a casa. Estaban llevando a casa.

EJERCICIO III. Give the Spanish for:

1. believing. 2. wishing. 3. living. 4. coming. 5. selling. 6. giving. 7. saying. 8. going. 9. hearing. 10. carrying. 11. arriving. 12. calling. 13. raining. 14. being able. 15. placing. 16. bringing. 17. reading. 18. being (**ser**). 19. being (**estar**). 20. seeing.

EJERCICIO IV. Escriban Vds. al dictado:

La madre de Pablo ha vuelto de San Francisco. Le ha traído a su hijo, como regalo de cumpleaños, un tocadiscos de los más modernos. Pablo está muy contento y ya está haciendo planes para dar una fiesta el sábado por la noche. Pasa muchas horas hablando por teléfono con Marta y con muchos otros amigos. Pablo dice que mientras todos bailan, su mamá va a prepararles una merienda.

Para practicar

Prepare a typical telephone conversation with one of your friends. Choose some familiar topic and use words and phrases which you have already studied.

REPASO

Give the Spanish for these expressions used in Lessons I–VI:

1. at times. 2. again. 3. every day. 4. in the evenings. 5. at once. 6. no longer. 7. because of that. 8. otherwise. 9. at about five o'clock. 10. perhaps. 11. by no means. 12. Saturday night. 13. Of course ! 14. How fine ! 15. Hello ! 16. I believe so. 17. What's the matter ? 18. Are you very hungry ? 19. He has just returned the book. 20. May I go with you ? 21. I'm very glad to know you. 22. We returned home. 23. They went to school. 24. I mailed the letter. 25. It is not worthwhile. 26. I'll see you (*fam. sing.*) tomorrow. 27. We learned something about Spain. 28. I went for her. 29. Is John at home ? 30. I arrived an hour ago. 31. Have you had news of them ? 32. I like the work. 33. We like hamburgers. 34. They don't have time to do it. 35. Let me explain to you. 36. I don't know either. 37. We attend this school. 38. He hurried. 39. It is eight o'clock sharp. 40. It is time to leave.

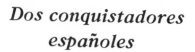

Dos conquistadores
españoles

Hernán Cortés ••••••
Francisco Pizarro ━ ━ ━ ━

CORTÉS

(Radio Times Hulton Picture Library)

Océano Atlántico

Golfo de México

México
Veracruz
YUCATÁN

Santiago

Santo
Domingo

Mar Caribe

Océano Pacífico

(Radio Times Hulton Picture Library)

PANAMÁ

COLOMBIA

Quito
ECUADOR
Túmbez

Cajamarca

Lima
Cuzco

PIZARRO

LECTURA II

Dos conquistadores españoles

A la edad de diez y nueve años un joven español, llamado Hernán Cortés, abandonó su país para dirigirse primero a la Española, y después a Cuba. Allí oyó fantásticas historias acerca de un lugar maravilloso que estaba al oeste y que hoy día se conoce como México. Resolvió visitar estas tierras al otro lado del mar en busca de oro, de fama y de prestigio. Cortés tenía 5 entonces treinta y cuatro años.

En el viaje de Cuba a México, Cortés pasó por una isla donde conoció a Jerónimo de Aguilar, un español que los indios habían capturado unos ocho años antes. Pensando que Aguilar podría servirle de intérprete, Cortés se lo compró al cacique,[1] que era su dueño. Más tarde, en la costa de Yuca- 10 tán, el conquistador conoció a una joven indígena, llamada Marina, que le acompañó en sus expediciones. Como ella hablaba la lengua de los mayas y de los aztecas, ayudó mucho a Cortés en sus tratos [2] con los indios.

Con unos 500 soldados, doce naves, diez y seis caballos y algunas armas de fuego,[3] llegó la expedición a la costa de México en el mes de abril de 15 1519. Después de fundar la ciudad de Veracruz, Cortés quemó todas sus naves, menos una que mandó a España para anunciar la nueva colonia. Poco a poco Cortés y sus soldados invadieron el territorio de los aztecas. Al acercarse Cortés a la meseta central donde se encontraba Tenochtitlán, la capital azteca, el emperador Moctezuma salió a recibir la expedición con 20 ricos regalos. Los españoles inmediatamente se establecieron en la ciudad sin haber conquistado a los aztecas.

La verdadera dominación de la ciudad comenzó un día que Moctezuma fue a visitar a los españoles y éstos le hicieron prisionero. De ese día en adelante [4] las órdenes que daba Moctezuma a sus súbditos,[5] eran las que 25 los españoles indicaban. Poco a poco el pueblo se dio cuenta de la situación. Por fin se levantó toda la ciudad contra los españoles y se desató [6] una terrible batalla. Los españoles ordenaron a Moctezuma a salir a la terraza para hablar con su pueblo, pero como éste ya sabía que el emperador solamente seguía las órdenes de los españoles, le arrojaron una 30 piedra a la cabeza,[7] causándole la muerte.[8] Los españoles se dieron cuenta del peligro [9] y salieron de la ciudad la noche del 30 de junio de 1520, pero muchos perdieron la vida.[10] Aquella noche se conoce en la historia como « la Noche Triste », porque se dice que Cortés se sentó debajo de un árbol

---

[1] se lo compró al cacique, *bought him from the Indian chief*.   [2] tratos, *dealings*.   [3] armas de fuego, *firearms*.   [4] De ese día en adelante, *Thereafter*.   [5] súbditos, *subjects*.   [6] desatarse, *to break out*.   [7] le arrojaron una piedra a la cabeza, *they threw a stone at his head*.   [8] causándole la muerte, *causing his death*.   [9] peligro, *danger*.   [10] la vida, *their lives*.

y lloró su derrota y la pérdida de sus soldados, de sus caballos y de sus armas. Al año siguiente, en 1521, Cortés volvió a tomar posesión de Tenochtitlán.

Cortés fue un hombre extraordinario en todos sus actos. Para algunos
5 es fácil recordar solamente la crueldad de Cortés y sus hombres, pero se puede decir con razón que no fue cruel sino cuando alguna necesidad de la guerra le obligó a serlo.[1] En realidad, ningún conquistador le superó en juicio,[2] valor, táctica y sinceridad religiosa. Una de las cosas que demuestran su verdadero genio es el hecho de que [3] estableció en la Nueva
10 España, ahora México, instituciones similares a las que existían en España en aquella época.

Brevemente hablaremos de la fundación de la ciudad de Tenochtitlán en 1325, según una leyenda azteca. Entre las varias tribus indígenas que vivían en el norte de México había una, la azteca. Por órdenes de los
15 dioses, los aztecas viajaron por muchos años hacia el sur, buscando un lugar para establecerse. Por fin, llegaron al valle de Anáhuac donde vieron un lago grande en que había muchas islas. En una de las islas había una peña;[4] encima de la peña había un nopal,[5] y en el nopal estaba un águila [6] a punto de devorar una serpiente. Al pie del nopal había muchas plumas
20 verdes, azules, rojas y amarillas de pájaros que habían sido devorados por el águila. El dios principal les dijo que éste era el lugar donde debían establecerse. Los aztecas dieron gracias a su dios e inmediatamente fundaron la ciudad de Tenochtitlán que después llamaron México, en honor de Mexitli, dios de la guerra. El águila en el nopal con una serpiente
25 en el pico, que aparece en el centro de la bandera mexicana, es el emblema nacional de la República Mexicana.

Ahora vamos a leer de otra conquista de los españoles. Después del descubrimiento del Océano Pacífico, empezaron a dirigir sus exploraciones hacia el sur. Habían oído hablar a los indígenas [7] de tierras ricas y de un
30 imperio poderoso que había en una región llamada Birú, de donde se deriva el nombre del Perú. Se encontraban entonces en Panamá tres hombres que después se hicieron famosos. Dos de ellos eran aventureros españoles, Francisco Pizarro y Diego de Almagro. El tercero era el fraile Hernando de Luque. Estos tres hombres decidieron emprender [8] la conquista del famoso
35 imperio. Dos veces lo intentaron,[9] primero en 1524, y luego dos años después, pero fracasaron [10] ambas veces. Entonces Pizarro volvió a España, donde el rey Carlos V [11] le nombró gobernador del Perú.

---

[1] le obligó a serlo, *forced him to be so.*   [2] le superó en juicio, *surpassed him in judgment.*
[3] hecho de que, *fact that.*   [4] peña, *rock.*   [5] nopal, *prickly pear tree, cactus.*   [6] un águila, *an eagle.* (Un *is often used for* una *before a feminine noun beginning with a stressed* a *or* ha.)
[7] Habían oído hablar a los indígenas, *They had heard the Indians talk.*   [8] emprender, *to undertake.*   [9] intentaron, *they tried.*   [10] fracasaron, *they failed.*   [11] V = Quinto.

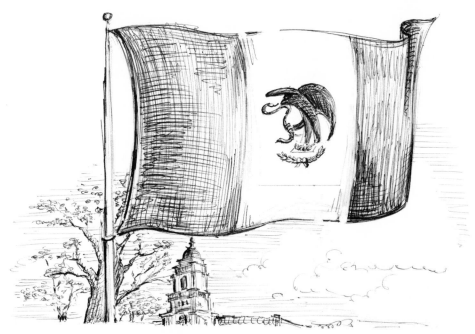

En enero de 1531 Pizarro salió de Panamá por tercera vez con unos 27 caballos y unos 180 soldados, cuatro de ellos hermanos suyos. Al llegar al norte del Perú cruzaron desiertos, ríos y montañas en su marcha hacia Cajamarca, donde los esperaba Atahualpa, emperador de los incas. En el camino se unieron a Pizarro unos 130 hombres, entre ellos Hernando de 5 Soto, quien, varios años después, había de descubrir el río Misisipí.

Atahualpa, que acababa de derrotar a su hermano Huáscar en una guerra civil, creía que los incas podrían conquistar fácilmente a los españoles. En noviembre Pizarro ocupó la ciudad de Cajamarca, que los incas habían abandonado. Luego envió a su hermano Hernando y a Hernando 10 de Soto a saludar a Atahualpa y a decirle que el representante de otro gran rey le invitaba a visitarle. El inca, que estaba cerca de la ciudad con más de 30,000 hombres, les contestó que lo haría al día siguiente.

Pizarro escondió [1] hombres, caballos y cañones en los edificios que daban a la plaza. Atahualpa entró en la plaza en una rica litera [2] y le recibió 15 Vicente de Valverde, un padre dominicano, que llevaba en la mano una Biblia y un crucifijo. El padre le dio a Atahualpa la Biblia y por medio de un intérprete trató de explicarle que debía aceptar la religión cristiana y reconocer el poderío [3] del rey de España. Sin comprender nada, Atahualpa arrojó la Biblia al suelo, contestando que él era más poderoso que ningún 20 otro rey del mundo.

[1] escondió, *hid.*   [2] litera, *litter.*   [3] poderío, *power.*

Los españoles atacaron inmediatamente, matando a muchos indios y capturando a Atahualpa. Éste, creyendo poder obtener su libertad, ofreció llenar de oro el cuarto,[1] pero aunque lo hizo nunca obtuvo la libertad que le habían prometido. Después de repartir el tesoro, los españoles
5 lanzaron acusaciones falsas en su contra [2] y le condenaron a muerte. Continuaron la conquista de los incas y marcharon al Cuzco, rica capital del imperio.

Más tarde Pizarro se dirigió al valle de Rìmac para fundar una nueva colonia, destinada a ser la capital del territorio conquistado. El seis de
10 enero, de 1535, en honor de la fiesta de la Epifanía,[3] fundó la Ciudad de los Reyes, después llamada Lima. Hoy día, en la catedral de la antigua capital, se puede ver el lugar donde se encuentran los restos del conquistador.

MODISMOS

a punto de *on the point of, about to*
al año siguiente *the following year*
dar a *to face*
darse cuenta de *to realize*

dos veces *twice*
poco a poco *little by little*
por tercera vez *for the third time*
volver a tomar *to take again, return to take*

PREGUNTAS

1. ¿ Cuántos años tenía Cortés cuando fue al Nuevo Mundo ? 2. ¿ A dónde se dirigió primero ? 3. ¿ Qué resolvió hacer varios años después ? 4. ¿ A quiénes conoció en el viaje ? 5. ¿ Qué hablaba Marina ?

6. ¿ En qué año llegó la expedición a la costa de México ? 7. ¿ Qué fundó Cortés ? 8. ¿ Quemó todas sus naves ? 9. ¿ Qué territorio invadieron los españoles ? 10. ¿ Cómo se llamaba la capital ? 11. ¿ Quién era el emperador de los aztecas ? 12. ¿ Qué pasó un día que Moctezuma fue a visitar a los españoles ? 13. ¿ Qué hicieron los indios un día que Moctezuma salió a la terraza ? 14. ¿ Cómo se conoce la noche del 30 de junio de 1520 ? 15. ¿ Cuándo volvió Cortés a tomar posesión de Tenochtitlán ? 16. ¿ Qué hizo Cortés después de conquistar a los aztecas ?

17. ¿ En qué año se fundó la ciudad de Tenochtitlán ? 18. ¿ Dónde vivían los aztecas antes de ese año ? 19. ¿ A qué valle llegaron ? 20. Cuente Vd. (*Tell*) lo que vieron en el lago. 21. ¿ Cuál es el emblema nacional de la República Mexicana ?

22. ¿ Quién decidió emprender la conquista del Perú ? 23. ¿ Cuántos viajes hizo ? 24. ¿ En qué año salió por tercera vez ? 25. ¿ Quién era el emperador de los incas ? 26. ¿ Dónde estaba Atahualpa cuando los españoles llegaron a Cajamarca ? 27. ¿ Cuántos hombres le acompañaban ? 28. Cuente Vd. lo que pasó cuando Atahualpa entró en la plaza. 29. ¿ Qué ofreció hacer Atahualpa cuando

[1] llenar de oro el cuarto, *to fill the room with gold.* [2] en su contra, *against him.* [3] Epifanía, *Epiphany.*

le capturaron ? 30. ¿ Qué hicieron los españoles ? 31. ¿ A dónde marcharon después ? 32. ¿ Cuándo fundó Pizarro la ciudad de Lima ? 33. ¿ Dónde se encuentran los restos de Pizarro hoy día ?

ESTUDIO DE PALABRAS

a. Verb cognates

1. *The English verb has no ending as in Spanish:* abandonar, visitar, existir, formar.

2. The English verb ends in *–e:* explorar, resolver, capturar, servir, invadir, derivar, decidir, invitar.

b. The Spanish endings –ia, –io = English *–y;* –dad, tad = *–ty;* –mente = *–ly. What are the meanings of:* colonia, historia, extraordinario, territorio, realidad, libertad, popularidad, inmediatamente, verdaderamente, fácilmente ?

c. *Compare:* conquistar, conquista, conquistador; perder *and* pérdida, *loss;* fundar, *to found, and* fundación, *founding;* viajar *and* viaje; descubrir, descubridor, descubrimiento; nombrar *and* nombre; explorar, exploración, explorador; colonizar *and* colonia; buscar *and* busca; imperio *and* emperador; verdadero *and* verdaderamente; poderío, *power, and* poderoso, *powerful;* derrota, *defeat* (noun) *and* derrotar, *to defeat* (verb).

d. Many Spanish words can be recognized by associating English words derived from the same source. Careful attention to such related words will aid greatly in improving your vocabulary.

Compare:		
edificio	*building*	*edifice*
comprender	*understand*	*comprehend*
antigua	*old, ancient*	*antique*
demostrar	*show*	*demonstrate*

COMPREHENSION

Listen carefully to each partial sentence. Repeat what you hear, then add what is necessary to complete each one accurately.

1. Hernán Cortés tenía diez y nueve años cuando partió de España para ir a ——.
2. Dos personas que le ayudaron mucho en la conquista de México fueron ——.
3. Al llegar a la costa de México, Cortés fundó la ciudad de ——.
4. Mandó quemar todas sus naves, menos una que ——.
5. Los españoles llegaron a la meseta central donde se encontraba ——.
6. El emperador Moctezuma salió a recibir la expedición con ——.
7. Un día que Moctezuma fue a visitar a los españoles éstos ——.
8. Por fin se levantó toda la ciudad contra ——.
9. Cuando el emperador salió a la terraza, los aztecas le arrojaron ——.

10. Los españoles decidieron salir de la ciudad la noche ——.
11. Aquella noche se conoce en la historia como ——.
12. Aquella noche Cortés perdió muchos ——.
13. Cortés no volvió a tomar posesión de Tenochtitlán hasta ——.
14. El águila en un nopal con una serpiente en el pico es el ——.
15. En enero de 1531 Francisco Pizarro salió de Panamá para ——.
16. El emperador de los incas fue ——.
17. Cuando Atahualpa arrojó la Biblia al suelo, los españoles ——.
18. Después de condenar a muerte a Atahualpa, los españoles ——.
19. Pizarro fundó la Ciudad de los Reyes el ——.
20. Hoy día los restos de Pizarro se encuentran en ——.

HERNANDO DE SOTO Y LOS INCAS AJEDRECISTAS [1]

El hidalgo Hernando de Soto se unió a Francisco Pizarro en el Perú y tomó parte en la conquista de los incas. Pizarro, reconociendo que de Soto era valiente, justo y simpático le nombró por su segundo, no sin oposición de sus cuatro hermanos.

5 De Soto fue el primer español que habló con el emperador Atahualpa, mandado por Pizarro al campamento del Inca. Éste aceptó la invitación de pasar a Cajamarca.

Atahualpa, en su prisión, tomó gran cariño [2] por Hernando de Soto, siempre viendo en él un defensor. De Soto era verdaderamente caballero, 10 y tal vez el único corazón noble entre los ciento setenta españoles que capturaron al hijo del Sol.[3]

Los moros, que durante más de siete siglos dominaron en España, introdujeron [4] en el país la afición al juego de ajedrez.[5] Los españoles trajeron este juego popular al Nuevo Mundo. Se sabe que los capitanes Hernando 15 de Soto, Juan de Rada, Francisco de Chaves, Blas de Atienza y el tesorero [6] Riquelme se reunían todas las tardes, en Cajamarca, en el cuarto que sirvió de prisión al Inca Atahualpa. Allí, para estos cinco hombres y tres o cuatro más, había dos tableros [7] pintados sobre dos mesitas de madera. Las piezas eran de barro.

20 El Inca estaba muy preocupado en los primeros meses de su cautiverio.[8] Aunque todas las tardes tomaba asiento junto a Hernando de Soto, su amigo y defensor, no daba señales de haberse dado cuenta de cómo movían las piezas. Pero una tarde, en las jugadas [9] finales de un partido entre de Soto y Riquelme, hizo ademán [10] Hernando de mover el caballo,[11] y el

---

[1] ajedrecistas, *chess players.* [2] cariño, *affection, liking.* [3] hijo del Sol, *son of the Sun = the Inca.* [4] introdujeron, *introduced.* [5] ajedrez, *chess.* [6] tesorero, *treasurer.* [7] tableros, *chessboards.* [8] cautiverio, *captivity.* [9] jugadas, *plays.* [10] ademán, *gesture.* [11] caballo, *knight (in chess).*

Inca, Atahualpa, tocándole ligeramente el brazo,[1] le dijo en voz baja:[2]

— No, capitán, no . . . ¡ El castillo !

Todos se sorprendieron. Hernando, después de meditar unos momentos, movió la torre,[3] como le había aconsejado Atahualpa, y pocas jugadas después sufría Riquelme el inevitable *mate*.[4]

Después de aquella tarde el capitán Hernando de Soto invitaba al Inca a jugar un solo partido, y pronto el discípulo era ya digno del maestro.[5] Aún llegó a aventajar[6] al maestro.

Se dice que los otros ajedrecistas españoles, con la excepción de Riquelme, invitaron también al Inca; pero éste nunca aceptó, diciéndoles por medio del intérprete:

— Yo juego muy poquito y vuesa merced[7] juega mucho.

La tradición popular asegura que el Inca pagó con la vida el *mate* que por su consejo[8] sufrió Riquelme aquella tarde. En el famoso consejo de veinticuatro jueces,[9] convocado por Pizarro, se impuso a Atahualpa la pena de muerte por trece votos contra once.[10] Riquelme fue uno de los trece.

Cuando Hernando de Soto volvió de una exploración, a que le había enviado Pizarro, supo que habían dado muerte al Inca. Manifestó gran enojo[11] por el crimen de sus compañeros, y disgustándose cada día más[12] con su conducta, volvió a España en 1536, llevándose[13] diez y siete mil setecientas onzas de oro[14] que le correspondieron en el rescate[15] del Inca.

(*Adapted from Ricardo Palma,*[16] Tradiciones peruanas.)

PREGUNTAS

1. ¿ A quién se unió de Soto ?   2. ¿ En qué tomó parte ?   3. ¿ Con quién habló de Soto ?   4. ¿ Por qué tomó Atahualpa gran cariño por de Soto ?   5. ¿ Cómo era de Soto ?   6. ¿ Qué introdujeron los moros en España ?   7. ¿ Dónde se reunían los capitanes todas las tardes ?   8. ¿ Dónde tomaba asiento el Inca ?   9. ¿ Sabía jugar al ajedrez ?   10. ¿ Qué dijo una tarde cuando de Soto iba a mover el caballo ?   11. ¿ Qué pasó entonces ?   12. ¿ Qué hacían el Inca y de Soto después ?   13. ¿ Jugó el Inca con los otros ?   14. ¿ Qué dice la tradición popular ?   15. ¿ Cuántos jueces había en el consejo ?   16. ¿ Cuántos votos había contra el Inca ?   17. ¿ Quién fue uno de los trece ?   18. ¿ Estaba allí de Soto ?   19. ¿ Qué manifestó al volver ?   20. ¿ Qué se llevó a España ?

[1] tocándole ligeramente el brazo, *touching his arm lightly*.   [2] en voz baja, *in a low voice*.
[3] torre, *castle (in chess)*.   [4] mate, *checkmate*.   [5] el discípulo . . . maestro, *the pupil was already worthy of the teacher*.   [6] aventajar, *to surpass*.   [7] vuesa merced, *your grace, you*.   [8] consejo, *advice; court (in next sentence)*.   [9] jueces, *judges*.   [10] se impuso . . . once, *the death penalty was imposed on Atahualpa by a vote of 13 to 11*.   [11] enojo, *anger*.   [12] disgustándose cada día más, *becoming more and more displeased*.   [13] llevándose, *taking with him*.   [14] onzas de oro, *doubloons (gold coins worth about $16 each)*.   [15] le correspondieron en el rescate, *fell to his share in the ransom*.   [16] *See p. 284 for comments on the author*.

This modern hospital is a part of Caracas' Central University and, together with the University Medical School, contributes a great deal to the nation's public health program.

Lección siete

¿ Cómo se siente usted ?

Juanita. Buenas tardes, Isabel.

Isabel. Muy buenas, Juanita. ¿ Qué tienes ? ¿ Por qué no has ido a trabajar hoy ?

Juanita. No me siento bien y pedí permiso para no ir. Tengo un resfriado y me duele la cabeza. 5

Isabel. ¡ Querida mía, lo siento mucho ! ¿ Por qué no te acuestas ?

Juanita. Ayer pasé la mayor parte del día en la cama y esta mañana me levanté tarde. Me vestí, pero después de almorzar, dormí la siesta. Ahora me siento un poco mejor.

Isabel. Me alegro mucho. ¿ Dormiste mucho ? 10

Juanita. No dormí más que media hora. Mi hermanito estaba jugando con un niño y una niña que son vecinos nuestros. Como estaban muy cerca de mi ventana, no pude dormir bien. Pero es mejor. Si duermo mucho por la tarde, no puedo dormirme por la noche. A propósito, ¿ has visto a Bárbara hoy ? 15

Isabel. Al mediodía la vi en el centro con Elena Martín, una prima suya. Las acompañé a la tienda de Ruiz Hermanos a buscar un regalo de cumpleaños para una tía suya. Allí vieron varias cosas pero no encontraron nada. Pensaban ir a una joyería pero no pude acompañarlas porque tenía que volver a la oficina. 20

Juanita. ¿ Qué te dijo Bárbara de su viaje a Nueva York ?

Isabel. Dice que se divirtió mucho, y que quiere volver pronto. Conoció a Ricardo Molina, el hermano del novio de Carmen, y se enamoró de él. Bárbara dice que es muy guapo y muy simpático. El sábado cenaron y bailaron en uno de los mejores hoteles de la 25 ciudad.

Juanita. ¡ Dios mío ! ¿ Se ha enamorado tan de pronto ? Pero me alegro mucho. ¿ No crees que vendrá a verme esta noche ? Tengo muchas ganas de hablar con ella.

Isabel. No sé. Tengo que llamarla por teléfono y le preguntaré si va a 30 estar ocupada.

Juanita. Gracias. Pero, ¿ ya te vas ?

Isabel. Sí, ya es tarde. ¡ Adiós !

Juanita. Hasta la vista.

87

Vocabulario

NOMBRES

la cama   *bed*
la joyería   *jewelry store*
el novio   *sweetheart, fiancé*
el resfriado   *cold (disease)*
la siesta   *nap, siesta*
el vecino   *neighbor*

ADJETIVO

querido, –a   *dear*

VERBOS

divertirse (ie,i)   *to amuse oneself, have a good time*

doler (ue)   *to hurt, ache, pain*
dormir (ue,u)   *to sleep; (reflex.) go to sleep*
enamorarse (de)   *to fall in love (with)*
pedir (i)   *to ask, ask for, request, order*
sentir (ie,i)   *to regret, be sorry; (reflex.) feel*
vestir (i)   *to dress; (reflex.) dress (oneself), get dressed*

EXPRESIONES

a propósito   *by the way*
de pronto   *quickly, suddenly*
¡ Dios mío !   *heavens! my goodness (gracious) !*
divertirse mucho   *to have a very good time*
dormir la siesta   *to take a nap*
es mejor   *it is better*
hasta la vista   *I'll be seeing you, until I see you*
la mayor parte de   *most (of)*
lo siento mucho   *I'm very sorry*
me duele la cabeza   *my head aches (lit., the head hurts to me)*
media hora   *a half hour*
por la tarde   *in the afternoon*
¿ qué tienes (tiene Vd.) ?   *what's the matter with you?*
querida mía   *my dear*
tener muchas ganas de   *to be very eager to (desirous of)*

Preguntas

Answer in Spanish these questions based on the dialogue:

1. ¿ Quiénes están hablando ?   2. ¿ Se siente bien Juanita ?   3. ¿ Qué tiene ?
4. ¿ Se levantó tarde o temprano ?   5. ¿ Se vistió ?   6. Después de almorzar, ¿ qué hizo ?   7. ¿ Durmió mucho ?   8. ¿ Quiénes estaban jugando cerca de la ventana ?   9. ¿ Dónde vio Isabel a Bárbara ?   10. ¿ Con quién estaba allí ?
11. ¿ Qué buscaban Bárbara y Elena ?   12. ¿ Encontraron algo en la tienda de Ruiz Hermanos ?   13. ¿ Se divirtió Bárbara en su viaje a Nueva York ?   14. ¿ A quién conoció allí ?   15. ¿ Cómo es Ricardo ?   16. ¿ Qué hicieron Bárbara y Ricardo el sábado ?   17. ¿ Tiene Juanita muchas ganas de hablar con Bárbara ?
18. ¿ Qué va a preguntarle Isabel ?   19. ¿ Por qué se va Isabel ?   20. ¿ Qué dice al salir ?

Gramática

1. STEM-CHANGING VERBS

CLASS II		CLASS III
sentir, to regret	dormir, to sleep	pedir, to ask (for)

Present indicative

siento	duermo	pido
sientes	duermes	pides
siente	duerme	pide
sentimos	dormimos	pedimos
sentís	dormís	pedís
sienten	duermen	piden

Preterite

sentí	dormí	pedí
sentiste	dormiste	pediste
sintió	durmió	pidió
sentimos	dormimos	pedimos
sentisteis	dormisteis	pedisteis
sintieron	durmieron	pidieron

Present participles

sintiendo	durmiendo	pidiendo

When the stem of certain –ir verbs is stressed, e becomes ie and o becomes ue. This change occurs throughout the singular and in the third person plural of the present indicative, as in the case of Class I verbs, which end in –ar and –er. In addition, Class II verbs change e to i and o to u in the third person singular and plural of the preterite, and in the present participle. These verbs are designated: sentir (ie,i), dormir (ue,u).

Class III verbs, also ending in –ir, change the stem vowel, e, in the same forms as Class II verbs; however, the change is always e to i (never to ie). Such verbs are designated: pedir (i).

The infinitive form of servir (i), *to serve*, has been used earlier.

2. Preguntar AND pedir, *to ask*

Le preguntaré si está ocupada.	I shall ask her whether she is busy.
¿ Preguntó por ellos ?	Did he ask (inquire) about them ?
Pidieron varias cosas.	They asked for several things.
Les pidió el coche.	He asked them for the car.

Preguntar means *to ask (a question)* or *to inquire, ask for information.* **Pedir** means *to request, ask for (something).* Later **pedir** will be used *to ask someone to do something.* With both verbs the person of whom something is asked is the indirect object. With **pedir** the thing asked for is the direct object.

In the Parque Central in San José, Costa Rica, is found this unusual bandstand.

3. POSSESSIVE ADJECTIVES THAT DO NOT PRECEDE NOUNS

Singular		*Plural*
mío, mía	my, (of) mine	míos, mías
tuyo, tuya	your (*fam.*), (of) yours	tuyos, tuyas
suyo, suya	his, her, your (*formal*), (of) his, hers, yours	suyos, suyas
nuestro, nuestra	our, (of) ours	nuestros, nuestras
vuestro, vuestra	your (*fam.*), (of) yours	vuestros, vuestras
suyo, suya	their, your (*formal pl.*); (of) theirs, yours	suyos, suyas

(a) **un amigo mío**   a friend of mine
   unos vecinos nuestros   some neighbors of ours
   Bárbara y una prima suya   Barbara and a cousin of hers
   dos hermanos suyos   two brothers of his
   El gusto es mío.   The pleasure is mine.

(b) **querida (amiga) mía**   my dear (friend)

(c) **¡ Dios mío !**   heavens ! my goodness (gracious) !

You already know the short forms of the possessive adjectives (**mi, tu, su, nuestro, –a, vuestro, –a, su**), which always precede the noun. There is also a set of long forms which *follow* the noun, agreeing with it in gender and number. These forms are also used after **ser**.

The long forms are most commonly used: (a) to translate *of mine, of his, of yours*, etc., and *mine, his, yours*, etc., after **ser**; (b) in direct address; and (c) in certain set phrases.

Since **suyo** (–a, –os, –as) has several meanings, the forms **de él, de ella**, etc., may be substituted to make the meaning clear: **dos hermanos suyos = dos hermanos de él** (**de ella, de ellos, de ellas, de Vd(s).**), *two brothers of his (hers, theirs, yours)*.

PRÁCTICA. Read in Spanish, then read again, changing to the plural:

1. algún amigo mío, algún amigo nuestro. 2. alguna amiga mía, alguna amiga nuestra. 3. la muchacha y una prima suya, el muchacho y una prima suya. 4. el vestido de Dorotea, este vestido suyo. 5. el sombrero de Felipe, ese sombrero suyo. 6. ese regalo tuyo, esa pulsera tuya. 7. ese amigo tuyo, esa amiga tuya. 8. aquel vecino de los señores Martín, aquel vecino suyo. 9. ese compañero de Vd., ese compañero suyo. 10. aquella casa de Vds., aquella casa suya. 11. este regalo de ella, este regalo suyo. 12. esa pulsera de Vd., esa pulsera suya.

Ejercicios

a. SUBSTITUTION DRILL. Say the sentence in Spanish, then repeat, substituting the subjects indicated. When there is a reflexive pronoun, make it agree with the subject.

1. *Yo* nunca duermo la siesta.
   (Vd., Juan y yo, Los muchachos, Felipe, Tú)

2. *Bárbara* se divierte mucho aquí.
   (Yo, Tú, Nosotros, Ana y María, Pablo)

3. *Todos* piden café.
   (Los alumnos, Nosotros, Yo, Tú, Ricardo)

4. *Mi hermano* lo siente mucho.
   (Mis primos, Nosotros, Yo, Tú, Juan)

5. *María* durmió tarde esta mañana.
   (Carlos y José, Yo, Nosotros, Vds., Tú)

6. ¿ Pediste *tú* muchas cosas en la joyería ?
   (él, Vd., ella y yo, los niños, yo)

7. ¿ Se divirtieron *Vds.* anoche ?
   (Vd., Juanita, Roberto y Vd., tú, ella y yo)

8. *La niña* se vistió antes de las ocho.
   (Los niños, Yo, Nosotros, Isabel, Tú)

9. *Su mamá* sirvió chocolate caliente.
   (María, Yo, Ella y yo, Las muchachas, Vd.)

10. *Marta y yo* estamos divirtiéndonos mucho.
    (Juanita, Mis amigos, Tú, Vd., Yo)

b. Say in Spanish, then repeat, changing to the preterite tense:

1. Se acuestan a las diez. 2. Duermen bien. 3. A las siete suena el teléfono. 4. Se despiertan temprano. 5. Ricardo se levanta y se viste. 6. Carlos no dice nada. 7. Nunca le duele la cabeza. 8. Ricardo le pide su reloj. 9. No le pregunta por María. 10. Carlos se enamora de ella. 11. Carlos se duerme otra

vez. 12. Nos divertimos mucho. 13. Nuestros padres no nos dan mucho dinero. 14. Les pedimos permiso para usar el coche. 15. ¿ Qué les pregunta Vd. ? 16. Pablo, ¿ qué le pides a tu mamá ? 17. No le pido nada. 18. ¿ Te sirve chocolate caliente ?

c. Say in Spanish, then repeat, giving the negative:

1. Duerma Vd. tarde mañana. 2. Duérmanse Vds. pronto. 3. Sirva Vd. el café. 4. Sírvalo ahora. 5. Pídanle Vds. el favor. 6. Pídales Vd. eso. 7. Diviértanse Vds. 8. Vista Vd. al niño. 9. Vístase Vd. antes de las ocho. 10. Duerman Vds. la siesta después de almorzar.

d. Give the Spanish for:

1. I regret. 2. I regretted (*pret.*). 3. regretting. 4. she dresses (herself). 5. she dressed. 6. dressing. 7. you ask for. 8. you asked for. 9. asking for. 10. he sleeps. 11. he slept. 12. sleeping. 13. do you serve ? 14. did you serve ? 15. serving. 16. you (*pl.*) have a good time. 17. you had a good time. 18. having a good time. 19. we feel well. 20. it aches.

e. Practice these patterns:

1. ¿ Es vecino suyo ?   Sí, es vecino mío.
   ¿ Son vecinos suyos ?   Sí, son vecinos míos.
   ¿ Es amiga suya ?   Sí, es amiga mía.
   ¿ Son amigas suyas ?   Sí, son amigas mías.

2. ¿ Es nuestro este paquete ?   Sí, es nuestro.
   ¿ Es nuestra esta cámara ?   Sí, es nuestra.
   ¿ Son nuestros estos periódicos ?   Sí, son nuestros.
   ¿ Son nuestras estas cosas ?   Sí, son nuestras.

3. ¿ Es de Juan este mapa ?   Sí, es suyo *or* es de él.
   ¿ Es de María este sombrero ?   Sí, es suyo *or* es de ella.
   ¿ Son de Pablo estas camisas ? Sí, son suyas *or* son de él.
   ¿ Son de Ana estos guantes ?   Sí, son suyos *or* son de ella.

4. ¿ Es de Vd. este abrigo ?   No, no es mío.
   ¿ Es de Vds. este coche ?   No, no es nuestro.
   ¿ Es de ella este vestido ?   No, no es suyo.
   ¿ Es de ellos esta casa ?   No, no es suya.

f. Give the Spanish for:

1. Is he a friend of yours ? Yes, he is a friend of mine.
2. Are they friends of yours ? Yes, they are friends of mine.
3. Is this camera ours ? Yes, it is ours.
4. Are these packages ours ? Yes, they are ours.
5. Is this hat John's ? Yes, it is his.

6. Are these gloves Jane's ?   Yes, they are hers.
7. Is this car yours ?   No, it is not mine.
8. Is this house theirs ?   No, it is not theirs.
9. Is this map yours (*fam. sing.*) ?   No, it is not mine.
10. Are these shirts yours (*fam. sing.*) ?   No, they are not mine.

Composición (Optional)

1. My dear John: A friend of mine has asked a favor of me.   2. He knows a cousin (*f.*) of yours.   3. He does not know where she lives.   4. He has inquired about you several times.   5. I have told him where you live.   6. He is very eager to talk with you.   7. He wants to ask you how he can find your cousin.   8. His parents are visiting (*use progressive form*) an aunt of mine.   9. They invited my little brother to accompany them.   10. He has a cold but he feels better today.   11. Most of his friends are in school.   12. By the way, why did you return those books of mine so soon ?   13. I am still reading (*progressive*) that book of yours that your mother brought to me.   14. Tomorrow I am going to bring you some records of mine.

Para practicar

a. QUESTION AND ANSWER DRILL.

1. ¿ Pidieron Vds. helado ?   Sí, pedimos helado.
   ¿ Pidieron ellos chocolate ?   Sí, pidieron chocolate.
   ¿ Sirvieron Vds. café ?   No, no servimos café.
   ¿ Sirvieron ellos té ?   No, no sirvieron té.

2. ¿ Se siente Vd. bien ?   Sí, me siento bien.
   ¿ Se sienten bien Ana y María ?   Sí, se sienten bien.
   ¿ Durmió Vd. bien anoche ?   No, no dormí bien anoche.
   ¿ Se durmió Vd. temprano ?   No, no me dormí temprano.

3. ¿ Preguntaste por Ana y por María ?   Sí, pregunté por ellas.
   ¿ Durmieron bien anoche ?   No, no durmieron bien.
   ¿ Se sentían mal ?   Sí, se sentían mal.
   ¿ Les dolía la cabeza ?   Sí, les dolía la cabeza.

4. ¿ Se alegran Vds. de estar aquí ?   Sí, nos alegramos de estar aquí.
   ¿ Se divierten aquí ?   Sí, nos divertimos aquí.
   ¿ Se divirtieron anoche ?   Sí, nos divertimos anoche.
   ¿ Se vistieron después de comer ?   Sí, nos vestimos después de comer.

b. Prepare a **discurso** telling how you spent the day when you had a cold and did not feel well enough to go to school or to work on Saturday.

(Top) *This Guatemalan girl wants to sell the serape which she uses to shield herself from the camera.* (Bottom) *A volcano and blooming bougainvillea provide an unusual backdrop for this Guatemalan hacienda.*

Lección ocho

Comprando ropa

Juan Smith acaba de entrar en su cuarto en un hotel cuando alguien llama a la puerta. Al abrirla, ve a su amigo Enrique Molina. Se sorprende tanto que por un momento no dice nada.

Enrique. ¡ Hola, Juan ! ¿ Se puede entrar ?

Juan. ¡ Cómo no ! Pase Vd. y siéntese. ¡ Cuánto me alegro de verle ! 5
¡ Qué sorpresa ! Creía que Vd. no estaría de vuelta esta mañana.
No se siente allí, por favor, porque esa silla no es cómoda. Ésta
es mejor que ésa.

Enrique. Gracias. Decidí volver esta mañana y cuando me dijeron en
casa que Vd. había llamado, vine en seguida. Pues, dígame, ¿ a 10
qué hora parte Vd. ?

Juan. No me voy hasta las dos y media.

Enrique. Me alegro mucho de eso. Quiero invitarle a almorzar conmigo
en un restaurante muy bueno que está cerca de este hotel. Creo
que le gustará. 15

Juan. Acepto con mucho gusto, pero todavía no he hecho mi maleta.
¿ A qué hora sirven ?

Enrique. A las doce y ahora son las once y media. Así es que tiene Vd.
media hora. ¿ Ha comprado muchas cosas aquí ?

Juan. Sí, muchas. Entre otras cosas, el traje, el impermeable y el 20
sombrero que están sobre la cama.

Enrique. ¿ Puedo verlos ?

Juan. ¡ Cómo no ! ¿ No quiere Vd. probárselos ? Quítese el saco y el
chaleco y póngase éstos.

Enrique. ¡ Oh, no ! ¡ Yo soy mucho más alto que Vd. ! Me gustaría pro- 25
barme su sombrero. ¿ Quiere Vd. prestármelo ?

Juan. Con mucho gusto. Tómelo Vd.

Enrique. (*Se levanta y se lo pone.*) Pues me queda muy bien, y me gusta
mucho el estilo. (*Examina el traje y el impermeable.*) También su
traje me gusta mucho. ¿ Qué otra cosa compró ? 30

Juan. Camisas, calcetines, corbatas, guantes, ropa interior, unos pantalones y dos pares de zapatos.

Enrique. ¡ Hombre ! ¿ Es Vd. millonario ?

95

Juan. ¡ Claro que no ! ¿ No le dijeron en la oficina que pronto voy a hacer un viaje de negocios por la América del Sur ?

Enrique. No, no me lo dijeron. ¡ Qué suerte tiene Vd. ! Pero, (*mirando el reloj*) ya es tarde. ¿ No quiere Vd. comenzar a hacer su maleta ? Y mientras la hace, ¿ me permite lavarme las manos ?

Juan. ¡ Cómo no ! Puede Vd. lavárselas allí, en el cuarto de baño. No tardaré mucho en hacer mi maleta y estaré listo muy pronto.

Vocabulario

NOMBRES

el chaleco *vest*
la maleta *suitcase, bag*
el millonario *millionaire*
el saco *coat, jacket*
la suerte *luck*
la vuelta *return*

VERBOS

prestar *to give*
quitarse *to take off, remove*
sorprender *to surprise*

EXPRESIONES

¡ claro que no ! *certainly (indeed) not!*
¡ cuánto me alegro ! *how glad I am!*
estar de vuelta *to be back*
hacer la maleta *to pack the suitcase*
me queda bien (*used like* gustar) *it fits me well*
no me lo dijeron *they didn't tell me* (lo *is used to complete the sentence*)
pase(n) Vd(s). *come in*
¿ qué otra cosa ? *what else?*
ropa interior *underclothing*
¿ se puede entrar ? *may I come in?*
se sorprende tanto *he is so surprised*
tener suerte *to be lucky (fortunate)*
viaje de negocios *business trip*

Preguntas

Answer in Spanish these questions based on the dialogue:

1. ¿ Qué acaba de hacer Juan Smith ? 2. Al abrir la puerta, ¿ a quién ve ? 3. ¿ Qué pregunta Enrique ? 4. ¿ Qué dice Juan ? 5. ¿ Qué creía Juan ? 6. ¿ Cuándo volvió Enrique ? 7. ¿ A qué hora parte Juan ? 8. ¿ Qué quiere hacer Enrique ? 9. ¿ Dónde está el restaurante ? 10. ¿ Acepta Juan ? 11. ¿ A qué hora sirven ? 12. ¿ Qué ha comprado Juan ? 13. ¿ Se pone Enrique el traje de Juan ? 14. ¿ Le queda bien el sombrero ? 15. ¿ Le gusta el traje ? 16. ¿ Qué otra cosa compró Juan ? 17. ¿ Por qué compró tantas cosas ? 18. ¿ Dónde se lava las manos Enrique ?

Gramática

1. THE PRESENT SUBJUNCTIVE OF REGULAR VERBS

	tomar		comer		vivir
Sing.	*Plural*	*Sing.*	*Plural*	*Sing.*	*Plural*
tome	tomemos	coma	comamos	viva	vivamos
tomes	toméis	comas	comáis	vivas	viváis
tome	tomen	coma	coman	viva	vivan

In the present subjunctive tense the endings of –ar verbs begin with –e, while those of –er and –ir verbs begin with –a. You have been using the third person singular and plural forms of the present subjunctive with **Vd.** and **Vds.** to express formal commands. Other uses of the subjunctive and the way it differs from the indicative will be explained in later lessons.

There is no regular translation for the subjunctive; however, in drill exercises the translation will be: (**que**) **yo tome,** (*that*) *I may take;* (**que**) **comamos,** (*that*) *we may eat.*

2. THE PRESENT SUBJUNCTIVE OF IRREGULAR AND OTHER VERBS

Infinitive	*1st sing.* *Pres. ind.*	*Present subjunctive*
conocer	conozco	conozca, conozcas, conozca, etc.
decir	digo	diga, digas, diga, etc.
hacer	hago	haga, etc.
poner	pongo	ponga, etc.
salir	salgo	salga, etc.
tener	tengo	tenga, etc.
traer	traigo	traiga, etc.
valer	valgo	valga, etc.
venir	vengo	venga, etc.
ver	veo	vea, etc.

To form the present subjunctive of all verbs, except the five given below and **haber** (to be given later), drop –o of the first person singular present indicative and add to the stem the subjunctive endings for the corresponding conjugation: –e, –es, –e, –emos, –éis, –en or –a, –as, –a, –amos, –áis, –an.

dar	estar	ir	saber	ser
dé	esté	vaya	sepa	sea
des	estés	vayas	sepas	seas
dé	esté	vaya	sepa	sea
demos	estemos	vayamos	sepamos	seamos
deis	estéis	vayáis	sepáis	seáis
den	estén	vayan	sepan	sean

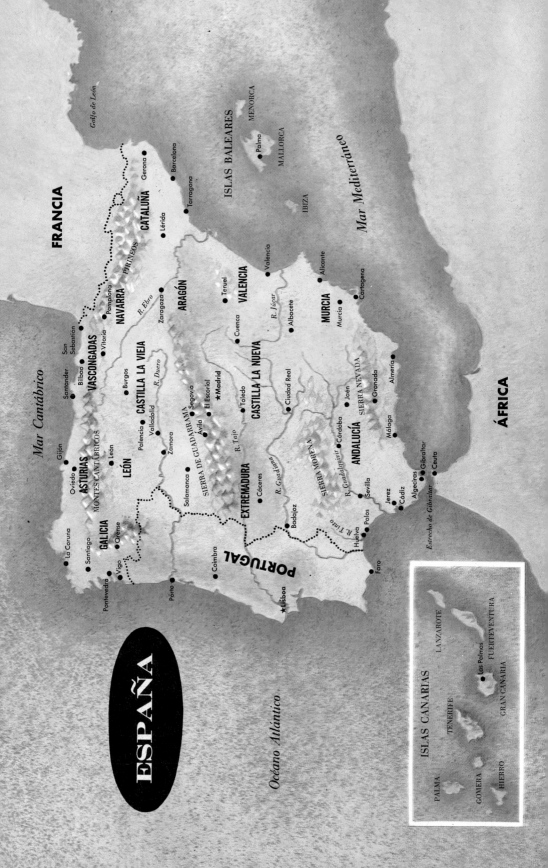

ESPAÑA

FRANCIA

Mar Cantábrico

Océano Atlántico

Golfo de León

Mar Mediterráneo

ISLAS BALEARES

MENORCA
Palma
MALLORCA
IBIZA

ÁFRICA

GALICIA
La Coruña
Santiago
Pontevedra
Vigo
Orense
Pórto

ASTURIAS
Gijón
Oviedo
MONTES CANTÁBRICOS

VASCONGADAS
Santander
Bilbao
San
Sebastián
Vitoria
León

LEÓN
Palencia
Valladolid
Zamora
Salamanca

CASTILLA LA VIEJA
Burgos
R. Duero
Segovia
Ávila
SIERRA DE GUADARRAMA

NAVARRA
Pamplona
PIRINEOS

ARAGÓN
Zaragoza
R. Ebro
Teruel

CATALUÑA
Gerona
Barcelona
Tarragona
Lérida

VALENCIA
Cuenca
Valencia
R. Júcar
Albacete
Alicante
Cartagena

MURCIA
Murcia

Madrid
El Escorial
Toledo
R. Tajo

CASTILLA LA NUEVA
Ciudad Real

SIERRA MORENA
R. Guadiana

EXTREMADURA
Cáceres
Badajoz

PORTUGAL
Coimbra
Lisboa

R. Tinto
Huelva
Palos
Faro

ANDALUCÍA
R. Guadalquivir
Córdoba
Jaén
SIERRA NEVADA
Granada
Almería
Málaga
Sevilla
Jerez
Cádiz
Algeciras
Gibraltar
Ceuta
Estrecho de Gibraltar

ISLAS CANARIAS
LANZAROTE
FUERTEVENTURA
Las Palmas
GRAN CANARIA
TENERIFE
PALMA
GOMERA
HIERRO

Stem-changing verbs of Class I (ending in –ar and –er) have the same changes in the present subjunctive as in the present indicative; that is, throughout the singular and in the third person plural. This is also true of **poder** and **querer**.

pensar: **piense pienses piense** pensemos penséis **piensen**
volver: **vuelva vuelvas vuelva** volvamos volváis **vuelvan**

poder: **pueda puedas pueda** podamos podáis **puedan**
querer: **quiera quieras quiera** queramos queráis **quieran**

3. DEMONSTRATIVE PRONOUNS

éste, ésta, éstos, éstas	this (one), these
ése, ésa, ésos, ésas	that (one), those
aquél, aquélla, aquéllos, aquéllas	that (one), those
esto, eso, aquello	this, that (*neuter*)

esa silla y ésta	that chair and this one
aquellas ciudades y éstas	those cities and these
¿ Le gusta a Vd. éste ?	Do you like this one ?
¿ Qué es esto ?	What is this ?
Me alegro de eso.	I am glad of that.

The demonstrative pronouns are the same in form as the demonstrative adjectives, except for the written accent on the pronouns. **Ése** refers to something near the person addressed, and **aquél** to something at a distance.

The three neuter pronouns (**esto, eso, aquello**) refer to a statement, a general idea, or something which has not been identified. There are no written accents on these forms.

Ejercicios

a. Repeat each statement, then change it to a command.

EXAMPLE: **Juan compra el chaleco. Juan, compre Vd. el chaleco.**

1. Felipe habla español. 2. Elena lee su libro. 3. Juan y Roberto abren las ventanas. 4. Pablo sale en seguida. 5. José cierra una ventana. 6. Bárbara viene a verme. 7. Jorge no lleva a casa su libro. 8. María vuelve temprano. 9. Ana y Bárbara traen muchas flores. 10. Juanita y Ricardo no van a la biblioteca. 11. Dorotea dice la verdad. 12. Eduardo pone el sombrero allí. 13. Enrique hace su maleta. 14. Marta está de vuelta a las cinco.

b. Say each affirmative command, then repeat, making it negative.

EXAMPLE: **Hágalo Vd. No lo haga Vd.**

1. Pónganlos Vds. en la mesa. 2. Póngase Vd. el sombrero. 3. Quíteselo Vd. ahora. 4. Enséñeme Vd. su vestido nuevo. 5. Díganos Vd. cuánto costó. 6. Déme Vd. el dinero. 7. Estúdienlas Vds. mañana. 8. Levántense Vds.

temprano. 9. Siéntense Vds. allí. 10. Díganles Vds. la verdad. 11. Tráiganos Vd. el regalo. 12. Láveselas Vd. en seguida.

c. Practice these questions with affirmative answers, then with negative ones.

EXAMPLE: **¿ Le traigo el café ? Sí, tráigamelo Vd.**
¿ Le traigo el café ? No, no me lo traiga Vd.

1. ¿ Le traigo la blusa ?   Sí, tráigamela Vd.
                                       No, no me la traiga Vd.

2. ¿ Le traigo los discos ?   Sí, tráigamelos Vd.
                                       No, no me los traiga Vd.

3. ¿ Le vendo el libro ?   Sí, véndamelo Vd.
                                       No, no me lo venda Vd.

4. ¿ Le enseño las corbatas ?   Sí, enséñemelas Vd.
                                       No, no me las enseñe Vd.

5. ¿ Les devuelvo el dinero ?   Sí, devuélvanoslo Vd.
                                       No, no nos lo devuelva Vd.

6. ¿ Les digo eso ?   Sí, díganoslo Vd.
                                       No, no nos lo diga Vd.

7. ¿ Les abro la puerta ?   Sí, ábranosla Vd.
                                       No, no nos la abra Vd.

8. ¿ Les preparo el té ?   Sí, prepárenoslo Vd.
                                       No, no nos lo prepare Vd.

9. ¿ Les hago las maletas ?   Sí, háganoslas Vd.
                                       No, no nos las haga Vd.

d. Repeat each phrase, then give the corresponding demonstrative pronoun.

EXAMPLE: **este libro ; éste.**

1. aquel hotel. 2. esta puerta. 3. esa silla. 4. estas casas. 5. aquellas maletas. 6. este restaurante. 7. esas cosas. 8. ese traje. 9. estos impermeables. 10. este sombrero. 11. esas camisas. 12. esos calcetines. 13. aquellos zapatos. 14. aquel chaleco.

e. Give the Spanish for:

1. these books and those. 2. that house and this one. 3. this suitcase and that one. 4. those shoes and these. 5. this door and that one. 6. those windows and these. 7. these flowers and those. 8. that coat and this one.

9. May I come in ? 10. They aren't back yet. 11. Did they pack the suitcases ? 12. What else did they have to do ? 13. They didn't take a business trip. 14. By the way, they went to the country. 15. Do you like this suit ? 16. It doesn't fit me very well. 17. They have just returned. 18. How glad I am to see them ! 19. Are they lucky ? 20. Of course not !

Composición (Optional)

1. Hello, Mary! What a surprise! 2. No one told me that you were back.
3. My mother and I decided to return this morning. 4. Can you have lunch with
me today? 5. Gladly, but first I have to pack a suitcase for my little brother.
6. Will it take you long to pack it? 7. I shall try to be ready at twelve o'clock.
8. Where is your brother going? To visit your grandmother? 9. Yes, he always
spends the month of July with her. 10. I want to go to that new restaurant on
Alta Street. 11. It was opened last week. 12. They say that the meals which
they serve there are very good. 13. Take off your hat and put it on the table.
14. Don't put it on that one. 15. Sit down here and read the newspaper. I
shall soon be ready. 16. Don't hurry. That isn't necessary.

Para practicar

a. PATTERN DRILL.

1. ¿ De quién son este libro y ése? — Son míos.
   esta blusa y ésa? — Son mías.
   esos zapatos y éstos? — Son míos.
   esas camisas y éstas? — Son mías.

2. ¿ Es mío este papel? — Sí, es suyo.
   ¿ Es mía esta carta? — Sí, es suya.
   ¿ Son míos estos discos? — Sí, son suyos.
   ¿ Son mías estas flores? — Sí, son suyas.

3. ¿ Le gusta a Vd. éste o ése? — Me gusta éste.
   ¿ Le gustan a Vd. éstos o ésos? — Me gustan éstos.
   ¿ Le gusta a Vd. ésta o ésa? — Me gusta ésa.
   ¿ Le gustan a Vd. ésas o aquéllas? — Me gustan aquéllas.

4. ¿ Cree Vd. esto? — Sí, creo esto.
   ¿ Se alegra Vd. de esto? — Sí, me alegro de esto.
   ¿ Puede Vd. hacer eso? — Sí, puedo hacer eso.
   ¿ Le dije a Vd. eso? — Sí, Vd. me dijo eso.

5. ¿ Le traigo a Vd. el periódico? — Sí, tráigamelo Vd., por favor.
   la revista? — Sí, tráigamela Vd., por favor.
   los discos? — Sí, tráigamelos Vd., por favor.
   las fotografías? — Sí, tráigamelas Vd., por favor.

6. ¿ Le doy a Vd. este traje? — No, no me lo dé Vd.
   esta corbata? — No, no me la dé Vd.
   estos pantalones? — No, no me los dé Vd.
   estas maletas? — No, no me las dé Vd.

b. For today's **discurso** tell about stopping by the home of a friend who is packing
a bag and getting ready to leave on a short trip later in the day.

Mar Caribe

Barranquilla
La Guaira
TRINIDAD (ENG.)
★Caracas
Port-of-Spain
L. Maracaibo
R. Orinoco
Océano Atlántico
San Cristóbal
VENEZUELA
Georgetown
Medellín
Paramaribo
Cayenne
Buenaventura
★Bogotá
HOL. FR.
Cali
ING. GUAYANA
COLOMBIA
R. Guaviare
ECUADOR
R. Putumayo
Quito
R. Negro
Belém
Guayaquil
PERÚ
Manaus
R. Amazonas
Fortaleza
R. Marañón
SELVAS
Natal
R. Tapajós
R. Xingú
R. Parnaiba
Recife
R. Madeira
BRASIL
Callao
★Lima
Cuzco
R. Urubamba
R. Guaporé
MATO
GROSSO
Baía
Arequipa
BOLIVIA
L. Titicaca
★La Paz
R. Mamoré
★Brasilia
Océano Pacífico
L. Poopó
★Sucre
Potosí
MESETA
DE
BRASIL
Iquique
R. São Francisco
Belo Horizonte
Antofagasta
PARAGUAY
R. Paraná
R. Pilcomayo
São Paulo
R. Bermejo
Asunción ★
Iguassú Falls
Rio de Janeiro
Santos
Tucumán
R. Salado
R. Paraná
R. Uruguay
Pôrto Alegre
Mt. Aconcagua
Córdoba
Viña del Mar
Santa Fe
Valparaíso
Mendoza
Rosario
★Santiago
URUGUAY
Buenos Aires ★
★Montevideo
Concepción
R. de la Plata
R. Colorado
PAMPAS
ARGENTINA
CHILE
R. Negro
Bahía Blanca
R. Chubut
PATAGONIA
FALKLAND ISLANDS (ENG.)
Estrecho de Magallanes
Punta Arenas

CORDILLERA DE LOS ANDES

LA AMÉRICA
DEL SUR

Lección nueve

Comprando un radio

Ricardo. ¡ Hola, Tomás ! ¡ Cuánto me alegro de verte aquí en el centro ! ¿ Estás ocupado ?

Tomás. En este momento, no, pero a las once tengo que estar en casa porque mi hermanito quiere que le lleve a casa de un amigo suyo.   5

Ricardo. Mamá quiere que yo busque un radio para el cumpleaños de papá. ¿ No puedes acompañarme ? Tú conoces las marcas mejor que yo.

Tomás. Pues, vamos a la tienda del señor Gómez. Cuando pasé por allí el miércoles noté que habían recibido algunos modelos 10 nuevos. Creo que tienen una venta especial de modelos de este año.

Ricardo. Está bien. Hay que doblar a la derecha aquí en la esquina, ¿ no ?

Tomás. Sí, y en el tercer edificio se encuentra la tienda. (*Llegan a la* 15 *tienda y entran. Se acerca un dependiente.*)

Dependiente. Buenos días, señores. ¿ En qué puedo servirles ?

Ricardo. Quiero ver un radio, por favor.

Dependiente. ¿ Quiere Vd. un aparato de radio solo o uno combinado con tocadiscos ? Tenemos aparatos de varias marcas y de todos 20 precios.

Ricardo. Prefiero que me muestre un radio de onda corta. En casa nos gusta escuchar transmisiones directas de otros países, y nuestro radio viejo ya no funciona muy bien. No necesito tocadiscos porque nuestro televisor tiene uno.   25

Dependiente. ¿ Quiere Vd. que yo ponga éste o ése ? Los dos son de la misma marca y son de buena calidad. Éste tiene doce tubos y el otro, ocho.

Ricardo. Ponga Vd. el más pequeño, por favor.

Dependiente. Voy a ver si puedo sintonizar una emisora mexicana. A esta 30 hora es difícil a causa de la estática . . . Oigan Vds. Parece ser un discurso en español, pero no se oye bien. Voy a

103

sintonizar una emisora de Nueva York. ¡ Ah, sí ! ¡ Escuchen ahora ! ¿ Qué les parece ?

Tomás. Es magnífico. Tiene un tono maravilloso.

Ricardo. A mí me gusta mucho también, pero antes de decidir, quiero
5 que ponga Vd. el otro. (*El dependiente lo pone y escuchan unos momentos.*)

Tomás. No me gusta tanto como el otro.

Dependiente. Ni a mí tampoco. Como pueden Vds. ver, los tenemos de otras marcas. Ése tiene frecuencia modulada y éste es otro
10 de onda corta. Voy a ponerlo . . .

Ricardo. Pues, este último es mucho mejor. En realidad, nunca he oído radio de mejor tono. ¿ Cuánto cuesta ?

Dependiente. Ochenta dólares, y a ese precio es una ganga.

Ricardo. Bueno, voy a telefonearle a mamá para preguntarle si quiere
15 que lo compre. Un momento, por favor.

Vocabulario

NOMBRES

el aparato   *set*
la emisora   *broadcasting station*
la estática   *static*
la ganga   *bargain*
la marca   *brand, make, kind*
el modelo   *model*
la onda   *wave*
el radio [1]   *radio (set)*
el televisor   *television set*
el tono   *tone*
la transmisión (*pl.* transmisiones)   *transmission, broadcast*

el tubo   *tube*
la venta   *sale*

ADJETIVOS

combinado, –a   *combined*
directo, –a   *direct*

VERBOS

doblar   *to turn* (a corner)
poner   *to turn on*
preferir (ie,i)   *to prefer*
sintonizar   *to tune in*

EXPRESIONES

a causa de   *because of*
a la derecha (izquierda)   *to the right (left)*
aparato de radio (televisión)   *radio (television) set*
de onda corta   *short-wave*
¿ en qué puedo servirle(s) ?   *what can I do for you?*
en realidad   *in fact (reality)*

este último   *this last one*
frecuencia modulada   *FM*
los dos   *both, the two*
modelos de este año   *this year's models*
oiga(n) Vd(s).   *listen*
¿ Qué le(s) parece ?   *what do you think of it?*
tanto como   *as (so) much as*

[1] For *radio* as a means of communication, **la radio** is used: ¿ **Escucha Vd. mucho la radio ?** *Do you listen to the radio a great deal?*

Preguntas

A. Answer in Spanish these questions based on the dialogue:

1. ¿ A quién ve Ricardo en el centro ? 2. ¿ Está ocupado Tomás ? 3. ¿ A qué hora tiene que estar en casa ? 4. ¿ Qué quiere su hermanito ? 5. ¿ Qué quiere la mamá de Ricardo ? 6. ¿ A qué tienda van los dos muchachos ? 7. ¿ Dónde hay que doblar a la derecha ? 8. ¿ Dónde se encuentra la tienda ? 9. ¿ Qué les pregunta el dependiente ? 10. ¿ Qué dice Ricardo ? 11. ¿ Tienen muchos aparatos en la tienda ? 12. ¿ Cuántos tubos tienen dos de ellos ? 13. ¿ Cuál pone el dependiente ? 14. ¿ Qué le parece a Tomás el aparato ? 15. ¿ Cuánto cuesta el último que ponen ? 16. ¿ Por qué telefonea Ricardo a su mamá ?

B. Cuestionario personal

1. ¿ Tiene Vd. radio ? 2. ¿ Es de onda corta ? 3. ¿ Tiene frecuencia modulada ? 4. ¿ Tiene buen tono ? 5. ¿ Tiene Vd. un modelo nuevo ? 6. ¿ Hay muchas marcas de radios ? 7. ¿ Escucha Vd. mucho la radio ? 8. ¿ Quiere Vd. que su papá le compre un radio nuevo ? 9. ¿ Recibe Vd. programas extranjeros ? 10. ¿ Tiene su familia televisor ? 11. ¿ Tiene Vd. aparato en su cuarto ? 12. ¿ Mira Vd. muchos programas ? 13. ¿ Tiene Vd. tocadiscos ? 14. ¿ Toca Vd. discos populares ? 15. ¿ Le gusta a Vd. la música española ? 16. ¿ Le gusta a Vd. la música mexicana ?

Gramática

1. The present subjunctive of verbs with changes in spelling

buscar:	busque	busques	busque	busquemos	busquéis	busquen
llegar:	llegue	llegues	llegue	lleguemos	lleguéis	lleguen
empezar:	empiece	empieces	empiece	empecemos	empecéis	empiecen

Verbs which end in –car change the **c** to **qu**, those in –**gar** change the **g** to **gu**, and those in –**zar** change the **z** to **c** in the six forms of the present subjunctive. Remember that this change also occurs in the first person singular preterite (**busqué, llegué, empecé**). **Empezar** is also stem-changing, **e** to **ie**.

Other verbs with these changes are:

–car	–gar	–zar
acercarse to approach	jugar (ue) to play (a game)	almorzar (ue) to take lunch
sacar to take out		comenzar (ie) to commence, begin
tocar to play (music)	pagar to pay (for)	gozar (de) to enjoy

2. The subjunctive mood

Up to now, except in commands, you have used verbs in the indicative mood, which expresses facts: **Sé que lo vendió,** *I know that he sold it.* The subjunctive mood expresses uncertainty, rather than a fact: *I hope that he sells it; It is possible that he may sell it; I doubt that he will sell it.*

Spanish uses the subjunctive mood much more than English, particularly in dependent clauses.

a. A dependent clause is a group of words with a subject and a predicate, but it is not a complete statement. In the sentence *I hope that he sells it*, the dependent clause is *that he sells it*.

b. A clause used as the subject or direct object of the verb is a noun clause. In the sentence *I hope that he sells it*, the words *that he sells it* form a noun clause which is the direct object of the verb *I hope*.

The subjunctive is used in noun clauses when the main verb in the sentence expresses a *wish*, a *feeling*, or an *opinion* about the action of the main clause.

	Main verb	*Noun clause*
No creo que estén aquí.	I do not believe	that they are here.
Es posible que lo hagan.	It is possible	that they may (will) do it.
Queremos que vayan.	We wish (want)	that they go (them to go).

The subjunctive has several translations: (1) like the English present tense (*that they are here*); (2) like the future tense (*that they will do it*); (3) with the word *may* (*that they may do it*); (4) like an English infinitive (*We want them to go*). In the exercises *may* is commonly used to indicate the present subjunctive: *that he may take*, **que tome. Que,** *that,* is used in the exercises with subjunctive verb forms because most noun clauses begin with **que.**

3. The subjunctive in noun clauses

Quiero ir.	I want to go. (*No change in subject*)
Quiere que yo[1] **vaya.**	He wishes (wants) me to go (that I go). (*Different subjects*)
Preferimos hacerlo.	We prefer to do it. (*No change in subject*)
Preferimos que lo hagan.	We prefer that they do it. (*Different subjects*)

In Spanish the subjunctive is used in a noun clause following a main verb which expresses a *wish, desire, request,* or *preference*, affirmative or negative, provided that the subject of the dependent clause is different from the subject of the main verb (examples 2 and 4). When there is no change of subject the infinitive is used (examples 1 and 3).

Three common verbs which require the subjunctive in a dependent clause when there is a change of subject are: **querer,** *to wish, want;* **desear,** *to desire, wish, want;* and **preferir (ie,i),** *to prefer.*

---

[1] In all verbs the first and third persons singular of the present subjunctive are alike and subject pronouns must often be used to make the meaning clear.

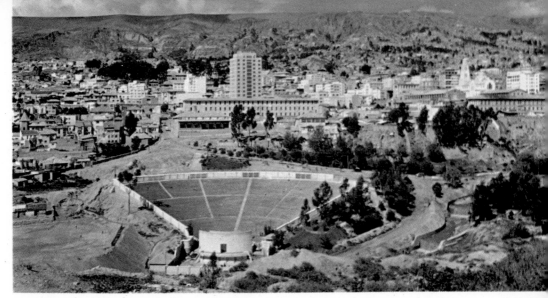

La Paz, capital of Bolivia, has an altitude of over 12,000 feet. (*Bernadine Bailey*)

Ejercicios

a. Read each pair of sentences in Spanish:

1. Mi padre desea quedarse en casa. Mi padre desea que nos quedemos en casa. 2. María quiere salir. María quiere que yo salga con ella. 3. Quiero mirar la televisión. Quiero que ella también la mire. 4. Mi madre prefiere leer. Ella quiere que María y yo leamos buenos libros. 5. Mis tíos desean hacer un viaje. También desean que mis padres hagan uno. 6. María y yo queremos ir al cine. Queremos que Vds. vayan con nosotros. 7. Vds. prefieren jugar a los naipes. Vds. prefieren que también María y yo juguemos. 8. Pablo no quiere ir con nosotros. Quiere que vayamos sin él. 9. ¿ Quiere Vd. ir ? ¿ No quiere que yo vaya ? 10. Prefiero usar el coche. Mi padre prefiere que yo no lo use.

b. SUBSTITUTION DRILL. Say in Spanish, then repeat, substituting the subjects in parentheses for the one in italics:

1. Mamá quiere que *yo* busque un radio.
   (nosotros, Vd., Vds., tú, Felipe)

2. Nuestros padres no desean que *Juan* salga de casa.
   (yo, Vd., Juan y yo, tú, los niños)

3. Prefieren que *Vd.* llegue temprano.
   (tú, yo, nosotros, los muchachos, Dorotea)

4. ¿ Quiere Vd. que *yo* pague la cuenta ?
   (Felipe, nosotros, los muchachos, él, Juan y él)

5. Prefiere que *ella* no se lo traiga hoy.
   (yo, tú, nosotros, ellos, José)

6. Ellas no quieren que *yo* me siente aquí.
   (nosotros, Vd., tú, los niños, Isabel)

107

c. Place the pronouns correctly in each sentence:

1. (nos la) Juan dice.   Juan ha dicho.   ¿ Quiere Juan decir ?   Juan estaba diciendo.   Juan, diga Vd.   Juan, no diga Vd.   Prefieren que Juan diga.

2. (me lo) José trajo.   José había traído.   José quiere traer.   José estaba trayendo.   José, traiga Vd.   José, no traiga Vd.   ¿ Quiere Vd. que José traiga ?

3. (los) Enrique no se prueba.   Enrique no se ha probado.   Enrique no está probándose.   Enrique, pruébese Vd.   Enrique, no se pruebe Vd.   Enrique quiere probarse.   Enrique quiere que Juan se pruebe.

d. Read in Spanish, selecting the correct form to complete the sentence:

1. Sabemos que (van, vayan) al centro.   2. Pablo quiere (ir, vaya) también. 3. Quiero que me (cobran, cobren) un cheque.   4. Prefiero que (van, vayan) al banco.   5. Más tarde quieren (ir, vayan) al cine.   6. Sé que la película (es, sea) buena.   7. Su padre y yo preferimos que (vuelven, vuelvan) antes de las seis.   8. Mi esposo no desea que (usan, usen) el coche esta noche.   9. Él y yo deseamos (usar, usemos) el coche nuevo.   10. Queremos (visitar, visitemos) a algunos amigos nuestros.   11. Mi esposo y yo preferimos (comer, comamos) en casa.   12. Los hijos prefieren que (comer, comamos) en un restaurante.

e. Give the Spanish for:

1. I want you to listen to this radio.   2. What do you think of it ?   3. I like the smaller one.   4. This last one makes too much noise.   5. Is it necessary to buy one today ?   6. Yes, it is my father's birthday.   7. We are going to give a party tonight.   8. I like both sets.   9. At this moment my mother is preparing (*progressive*) the refreshments.   10. Because of that she could not come with us. 11. Is your father at home ?   12. No, he went to my sister's (house).   13. Why don't you buy the set that is to the right ?   14. It has short wave and the tone is marvelous.

Composición (Optional)

1. What a life !   I am going to have two examinations tomorrow.   2. I shall have to study until midnight.   3. Paul wants me to study with him in the library. 4. I prefer to study at home.   5. Do you watch television while you are studying ? 6. Of course not !   I help my mother (to) wash the dishes.   7. Then I go up to my room where there isn't [any] noise.   8. Don't your younger brothers bother you ?   9. No, my mother always wants them to go to bed before eight o'clock. 10. She prefers that I go to bed early too, but at times it isn't possible.   11. If I have to study until very late, she always brings me a sandwich and a glass of milk.   12. Do you have your own (**propio**) television set ?   13. Yes, but my parents always want me to prepare my lessons well.   14. For that reason I do not have much time for watching (= in order to watch) television programs.   15. You are lucky.   You have to prepare only three lessons.

Para practicar

a. PATTERN DRILL. Follow the pattern in the first line of each group:

1. ¿ Quiere Vd. comprarlo ?   Sí, quiero comprarlo.
              venderlo ?   venderlo.
              escribirlas ?   escribirlas.
              conocerle ?   conocerle.
              pagarlos ?   pagarlos.

2. No desean saberlo.   Desean que nosotros lo sepamos.
              decirlo.   digamos.
              pagarlo.   paguemos.
              traerlo.   traigamos.
              buscarlo.   busquemos.

3. ¿ Qué quiere ella que hagan ? ¿ Bailar ?   Sí, quiere que bailen.
                                 ¿ Leer ?   lean.
                                 ¿ Salir ?   salgan.
                                 ¿ Ir ?   vayan.
                                 ¿ Venir ?   vengan.

4. ¿ Prefiere Vd. usarlo ?   No, prefiero que Vd. lo use.
                 hacerlo ?   haga.
                 oírlo ?   oiga.
                 verlo ?   vea.
                 ponerlo ?   ponga.

b. Para aprender de memoria (*To learn from memory*)

— Anita, ¿ dónde estás ? Quiero que me ayudes.
— ¿ Ayudarte yo ? ¿ En qué ?
— Mamá desea que hagamos las camas. ¿ No puedes ayudarme, por favor ?
— Yo no. Hay muchos platos sucios (*dirty*) y tengo que lavarlos.
— ¿ Mamá quiere que tú los laves ? ¿ Dónde está Carmen ?
— En este momento está limpiando la sala.
— Y mamá prefiere que no la molestemos.
— Es cierto. No quiere perder otra criada.
— Ni yo tampoco.
— Pues, vamos. Nos esperan los platos y las camas.

c. Discurso

Last night you were able to tune in a Mexican broadcasting station on your short-wave radio. You heard a news program and were delighted that you could understand most of it, even though it seemed that the speaker was talking very rapidly. Then you heard a Mexican orchestra that was playing popular music. You liked the program on which you heard several of our popular songs. Finally you turned off the radio because it was late.

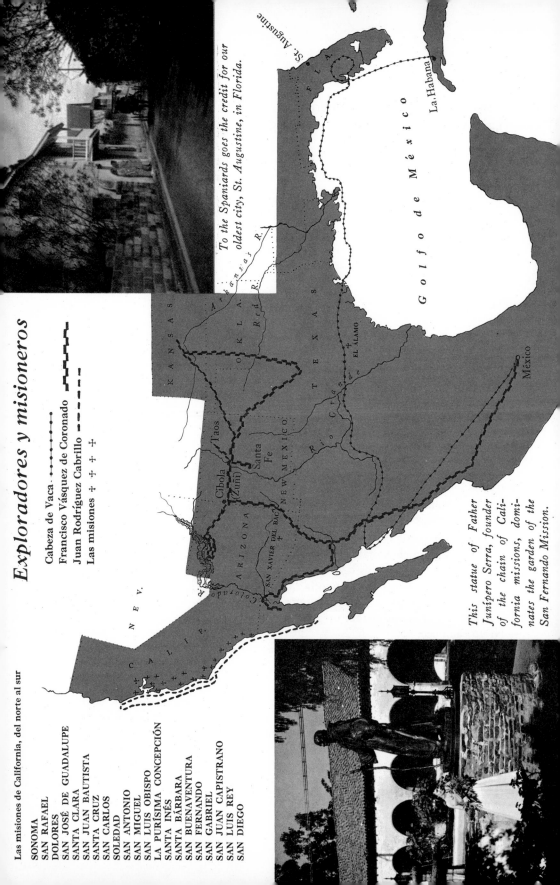

Exploradores y misioneros

Cabeza de Vaca ·-·-·-·-·
Francisco Vásquez de Coronado ━━━
Juan Rodríguez Cabrillo ━ ━ ━
Las misiones ✝ ✝ ✝

Las misiones de California, del norte al sur

SONOMA
SAN RAFAEL
DOLORES
SAN JOSÉ DE GUADALUPE
SANTA CLARA
SAN JUAN BAUTISTA
SANTA CRUZ
SAN CARLOS
SOLEDAD
SAN ANTONIO
SAN MIGUEL
SAN LUIS OBISPO
LA PURÍSIMA CONCEPCIÓN
SANTA INÉS
SANTA BÁRBARA
SAN BUENAVENTURA
SAN FERNANDO
SAN GABRIEL
SAN JUAN CAPISTRANO
SAN LUIS REY
SAN DIEGO

To the Spaniards goes the credit for our oldest city, St. Augustine, in Florida.

This statue of Father Junípero Serra, founder of the chain of California missions, dominates the garden of the San Fernando Mission.

LECTURA III

Durante la primera mitad del siglo XVI los españoles exploraron gran parte del territorio de los Estados Unidos, especialmente el sur desde la Florida hasta California. El primer europeo que atravesó el continente fue Cabeza de Vaca. Después de explorar el interior de la Florida con Pánfilo de Narváez en el año de 1528, navegó por las costas del Golfo de 5 México hasta llegar a[1] la región que hoy se conoce como Texas. Una terrible tempestad destruyó su barco, quedando solamente cuatro hombres. Vivieron éstos cinco o seis años como esclavos de los indios, quienes con el tiempo[2] llegaron a estimar mucho a Cabeza de Vaca como curandero.[3] Cuando abandonó a los indios, caminando de pueblo en[4] pueblo, atravesó 10 el estado de Texas y el norte de México, llegando por fin a la costa del Pacífico en 1536.

Por desgracia, muchos españoles creían que todo el Nuevo Mundo era tan rico como la Nueva España, y los indios, sabiendo que nada interesaba a los españoles tanto como el oro, siempre hablaban de oro y de piedras 15 preciosas que se encontraban en lugares lejanos. Tal vez la más conocida[5] de estas leyendas es la de las Siete Ciudades de Cíbola, situadas al norte de México, en donde se decía que las casas estaban cubiertas de oro puro. Cuando llegó Cabeza de Vaca a México con relatos de estas riquezas, Fray Marcos de Niza decidió ir en busca de estas ciudades para convertir a los 20 habitantes a la fe católica. Después de caminar muchos días por lo que ahora son los estados de Arizona y Nuevo México, un día vio a lo lejos lo que creyó que eran las Siete Ciudades. Inmediatamente volvió a México a contar su descubrimiento, y, naturalmente, cada vez que el relato se repetía, la probable riqueza de la región crecía más y más. 25

Por fin se organizó una expedición que había de ser una de las más notables. En 1540 Francisco Vásquez de Coronado salió de México en busca de las Siete Ciudades de Cíbola. Siguió hasta donde ahora están los estados de Arizona, Nuevo México, Oklahoma, Texas y Kansas, pero en vez de las fabulosas ciudades de oro puro, encontró los tristes pueblos de 30 adobe de los indios Zuñi. A los dos años Coronado volvió a México, triste y desilusionado.

Entre otros nombres bien conocidos está el de Juan Rodríguez Cabrillo, un portugués que estaba al servicio del gobierno español, y que en 1542 descubrió la Alta California. 35

---

[1] hasta llegar a, *until he arrived at (reached).*   [2] con el tiempo, *in time.*   [3] curandero, *medicine man.*   [4] en, *to.*   [5] la más conocida, *the best known.*

La ciudad más antigua de los Estados Unidos fue fundada en la Florida el seis de septiembre de 1565 por Menéndez de Avilés. Éste construyó primero una fortaleza cerca del lugar donde ahora está San Agustín, el primer establecimiento permanente construido por los europeos en nuestro
5 país.

El primer pueblo español en el valle del Río Grande fue fundado por Juan de Oñate en 1598, pero fue abandonado por los españoles. Once años más tarde establecieron la ciudad de Santa Fe. En seguida construyeron una iglesia, que es una de las más antiguas del país.
10 Ya sabemos que los españoles vinieron al Nuevo Mundo no sólo para buscar riquezas, sino también para convertir a los indios a la fe cristiana. Desde las primeras expediciones los frailes y los misioneros acompañaron a los exploradores por todas partes. Entre estos frailes se destaca [1] el padre Bartolomé de las Casas, apóstol de los indios. Acompañó a Colón a
15 América y se estableció primero en la Española. Hombre de corazón noble y bondadoso, dedicó toda su vida a defender a los indígenas contra las injusticias de la esclavitud y contra su explotación por los españoles. En 1510 fue ordenado sacerdote [2] y al poco tiempo se reunió con los dominicanos que habían venido a América el mismo año. Predicó [3] por muchas
20 partes de la Nueva España, defendiendo a los indios con la pluma y con la palabra.[4] Murió en España a la edad de noventa y dos años. Este gran cristiano, que pasó una vida tan larga luchando por ideales nobles y sufriendo persecuciones por parte de [5] los poderosos, merece todos los grandes elogios [6] que se han hecho en su honor.
25 Los franciscanos también vinieron al Nuevo Mundo con los conquistadores y los exploradores y durante más de dos siglos los acompañaron por los dos continentes. La orden franciscana convirtió al cristianismo a miles de indios. Los frailes aprendieron las lenguas nativas. Enseñaron a los indios artes y oficios [7] útiles, así como nuevos métodos de cultivo también.
30 Construyeron pueblos, iglesias, misiones y escuelas.

Fundaron muchas misiones en Texas, Nuevo México, Arizona y California. En San Antonio todavía podemos visitar el Álamo, que fue misión en los tiempos coloniales. Cerca de Tucson, Arizona, se encuentra la famosa misión de San Xavier del Bac, fundada en el siglo XVIII por el
35 célebre padre jesuita, Eusebio Kino.

Otro nombre célebre es el de Fray Junípero Serra, que vino a América desde la isla de Mallorca en el siglo XVIII para dar clases en las escuelas franciscanas de la Nueva España. Fue nombrado presidente de las

---

[1] se destaca, *stands out.*   [2] sacerdote, *priest.*   [3] Predicó, *He preached.*   [4] con la pluma y con la palabra, *(by) writing and talking.*   [5] por parte de, *on the part of.*   [6] elogios, *praises.*
[7] oficios, *crafts, trades.*

In Arizona, near Tucson, Father Eusebio Kino established the famous and beautiful Mission of San Xavier del Bac, which still serves the Indians as a place of worship.

misiones de la Baja California y de todas las misiones que se establecieron en la Alta California. En 1769, a la edad de cincuenta y seis años, partió de México con don Gaspar de Portolá para establecer pueblos y misiones en la Alta California. El diez y seis de julio de ese año Serra dedicó la misión de San Diego, la primera en Alta California. Portolá continuó al norte con un grupo de soldados y el cuatro de noviembre, después de una marcha larga y penosa,[1] descubrió la bahía de San Francisco. En los años siguientes el padre Junípero Serra estableció varias otras misiones, entre ellas San Gabriel, San Luis Obispo y San Juan Capistrano. En 1823 había veinte y una misiones entre San Diego y San Francisco.

Junípero Serra tenía el genio, el sentido práctico, la paciencia, la fe y la fuerza necesarias para ganarse la buena voluntad de los indígenas. Para lograr su propósito de convertirlos a la fe cristiana, aprendió las lenguas nativas y les enseñó a los indígenas nuevos métodos para aplicar a la industria y a la agricultura. Aunque tenía poca fuerza física, según la regla de su orden siempre caminaba largas distancias a pie. Dormía poco; llevaba un hábito viejo y roto;[2] se cubría con la mitad de un manto porque seguramente había dado la otra mitad a un indio. Siempre saludaba a todos con las palabras *amar a Dios*. El venerable padre de las misiones de California, verdadero colonizador y explorador, murió en 1784 en la misión de San Carlos en Carmel.

---

[1] penosa, *laborious, hard.*   [2] roto, *torn.*

a lo lejos *in the distance*	en vez de *instead of*
a los dos años *after (in) two years*	por desgracia *unfortunately*
dar clases *to teach*	una (vida) tan (larga) *such a (long life)*

PREGUNTAS

1. ¿ Qué territorio exploraron los españoles durante el siglo XVI ? 2. ¿ Quién fue el primer europeo que atravesó el continente ? 3. ¿ Por dónde navegó ? 4. ¿ Cuántos españoles quedaron después de la tempestad ? 5. ¿ Dónde y cómo vivieron varios años ? 6. ¿ A dónde llegó por fin Cabeza de Vaca ?

7. ¿ Qué creían muchos españoles acerca del Nuevo Mundo ? 8. ¿ Qué sabían los indios ? 9. ¿ De qué hablaban los indios ? 10. ¿ Cuál es la más conocida de las leyendas ? 11. ¿ De qué estaban cubiertas las casas ? 12. ¿ Quién decidió ir en busca de estas ciudades ? 13. ¿ Qué vio Fray Marcos un día ? 14. ¿ Quién salió de México en 1540 ? 15. ¿ Qué encontró Coronado ? 16. ¿ Cuándo volvió a México ?

17. ¿ Qué descubrió Cabrillo ? 18. ¿ Cuál es la ciudad más antigua de los Estados Unidos ? 19. ¿ Qué fundó Juan de Oñate ? 20. ¿ Quiénes acompañaron a los primeros exploradores? 21. ¿ Quién fue el apóstol de los indios ? 22. ¿ Cómo era ? 23. ¿ A qué dedicó toda su vida ? 24. ¿ Cuántos años tenía cuando murió ?

25. ¿ Qué otra orden vino al Nuevo Mundo ? 26. ¿ Qué aprendieron los franciscanos ? 27. ¿ Qué les enseñaron a los indios ? 28. ¿ Qué fundaron ? 29. ¿ Dónde fundaron muchas misiones ? 30. ¿ Qué fue el Álamo ? 31. ¿ Qué misión fundó el padre Eusebio Kino ?

32. ¿ Por qué vino a América Fray Junípero Serra ? 33. ¿ A dónde fue en 1769 ? 34. ¿ Qué misión fundó ese mismo año ? 35. ¿ Qué otras misiones fundó ? 36. ¿ Cuántas misiones había entre San Diego y San Francisco ? 37. Describa usted a Junípero Serra. 38. ¿ Cómo saludaba siempre a todos ?

ESTUDIO DE PALABRAS

a. The Spanish ending –oso is often equivalent to English –ous: famoso, *famous. What are the meanings of:* precioso, fabuloso ?

b. Many English words beginning with s followed by a consonant have Spanish cognates beginning with **es** plus the consonant. *Give the English for:* español, España, estado, escuela, esclavo.

c. *Compare the meanings of the following pairs of words:* rico — riqueza; lejos — lejano;   descubrir — descubrimiento;   establecer — establecimiento; misión — misionero; explorar — explorador; esclavo — esclavitud; cristiano — cristianismo.

d. *Pronounce the following words aloud, then note the English meaning:* estimar, *to esteem;* católico, *Catholic;* tempestad, *tempest, storm;* destruir, *to destroy;* fortaleza, *fort, fortress;* apóstol, *apostle;* desilusionado, *disillusioned;* explotación, *exploitation;* ordenar, *to ordain;* cristiano, *Christian;* método, *method;* jesuita, *Jesuit;* grupo, *group;* físico, *physical;* práctico, *practical;* paciencia, *patience.*

RAPID IDENTIFICATION

Give the name of the person to whom each statement refers:

1. El portugués que descubrió la Alta California
2. El apóstol de los indios
3. El primer europeo que atravesó la América del Norte
4. El padre de las misiones de California
5. El fundador (*founder*) de la ciudad más antigua de los Estados Unidos
6. El fundador del primer pueblo español en el valle del Río Grande
7. El padre jesuita que fundó la misión de San Xavier del Bac
8. El descubridor de la bahía de San Francisco
9. El español que primero creyó ver las Siete Ciudades de Cíbola
10. El español que en 1540 organizó una expedición para buscar las Siete Ciudades de Cíbola

Adobe villages such as this one rewarded Coronado in his search for the seven cities of gold.

CUENTO DEL PADRE Y SUS HIJOS

The folktale has formed an important part of Spanish prose fiction since the Middle Ages. Much of the folk literature conveyed lessons of ethics and behavior for people of all classes. Wherever Spanish is spoken today, thousands of folktales are being repeated. The finest Spanish authors of all periods have shown familiarity with the folktale in their writings. The following cuento *is an example of the anonymous tale whose origin is unknown.*

Un labrador, estando ya para morir, llamó a sus hijos y les habló de esta manera:

—Hijos míos, quiero deciros lo que hasta ahora he guardado para vosotros. Es que está enterrado en la viña un tesoro de gran valor y si queréis hallarlo, tendréis que cavar [1] allí.

5

[1] cavar, *to dig.*

Después de la muerte de su padre, los hijos fueron a la viña y por muchos días no hicieron más que cavar allí en todas partes. Pero nunca hallaron lo que no había en la viña. La verdad es que por haber cavado tanto, dio más uvas aquel año de las que [1] daba antes en muchos años. Viendo esto,
5 el hermano mayor dijo a los otros:

— Ahora comprendo por la experiencia, hermanos, que el tesoro de la viña de nuestro padre es nuestro trabajo.

MODISMOS

es que *the fact is that*   estar para *to be about to*

PREGUNTAS

1. ¿ Por que llamó el padre a sus hijos ? 2. ¿ Qué les dijo ? 3. ¿ Cómo podrían hallar el tesoro ? 4. ¿ Qué hicieron los hijos después de la muerte de su padre ? 5. ¿ Por qué no hallaron el tesoro ? 6. ¿ Qué pasó aquel año ? 7. ¿ Qué dijo el hermano mayor ?

Cuento del labrador, su hijo y el burro

Juan Manuel (1282–1348?), one of the earliest writers of prose in modern litera-ture, incorporated many folktales into his famous Conde Lucanor *(1328–1335). The story which follows is an adaptation of one of the fifty short tales which appeared in the work. The tutor and counsellor, Patronio, relates the various tales in reply to certain moral and political questions raised by the young prince Count Lucanor.*

— Padre, queremos que nos digas un cuento.

— Pues aquí hay uno que enseña que es imposible tratar de complacer a
10 todo el mundo.

Un día que un buen labrador español se preparaba para ir al pueblo a comprar un burro, la mujer le dijo a su esposo:

— Deseo que lleves a nuestro hijo porque de otra manera él no va a aprender las cosas del mundo. Dentro de poco tú no podrás trabajar.
15 Así fue que el padre y su hijo fueron al mercado donde compraron un burro que parecía ser bueno. Por la tarde los dos volvían del pueblo a pie, mientras que el burro, como iba sin carga, corría delante. Viéndolos un labrador que trabajaba al lado del camino,[2] comenzó a reírse de ellos porque iban a pie y el burro, sin carga. El padre preguntó al hijo qué le parecía
20 eso.[3]

— El labrador tiene razón — contestó el hijo.

---

[1] de las que, *than.*   [2] Viéndolos ... camino (*translate as though the sentence were:* Cuando un labrador que trabajaba al lado del camino los vio).   [3] qué le parecía eso, *what he thought about that.*

— Pues, quiero que tú, que eres joven, montes en el burro, porque yo estoy acostumbrado a andar a pie.

Entonces el hijo montó en el burro y se pusieron a caminar más despacio hacia la casa. Poco después se encontraron con un pastor [1] que guardaba ovejas,[2] y éste exclamó: 5

— ¡ Qué mal hijo ! No puedo comprender por qué usted, que es viejo, va a pie mientras que su hijo, que puede caminar mejor, va montado.

— ¿ Qué te parece lo que dice este pastor ?

— Es verdad, padre. Ahora quiero que tú montes en el burro.

Al poco rato se encontraron con otros hombres que se burlaron del viejo 10 porque iba montado, mientras que el pobre hijo ... Esta vez el viejo le dijo a su hijo:

— Como el burro es fuerte, tú puedes montar también, y de esa manera ninguno irá a pie.

Pero habían caminado poco, porque el burro andaba aún más despacio 15 con la carga, cuando otro labrador gritó:

— ¡ Pobre animal ! ¡ Me sorprende que traten [3] así a un animal tan pequeño !

El viejo pasó un rato pensando en todo lo que había pasado. Por fin preguntó: 20

— ¿ Qué hacemos,[4] hijo ? ¿ Tendremos que cargar al burro en nuestros hombros ?

MODISMOS

al lado de *at the side of, beside*	encontrarse (ue) con *to meet, run*
al poco rato *after (in) a short time*	*across*
andar (ir) a pie *to go on foot, walk*	pensar (ie) en *to think about*
así fue que *so, so that, thus*	ponerse a *to begin to*
burlarse de *to make fun of*	tener razón *to be right*
dentro de poco *in a little while*	

PREGUNTAS

1. ¿ Qué quieren los niños ? 2. ¿ A dónde iba el labrador ? 3. ¿ Qué desea su mujer ? 4. ¿ Por qué corría el burro ? 5. ¿ Quién se reía de ellos ? 6. ¿ Quién montó en el burro ? 7. ¿ Cómo caminó el burro entonces ? 8. ¿ Qué dijo el pastor ? 9. ¿ Quién montó entonces ? 10. ¿ Por qué se burlaron de ellos los otros hombres ? 11. ¿ Qué hizo el hijo entonces ? 12. ¿ Qué gritó otro labrador ? 13. ¿ Qué preguntó por fin el padre ? 14. ¿ Qué enseña el cuento ?

---

[1] pastor, *shepherd.*   [2] guardaba ovejas, *was watching sheep.*   [3] ¡ Me sorprende que traten...! *I am surprised that you treat...!*   [4] ¿ Qué hacemos ? *What shall we do?*

This handsome domed building which houses the Argentine "Congreso" is in many ways similar in appearance to our own capitol building in Washington.

Lección diez

El día de santo[1]

Carlos Molina se acerca a la casa de Roberto y Bárbara.   Cuando toca el timbre, Roberto abre la puerta y le saluda.

Roberto. Pase Vd., Carlos.   Me alegro mucho de que esté de vuelta de Nueva York.   No sabía a qué hora pensaba volver, por eso dejé un recado para usted.   5

Carlos. Volví a eso de las seis y en seguida me dieron el recado.   Antes de cenar, tuve que bañarme y cambiarme de ropa.

Roberto. Pues, como sabe Vd., hoy es el cuatro de diciembre, día de santo de Bárbara.   He invitado a varios amigos a celebrarlo esta noche en la sala de recreo.   Aquí está Dorotea Martín, que ha venido   10 con Ana y Jorge.

Carlos pasa a la sala de recreo con Roberto, y éste[2] le presenta a todos los jóvenes que no conoce.   Después de charlar un rato, ponen el tocadiscos y tocan varios discos de música popular.   Bailan más o menos una hora, luego Roberto pone algunos discos latinoamericanos.   15

Bárbara. Carlos, quiero que Vd. nos enseñe a bailar el tango.   Ninguno de los muchachos sabe bailarlo.   (*Entonces otras muchachas le piden lo mismo a Carlos.*)

Carlos. Me sorprende que ninguno de ustedes sepa bailarlo, pero se lo enseñaré con mucho gusto.   Si no conocen Vds. la rumba cubana,   20 Dorotea y yo podemos enseñársela también.   Es lástima que Vds. no conozcan mejor nuestros bailes.

Roberto. Estoy de acuerdo con Vd.   Aunque nuestras orquestas tocan muchas piezas latinoamericanas, no hemos aprendido los pasos. No sé por qué tenemos miedo de tratar de aprenderlos.   25

Carlos. Pues, miren Vds.   De veras son fáciles los pasos.

[1] The Catholic calendar has many saints' days, and people who are named for saints commonly celebrate their saint's day, either instead of or in addition to their birthday.   For example, women with the name Barbara will celebrate the day of **Santa Bárbara,** December 4.   [2] The demonstrative pronoun **éste** (**ésta, –os, –as**) often means *the latter.*

119

Todos se divierten mucho aprendiendo los pasos nuevos. A eso de las once Roberto apaga el tocadiscos y Bárbara les sirve refrescos que su mamá les ha preparado. Poco después de la medianoche todos los invitados se despiden de Bárbara y Roberto, diciéndoles:

5 — Hemos pasado una noche muy agradable. Bárbara, esperamos que tenga Vd. muchos días de santo como éste.

— Muchas gracias — contesta Bárbara. — He estado encantada de tenerlos aquí.

— Vuelvan pronto y bailaremos más — dice Roberto.

Vocabulario

NOMBRES

el miedo *fear*
el paso *step*
la pieza *piece, selection*
el santo *saint*
el timbre *doorbell*

VERBOS

apagar *to turn off; put out*
despedirse (i) de *to take leave of, say goodbye to*
tocar (qu) *to ring*

EXPRESIONES

de veras *really, truly*
el día de santo *saint's day*
es lástima *it's a pity, it's too bad*
estar de acuerdo *to agree, be in agreement*
lo mismo *the same thing*
más o menos *more or less, approximately*

me (le) sorprende *I am (he is) surprised, it surprises me (him)*
pasar una noche *to spend an evening*
poco después de *shortly after*
tener miedo (de) *to be afraid (to)*
tratar de (+ inf.) *to try to*

Preguntas

A. Answer in Spanish these questions based on the dialogue:

1. ¿ A dónde se acerca Carlos ? 2. ¿ Quién abre la puerta cuando toca el timbre ? 3. ¿ Qué dice Roberto ? 4. ¿ Qué había dejado para Carlos ? 5. ¿ Qué tuvo que hacer antes de cenar ? 6. ¿ A qué hora volvió Carlos ? 7. ¿ Qué celebran en casa de Roberto ? 8. ¿ Qué hacen después de charlar un rato ? 9. ¿ Cuánto tiempo bailan ? 10. ¿ Qué le dice Bárbara a Carlos ? 11. ¿ Qué otro baile pueden enseñarles Carlos y Dorotea ? 12. ¿ Qué tocan nuestras orquestas ? 13. ¿ Se divierten todos ? 14. ¿ Qué hace Roberto a eso de las once ? 15. ¿ Qué hace Bárbara ? 16. ¿ Cuándo se despiden todos ? 17. ¿ Qué dicen los invitados al despedirse ? 18. ¿ Qué dice Bárbara ?

B. Cuestionario personal

1. ¿ En qué día es su cumpleaños ? 2. ¿ Celebra Vd. el día de su cumpleaños o el día de santo ? 3. ¿ Tiene Vd. sala de recreo en su casa ? 4. ¿ Tiene Vd. tocadiscos ? 5. ¿ Qué clase de discos tiene Vd. ? 6. ¿ Tiene Vd. discos latinoamericanos ? 7. ¿ Le gusta a Vd. el tango ? 8. ¿ Sabe Vd. bailar el tango ? 9. ¿ Le

The great plains which produce Argentina's wheat have made necessary the improvement of harvesting methods. This farmer has come a long way from the threshing board.

gusta a Vd. la rumba? 10. ¿ Sabe Vd. bailar la rumba? 11. ¿ De qué país es la rumba? 12. ¿ Quiere Vd. aprender a bailar la rumba? 13. ¿ Conoce Vd. otros bailes latinoamericanos? 14. ¿ Qué dice Vd. cuando se despide de un amigo?

Gramática

I. THE SUBJUNCTIVE IN NOUN CLAUSES (*continued*)

Me alegro de estar aquí.	I am glad to be here. (*No change in subject*)
Me alegro de que estés aquí.	I am glad that you are here. (*Different subjects*)
Nos sorprende que digan Vds. eso.	We are surprised that you say that.
Tienen miedo de que no venga.	They are afraid (that) he won't come.
Tememos que no lleguen a tiempo.	We fear (that) they won't arrive on time.

The subjunctive is used in noun clauses after verbs which express emotion or feeling, such as *joy, sorrow, fear, hope, pity, surprise,* and the like, as well as their negatives, provided that the subject differs from that of the main verb. Compare the first example in which there is no change in subject with those which follow. Remember that **que** regularly introduces a noun clause in Spanish, even though *that* is sometimes omitted in English.

Some common expressions of emotion are:

alegrarse (de que)   to be glad that
esperar   to hope
me (le) sorprende   it surprises me (him),
 I am (he is) surprised

sentir (ie, i)   to regret, be sorry
ser lástima   to be a pity (too bad)
temer   to fear
tener miedo (de que)   to be afraid (that)

121

2. WORD ORDER

(a) — **Muchas gracias** — **contesta Ana.** "Many thanks," Ann answers.
(b) **Vemos la casa donde vive Ricardo.** We see the house where Richard lives.
(c) **A poco entran todos.** Shortly afterwards all enter.
(d) **Llamó el señor Díaz.** Mr. Díaz called.
　　Suena el teléfono. The telephone rings.

Contrary to the normal order of subject, verb, object, or predicate, in a declarative sentence, the subject often follows the verb in Spanish. This reversed order often occurs: (a) after a direct quotation; (b) in clauses introduced by a relative pronoun or conjunction in which the verb does not have a noun object; (c) when an adverbial expression begins the sentence; or (d) when the speaker wishes to call special attention to the subject.

PRÁCTICA. Read in Spanish, noting particularly the position of the subject:

1. Llamó la señora Gómez. 2. La señora Gómez llamó. 3. Llegaron los muchachos. 4. Los muchachos llegaron. 5. No funciona bien el despertador. 6. El despertador no funciona bien. 7. En seguida los presentó Roberto. 8. Si no conoce Vd. el tango, se lo enseñaré. 9. De veras son fáciles los pasos. 10. — ¿ A qué hora llegó ? — preguntó Carlos. 11. Como saben Vds., no debemos esperar más. 12. — Hemos pasado una noche muy agradable — dicen todos.

Ejercicios

a. Read in Spanish, then substitute for the phrase in italics each of the phrases listed below the sentence:

1. Ricardo se alegra de *hacerlo.*
　(estar aquí, leerlo, vernos, venderlos, saberlo)

2. Ricardo *se alegra de* hacerlo.
　(siente, espera, quiere, prefiere, tiene miedo de)

3. Ricardo se alegra de que *lo hagamos.*
　(estemos aquí, las tengamos, las leamos, las vendamos, nos guste)

4. Ricardo *se alegra de* que lo hagamos.
　(siente, espera, quiere, prefiere, tiene miedo de)

5. Me sorprende *verle.*
　(oírlo, tener que hacerlo, leer eso, saber eso, encontrarlos)

6. *Me sorprende* verle.
　(Nos alegramos de, Sentimos, Tememos, Es lástima, Esperamos)

7. Me sorprende que *estén aquí.*
　(lo sepan, lo digan, piensen partir, vayan con Vd., quieran hacerlo)

8. *Me sorprende* que estén aquí.
　(Vd. se alegra de, Vd. prefiere, Vd. espera, Vd. siente, Vd. teme)

b. Choose the correct phrase to complete each sentence:

1. Ricardo siente (venderla, la vendamos). 2. Ricardo siente que (venderla, la vendamos). 3. Es lástima (hacerlo, lo hagan). 4. Es lástima que Vds. (hacerlo, lo hagan). 5. Les sorprende (vernos, nos vea). 6. Les sorprende que Juan no (vernos, nos vea). 7. Nos alegramos de (venir, vengas). 8. Nos alegramos de que tú (venir, vengas). 9. Tememos (perderlo, lo pierdan). 10. Tememos que Vds. (perderlo, lo pierdan). 11. Esperan que (usarla, la usemos). 12. Esperan (usarla, la usemos). 13. Quiero que mis padres (comprarlos, las compren). 14. Quiero (comprarlos, las compren) hoy. 15. Mi padre prefiere que (salir, salgamos) temprano.

c. Supply the correct form of the verb in parentheses:

1. Prefieren (quedarse) aquí. 2. Prefieren que Vd. (quedarse) aquí también. 3. Queremos (partir) mañana. 4. Queremos que Vds. no (partir) hasta el jueves. 5. Espero que mi hermano (llegar) esta tarde. 6. Él no piensa (llegar) hoy. 7. Es lástima que Dorotea no (poder) ir con nosotros. 8. Me sorprende que su padre no le (permitir) hacer el viaje. 9. Juan se alegra de que Carlos (ir) con nosotros. 10. Siente mucho que Vd. (tener) que quedarse aquí. 11. Nos alegramos de (poder) ir con Vds. 12. También nos alegramos de que (hacer) buen tiempo hoy. 13. ¿ Tiene Vd. miedo de (llegar) tarde ? 14. ¿ Teme Vd. que Juan no (llegar) a tiempo ?

d. Give the Spanish for:

1. I am very tired tonight. 2. I have tried to learn my lessons well. 3. I do not like to study until midnight. 4. At what time did you get up ? 5. I believe it was seven o'clock, or perhaps shortly after seven. 6. It was very early. 7. But what's the matter with you ? 8. Today is Barbara's saint's day. 9. I have to buy a gift for her. 10. It is difficult to do that. 11. She never wants anything. 12. I agree with you. 13. She tells me the same thing. 14. She has eight or ten sweaters and even more blouses.

Composición (Optional)

1. I approached the house and rang the doorbell. 2. Robert opened the door and said that he was glad to see me. 3. They were celebrating Barbara's birthday. 4. Robert had bought her a marvelous record player. 5. Several friends of theirs had already arrived. 6. They had brought her five or six new records. 7. They were listening to the records when I arrived. 8. Two or three couples were dancing. 9. At about eleven o'clock someone turned off the record player and turned on the radio. 10. Then Barbara invited us to the dining room. 11. She and her mother served us toasted cheese sandwiches, potato salad, and Coca-Cola. 12. They were delighted to have us there. 13. We had a good time learning the new dance steps (**nuevos pasos de baile**). 14. I spent a pleasant evening with my friends.

Para practicar

a. Pattern drill.

1. ¿ Se alegra Vd. de llegar ?   Sí, me alegro de llegar.
            estar aquí ?   Sí, me alegro de estar aquí.
            hablar con él ?   Sí, me alegro de hablar con él.
  ¿ Se alegra Vd. de que lleguen ?   Sí, me alegro de que lleguen.
            estén aquí ?   Sí, me alegro de que estén aquí.
            hablen con él ?   Sí, me alegro de que hablen con él.

2. Es lástima usarlo, ¿ no ?   Sí, es lástima usarlo.
          venderlo   Sí, es lástima venderlo.
          perderlo   Sí, es lástima perderlo.
  Es lástima que lo usen, ¿ no ?   Sí, es lástima que lo usen.
          lo vendan   Sí, es lástima que lo vendan.
          lo pierdan   Sí, es lástima que lo pierdan.

3. ¿ Le sorprende a Vd. verme ?   Sí, me sorprende verle.
             oírme ?   Sí, me sorprende oírle.
             saberlo ?   Sí, me sorprende saberlo.
  ¿ Le sorprende que yo le vea ?   Sí, me sorprende que Vd. me vea.
             le oiga ?   Sí, me sorprende que Vd. me oiga.
             lo sepa ?   Sí, me sorprende que Vd. lo sepa.

4. ¿ Teme Vd. buscarlo ?   No, no temo buscarlo.
           verlo ?   No, no temo verlo.
           dármelo ?   No, no temo dárselo.
  ¿ Teme Vd. que lo busquen ?   No, no temo que lo busquen.
           lo vean ?   No, no temo que lo vean.
           me lo den ?   No, no temo que se lo den.

b. Change of construction drill.

Repeat each sentence as you hear it. Then repeat it preceded by the expressions in parentheses. This will require changing the verb in the model sentence from indicative to subjunctive.

    Example: **Ella va al cine. (Quieren que) Quieren que ella vaya al cine.**

1. Juan sale de casa a las ocho.
    (Quiero que, Prefieren que, Me alegro de que)

2. Los muchachos no están aquí.
    (Me sorprende que, Sentimos que, Es lástima que)

3. Yo busco el periódico.
    (No quieren que, Juan no prefiere que, No le sorprende que)

4. Ella se sienta aquí.
    (Se alegran de que, Queremos que, Tememos que)

The camel's four proud South American cousins, the llama, alpaca, guanaco, and vicuña, are valuable for their wool and as pack animals. This is a herd of vicuñas.

c. Prepare Vd. un discurso sobre la música popular. Las preguntas siguientes pueden darle unas ideas para su discurso.

¿ Le gusta a Vd. mucho la música popular ? ¿ Le gusta escuchar la música ? ¿ Tocar ? ¿ Cantar ? ¿ Bailar ? ¿ Quiénes son sus artistas favoritos ? ¿ Tiene Vd. una colección de discos ? ¿ Compra Vd. muchos discos ?

d. Conversación

CARLOS. — Hola, Roberto. ¡ Cuánto me alegro de verte !

ROBERTO. — Gracias, el gusto es mío. Pero, ¿ dónde está Ricardo ?

CARLOS. — Hoy está enfermo y siente mucho no poder venir.

ROBERTO. — Yo también lo siento. Es lástima que tenga que quedarse en casa.

CARLOS. — Es cierto, pero tiene esperanza de poder ir con nosotros a casa de Marta mañana por la noche.

ROBERTO. — No me sorprende que quiera ir allá.

CARLOS. — Ni a mí tampoco. Dicen que los padres de Marta van a contratar una orquesta para el baile. ¿ Sabes si es cierto ?

ROBERTO. — No sé, pero eso sería magnífico. Y ahora, ¿ no crees que debemos practicar un poco los pasos del tango ?

CARLOS. — ¡ Ya lo creo ! Ahora mismo podemos bajar a la sala de recreo. Tengo un disco nuevo de bailes argentinos.

ROBERTO. — ¡ Bueno ! Vamos a practicar.

ahora mismo *right now (away)*   la esperanza *hope*
contratar *to contract for, get*   vamos a practicar *let's go practice*

125

This is a brilliant "first night" audience in Barcelona's Gran Teatro del Liceo. (Revista "IN")

Lección once

¿Vas al concierto?

Suena el teléfono.

Sra. Gómez. ¡ Diga !

María. ¿ Con quién hablo ?

Sra. Gómez. Con la señora Gómez. ¿ Con quién desea Vd. hablar ?

María. Perdón, señora Gómez. No reconocí su voz. Habla María 5
Morales. ¿ Está Juanita ?

Sra. Gómez. Sí está, pero acaba de levantarse y está vistiéndose. Un
momento. Voy a llamarla . . .

Juanita. ¡ Hola, María ! ¿ Qué tal ?

María. Bien, gracias. Te levantaste tarde, ¿ verdad ? 10

Juanita. Sí, mamá insiste en que yo duerma hasta las nueve los
domingos porque es el único día que puedo hacerlo. Dentro
de un rato vamos a la iglesia. Tú también vas hoy, ¿ no ?

María. Sí. Voy con papá y mamá. Te he llamado para preguntarte
si vas con nosotros al concierto esta tarde. 15

Juanita. Sí, voy con mucho gusto. Mamá me ha dado permiso para ir.
¿ También va Bárbara ?

María. No estoy segura todavía, pero dudo que pueda acompañarnos.
Sus padres tienen que ir a un té a las cuatro y no quieren dejar
solo a Carlitos. Por eso es preciso que Bárbara se quede en 20
casa con él.

Juanita. Siento mucho que no pueda ir.

María. Yo también. Tiene mucho interés por la música y siempre le
gustan los conciertos. Hoy la orquesta va a tocar obras de
Albéniz, de Granados, de Manuel de Falla y de otros com- 25
positores españoles.

Juanita. ¿ A qué hora quiere salir tu papá ?

María. A las tres y cuarto, porque tiene que dejar algo en casa del
señor Espinosa. El concierto empieza a las cuatro y papá
dice que es mejor que lleguemos un poco temprano. 30

Juanita. Muy bien. ¿ Vas a llevar tu impermeable ? Como está nublado, es posible que llueva, ¿ no ?

127

María. Espero que no, pero en este mes nunca se sabe. Por eso hay que prepararse para todo. Yo prefiero llevar paraguas en vez de impermeable. ¿ Y tú ?

Juanita. Pues, no sé. Ya veré. Bueno, nos vemos a eso de las tres.

5 *María.* ¡ Está bien ! Hasta luego.

Vocabulario

NOMBRES

Carlitos   *Charlie*
el compositor   *composer*
el concierto   *concert*
el interés   *interest*
el paraguas   *umbrella*

ADJETIVOS

nublado, –a   *cloudy*
preciso, –a   *necessary*

PREPOSICIÓN

dentro de   *within, in*

VERBOS

dudar   *to doubt*
insistir (en)   *to insist (on)*
reconocer (zc)   *to recognize*

EXPRESIONES

a la iglesia   *to church*
esperar que sí (no)   *to hope so (not)*
insistir en que   *to insist that*
interés por   *interest in*

nos vemos   *we'll be seeing each other*
perdón   *pardon, pardon me*
ya veré   *I'll see later*

Preguntas

A. Answer in Spanish these questions based on the dialogue:

1. ¿ Qué suena ?   2. ¿ Quién contesta ?   3. ¿ Qué pregunta María ?   4. ¿ Qué pregunta la señora Gómez ?   5. ¿ Está Juanita ?   6. ¿ Qué día es ?   7. ¿ Van a la iglesia María y Juanita ?   8. ¿ Qué quiere preguntar María ?   9. ¿ Puede ir al concierto Juanita ?   10. ¿ También va Bárbara ?   11. ¿ Qué va a tocar la orquesta ?   12. ¿ A qué hora salen para el concierto ?   13. ¿ Qué tiene que hacer el papá de María ?   14. ¿ A qué hora empieza el concierto ?   15. ¿ Qué tiempo hace ?   16. ¿ Es posible que llueva ?   17. ¿ Qué prefiere llevar María ?   18. ¿ También va a llevar paraguas Juanita ?

B. Cuestionario personal

1. ¿ Habla Vd. mucho por teléfono ?   2. ¿ Qué pregunta Vd. si no reconoce la voz de la persona que contesta ?   3. ¿ Se levanta Vd. tarde los domingos ?   4. ¿ A dónde vamos los domingos ?   5. ¿ A qué hora va Vd. a la iglesia ?   6. ¿ Con quién va Vd. ?   7. ¿ Le gustan a Vd. los conciertos ?   8. ¿ Tenemos conciertos en esta ciudad ?   9. ¿ A qué hora empiezan ?   10. ¿ Es bueno llegar tarde o llegar temprano ?   11. ¿ Qué llevamos si llueve ?   12. ¿ Tiene Vd. paraguas ?   13. ¿ Llueve mucho aquí ?   14. ¿ Está lloviendo hoy ?   15. ¿ Llovió anoche ?

Gramática

1. THE PRESENT SUBJUNCTIVE OF STEM-CHANGING VERBS, CLASS II

sentir (ie,i)		dormir (ue,u)	
sienta	sintamos	duerma	durmamos
sientas	sintáis	duermas	durmáis
sienta	sientan	duerma	duerman

Stem-changing verbs, Class II, change e to ie and o to ue in the three singular forms and in the third person plural. In the first and second persons plural e becomes i and o becomes u.

2. THE SUBJUNCTIVE IN NOUN CLAUSES (*continued*)

Creo que está aquí.	I believe he is here. (*Certainty implied*)
No creo que esté aquí.	I do not believe that he is here. (*Doubt*)
Dudan que vayamos.	They doubt that we are going (will go).
Estoy seguro de que lo tiene.	I am sure that he has it. (*Certainty*)
No estoy seguro de que lo tenga.	I am not sure that he has it. (*Uncertainty*)

The subjunctive is used in noun clauses after expressions of *doubt, uncertainty,* and *belief expressed negatively.* Note in the examples that **creer** and **estar seguro de** express certainty and are followed by the indicative in a clause, while **no creer** and **no estar seguro de** express uncertainty and require the subjunctive.

Es preciso llamarlos.	It is necessary to call them.
Es posible que nos llamen.	It is possible that they may (will) call us.
Es cierto (verdad) que le conocen.	It is certain (true) that they know him.
No es cierto que le conozcan.	It is not certain that they know him.

An impersonal expression is one whose subject is *it.* Impersonal expressions of *possibility, probability, necessity, uncertainty, strangeness, doubt,* require the subjunctive in a dependent clause. Impersonal expressions of fact and certainty require the indicative in dependent clauses.

The infinitive *may* be used after most impersonal expressions if the subject of the dependent verb is a *personal pronoun.* In this case the subject of the second verb is the indirect object of the first verb.

Me es preciso ir allá.	It is necessary for me to go there.
Nos fue fácil aprenderlo.	It was easy for us to learn it.

Some common impersonal expressions are:

es difícil	it is difficult	es mejor	it is better
es extraño	it is strange	es necesario	it is necessary
es fácil	it is easy	es posible	it is possible
es importante	it is important	es preciso	it is necessary
es imposible	it is impossible	es probable	it is probable
es lástima	it is a pity	importa	it is important, it matters

Ejercicios

a. Substitution drill. Say each sentence in Spanish, then substitute for the forms in italics each of the expressions below the sentence:

1. *Quiero* quedarme aquí.
(Prefiero, Me alegro de, Espero, Siento mucho, Insisto en)

2. Quiero que *se queden allí.*
(salgan en seguida, vayan con Vds., vuelvan mañana, insistan en eso)

3. *Es lástima* venderlos.
(Es mejor, Es necesario, Es importante, Es fácil, No es posible)

4. Es lástima que Vd. *los venda.*
(los quiera, los necesite, los reconozca, no los pruebe, no los baile)

5. *No creemos* que le conozcan.
(Dudamos, No estamos seguros de, Vds. no creen, Vds. dudan, ¿ Duda Vd. ?)

6. *Saben* que Juan está aquí.
(Creen, Dicen, Están seguros de, Es verdad, Es cierto)

b. For each verb give the first person singular present indicative, first person singular present subjunctive, and first and third persons singular preterite.

EXAMPLE: **sentir: siento; sienta; sentí, sintió.**

1. preferir (ie,i)	6. reconocer (zc)	11. apagar (gu)
2. dormir (ue,u)	7. cerrar (ie)	12. comenzar (ie;c)
3. divertirse (ie,i)	8. devolver (ue)	13. sacar (qu)
4. buscar (qu)	9. jugar (ue;gu)	14. empezar (ie;c)
5. pagar (gu)	10. gozar (c)	15. tocar (qu)

c. Read in Spanish, selecting the correct form to complete each sentence:

1. Es posible que mi primo le (conoce, conozca). 2. Sé que (van, vayan) a llamarle. 3. Dudo que le (verán, vean). 4. No creo que (tengan, tendrán) tiempo. 5. Es lástima que se (dan, den) prisa. 6. No es difícil (comprenda, comprender) eso. 7. ¿ Es necesario (decirle, dígale) eso ? 8. Sí, y es importante que él lo (sabe, sepa) pronto. 9. No creo que (es, sea) preciso decírselo hoy. 10. Pero creo que (es, sea) posible hacerlo hoy. 11. Dudamos que muchas personas le (reconocen, reconozcan). 12. Espero que (llega, llegue) temprano. 13. Importa (estar, esté) en la iglesia antes de las once. 14. Siempre es mejor (estar, esté) allí antes de esa hora. 15. No es posible (saludar, salude) a todos nuestros amigos.

d. Complete each sentence by using the correct form of each infinitive:

1. Quiero que mis padres (dejarme) ir a Europa este verano. 2. Roberto y yo esperamos (pasar) dos meses en España. 3. Es probable que nosotros también (ir) a Italia y a Francia. 4. Roberto no cree que Madrid (ser) una ciudad grande.

Madrid's Puerta de Hierro Club caters to the interests of its members, which include golf, tennis, polo, and bridge.

5. Estoy seguro de que (tener) dos millones de habitantes. 6. Roberto tampoco cree que los españoles (dormir) la siesta por la tarde. 7. Me sorprende que él no (conocer) esa còstumbre española. 8. Insiste en que nosotros (buscar) hoteles pequeños. 9. Siento que no le (gustar) viajar en avión. 10. Nuestros padres esperan que nosotros (divertirse) mucho. 11. Mis amigos dudan que yo (tener) bastante dinero. 12. Saben que Roberto no (tener) mucho. 13. Es làstima que nuestros abuelos no nos (dar) un poco más. 14. Va a ser necesario (partir) el primero de julio. 15. Nuestros amigos desean que nosotros les (comprar) regalos en Europa.

e. Give the Spanish for:

1. Hello ! 2. Who is speaking ? 3. Is Richard at home ? 4. Will he be long in returning ? 5. Did he go to church ? 6. He and Robert are at Mr. López's house. 7. Wait a moment. 8. Here comes Richard. 9. How goes it ? 10. Do you have [any] interest in (the) Spanish music ? 11. I have tickets for a concert. 12. They say that the orchestra is very good. 13. Is it going to rain ? 14. I hope not.

Modern trends in architecture are reflected not only in Spain's offices and public buildings, but also in her newer churches such as this one in Pamplona.

Composición (Optional)

1. Mary calls Jane Gómez on the telephone (by telephone). 2. When it rings Jane's mother answers. 3. Jane has just gotten up and is dressing (herself). 4. Her mother wants her to sleep until nine o'clock on Sundays. 5. Jane never wants to get up early. 6. Mary hopes that Jane can go to the concert with her. 7. Mrs. Gómez has given her permission to go. 8. They doubt that Barbara can go with them. 9. Her parents do not want her to leave her little brother alone. 10. It is probable that Barbara will have to stay at home with him. 11. She is sorry not to be able to go because she likes music. 12. Mary and Jane are sorry that she is staying at home. 13. They will leave for the concert at three o'clock. 14. They are going to leave a book at Mr. Espinosa's. 15. It is better for them to arrive (that they arrive) a little early. 16. They hope that it won't rain. 17. Mary wants Jane to carry an umbrella. 18. Jane wants to take her raincoat.

Para practicar

a. Conversaciones cortas

1. ¿ Quiere Vd. hacerlo ?   Sí, quiero hacerlo.
   ¿ Quiere Vd. hacerlo ahora ?   No, no quiero hacerlo ahora.
   ¿ Quiere Vd. que yo lo haga ?   Sí, quiero que Vd. lo haga.
   ¿ Quiere Vd. que María lo haga ?   No, no quiero que María lo haga.

Substitute ¿ **Prefiere Vd. ?** for ¿ **Quiere Vd. ?** and **prefiero** for **quiero** above.

2. ¿ Se alegra Vd. de hacer el viaje ?　Sí, me alegro de hacerlo.
   ¿ Se alegra Vd. de que Elena vaya ?　Sí, me alegro de que vaya.
   ¿ Siente Vd. partir de aquí ?　Sí, siento partir de aquí.
   ¿ Siente Vd. que ella parta ?　Sí, siento que parta.

Substitute ¿ **Teme Vd.** ? and **temo** in the questions and answers above.

3. ¿ Es importante saberlo ?　Sí, es importante saberlo.
   ¿ Es importante que Vd. lo sepa ?　Sí, es importante que yo lo sepa.
   ¿ Es preciso decírselo a él ?　Sí, es preciso decírselo.
   ¿ Es preciso que Vd. se lo diga ?　Sí, es preciso que yo se lo diga.

Substitute ¿ **Es mejor** ? in the first two questions and answers and ¿ **Es necesario** ? in the last two.

b. TRANSLATION DRILL. Say these sentences rapidly in Spanish:

1. It is necessary to call her.
   It is necessary to see her.
   It is necessary to talk with her.
   It is necessary to tell her that.

2. It is better that you call her.
   It is better that you see her.
   It is better that you talk with her.
   It is better that you tell her that.

3. It is easy to find them.
   It is difficult to buy them.
   It is possible to use them.
   It is important to sell them.

4. It is easy for you to find them.
   It is difficult for you to buy them.
   It is possible for you to use them.
   It is important for you to sell them.

5. I believe that they are here.
   I am sure that they will stay.
   We believe that they will visit us.
   It is certain that they will do it.

6. I do not believe that they are here.
   I am not sure that they will stay.
   We doubt that they will visit us.
   It is not certain that they will do it.

c. Prepare Vd. un discurso sobre un concierto o un programa musical.

¿ Cuándo celebraron el programa ?　¿ Dónde ?　¿ A qué hora empezó ?　¿ Terminó ?　¿ Quiénes tomaron parte en él ?　¿ Cuántas personas asistieron a la función (*performance, show*) ?　¿ Le gustó a Vd. ?　¿ Por qué, o por qué no ?

The Hotel Portillo in Portillo, Chile, is more than a hotel. It is a lodge for skiers who come to enjoy the mountain slopes of Chile's lake district.

Here again is Portillo, in a region which is often called the Switzerland of South America.

Lección doce

Una excursión de invierno

Es invierno. El señor Molina y su hijo Ricardo piensan pasar unos días en un lugar en las montañas. Invitan a Juan Ochoa y éste acepta con mucho gusto. La noche antes de la partida el señor Ochoa está en casa del señor Molina haciendo los preparativos para la excursión.

Sr. Molina. Como vamos en avión, aconséjele Vd. a Juan que no lleve 5
más que una maleta. También dígale que no deje de llevar
sus patines.

Sr. Ochoa. ¿ Se puede patinar allí ? Juan estará encantado.

Sr. Molina. ¡ Ya lo creo ! Hay un lago bastante grande y en esta estación
del año habrá hielo. Pero no le diga a Juan que también 10
habrá mucha nieve. Queremos sorprenderle. Sé que le gusta
pasearse en trineo. Y tengo otra sorpresa. Voy a darle un
par de esquíes y podrá aprender a esquiar.

Sr. Ochoa. ¡ Qué bueno ! Estoy seguro de que va a divertirse mucho.

Sr. Molina. Siento mucho que Vd. no pueda hacer la excursión. Dudo 15
que haya visto un sitio tan hermoso.

Sr. Ochoa. Es lástima, pero es preciso que yo haga un viaje de negocios
a California.

Sr. Molina. Y no se olvide de decirle a Juan que lleve ropa gruesa. De
noche hace mucho frío allí, y aún de día, cuando hay sol, hace 20
bastante fresco.

Sr. Ochoa. ¿ A qué hora debe estar listo ?

Sr. Molina. Pídale que esté listo a las seis. Mi esposa va a llevarnos al
aeropuerto y como la casa de Vds. está en el camino, pasaremos por Juan. 25

Sr. Ochoa. Es Vd. muy amable y le agradezco mucho que haya invitado a
mi hijo a hacer esta excursión con Vds.

Sr. Molina. Gracias, pero el gusto es mío. Espero que Juan y Ricardo se
diviertan mucho.

Sr. Ochoa. Entonces nos vemos mañana, a eso de las seis. 30

Sr. Molina. Adiós. Hasta mañana.

Vocabulario

NOMBRES

el esquí (*pl.* esquíes) *ski*
el hielo *ice*
el lugar *place*
el patín (*pl.* patines) *skate*
el preparativo *preparation*
el trineo *sled, sleigh*

ADJETIVO

grueso, –a *heavy*

VERBOS

aconsejar *to advise* (requires ind. obj. of the person)
agradecer (zc) *to be grateful, thank for*
esquiar [1] *to ski*
habrá *there will be*
olvidarse (de + *obj.*) *to forget* (to + *obj.*)
patinar *to skate*

EXPRESIONES

agradecer mucho *to be very grateful for*
de día *by day, in the daytime*
de noche *at (by) night*
hacer (mucho) frío (calor, fresco) *to be (very) cold (warm, cool)*
hay sol *it is sunny, the sun shines (is shining)*

(no) dejar de (+ *inf.*) (*not*) *to fail to,* (*not*) *to stop*
pasar por *to go* (*come*) *by for*
pasearse en trineo *to go sledding, sleigh riding*
un (sitio) tan (hermoso) *such a* (*beautiful place*)

Preguntas

A. Answer in Spanish these questions based on the dialogue:

1. ¿Qué estación es? 2. ¿Qué piensan hacer el señor Molina y Ricardo? 3. ¿Quién va a acompañarlos? 4. ¿Qué están haciendo el señor Molina y el señor Ochoa? 5. ¿Cómo van a hacer la excursión? 6. ¿Qué debe llevar Juan? 7. ¿Habrá hielo en el lago? 8. ¿También habrá nieve? 9. ¿Le gusta a Juan pasearse en trineo? 10. ¿Qué va a darle a Juan el señor Molina? 11. ¿Por qué no puede acompañarlos el señor Ochoa? 12. ¿Qué clase de ropa debe llevar Juan? 13. ¿Qué tiempo hace allí de noche? 14. ¿Hace calor de día? 15. ¿A qué hora debe estar listo Juan? 16. ¿Quién va a llevarlos al aeropuerto?

B. Cuestionario personal

1. ¿Qué tiempo hace hoy? 2. ¿Hay sol? 3. ¿Hace calor? 4. ¿Hay nieve? 5. ¿Le gusta a Vd. la nieve? 6. ¿Hay mucho hielo en esta parte del país? 7. ¿Qué podemos hacer si hay hielo? 8. ¿Sabe Vd. patinar? 9. ¿Qué podemos hacer si hay nieve? 10. ¿Tiene Vd. trineo? 11. ¿Le gusta a Vd. pasearse en trineo? 12. ¿Sabe Vd. esquiar? 13. ¿Se puede esquiar aquí? 14. ¿Hace Vd. excursiones a las montañas? 15. ¿Va Vd. allá en el [2] verano o en el invierno? 16. ¿Hay lagos cerca de aquí?

[1] Conjugated like **enviar(í)**, page 185. [2] The article is often omitted with the seasons in prepositional phrases: **en verano (invierno)**.

Gramática

1. THE PRESENT SUBJUNCTIVE OF haber AND pedir

haber		pedir	
haya	hayamos	pida	pidamos
hayas	hayáis	pidas	pidáis
haya	hayan	pida	pidan

Haber is one of six verbs whose present subjunctive is not formed from the first person singular present indicative (see p. 97). The other five are: **dar (dé)**, **estar (esté)**, **ir (vaya)**, **saber (sepa)**, **ser (sea)**. The third person singular, **haya**, is used impersonally to mean *there is (are)*, *there may be:* **No creo que haya mucho dinero aquí**, *I don't believe that there is much money here.*

Stem-changing verbs, Class III (**pedir, despedirse, servir, vestirse**) change **e** to **i** in all forms of the present subjunctive.

2. THE PRESENT PERFECT SUBJUNCTIVE TENSE

haya		hayamos	
hayas	} tomado, comido, vivido	hayáis	} tomado, comido, vivido
haya		hayan	

Dudo que hayan llegado. — I doubt that they (may) have arrived.
Siento que lo haya comprado. — I'm sorry that he has bought it.

The present perfect subjunctive is formed by the present subjunctive of **haber** with the past participle. After main verbs which require the subjunctive in a dependent clause the English present perfect is put into the Spanish present perfect subjunctive. The word *may* is sometimes a part of the English sentence.

3. THE SUBJUNCTIVE IN NOUN CLAUSES (*continued*)

Dígales Vd. que lo sirvan. — Tell them to serve it.
No le diga Vd. a Ana que se vista. — Don't tell Anne to get dressed.
Le rogaré (pediré) que venga. — I shall ask him to come. (I shall ask him that he come.)

Nos aconsejan que lo veamos. — They advise us to see it.

The subjunctive is required in a noun clause when the main verb expresses a *request*, a *command, permission,* or *advice,* affirmative or negative. **Decir** requires the subjunctive only when it expresses a command (first two examples).

Common verbs of this type are:

aconsejar	to advise	**pedir (i)**	to ask, request
decir	to tell (*command*)	**permitir**	to permit, allow, let
	rogar (ue; gu)	to beg, ask, request	

4. Special use of the indirect object

A Juan le gusta patinar.	John likes to skate.
Le di a María los patines.	I gave Mary the skates.

In Spanish the indirect object pronoun is often used in addition to a noun indirect object. The indirect object of a verb of command, request, advice, or permission and the subject of the dependent clause always refer to the same person:

Ruéguele Vd. a Marta que vuelva.	Ask Martha to return. (Ask of Martha that she return.)
No le permita Vd. a Luis que lo vea.	Do not permit Louis to see it.
Les diré a los niños que se vayan.	I shall tell the children to leave.

Ejercicios

a. Before you do this exercise review the irregular past participles on pp. 24–25. Say the following Spanish forms, then give the present perfect subjunctive after **que**.

EXAMPLE: **ha vivido, que haya vivido.**

1. han patinado. 2. ha comido. 3. has recibido. 4. Vd. ha vuelto. 5. he puesto. 6. ella ha leído. 7. hemos visto. 8. me han escrito. 9. ha traído. 10. has creído. 11. Vd. ha ido. 12. Vd. y yo hemos dicho. 13. los han abierto. 14. nos lo ha devuelto. 15. Vds. las han pedido. 16. lo has hecho.

b. Say each sentence in Spanish, then repeat, using the present perfect subjunctive in the dependent clause:

1. Espero que vengan hoy. 2. Es posible que lleguen esta tarde. 3. Dudo que le traigan el dinero. 4. Me sorprende que ella me devuelva el libro. 5. Sentimos que Vds. no lo lean. 6. Es lástima que no los veamos. 7. Nos alegramos de que Vd. lo compre. 8. Temo que no le gusten a mi hermano los esquíes nuevos.

c. Read in Spanish, supplying the present perfect indicative or subjunctive of the infinitive, as required:

1. Es cierto que ellos (pensar) hacer el viaje. 2. Es posible que (invitar) a Juan a acompañarlos. 3. Sé que (pagar) los billetes. 4. Dudamos que ya (salir). 5. Creo que ellos (hablar) con su abuelo. ¿Qué cree Vd.? 6. No creo que Carlos y Roberto (hacer) eso. 7. Su madre teme que ellos no le (pedir) a su padre bastante dinero. 8. Nos alegramos de que Carlos (decidir) pasar un mes en Madrid. 9. Me sorprende que (comprar) un coche en este país. 10. Espero que todos (aprender) a patinar. 11. Es lástima que Carlos (olvidarse) de traer sus esquíes. 12. Siento que Vd. ya no (hacer) su maleta. 13. Es verdad que Vd. (tener) bastante tiempo para hacer eso. 14. Dudo que Vd. (poder) hacer el viaje de día. 15. Estoy seguro de que todos (querer) hacerlo de día.

One of Chile's principal industries is the growing of fruit. This is a young orchard on a plantation in the fertile central valley.

The beautiful San Rafael Lagoon separates the Chilean mainland from the Taitao Peninsula.

d. Read in Spanish, placing the pronouns correctly in each sentence:

1. (nos) Nuestros amigos aconsejan que pasemos el invierno en la Florida. 2. (nos) Siempre dicen que el clima es maravilloso. 3. (le) Mi tío dice a mi papá que no se quede allí. 4. (le) Va a permitir a Luis que use su coche. 5. (le) Luis va a rogar que no nos dé el coche nuevo. 6. (le) Diga a su tío que vaya con nosotros. 7. (les) Mi mamá está pidiendo a mis tíos que nos acompañen. 8. (les) Ella ha dicho que no nos dejen usar el coche si no pueden ir con nosotros. 9. (nos) Dice que volvamos dentro de una semana. 10. (les) Permitirá a Juanita y a Elena que pasen el mes de agosto con sus tíos. 11. (le) Yo pediré a ella que me compre unos zapatos nuevos. 12. (me) Ella siempre dice que no pague demasiado.

e. Give the Spanish for:

1. They will spend a week on this excursion. 2. In the daytime it is sunny and at night it is very cold. 3. It is not a business trip. 4. They are going to a beautiful place. 5. Richard intends to skate and go sledding. 6. John hopes to learn to ski. 7. Mr. Molina wants to surprise him. 8. He has told him to bring heavy clothes. 9. John's father is at Mr. Molina's. 10. He has a great deal of interest in the trip. 11. He agrees with Mr. Molina. 12. Mr. Molina fears that John won't be ready at six o'clock. 13. He has only one suitcase. 14. There will be much snow. 15. Will there be ice too? 16. They know that the hotel is small but very good.

Composición (Optional)

1. Mr. Molina advises John to take only one suitcase. 2. He asks him not to forget (that he not forget) his skates. 3. He tells him that there will be snow and ice. 4. John hopes that Mr. Molina will lend him his skates. 5. He does not know that he has bought him a pair of skis. 6. John's parents are sure that he will have a good time. 7. Mr. Molina is sorry that John's father has to make a business trip. 8. They doubt that John has brought enough heavy clothing. 9. Mr. Molina asks his wife to take them to the airport. 10. They want John to be ready at six o'clock. 11. It is necessary that they arrive at the airport before seven-thirty. 12. They hope that John and Richard will have a good time skating, skiing, and going sledding.

Para practicar

a. PATTERN DRILL.

1. ¿Le gusta a Vd. patinar?   Sí, me gusta patinar.
   ¿Le gusta a Vd. esquiar?   Sí, me gusta esquiar.
   ¿Tiene Vd. un par de patines?   Sí, tengo un par de patines.
   ¿Tiene Vd. esquíes?   No, no tengo esquíes.

The Hotel O'Higgins at Viña del Mar, named for one of Chile's greatest heroes, is a luxurious spot in that seaside resort.

2. ¿ Le aconseja a Vd. que los compre ?   Sí, me aconseja que los compre.
   ¿ Le permite que los use ?   Sí, me permite que los use.
   ¿ Le pide que se los preste ?   No, no me pide que se los preste.
   ¿ Le dice que los venda ?   No, no me dice que los venda.

3. ¿ Es posible patinar allí ?   Sí, es posible patinar allí.
   ¿ Es posible que Vd. patine ?   Sí, es posible que yo patine.
   ¿ Es probable que Vd. patine ?   Sí, es probable que yo patine.
   ¿ Es preciso que Vd. patine ?   No, no es preciso que yo patine.

4. ¿ Quién va a decirle que lo traiga ?   Yo voy a decirle que lo traiga.
   ¿ Quién va a pedirle que venga ?   Yo voy a pedirle que venga.
   ¿ Quién va a aconsejarle que lo haga ?   Yo voy a aconsejarle que lo haga.
   ¿ Quién va a rogarle que llegue temprano ?   Yo voy a rogarle que llegue temprano.

5. Carlitos se ha levantado, ¿ verdad ?   Sí, creo que se ha levantado.
   Se ha lavado la cara, ¿ verdad ?   Sí, creo que se ha lavado la cara.
   No se ha vestido, ¿ verdad ?   No, no creo que se haya vestido.
   No se ha desayunado, ¿ verdad ?   No, no creo que se haya desayunado.

6. ¿ Debo rogarle que los prepare ?   Sí, ruéguele que los prepare.
   ¿ Debo pedirle que los sirva ?   Sí, pídale que los sirva.
   ¿ Debo aconsejarles que esperen ?   Sí, aconséjeles que esperen.
   ¿ Debo decirles que se sienten?   Sí, dígales que se sienten.

b. Prepare Vd. un discurso sobre una excursión de invierno que ha hecho con unos amigos o con su familia.

¿ Qué clase de excursión fue ? ¿ A dónde fueron ? ¿ Cuándo ? ¿ Qué hicieron en la excursión ? ¿ Le gustan a Vd. los deportes de invierno ? ¿ Prefiere Vd. patinar, esquiar o pasearse en trineo ? ¿ Prefiere Vd. hacer excursiones en el invierno o en el verano ? ¿ Por qué ? ¿ Cuándo volvieron a casa ?

141

José de San Martín, Argentine general and liberator of the southern part of South America. (*Radio Times Hulton Picture Library*)

This magnificent statue in the heart of old Caracas symbolizes the greatness of Simón Bolívar, Venezuelan patriot and liberator.

LECTURA IV

Los libertadores

En la América española la lucha por la independencia comenzó en el año de 1810. Durante los tres siglos que América vivió bajo la monarquía española, aparecieron ciertas injusticias económicas y políticas que no permitían el progreso de las colonias. Al mismo tiempo España había perdido poco a poco su poderío en Europa. El resultado de la revolución [5] norteamericana (1775) y de la revolución francesa (1789) y las nuevas ideas sobre la libertad y los derechos del hombre hacían crecer el descontento en las colonias españolas. Por eso, cuando Napoleón invadió a España en 1808, la revolución en América se convirtió en un movimiento general. Los tres libertadores más famosos fueron Simón Bolívar, José de San [10] Martín y el padre Hidalgo.

Simón Bolívar, llamado el Jorge Wáshington de la América del Sur, fue el libertador del norte del continente. Era un joven venezolano de familia distinguida que pasó la mayor parte de su vida luchando por la libertad y por establecer la democracia. Aunque este genio político y militar luchó [15] casi quince años, nunca vio realizado su sueño: crear una América española unida. Sin embargo, por haber establecido las cinco repúblicas, Venezuela, Colombia, el Ecuador, el Perú y Bolivia, la que lleva su nombre, recibió el título bien merecido de « El Libertador ».

A pesar de todos sus sueños y esfuerzos nobles, Bolívar no pudo crear un [20] gobierno representativo y popular para estas nuevas naciones. Sabiendo que los criollos[1] no estaban preparados para gobernarse, propuso la formación de la Gran Confederación de los Andes, es decir, la unión de los países del norte del continente bajo la suprema autoridad del mismo Bolívar. En el año de 1826 convocó en Panamá el primer Congreso [25] Panamericano, pero, por desgracia, solamente cuatro naciones enviaron representantes. Los criollos, celosos entre sí,[2] se negaron a unirse, pero Bolívar, hasta su muerte, siguió luchando en vano por lograr la unificación. Sin embargo, la Organización de los Estados Americanos, que recibió su nombre actual[3] en la conferencia panamericana celebrada en Bogotá, [30] Colombia, en 1948, es el resultado de más de un siglo de lucha por realizar los ideales y sueños de Bolívar.

Otra figura eminente en el movimiento de la independencia de la América del Sur fue José de San Martín, libertador del sur del continente. San Martín era hijo de un capitán español que vivía en la Argentina. El joven [35] José fue enviado a España para estudiar la carrera militar y pasó unos

---

[1] criollos, *creoles*. (*Children of Spaniards born in the New World.*) [2] entre sí, *among themselves.*
[3] actual, *present.*

143

veinte años allá en el ejército [1] español donde se distinguió como soldado, sobre todo en la guerra contra Napoleón. En el año de 1812 volvió a la Argentina para ofrecer sus servicios a las fuerzas revolucionarias, y unos años después había de representar en el sur del continente el mismo papel
5 que [2] Bolívar en el norte. Su marcha a través de los Andes, a principios del año 1817, para dominar a los españoles en Chile, es una de las hazañas [3] más notables de la historia militar.

De esta célebre marcha se cuentan numerosas anécdotas. Había dos pasos, el de los Patos y el de Upsallata, pero tan estrechos que las tropas
10 tendrían que marchar de uno en fondo,[4] como los indios. San Martín no tenía mapas de la región, ni de los caminos que conducían de estos pasos a Chile. Para obtenerlos, llamó a uno de sus ingenieros, le entregó un documento que proclamaba la independencia de Chile y le mandó presentarlo al gobernador español de aquella provincia. San Martín le dio al ingeniero
15 instrucciones de ir a Chile por el camino más largo, el de los Patos. Si la misión no le costaba la vida,[5] había de regresar por el camino más corto, el de Upsallata. El ingeniero debía fijarse bien en [6] todos los detalles del camino, grabarlos en su memoria [7] y hacer así un mapa mental. Afortunadamente el ingeniero regresó y así fue como San Martín consiguió [8] los
20 informes que necesitaba.

Hay otra anécdota que da un buen ejemplo del carácter de San Martín. Cierto oficial vino a confesar que había perdido dinero que pertenecía a su regimiento. Tomando una caja,[9] San Martín sacó unas monedas de oro y al entregárselas al oficial penitente, añadió tranquilamente: « Devuelva
25 este dinero y guarde el secreto, porque si el general San Martín sabe que lo ha perdido, le hará fusilar [10] en seguida. »

El doce de febrero de 1817, con la ayuda de Bernardo O'Higgins y sus tropas chilenas, San Martín sorprendió a los españoles y los derrotó en la sangrienta [11] batalla de Chacabuco. Se negó a aceptar el puesto de dictador
30 de Chile, dejándoselo al patriota O'Higgins, y continuó con sus planes para la conquista del Perú. En 1821 ocupó a Lima, donde se proclamó « Protector del Perú ». San Martín, como Bolívar, sabía que los nuevos países de la América española no estaban preparados para establecer gobiernos democráticos.

35 El resto de la vida de San Martín es un relato triste. Poco después tuvo lugar la histórica y secreta entrevista [12] de Guayaquil, Ecuador, donde por primera vez se encontraron [13] Bolívar y San Martín. En esta entrevista

---

[1] ejército, *army.*   [2] el mismo papel que, *the same role as.*   [3] hazañas, *deeds.*   [4] de uno en fondo, *in single file.*   [5] no le costaba la vida, *didn't cost him his life.*   [6] fijarse bien en, *observe carefully.*   [7] grabarlos en su memoria, *impress (fix) them on (in) his mind.*   [8] consiguió, *obtained.*   [9] caja, *box.*   [10] le hará fusilar, *he will have you shot.*   [11] sangrienta, *bloody.*   [12] entrevista, *conference, meeting.*   [13] se encontraron, *met.*

discutieron planes para terminar la guerra de independencia, pero por razones desconocidas San Martín se retiró y en 1824 le tocó a Bolívar dar el golpe de muerte [1] a las fuerzas españolas en el Perú. Cuando San Martín volvió a la Argentina, no quisieron [2] recibirle. Había gastado su fortuna, como Bolívar, en la causa de la libertad. Su esposa había muerto. Pobre 5 y desilusionado, partió para Europa con su hija. Allí murió treinta años después.

En México, es decir, en la Nueva España, la revolución contra los españoles fue una cosa distinta. No fue iniciada por militares, sino por el padre Miguel Hidalgo, cura [3] del pequeño pueblo de Dolores en el estado de 10 Guanajuato. Hidalgo había pasado su larga vida entre los indios, trabajando por sus derechos y por el mejoramiento del gobierno. Se había dedicado al cultivo de la tierra y a enseñar a los indios artes y oficios nuevos. El estudio del francés le había permitido conocer teorías políticas y revolucionarias. Andando el tiempo, junto con un grupo de amigos, 15 concibió el proyecto de realizar la independencia de la Nueva España.

Estos conspiradores no deseaban precisamente establecer una república, sino que querían un gobierno formado por hombres nacidos en el país. Pensaban declarar la independencia en el mes de diciembre de 1810, pero un traidor reveló su plan a los oficiales españoles. En la noche del 15 de 20 septiembre uno de los conspiradores descubrió la traición y corrió unos veinte kilómetros a caballo para avisar a Hidalgo.

El día siguiente era domingo y el cura llamó a misa a un grupo de indios y de campesinos. Les habló de los abusos y de las injusticias que habían sufrido y los invitó a atacar a los españoles. En un momento de inspira- 25 ción elevó la imagen de la Virgen de Guadalupe, muy venerada por los indios, y todos empezaron a gritar por la independencia. A este primer acto de la sublevación se le llama [4] en la historia de México « El Grito de Dolores ». Seguido de miles de hombres y mujeres indígenas, armados de palos,[5] navajas,[6] machetes y otros objetos, y llevando la imagen de la 30 Virgen de Guadalupe como bandera oficial, Hidalgo se puso en marcha

[1] le tocó . . . muerte, *it fell to the lot of Bolívar to give the death blow.*   [2] no quisieron, *they refused.*   [3] cura, *priest.*   [4] A este . . . se le llama, *This first act of revolt is called.*   [5] palos, *clubs, sticks.*   [6] navajas, *knives.*

hacia la capital. En el camino se unieron al movimiento muchos voluntarios, hasta que Hidalgo llegó a tener una fuerza de unas 80,000 personas. Por razones que no se saben, Hidalgo no atacó la capital inmediatamente. Poco después fue derrotado por los españoles y se retiró a Guadalajara
5 para establecer allí un gobierno. Unos meses después resultaron victoriosos los españoles en otra batalla y condenaron a muerte al pobre cura. Aunque fracasó éste en sus planes, todo el mundo le considera como el padre de la independencia mexicana y el diez y seis de septiembre es la fiesta nacional de la república. Muchas ciudades mexicanas tienen calles llamadas
10 « Hidalgo » y « Diez y Seis de Septiembre » y uno de los estados lleva el nombre del noble héroe.

MODISMOS

a pesar de *in spite of*	negarse (ie; gu) a *to refuse*
a principios de *at the beginning of*	sin embargo *nevertheless*
a través de *across*	sobre todo *especially, above all*
es decir *that is, that is to say*	tener lugar *to take place*

PREGUNTAS

1. ¿ Qué comenzó en el año de 1810 ? 2. ¿ Qué aparecieron bajo la monarquía española ? 3. ¿ Qué hacía crecer el descontento ? 4. ¿ Cuándo invadió Napoleón a España ? 5. ¿ Quiénes son los tres libertadores más famosos ?

6. ¿ Quién fue Simón Bolívar ? 7. ¿ Qué sueño tenía ? 8. ¿ Cuántas repúblicas estableció ? 9. ¿ Cuáles son ? 10. ¿ Qué convocó en Panamá ? 11. ¿ Dónde recibió su nombre actual la Organización de los Estados Americanos ?

12. ¿ Quién fue el libertador del sur del continente ? 13. ¿ Dónde estudió la carrera militar ? 14. ¿ En qué año volvió a la Argentina ? 15. ¿ Cuál es una de las hazañas más notables de la historia militar ? 16. Cuente usted la primera anécdota sobre San Martín. 17. ¿ Qué hizo San Martín cuando un oficial confesó que había perdido dinero que pertenecía a su regimiento ?

18. ¿ Quién ayudó a San Martín en Chile ? 19. ¿ A dónde fue de Chile ? 20. ¿ Qué título tenía en el Perú ? 21. ¿ Qué sabía él ? 22. ¿ Quién dio el golpe de muerte a las fuerzas españolas en el Perú ? 23. ¿ Dónde murió San Martín ?

24. ¿ Quién inició la revolución en la Nueva España ? 25. ¿ Qué era Hidalgo ? 26. ¿ Cómo había pasado su larga vida ? 27. ¿ Deseaban establecer una república los conspiradores ? 28. ¿ Cuándo pensaban declarar la independencia ? 29. ¿ Qué pasó la noche del 15 de septiembre ?

30. ¿ Qué hizo Hidalgo al día siguiente ? 31. ¿ De qué habló el cura ? 32. ¿ Qué hicieron todos cuando elevó la imagen de la Virgen de Guadalupe ? 33. En la historia de México, ¿ cómo se le llama a este primer acto de sublevación ? 34. Cuente usted lo que pasó después. 35. ¿ Cuál es la fiesta nacional de México ? 36. ¿ Qué nombres tienen muchas calles en México ?

ESTUDIO DE PALABRAS

a. *Compare the meanings of:* luchar, *to struggle, and* lucha, *struggle;* representar, *to represent,* representativo *(adj.), representative, and* representante, *representative, agent;* hacer, *to do, make, and* hazaña, *deed;* mejor, *better, and* mejoramiento, *improvement;* atravesar, *to cross, and* a través de *(prep.), across;* traidor, *traitor, and* traición, *treason, treachery;* campo, *country, and* campesino, *countryman, peasant.*

b. *Find words related to:* libertad, Venezuela, democracia, gobierno, revolucionario, histórico, grito, morir, establecer, nacional.

c. *Pronounce and give the English meaning of:* monarquía, injusticia, progreso, descontento, movimiento, eminente, anécdota, ingeniero, detalle, desilusionado, teoría, proyecto, conspirador, imagen, victorioso.

d. *Find one or more words in this selection which illustrate the following principles:* Spanish **–cio**, **–cia** = English *–ce;* **–ción** = *–tion;* **–dad** = *–ty;* **–oso** = *–ous.*

COMPLETION

Read in Spanish, completing each sentence correctly:

1. La revolución norteamericana empezó en ——.
2. Napoleón invadió a España en ——.
3. La lucha por la independencia en la América española comenzó en ——.
4. Los tres libertadores más famosos fueron ——, —— y ——.
5. Simón Bolívar, llamado el ——, era de ——.
6. Estableció las repúblicas de ——, ——, ——, —— y ——.
7. En el año de 1826 Bolívar convocó en Panamá el ——.
8. El resultado moderno de los sueños de Bolívar es la ——.
9. El libertador del sur del continente fue ——.
10. Vivía en —— pero su padre le envió a estudiar en ——.
11. Volvió a la América del Sur en ——.
12. En el año de 1817 empezó su famosa marcha a través de ——.
13. Con la ayuda de —— y sus tropas, San Martín derrotó a los españoles en ——.
14. —— llegó a ser dictador de Chile.
15. San Martín se marchó de Chile para ——.
16. En 1821 ocupó a —— donde se proclamó ——.
17. Después de la secreta conferencia entre San Martín y —— en el Ecuador, se retiró ——.
18. En el Perú le tocó a —— dar el golpe de muerte a las fuerzas españolas.
19. El héroe de la lucha mexicana fue ——.
20. Éste no fue militar ni político, sino ——.
21. El día de la independencia de México es ——.
22. Los revolucionarios mexicanos iban armados de ——, —— y ——.
23. Como bandera oficial llevaban la ——.
24. Uno de los estados de México lleva el nombre de ——.

Guanajuato is a city revered for its role in spectacular battles which led to Mexican independence in 1810. Once the silver capital of the nation with 250,000 inhabitants, it is today a city of 50,000 which embodies the Spanish tradition in Mexico.

Un extraño hermano

The Mexican Juan de Dios Peza (1852–1910), best known for his poetry, particularly about children and the home, also wrote a number of short stories. The following story is an example of his concise style.

Un día que estaba yo en el pueblo de Celaya tuve que tomar una diligencia [1] que partía para Guanajuato, capital del estado del mismo nombre. Yo no llevaba más equipaje que la ropa que tenía puesta en el cuerpo,[2] ni más tesoro que mis sueños. Pero a mi lado viajaba un señor cuya maleta estaba llena de ropa y de objetos valiosos. 5

No habíamos andado tres leguas en el camino cuando salieron unos ladrones y, disparando [3] sus mosquetes, nos obligaron a bajar.

El jefe de la cuadrilla,[4] con la cara cubierta por un pañuelo rojo que le venía hasta los ojos, y el ala [5] del ancho sombrero caída sobre la frente, vino hacia mí y dijo: 10

— Hermano Juan de Dios,[6] ¿ qué estás haciendo por aquí ?

— Ya lo ves — le respondí con confianza — voy a Guanajuato.

— ¿ Cuál es tu equipaje ?

Yo iba a decirle que no tenía ninguno, pero mi compañero, el señor rico, volvió el rostro y me señaló una magnífica petaca de cuero,[7] que iban a 15 abrir en ese momento. Comprendiendo lo que deseaba, señalé la petaca y dije con aparente calma:

— Aquella maleta es mía.

Entonces el jefe gritó en voz alta: [8]

— Ese baúl [9] pertenece a este hermano mío. 20

— Gracias — le dije yo, enternecido, no sé si es por su generosidad en salvar una maleta que no me pertenecía, o por darme título de hermano suyo aunque yo no sabía por qué hacía eso.

Cuando acabó el saqueo,[10] montaron los ladrones en sus magníficos caballos y mi desconocido hermano me dijo, dándome un abrazo: 25

— Yo estudié contigo en la Escuela Preparatoria y nunca me he olvidado de mis compañeros, ni de nuestro profesor Chavero. ¡ Adiós, y feliz viaje !

PREGUNTAS

1. ¿ A dónde iba Juan de Dios ? 2. ¿ En qué iba ? 3. ¿ Llevaba equipaje ? 4. ¿ Qué tenía el señor que viajaba a su lado ? 5. ¿ Quiénes salieron al camino ? 6. ¿ Con qué estaba cubierta la cara del jefe ? 7. ¿ Qué le preguntó a Juan de Dios ? 8. ¿ Qué hizo el señor rico ? 9. ¿ Qué gritó el jefe ? 10. ¿ Dónde conoció a Juan de Dios el hermano desconocido ?

[1] diligencia, *stagecoach.* [2] tenía puesta en el cuerpo, *I was wearing (had on my body).* [3] disparando, *firing.* [4] cuadrilla, *gang, band.* [5] ala, *brim.* [6] Juan de Dios, *the name of the author of this story.* [7] petaca de cuero, *leather suitcase (Mex.).* [8] en voz alta, *in a loud voice.* [9] baúl, *trunk, chest.* [10] saqueo, *plundering.*

(*Left*) *Bogotá's modern University of the Andes.*

(*Above*) *Caicedo Park in Cali, a semi-tropical city in southwestern Colombia. (Left) This is the beautiful sheltered swimming pool at Bogotá's Country Club.*

Lección trece

De compras

Un sábado por la mañana José va de compras y en el centro da con su amigo Jaime. Pasean por la calle y se detienen de vez en cuando para ver lo que hay en los escaparates.

José. El martes es mi cumpleaños y papá quiere que busque los regalos que he pedido. ¿ Puedes acompañarme a hacer las 5 compras ?

Jaime. Creo que sí. ¿ Qué vas a buscar ?

José. Un par de zapatos, una camisa, una corbata, calcetines . . .

Jaime. ¿ Cómo ? ¡ Todo eso a un tiempo ! ¡ Qué suerte tienes ! Yo quiero un traje nuevo, pero mi papá dice que no lo necesito. 10 Bueno, vamos, porque antes del mediodía tengo que ir a la tienda de mi tío Carlos.

José. Muy bien. Primero vamos a entrar en esta zapatería. Voy a pedirles que me enseñen unos zapatos como éstos. Sigamos hasta esa puerta que está a la derecha. (*Entran en la zapatería.*) 15

Jaime. Es extraño que haya tanta gente aquí a esta hora. Temo que tengamos que esperar mucho.

José. Tal vez no. Sentémonos aquí a la izquierda, no en ese rincón.

Jaime. Me parece que faltan dependientes aquí. Que no tarden mucho en venir. 20

Los dos muchachos siguen charlando mientras esperan. Por fin se acerca un dependiente y se disculpa por no haber podido atenderles [1] antes. Luego les pregunta qué desean.

José. Haga Vd. el favor de enseñarme un par de zapatos. Hay un estilo nuevo en el escaparate y me gusta mucho. 25

Dependiente. Tenemos varios estilos nuevos. ¿ Qué número usa Vd. ? . . . Creo que le quedará bien el número nueve. A ver . . .

José. Este zapato no me queda bien; está muy estrecho para mí. ¿ No tiene otro más ancho ?

Dependiente. De este mismo estilo, no. ¿ Quiere Vd. probarse éste ? Es 30 de la misma calidad y estoy seguro de que le gustará.

---

[1] se disculpa . . . atenderles, *apologizes for not having been able to wait on them.* The perfect infinitive, **haber** plus the past participle, is used here since there is no change in subject.

151

José. Es bonito y me gusta más que el otro. Y me queda bien. ¿Qué precio tienen éstos?

Dependiente. Quince dólares el par. Dudo que encuentre Vd. otros mejores a ese precio.

5 *José.* Puede ser que[1] tenga Vd. razón, pero son muy caros. Sin embargo, me quedo con ellos. Envuélvalos, por favor. Aquí tiene un billete de veinte dólares.

El dependiente le da cinco dólares de vuelto y le entrega el paquete.

José. Bueno, Jaime, ahora vamos a la tienda de ropa. *(Mira su reloj.)*
10 Pero, si tienes que ver a tu tío antes del mediodía, es mejor que te vayas. Siento mucho que sea tan tarde.

Jaime. Yo también lo siento, pero tengo que irme. Adiós y que te diviertas.

José. Muchas gracias. Hasta la vista.

Vocabulario

NOMBRES
el rincón (*pl.* rincones)   *corner*
el vuelto   *change*

ADJETIVO
estrecho, –a   *narrow, tight*

VERBOS
atender (ie) a   *to wait on, attend (to)*
disculparse   *to apologize, excuse oneself*
entregar (gu)   *to hand over, deliver, give*
faltar (*like* gustar)   *to be lacking, miss, need*
seguir (i; g)   *to continue, follow, go (keep) on*

EXPRESIONES
a un tiempo   *at one (the same) time*
a ver   *let's see*
aquí tiene Vd.   *here is*
dar con   *to run into*
de vez en cuando   *from time to time, occasionally*
haga(n) Vd(s). el favor de   *please*
les faltan dependientes   *they need clerks (clerks are lacking)*
me parece que   *it seems to me (I think) that*

me quedo con (ellos)   *I'll take (them)*
por fin   *finally, at last*
puede ser que   *it may be that*
¿qué precio tienen (éstos)?   *what is the price of (these)?*
(quince dólares) el par   *(fifteen dollars) a (per) pair*
sin embargo   *nevertheless*
tener razón   *to be right*
tienda de ropa   *clothing store*

Preguntas

A. Answer in Spanish these questions based on the dialogue:

1. ¿Qué hace José un sábado por la mañana? 2. ¿Con quién da en el centro? 3. ¿Qué quiere el papá de José? 4. ¿Qué va a comprar? 5. ¿Qué quiere Jaime?

---

[1] The impersonal expression **Puede ser que,** *It may be that,* requires the subjunctive in a following clause.

6. ¿ Por qué no lo compra ? 7. ¿ En qué tienda entran primero ? 8. ¿ Por qué
tienen que esperar ? 9. ¿ Le queda bien a José el número nueve ? 10. ¿ Le gusta
el segundo par ? 11. ¿ Qué precio tiene este par ? 12. ¿ Cuánto dinero le da al
dependiente ? 13. ¿ Cuántos dólares le da de vuelto a José ? 14. ¿ Van los dos
a la tienda de ropa ? 15. ¿ Qué dice Jaime cuando se despide de José ?

B. Cuestionario personal

1. ¿ Le gusta a Vd. ir de compras ? 2. ¿ Qué ropa compra Vd. ? 3. ¿ Necesita
Vd. un traje nuevo ? 4. ¿ Dónde compramos camisas y corbatas ? 5. ¿ Dónde
compramos zapatos ? 6. ¿ Qué número de zapatos usa Vd. ? 7. ¿ Son caros los
zapatos ? 8. ¿ Hay muchos estilos nuevos este año ?

Gramática

1. FORMS OF **seguir (i; g)**, *to follow*, *continue*

Pres. Part.	**siguiendo**
Pres. Ind.	**sigo sigues sigue seguimos seguís siguen**
Pres. Subj.	**siga sigas siga sigamos sigáis sigan**
Preterite	**seguí seguiste siguió seguimos seguisteis siguieron**

The stem change of **seguir** is the same as that of **pedir**. In addition, as in all
verbs ending in –**guir**, **u** is dropped after **g** before the endings –**o** and –**a**; that is,
in the first person singular present indicative and in all six forms of the present
subjunctive.

Seguir may be followed by the present participle: **Siguen charlando,** *They
continue chatting;* **Siga Vd. leyendo,** *Continue (Go on) reading.*

2. MORE COMMANDS

a. Entremos en la zapatería.	Let's enter the shoe store.
Abrámosla. **Vamos a abrirla.**	Let us open it.
No lo pongamos allí.	Let's not put it there.

The first person plural of the present subjunctive, and sometimes **vamos a**
plus the infinitive, express commands equal to *let's* or *let us* plus a verb. **A ver**
is regularly used for *Let's see.*
Remember that object pronouns are attached to affirmative commands and
to infinitives, but they precede the verb in negative commands.

Vamos a casa ahora.	Let's go home now.
No vayamos allá todavía.	Let's not go there yet.

Note that **vamos** is used for the affirmative *let's (let us) go.* The subjunctive
vayamos must be used in the negative for *let's not go.* **No vamos a casa** can only
mean *We are not going home.*

Vámonos.	Let's be going, Let's go.
Sentémonos (Vamos a sentarnos).	Let's sit down.
No nos levantemos.	Let's not get up.

When the reflexive pronoun **nos** is added to this command form, the final –s is dropped from the verb.

b. Que lo traiga Juan.	Have John (Let *or* May John) bring it.
Que no tarde en venir.	May he not be long in coming.
Que te diviertas.	May you (I want you to, I hope you) have a good time.

Que, equivalent to the English *have, let, may, I wish,* or *I hope,* introduces indirect commands in the second and third persons. In such cases object pronouns precede the verb, and a noun subject usually follows the verb. This construction is really a clause dependent upon a verb of *wishing, hoping, permitting,* etc., with the main verb understood but not expressed.

When *let* means *allow* or *permit,* it is translated by **dejar** or **permitir: Déjele (Permítale) Vd. a Juan que siga leyendo,** *Let John (Allow John to) continue reading.*

Ejercicios

a. SUBSTITUTION DRILL. Say in Spanish, then repeat, substituting the subjects indicated for the one in italics in the sentence:

1. Quieren que *Juan* siga leyendo.
   (yo, tú, nosotros, María, él y ella)

2. Prefiere que *Vd.* envuelva el paquete.
   (Juan, yo, Vds., tú, nosotros)

3. Desean que *yo* les entregue el dinero.
   (nosotros, Vd., Vds., Juan y José, tú)

4. No creen que *el dependiente* les atienda.
   (Juan, yo, Vd., Vd. y yo, tú)

5. Puede ser que tenga *Vd.* razón.
   (ella, él, ellos, tú, Vds.)

b. PATTERN DRILL. Answer the question, using affirmative and negative replies.

EXAMPLE: *Teacher.* ¿ **Escribimos la frase ?** *Student.* **Sí, escribámosla. No, no la escribamos.**

1. ¿ Llevamos los billetes ?	Sí, llevémoslos. No, no los llevemos.
¿ Pagamos la cuenta ?	Sí, paguémosla. No, no la paguemos.
¿ Envolvemos el paquete ?	Sí, envolvámoslo. No, no lo envolvamos.
¿ Seguimos el coche ?	Sí, sigámoslo. No, no lo sigamos.

2. ¿ Nos sentamos ?   Sí, sentémonos. No, no nos sentemos.
   ¿ Nos levantamos ?   Sí, levantémonos. No, no nos levan-
                             temos.

   ¿ Nos bañamos ?   Sí, bañémonos. No, no nos bañemos.
   ¿ Nos vamos ?   Sí, vámonos. No, no nos vayamos.

Repeat the first three questions and give the affirmative answers: **Sí, vamos a
sentarnos (levantarnos, bañarnos).**

c. PATTERN DRILL. In reply to the questions, use an indirect command:

1. ¿ Juan va a comprar el libro ?   Sí, que lo compre.
   ¿ Va a traer los periódicos ?   Sí, que los traiga.
   ¿ Va a envolver las cosas ?   Sí, que las envuelva.
   ¿ Va a entregarnos el dinero ?   Sí, que nos lo entregue.

2. ¿ Quieren hacer el trabajo ?   Sí, que lo hagan.
          vender el coche ?   Sí, que lo vendan.
          escribir las cartas ?   Sí, que las escriban.
          seguir charlando ?   Sí, que sigan charlando.

d. PATTERN DRILL. In response to the command, give an indirect command with
ella or **ellas** as the subject. EXAMPLE:

Teacher. **Cierre Vd. la puerta.** *Student.* **Yo no, que la cierre ella.**
Teacher. **Abran Vds. las puertas.** *Student.* **Nosotros no, que las abran ellas.**

1. Lleve Vd. las flores.   Yo no, que las lleve ella.
   Traiga Vd. los patines.   Yo no, que los traiga ella.
   Siéntese Vd.   Yo no, que se siente ella.
   Quédese Vd.   Yo no, que se quede ella.

2. Escriban Vds. las frases.   Nosotros no, que las escriban ellas.
   Sigan Vds. trabajando.   Nosotros no, que sigan trabajando
                              ellas.

   Levántense Vds.   Nosotros no, que se levanten ellas.
   Váyanse Vds.   Nosotros no, que se vayan ellas.

e. Give the Spanish for the following, using indirect commands:

1. Have him wash the car.   9. Let's take them the letter.
2. Have him pay the bill.   10. Let's lend them the money.
3. Have him follow the car.   11. Let's sit down here. (*two ways*)
4. Have him wrap up the package. 12. Let's get up now. (*two ways*)

5. Let them bring it to us.   13. Let's not stay here.
6. Let them return it to him.   14. Let's not go away yet.
7. Let them take it to her.   15. Let's wash our hands.
8. Let them put them on.   16. Let's not continue working.

f. Supply the correct form of the verb, and in the case of object pronouns be sure to place them in the proper position:

1. Es importante que José y Jaime (detenerse) aquí. 2. Que (llegar) ellos esta tarde. 3. Espero que ellos (traerme) un reloj. 4. No creemos que (ser) importante que (volver) ellos hoy. 5. Es extraño que él no nos (haber) escrito. 6. Es necesario que nosotros (quedarse) aquí y que (seguir) lavando el coche. 7. Temo que Vds. (tener) que esperar un mes más. 8. (Enseñarme) Vd. ese mapa, por favor. 9. Ahora hágame el favor de (enseñarme) el otro. 10. Creo que voy a (quedarse) con los dos. 11. Es lástima que Vds. no (poder) envolverlos. 12. Siente que ellos no (haber) venido todavía. 13. Es probable que José (haber) tardado en salir de casa. 14. Dudo que ellos (volver) antes de las diez.

g. Give the Spanish for:

1. I see him from time to time. 2. I ran into him. 3. The suit fitted him well. 4. Let's see. 5. When did you see him? 6. I haven't seen him. 7. They lack time (in order) to buy them. 8. They lack clerks to sell them. 9. They don't have [any] time left to use them. 10. We went shopping. 11. We remained downtown a long time. 12. He bought socks, shoes, and shirts at the same time. 13. We finally went to a clothing store. 14. It may be that she is at home. 15. It is possible that she is there. 16. It seems to me that it is better to be there.

Composición (Optional)

1. Joe is going shopping on Saturday morning. 2. He hopes to run into his friend Jim downtown. 3. His father wants him to look for several things. 4. He asks his father to give him enough money to buy a suit. 5. His father doesn't want him to buy it yet. 6. It is strange that there aren't many people in the store. 7. I am afraid that he'll have to wait a long time. 8. He hopes that the clerk won't be long in coming. 9. Finally he sees Jim and they ask the clerk to show them a pair of shoes. 10. The number nine shoes (shoes of No. 9) which he brings do not fit Joe well. 11. The latter is tired and doesn't want to try on another pair. 12. Finally Joe says: "I'll take them. Wrap them up, please." 13. The clerk gives him five dollars in (de) change. 14. Then he says: "Good-bye, sir. May you return soon."

Para practicar
Conversaciones personales

a. PABLO. — Mamá, ¿ has visto mi suéter ?
    SEÑORA. — ¿ Cuál, Pablo ? Tienes dos.
    PABLO. — El negro. El que no tiene mangas.
    SEÑORA. — No lo he visto. ¿ Dónde lo has buscado ?
    PABLO. — Por todas partes, mamá.

"El Campín" Stadium in Bogotá is frequently the scene of soccer games.

SEÑORA. — ¿ Has buscado en el garaje ?

PABLO. — ¿ En el garaje ? ¿ Por qué buscar allí ?

SEÑORA. — Pues, es posible que esté en el coche.

PABLO. (*Gritando, después de un rato.*) — Aquí está. Lo he hallado.

SEÑORA. — ¿ Estaba en el coche ?

PABLO. — Sí, estaba allí. Muchas gracias, mamá.

el que	*the one that (which)*	la manga	*sleeve*
	por todas partes	*everywhere*	

b. ISABEL. — Mamá, ¿ me permites llevar una de tus pulseras de oro ?

SEÑORA. — ¿ Una de las mías ? ¿ Por qué, Isabel ? Tienes una muy bonita.

ISABEL. — Está roto el broche.

SEÑORA. — ¿ Cuándo lo rompiste ?

ISABEL. — Hace un momento, cuando me estaba poniendo la pulsera.

SEÑORA. — Las mías hacen juego con los aretes y el collar.

ISABEL. — Lo sé, mamá, y prometo tener mucho cuidado y no perderla.

SEÑORA. — Bueno, aquí la tienes.

ISABEL. — Gracias, mil veces, mamacita.

el arete	*earring*	las mías	*mine*
el broche	*clasp*	romper	*to break*
el collar	*necklace*	roto (*p.p. of* romper *and adj.*)	*broken*
mamacita	*mother, dear*		

hacer juego con *to match, make a set with*
mil veces *many (a thousand) times*
tener (mucho) cuidado *to be (very) careful*

c. Prepare Vd. un discurso sobre lo que pasó cuando fue a una zapatería.

¿ Dónde está la zapatería ? ¿ Había muchos zapatos en el escaparate ? ¿ Se probó Vd. muchos pares de zapatos ? ¿ Le quedaron bien ? ¿ Le gustaron todos ? ¿ Vio Vd. muchos estilos ? ¿ Cuántos pares compró Vd. ?

157

(Top) *The plaza in Paraguay's capital, Asunción, which is affectionately called "Plaza Sin Nombre."* (Bottom) *Panorama of Asunción and its harbor on the Paraguay River, about a thousand miles from the Atlantic Ocean.*

Lección catorce

¿Busca Vd. un puesto?

Sr. Martín. Carlos, acabo de recibir una carta por correo aéreo del gerente de una casa comercial de México que tiene sucursales en todas partes del país. El mes pasado murió un empleado de la casa y ahora necesitan un joven que entienda algo de agricultura y de maquinaria agrícola. Vivirá en la capital la mayor parte 5 del año, pero naturalmente tendrá que visitar a los dueños de las haciendas grandes para venderles maquinaria. ¿ Conoce Vd. a alguien que pueda yo recomendar ?

Carlos. ¿ Quieren una persona que hable español ?

Sr. Martín. Por supuesto. Prefieren un joven que conozca las costumbres 10 del país y que haya tenido experiencia en una casa comercial de los Estados Unidos. Ya ve Vd. que sí vale la pena saber una lengua extranjera.

Carlos. Pues, puedo recomendar a Roberto Smith. Es norteamericano, pero ha pasado dos o tres veranos en una hacienda de 15 México. Me ha dicho varias veces que busca un puesto que le dé oportunidad de vivir en la América española. No conozco a nadie que sea tan trabajador como él. Vd. ha visto a la hermana de Roberto, la que es secretaria del señor Ortiz.

Sr. Martín. Sí que la recuerdo. Es la persona de quien me ha hablado el 20 señor Ortiz. El gerente, que me ha escrito, desea que el nuevo empleado empiece a trabajar el primero de febrero, lo cual me sorprende un poco.

Carlos. No estoy seguro de que Roberto pueda irse tan pronto, pero repito que no podrán hallar a nadie mejor. ¿ Quiere Vd. que 25 yo le llame por teléfono para preguntar si puede venir a su oficina mañana ?

Sr. Martín. Llámele en seguida, por favor. Vale más que venga a verme esta tarde si es posible. Si quiere el puesto, pondré un telegrama al gerente, o le telefonearé, dándole todos los informes 30 sobre Roberto.

Carlos. Voy a telefonearle ahora mismo y espero que obtenga el puesto.

Sr. Martín. Sin duda van a tomar en cuenta mi recomendación.

159

Vocabulario

NOMBRES

la agricultura   *agriculture*
la casa   *firm, house*
el dueño   *owner*
el empleado   *employee*
la experiencia   *experience*
el gerente   *manager*
la hacienda   *ranch, hacienda*
los informes   *information, data*
la maquinaria   *machinery*
el puesto   *position, place, job*
la recomendación   *recommendation*

la sucursal   *branch* (business)
el telegrama (*note gender*)   *telegram*

ADJETIVOS

agrícola (*m. and f.*)   *agricultural, farm*
comercial   *commercial, business*
trabajador, –ora [1]   *industrious*

VERBOS

morir (ue,u) [2]   *to die*
obtener (*like* tener)   *to obtain, get*
recomendar (ie)   *to recommend*
repetir (i)   *to repeat*

EXPRESIONES

ahora mismo   *right away (now)*
poner un telegrama   *to send a telegram*
por supuesto   *of course*
sí (que) (+ *verb*)   *indeed, certainly*
tomar en cuenta   *to take into account (consideration)*
vale más (más vale)   *it is better* (requires subjunctive in a following clause)

Preguntas

A. Answer in Spanish these questions based on the dialogue:

1. ¿ Qué acaba de recibir el señor Martín ? 2. ¿ Cuándo murió el empleado ? 3. ¿ Qué necesitan ahora ? 4. ¿ Dónde vivirá el empleado la mayor parte del año ? 5. ¿ A quiénes tendrá que visitar ? 6. ¿ Quieren una persona que hable español ? 7. ¿ Qué prefieren que sepa ? 8. ¿ A quién puede recomendar Carlos ? 9. ¿ Dónde ha pasado Roberto dos o tres veranos ? 10. ¿ Dónde quiere hallar un puesto ? 11. ¿ Qué es la hermana de Roberto ? 12. ¿ Cuándo desean que empiece a trabajar el nuevo empleado ? 13. ¿ Qué hará Carlos ? 14. ¿ Cuándo quiere el señor Martín que Roberto venga a su oficina ? 15. ¿ Qué hará si Roberto quiere el puesto ? 16. ¿ Qué espera Carlos ?

B. Cuestionario personal

1. ¿ Recibe Vd. cartas por correo aéreo ? 2. ¿ Escribe Vd. muchas cartas ? 3. ¿ Escribe Vd. cartas en español ? 4. ¿ Escribe Vd. a alumnos extranjeros ? 5. ¿ Recibe Vd. telegramas ? 6. ¿ Ha puesto Vd. alguna vez un telegrama ? 7. ¿ Ha pasado Vd. un verano en México ? 8. ¿ Ha estado Vd. en una hacienda mexicana ? 9. ¿ Ha tenido Vd. experiencia en una casa comercial ? 10. ¿ Quiere Vd. trabajar con una casa comercial ? 11. ¿ Le gustaría a Vd. trabajar en un país extranjero ? 12. ¿ Le gustaría a Vd. vivir en México ?

[1] Adjectives which end in **–án, –ón, –or** (except such words as **mejor, peor, mayor, menor**) add **–a** to form the feminine: **trabajador, trabajadora**.   [2] The past participle is **muerto**.

Gramática

1. ADJECTIVE CLAUSES AND RELATIVE PRONOUNS

An adjective clause modifies a noun or pronoun and is introduced by a relative pronoun, usually **que**. The word that an adjective clause modifies is called the *antecedent*, and the word that introduces the clause is the *relative pronoun*. In the sentence *I know a boy who can do it*, the clause *who can do it* modifies *boy*. *Who* is a relative pronoun and *boy* is the antecedent of the clause.

a. Que, *that, which, who, whom:*

(1) **el gerente que me escribió**   the manager who wrote me
(2) **el puesto que tiene**   the job (that) he has
    el joven que conocí   the young man (whom) I met
(3) **la casa de que habló**   the firm of which he spoke

Que may be: (1) the subject; (2) the object of the verb in a clause, and refer to persons or things; or (3) used as the object of a preposition, referring only to things.

b. Quien (*pl.* **quienes**), *who, whom:*

(1) **La señorita de quien habló es secretaria.**
    The young lady of whom he spoke is a secretary.
(2) **El gerente, quien (que) me ha escrito, desea . . .**
    The manager, who has written to me, desires . . .
(3) **Ella es la mujer a quien (que) vi.**
    She is the woman (whom) I saw.

Quien (*pl.* **quienes**), which refers only to persons, is used: (1) mainly after prepositions; and (2) sometimes instead of **que** to introduce a parenthetical clause not necessary to the meaning of the sentence. The personal **a** is required (3) when **quien(es)** is the direct object of the verb. **Que** may replace **a quien** in the last example, and in conversation is more commonly used than **a quien.**

c. El cual and **el que,** *that, which, who, whom:*

(1) **¿ Conoce Vd. a la hermana de Roberto, la cual (la que) trabaja aquí ?**
    Do you know Robert's sister, who works here ?
(2) **Las casas cerca de las que (las cuales) dejamos el coche . . .**
    The houses near which we left the car . . .

The longer forms of the relative pronouns, **el cual (la cual, los cuales, las cuales)** and **el que (la que, los que, las que)**, are used: (1) to refer back to the first of two possible antecedents the clause modifies; and (2) after prepositions other than **a, con, de, en** in referring to things. Be sure that the long relative agrees with its antecedent.

Tiene que empezar el primero de febrero, lo cual (lo que) me sorprende.
    He must begin the first of February, which (fact) surprises me.

The neuter form **lo cual** or **lo que,** *which* (*fact*), is used to refer to ideas, statements, or situations. This usage is correct in Spanish; in English an adjective clause ordinarily modifies a preceding noun or pronoun rather than a clause.

2. The subjunctive in adjective clauses

Es el gerente de una casa que tiene muchas sucursales.
> He is the manager of a firm that has many branches. (*A certain firm*)

Necesitan un joven que trabaje en México.
> They need a young man who will work in Mexico. (*Any young man*)

¿ Quieren una persona que hable español ?
> Do they want a person who speaks Spanish ? (*Not a definite person*)

¿ Conoce Vd. a alguien que pueda yo recomendar ?
> Do you know anyone (whom) I can recommend ? (*Indefinite antecedent*)

Busca una casa que sea más grande.
> He is looking for a house that is (may be) larger. (*Not a definite house*)

No conozco a nadie que sea tan trabajador como él.
> I do not know anyone who is so industrious as he. (*Negative antecedent*)

When the antecedent of an adjective clause is *indefinite* or *negative* and refers to no particular person or thing, the verb in the adjective clause is in the subjunctive. If the antecedent refers to a certain person or thing (first example), the indicative is used.

The personal **a** is omitted in the second example since the noun does not refer to a specific person. However, the pronouns **alguien, nadie, alguno** and **ninguno** (when referring to a person), and **quien,** require the personal **a** when used as direct objects.

Ejercicios

a. Read in Spanish, supplying the correct relative pronoun:

1. El telegrama —— tengo es para Roberto. 2. Es de un hombre —— vive en México. 3. La tía de aquel hombre, —— es amiga de mi madre, vive en esta ciudad. 4. El hombre, —— es gerente de una casa comercial, necesita otro empleado. 5. Quiere un joven —— conozca las costumbres del país. 6. Busca un joven —— haya estudiado el español. 7. El gerente, —— me ha escrito varias veces, me llamó ayer. 8. Me dice que un amigo de su hijo, —— no es muy trabajador, le ha pedido el puesto. 9. No quiere jóvenes —— no sean trabajadores. 10. La secretaria del gerente, —— es norteamericana, va a llamarme por teléfono. 11. El hermano de ella, —— es dueño de una hacienda que está cerca de aquí, también conoce a Roberto. 12. Está construyendo (*building*) una casa —— tiene un patio. 13. La casa, —— es de un estilo nuevo, va a ser hermosa. 14. La madre de Roberto, —— ha pasado mucho tiempo en México, espera que su hija acepte el puesto. 15. Los padres de ella, —— ya no son jóvenes, viven en San Antonio.

b. Each group of six sentences is preceded by a phrase which requires the subjunctive in an adjective clause. Make each short sentence into a clause, changing the verb to the correct subjunctive tense.

EXAMPLE: **Buscamos un coche que** *funcione bien.*

1. Buscamos un radio que   a. funciona bien.   b. tiene buen tono.   c. no cuesta demasiado.   d. no es muy viejo.   e. tiene onda corta.
2. Queremos una criada que   a. trabaja bien.   b. habla dos o tres lenguas. c. ha vivido en México.   d. quiere viajar.   e. sirve las comidas.
3. Desean comprar casas que   a. son nuevas.   b. nunca se han ocupado. c. están en el campo.   d. son de piedra.   e. tienen tres o cuatro alcobas.
4. Prefiere un joven que   a. entiende la maquinaria agrícola.   b. la ha usado. c. quiere venderla.   d. tiene un coche nuevo.   e. conoce bien las costumbres del país.
5. Roberto trata de obtener un puesto que   a. es interesante.   b. le da oportunidad de vivir en la América española.   c. le gusta.   d. le lleva a haciendas grandes.   e. le permite viajar mucho.
6. Mi tío espera hallar una secretaria que   a. ha tenido experiencia.   b. no pide demasiado dinero.   c. sabe escribir bien.   d. comprende bien la gramática.   e. se viste bien.

c. Say in Spanish the first sentence in each group, then complete the second sentence after you hear the first part of it.

EXAMPLE: **Busco la tienda en que venden cámaras alemanas.**
          Busco una tienda en que *vendan cámaras alemanas.*

1. Quiero ir a la tienda en que venden cámaras.
   Quiero ir a una tienda en que —————————.

2. No veo al hombre que las vende.
   No veo a ningún hombre que —————————.

3. Tengo una cámara que es buena.
   Espero comprar otra que —————————.

4. Quiero estudiar con el joven que habla francés.
   Quiero estudiar con un joven que —————————.

5. Deseamos comprar la casa que tiene dos pisos.
   Deseamos comprar una casa que —————————.

6. Cerca de aquí hay una que es de piedra.
   Cerca de aquí no hay ninguna que —————————.

7. ¿ Conoce Vd. al hombre que vive aquí ?
   ¿ No conoce Vd. a nadie que ————————— ?

8. No he visto a la criada que trabaja allí.
   No he visto a ninguna criada que —————————.

d. Give the Spanish, completing each sentence in the two ways indicated:

1. He is looking for a man who speaks Spanish (who has had experience).
2. Don't you know anyone who is studying agriculture (who has lived in Mexico) ?
3. I know a man whom I can recommend (who has sold farm machinery).
4. He prefers a man who understands the customs of the country (who has studied several languages).
5. The manager hopes to find someone who will begin to work at once (who has worked in a branch of the firm).
6. They want a young man who will visit the ranches (who has traveled through the country).
7. Charles doesn't know anyone who is more industrious than Robert (who has spent more time in Mexico than he).
8. Is there anyone who knows his father well (who has met his father) ?

Composición (Optional)

1. Charles has just received a letter from a friend of his. 2. He is a young Mexican who was studying in the university when Charles was there. 3. He is the manager of a business firm which has branches in all parts of Mexico. 4. One of his employees died and he is looking for another man. 5. He hopes to find one who speaks Spanish and who knows the country well. 6. It is important that he understand the customs of the Mexicans. 7. He is looking for someone who has worked in (with) one of the business firms of this country. 8. Charles cannot recommend anyone who is more industrious than Robert. 9. Mr. Martin and Charles doubt that Robert can begin to work before the fifteenth of March. 10. Mr. Martin wants him to come to see him in the afternoon. 11. He says that he will send a telegram to the manager. 12. Charles wants him to telephone the manager (in order) to give him all the information about Robert.

Para practicar

a. You will hear two separate sentences. Say them in Spanish, then repeat, combining them into one sentence and using the relative pronoun **que.**

> EXAMPLE: *Teacher*. **Tengo un libro. Es nuevo.** *Student*. **Tengo un libro que es nuevo** *or* **El libro que tengo es nuevo.**

1. El hombre viene ahora. Es mi tío. (El hombre que viene ahora es mi tío.)
2. La casa tiene un patio. Es nuestra. (La casa que tiene un patio es nuestra.)
3. Vimos a las mujeres. Son profesoras. (Vimos a las mujeres que son profesoras *or* Las mujeres que vimos son profesoras.)
4. El telegrama llegó esta mañana. Es para Roberto. (El telegrama que llegó esta mañana es para Roberto.)
5. Juan compró el periódico. Está leyendo ahora. (Juan compró el periódico que está leyendo ahora *or* Juan está leyendo ahora el periódico que compró.)

Combine, using the relative pronoun **quien** (**quienes**) or **a quien** (**quienes**):

6. Saludé a ese joven. Es argentino. (El joven a quien saludé es argentino *or* Saludé a ese joven, quien es argentino.)

7. Llevó a los niños al parque. Están jugando allí. (Los niños a quienes llevó al parque están jugando allí.)

8. Hablamos con ese señor. Es dueño de esta tienda. (Hablamos con ese señor, quien es dueño de esta tienda.)

9. Mi hermano trabaja aquí. Está enfermo hoy. (Mi hermano, quien trabaja aquí, está enfermo hoy.)

10. Estos muchachos son mexicanos. Van a pasar varios días aquí. (Estos muchachos, quienes son mexicanos, van a pasar varios días aquí.)

Combine, using **el** (**la**) **cual, los** (**las**) **cuales** or **el** (**la**) **que, los** (**las**) **que**:

11. La prima de Luis partió ayer. Ella espera volver pronto. (La prima de Luis, la que *or* la cual partió ayer, espera volver pronto.)

12. El tío de Juan tiene dos haciendas. Es mexicano. (El tío de Juan, el que *or* el cual tiene dos haciendas, es mexicano.)

13. Corrían hacia la escuela. La escuela es nueva. (La escuela hacia la que *or* la cual corrían es nueva.)

14. Dejamos el coche cerca de esos edificios. Los edificios son muy altos. (Esos edificios cerca de los que *or* los cuales dejamos el coche son muy altos.)

15. Me escribió acerca de esas costumbres. Son muy interesantes. (Esas costumbres acerca de las que *or* las cuales me escribió son muy interesantes.)

b. Practice these questions and answers:

1. ¿ Qué busca Vd., (José) ?   Busco ropa que no cueste demasiado.
    ¿ Busca Vd. un traje ?   Sí, busco uno que me quede bien.
           un abrigo ?   Sí, busco uno que sea grueso.
           un sombrero ?   Sí, busco uno que me guste.
           zapatos ?   Sí, busco unos que sean bastante grandes.
           camisas ?   Sí, busco unas que sean de algodón.

2. ¿ Qué quiere Vd., (María) ?   Quiero joyas que valgan mucho.
    ¿ Quiere Vd. un reloj ?   Sí, quiero uno que sea de oro.
           un collar ?   Sí, quiero uno que sea de perlas.
           un broche ?   Sí, quiero uno que se haya hecho a mano.
           un anillo ?   Sí, quiero uno que me dé mi novio.

el anillo	*ring*	la joya	*jewel*
el broche	*pin, brooch*	la perla	*pearl*
	a mano	*by hand*	

c. Un amigo de Vd. ha recibido un telegrama ofreciéndole un puesto en México. Explique Vd. por qué no hay nadie mejor que su amigo para el puesto. No busque Vd. nuevas palabras; use las que ya ha aprendido.

The "Ciudadela" (Citadel) at San Juan Teotihuacán near Mexico City was a gathering place for the early Indians, but is unnoticed by these children homeward bound with their heavy basket (left).

(Center photo) The "rascacielos" is rapidly becoming a striking feature of downtown Mexico City. (Left) The National Cathedral of Mexico in Mexico City. (Right) This stony plumed serpent, a detail of the Temple of Quetzalcóatl in the Ciudadela, overshadows the mighty Pyramid of the Sun in the distance.

Lección quince

Haciendo preparativos para un viaje

Tomás. ¡Te felicito, Roberto! Acabo de oír decir que conseguiste el puesto en México, de manera que estás muy contento, ¿verdad?

Roberto. ¡Cómo no! He tenido mucha suerte. Hace varios meses que busco un puesto como éste y ahora me parece mentira tenerlo. 5

Tomás. A propósito, ¿cuánto tiempo hace que hablas español?

Roberto. Hace seis años, más o menos. Empecé a estudiarlo en la escuela preparatoria.

Tomás. ¿Y cuándo piensas partir para México?

Roberto. El sábado. Por eso me queda poco tiempo para las mil cosas 10 que tengo que hacer. En este momento voy a buscar dos maletas nuevas. Como tendré que hacer viajes de negocios en avión en cuanto llegue a México, necesito maletas ligeras. Si tengo tiempo hoy, también quiero comprar mi billete.[1]

Tomás. ¡Hombre! Vamos a hacer eso ahora mismo. O si quieres, yo 15 puedo ir a reservar tu asiento en el avión para que tú puedas buscar tus maletas.

Roberto. Es que no voy en avión, sino en tren, porque, además de mi máquina de escribir, tengo mucho equipaje que llevar.

Tomás. Puede ser que tengas razón. Primero vamos a comprar el 20 billete. Si seguimos hasta la esquina y cruzamos la calle, estaremos enfrente del despacho de billetes. (*Llegan a la ventanilla.*)

Roberto. ¿Aquí puedo comprar un billete de ferrocarril para México?

Empleado. Sí, señor, a sus órdenes. ¿Billete sencillo o de ida y vuelta? 25

Roberto. Billete sencillo, por favor, y una cama baja para el sábado.

Empleado. ¿Puede esperar un momento hasta que yo consiga informes de la estación de ferrocarril? Necesito preguntar qué camas quedan... Por desgracia no queda cama baja en aquel tren. Hay dos altas, la cuatro y la quince. ¿Cuál prefiere Vd.? 30

---

[1] In Mexico **el boleto** is used for *ticket*.

167

Roberto. Pues, la quince porque está hacia el centro del coche cama.[1] Aquí tiene Vd. el cheque.

El empleado le entrega a Roberto el billete antes que los jóvenes salgan del despacho. Siguen charlando mientras van a buscar las maletas.

Vocabulario

NOMBRES

el asiento   *seat*
el boleto   *ticket* (Mex.)
la cama   *berth*
el coche cama   *Pullman*
la desgracia   *misfortune*
el despacho   *office*
el equipaje   *baggage*
la estación (*pl.* estaciones)   *station*
el ferrocarril   *railroad*
la ida   *departure, trip out*
la manera   *manner, way*
la máquina de escribir   *typewriter*
la mentira   *lie*
el modo   *manner, means, way*

la orden (*pl.* órdenes)   *order, command*
la ventanilla   *ticket window*

ADJETIVOS

alto, –a   *upper*
bajo, –a   *lower*
ligero, –a   *light*
preparatorio, –a   *preparatory*
sencillo, –a   *simple, one-way*

CONJUNCIÓN

sino   *but*

VERBOS

conseguir (i; g)   *to get, obtain*
felicitar   *to congratulate*
reservar   *to reserve*

EXPRESIONES

además de (*prep.*)   *besides, in addition to*
de ida y vuelta   *round-trip*
despacho de billetes   *ticket office*
es que   *the fact is (that)*
mil cosas   *many things*

oír decir que   *to hear that*
parecer mentira   *to seem impossible (incredible)*
por desgracia   *unfortunately*

Preguntas

A. Answer in Spanish these questions based on the dialogue:

1. ¿Qué dice Tomás cuando ve a Roberto? 2. ¿Qué contesta Roberto? 3. ¿Cuánto tiempo hace que habla español? 4. ¿Dónde empezó a estudiarlo? 5. ¿Cuándo piensa partir para México? 6. ¿Qué clase de maletas necesita? 7. ¿Cómo va a hacer el viaje a México? 8. ¿Por qué tiene que ir en tren? 9. ¿Qué pregunta Roberto cuando llega a la ventanilla? 10. ¿Quiere billete sencillo o de ida y vuelta? 11. ¿Quiere cama baja o alta? 12. ¿Dónde consigue informes el empleado? 13. ¿Qué camas quedan? 14. ¿Cuál prefiere Roberto? 15. ¿Qué le entrega a Roberto el empleado? 16. ¿A dónde van los jóvenes después de salir del despacho?

[1] In Mexico **el Pullman** is also used.

B. Cuestionario personal

1. ¿ Cuánto tiempo hace que estudia Vd. el español ? 2. ¿ Cuándo empezó a estudiarlo ? 3. ¿ Tiene Vd. muchas oportunidades de usarlo ? 4. ¿ Le gusta a Vd. viajar en tren ? 5. ¿ Prefiere Vd. viajar en avión ? 6. ¿ Lleva Vd. mucho equipaje cuando viaja ? 7. ¿ Tiene Vd. maletas ligeras ? 8. ¿ Qué clase de billete podemos comprar ? 9. ¿ A dónde vamos para comprar billetes ? 10. ¿ Ha viajado Vd. en coche cama ? 11. ¿ Prefiere Vd. cama baja o alta ? 12. ¿ Siempre es necesario reservar asientos en los aviones ? 13. ¿ A dónde vamos para tomar un avión ? 14. ¿ A dónde vamos para tomar un tren ? 15. ¿ Tiene Vd. máquina de escribir ? 16. ¿ Usa Vd. mucho su máquina de escribir ?

Gramática

1. THE SUBJUNCTIVE IN ADVERBIAL CLAUSES

An adverbial clause modifies a verb and shows *time, purpose, concession, result, condition, negative result,* and the like. If the action has taken place or is an accepted fact, the verb is in the indicative; if the action may take place but has not actually done so, the verb in the clause is in the subjunctive.

a. Time clauses:

Cuando están aquí, nos visitan.	When they are here, they visit us.
Después que me lo dio, salí.	After he gave it to me, I left.

The first sentence expresses an accepted fact; in the second the action has already taken place, so the verbs in the clauses are in the indicative.

En cuanto lleguen, lo leeremos.	As soon as they arrive, we shall read it.
No le llame Vd. hasta que salgan.	Don't call him until they leave.

In these two sentences **lleguen** and **salgan** indicate action that will take place at an *indefinite future* time. Time clauses which indicate an indefinite future action require the subjunctive and are introduced by such words as:

antes (de) que	before	**en cuanto**	as soon as
cuando	when	**hasta que**	until
después (de) que	after	**mientras (que)**	while, as long as

Antes (de) que always requires the subjunctive in a clause since the action indicated cannot possibly have taken place.

b. Purpose, concession, and result clauses:

Tráigalo Vd. para que lo usemos.	Bring it in order that we may use it.
Aunque llueva, tendré que ir.	Although it may rain, I shall have to go.
Hable Vd. de modo (manera) que le oigan.	Speak so that they may hear you.

In the sentences on the previous page the verbs in the clauses introduced by **para que, aunque, de modo que, de manera que** are in the subjunctive because the action has not taken place. A clause following **para que** always requires the subjunctive because it cannot show an action that has already occurred.

Now read the following sentences carefully. The verbs in the clauses introduced by **aunque, de modo que,** and **de manera que** are in the indicative because the action is taking place or it has taken place.

Aunque está lloviendo, vendrán.	Although it is raining, they will come.
Lo lavó, de modo que está limpio.	He washed it, so (that) it is clean.
Habló de manera que todos le oyeron.	He spoke so that all heard him.

Learn the conjunctions which introduce these clauses:

aunque	although, even though	**de modo que**	so, so that
de manera que	so, so that	**para que**	in order that

c. Clauses expressing uncertainty or negation:

Antes (de) que, *before,* and **para que,** *in order that,* are the only previously mentioned conjunctions in this lesson which always take the subjunctive in a following clause. Also some conjunctions by their very meaning always indicate either that the action in the clause is not a certainty or that the action may not or did not actually occur. Such conjunctions are always followed by the subjunctive.

No puedo dárselo a menos que le vea.	I cannot give it to him unless I see him.
Lo tomo con tal que esté frío.	I'll take it provided that it is cold.
Siempre sale sin que le veamos.	He always leaves without our seeing him.

A menos que, *unless,* **con tal que,** *provided that,* and **sin que,** *without,* are not used in the dialogue of this lesson, but you must learn them because you will find them in readings and in a few exercises.

2. Hacer in time clauses

Hace una hora que estoy aquí *or* **Estoy aquí hace una hora.**
  I have been here for an hour. (*I am still here.*)
Hace nueve años que trabaja allí.
  He has been working there for nine years. (*He is still working there.*)
¿ Cuánto tiempo hace que habla español ?
  How long has he been speaking Spanish? (*He still speaks Spanish.*)

In Spanish, **hace** followed by a word indicating a period of time (**minuto, hora, día, mes, año,** *etc.*) plus **que** and a *present tense* verb, is used to indicate an action begun in the past and *still in progress.*

Later on you will come across examples of this construction in which **hacía** followed by a period of time plus **que** and a verb in the *imperfect* tense is used to indicate an action which had been going on for some time and was still going on when something else happened. The pluperfect tense is used in English:

Hacía tres años que vivía allí cuando la conoció.
He had been living there three years when he met her.
Hacía un mes que estaba aquí cuando llegó su hermano.
He had been here (for) a month when his brother arrived.

Remember that **hace** plus a verb in the *preterite* tense means *ago* or *since:*
Hace tres meses que llegó *or* **Llegó hace tres meses,** *He arrived three months ago*
or *It has been three months since he arrived.*

3. **Pero** AND **sino,** *but*

Vino pero no lo compró.	He came but he did not buy it.
No veo a Juan, sino a Carlos.	I do not see John, but Charles.

Sino, *but,* with the actual meaning of *but on the contrary, but instead,* follows a negative statement and introduces a contrasting affirmative statement which contains no verb.

Ejercicios

a. Read in Spanish. Be able to tell why the verbs in the adverbial clauses of the odd-numbered sentences are in the indicative and why those in the clauses of the even-numbered sentences are in the subjunctive.

1. Yo no estaba allí cuando llegaron. 2. ¿ Dónde estará Vd. cuando partan ? 3. Volvimos en cuanto lo supimos. 4. Vendrá en cuanto lo sepan. 5. Lo compré después que mi padre me dio el dinero. 6. Compraré las camisas después que me diga el número. 7. Cuando estábamos en el centro dimos con el señor Montes. 8. Espero dar con él mientras esté aquí. 9. No salió hasta que volvió Vd. 10. No saldrá hasta que vuelva Vd. 11. Fui a verle en cuanto fue posible. 12. Iré a verle en cuanto sea posible. 13. Trabajé mucho ayer, de modo que no he tenido nada que hacer hoy. 14. Ponga Vd. el radio para que podamos oír ese programa. 15. Aunque hace mucho calor, voy a tomar té caliente. 16. Voy a dárselos a ella aunque no le gusten. 17. Recibí el dinero, de manera que pude pagarle. 18. Voy a darte un cheque para que puedas pagarle.

b. PATTERN DRILL. Repeat after your teacher the first question and answer. Follow the same pattern in giving replies to the other questions:

1. ¿ Lo hará Vd. ?	Sí, aunque él lo haga también.
¿ Vendrá Vd. ?	Sí, aunque él venga también.
¿ Saldrá Vd. ?	Sí, aunque él salga también.
¿ Lo buscará Vd. ?	Sí, aunque él lo busque también.
¿ Lo usará Vd. ?	Sí, aunque él lo use también.

2. After you repeat the first question and answer, your teacher will give the infinitive form of other verbs to use in the clause.

¿ Los trae Vd. ?	Sí, los traigo para que Vd. los use.
(ver, examinar, tener, leer)	(vea, examine, tenga, lea)

3. After you repeat the question and answer, your teacher will give other conjunctions to be used in the clause:

¿ Lo comprará Vd. ?   Sí, lo compraré cuando me paguen.
(en cuanto, después que, con tal que, sin que)
¿ Piensa Vd. hacerlo ?   Sí, pienso hacerlo antes que me hablen.
(de manera que, para que, mientras, hasta que)

c. PATTERN DRILL.   Practice these questions and answers:

1. ¿ Lee Vd. el libro ?   Sí, hace media hora que lo leo.
¿ Mira Juan la televisión ?   Sí, hace media hora que la mira.
¿ Escribe María una carta ?   Sí, hace media hora que la escribe.
¿ Prepara la cena su madre ?   Sí, hace media hora que la prepara.

2. ¿ Cuánto tiempo hace que estudia Vd. el español ?   Hace un año que lo estudio.
conoce Vd. a Elena ?   Hace un año que la conozco.
viven Vds. aquí ?   Hace un año que vivimos aquí.
juegan Vds. ?   Hace un año que jugamos.

3. ¿ Le gusta a Vd. este sombrero o ése ?   No me gusta ése, sino éste.
¿ Busca Vd. zapatos o guantes ?   No busco zapatos, sino guantes.
¿ Va Vd. a comprar medias o calcetines ?   No voy a comprar medias, sino calcetines.
¿ Quiere Vd. jugar al golf o al tenis ?   No quiero jugar al golf, sino al tenis.

d. Give the Spanish for:

1. I obtain, I obtained.   2. he obtains, he obtained.   3. we shall obtain, that we may obtain.   4. they did not obtain, that they may obtain.   5. I began, that I may begin.   6. he hands over, that he may hand over.   7. we continue, let's continue.   8. I congratulated, that I may congratulate.   9. they reserve, that they may reserve.   10. I hear, hear! (listen!)   11. I look for, he looked for.   12. you look for, do not look for.   13. I arrived, that I may arrive.   14. I crossed, do not cross.

e. Give in Spanish:

1. Can I buy a railroad ticket here ?   2. Yes, sir.   At your service.   Do you wish a round-trip ticket ?   3. No, a one-way ticket, please, with a lower berth for Monday.   4. Unfortunately, sir, there is no berth left for Monday.   5. I can give you an upper berth for Tuesday or a lower for Thursday.   6. Which do you prefer, the upper or the lower ?   7. It will not be possible for me to wait until

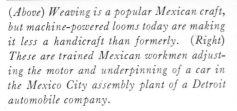

(*Above*) *Weaving is a popular Mexican craft, but machine-powered looms today are making it less a handicraft than formerly.* (*Right*) *These are trained Mexican workmen adjusting the motor and underpinning of a car in the Mexico City assembly plant of a Detroit automobile company.*

Thursday. 8. The fact is that I have to be in San Francisco by Wednesday. 9. I'll take the upper. 10. As soon as I arrive there, I shall have many (a thousand) things to do.

Composición (Optional)

1. I am glad that you have obtained the job in Mexico. 2. You have just come from the railroad station, haven't you? 3. No, I have been downtown. 4. I need suitcases and I am looking for two that are very light. 5. I shall have to make many business trips by plane in Mexico. 6. Have you reserved your seat on the plane? 7. Don't you know that I am not going by plane, but by train? 8. Why? Is it because you are going to have a great deal of baggage? 9. It seems impossible, but in addition to my typewriter, I have four suitcases. 10. I hope to get a lower berth on Wednesday's train (the train of [the] Wednesday). 11. I doubt that you will get it. Did you go to the ticket window? 12. No, I had so many things to do that I couldn't go today. 13. How long have you been waiting for me? 14. I have been waiting for you for about (some) ten minutes.

Para practicar

a. Repeat each sentence, then answer the question based on it:

1. Acaban de comprar las maletas. ¿ Qué acaban de comprar ? 2. Pensamos partir el lunes. ¿ Cuándo pensamos partir ? 3. Hace una hora que estamos aquí. ¿ Cuánto tiempo hace que estamos aquí ? 4. Piensan quedarse dos meses en México. ¿ Cuánto tiempo piensan quedarse en México ? 5. Vamos al despacho de billetes. ¿ A dónde vamos ? 6. Queremos billetes de ida y vuelta. ¿ Qué clase de billetes queremos ? 7. Hace diez minutos que espera ese hombre. ¿ Cuánto tiempo hace que espera ese hombre? 8. Hacía diez minutos que esperaba cuando entró Vd. ¿ Cuánto tiempo hacía que esperaba cuando entró Vd. ? 9. No es el padre de Carlos, sino su tío Ramón. ¿ Es el padre de Carlos ? 10. No quiere cama baja, sino alta. ¿ Quiere cama baja ? 11. Hace dos años que visitó a México. ¿ Cuánto tiempo hace que visitó a México ? 12. Ha oído decir que hay muchos hoteles nuevos en la capital. ¿ Qué ha oído decir ?

b. Plática

— ¿ A dónde vas, José ?
— A la farmacia. ¿ No quieres ir conmigo ?
— Gracias, pero no puedo. Tengo que llevar estos zapatos a la zapatería.
— ¿ Por qué no vas en bicicleta ?
— Mi hermano va a usar mi bicicleta esta tarde. Todos los socios de su club van al campo en bicicleta.
— ¿ No son nuevos esos zapatos ? ¿ Por qué los llevas a la zapatería ?
— Estos tacones son de cuero y quiero tacones de goma.
— Es buena idea. Pues, mi mamá espera las cosas que voy a comprar en la farmacia. Hasta luego.
— Hasta la vista.

la bicicleta *bicycle*	la goma *rubber*
el cuero *leather*	el socio *member*
la farmacia *pharmacy, drugstore*	el tacón (*pl.* tacones) *heel*

en bicicleta *by bicycle, on their* or *your bicycle(s)*
tacón de cuero (goma) *leather (rubber) heel*

c. Vd. acaba de recibir un cheque por cien dólares. ¿ Cómo piensa gastar el dinero ? Use solamente palabras que ya sabe.

This attractive young Mexican artist is putting some last touches on a typical piece of hand-turned pottery in the Tlaquepaque area of Guadalajara, northwest of Mexico City.

Argentina is known for its cattle, its horses, and its gauchos who tend the cattle. This fine herd of horses is a reminder of the fact that the Spaniards brought the first domestic animals to the western hemisphere.

These Argentine plainsmen, more numerous a century ago, are the famed gauchos whose best friends are their horses, whose homes are their saddles, and whose evenings together around the campfire have given Argentina a folk music all of its own.

LECTURA V

Domingo Faustino Sarmiento

Al ganar su independencia, la mayoría de las nuevas repúblicas hispanoamericanas querían establecer un sistema de gobierno democrático, pero
lo impedían muchos obstáculos.   Entre éstos había la falta de preparación
para gobernarse, la debilidad económica de los nuevos países, la enorme
extensión territorial, la falta de vías de comunicación, la ignorancia de las   5
masas, el gran número de indios y negros en varios países, el espíritu individualista de los criollos, el poder de la clase militar y la ambición personal
de los caudillos.[1]   En general fracasó la democracia y hubo [2] una larga serie
de dictadores y de gobiernos fuertes.   A pesar de tantos obstáculos, el
progreso realizado por algunos países hispanoamericanos fue incalculable.   10
Pero aquí podemos mencionar solamente uno.

Entre los grandes hijos de la América española que han influido mucho
en el desarrollo [3] de sus respectivas naciones brilla el nombre de Domingo
Faustino Sarmiento (1811-1888), el hombre representativo del intelecto
sudamericano.   Nacido en un ambiente de pobreza e ignorancia, dedicó   15
una gran parte de su vida al mejoramiento cultural y político de la Argentina.   Fue soldado, periodista, político, maestro y, por último, presidente
de su país.   Cuando todavía era muy joven, tomó las armas para defender
la república contra uno de sus peores dictadores, Juan Manuel Rosas.
Tuvo que huir a Chile, donde se dedicó a la educación y al periodismo.   20
Hacia el año 1845 fundó una revista en que publicó una serie de artículos
que más tarde habían de convertirse en la obra maestra [4] de la literatura
argentina: *Facundo, o la civilización y la barbarie.*

En esta obra Sarmiento describe primero la geografía del país; después,
analiza las costumbres y la vida de los argentinos, sobre todo la falta de   25
civilización de los gauchos.[5]   Señala claramente la gran influencia que han
ejercido la pampa y los gauchos, no sólo en la vida social del país, sino
también en el gobierno nacional.   La parte principal de la obra trata de
la vida y las hazañas del gaucho Facundo Quiroga, uno de los caudillos
más crueles del famoso tirano Rosas.   En general el gaucho representa la   30
barbarie en lucha contra la civilización, simbolizada esta última por la
ciudad de Buenos Aires.

La llanura,[6] el caballo y la vaca explican al gaucho.   Mezcla de españoles
e indios, el gaucho tradicional vive aislado en la ancha pampa donde man-

---

[1] caudillos, *leaders, chiefs.*   [2] hubo, *there was.*   (*The third person sing. pret. of* haber *may
be used impersonally to mean* "there was" *or* "there were."   *This tense will be studied later.*)
[3] desarrollo, *development.*   [4] obra maestra, *masterpiece.*   [5] gaucho, *cowboy, skilled horseman.*
[6] llanura, *plain.*

dan el individuo y la libertad. El gaucho estima, sobre todas las cosas, la fuerza física, el valor y la destreza [1] en manejar [2] el caballo. También maneja con igual destreza el cuchillo y el lazo. Él mismo es fuerte, soberbio, enérgico, independiente, sin ideas de gobierno. Es producto de la naturaleza y el aislamiento en que vive.

Hay varios tipos del gaucho tradicional de la primera mitad del siglo XIX, entre ellos el gaucho cantor.[3] Buen ejemplo de este tipo romántico es Santos Vega. Según la leyenda, en cuanto a la voz y la guitarra este célebre payador [4] no tenía igual en todo el país. Una tarde que cantaba a la sombra de un árbol, lo escuchaban unos hombres y mujeres. De repente se presentó el diablo vestido de hombre y dijo que podía vencer a Santos Vega. Éste cantó primero y luego le tocó al diablo cantar. Nunca habían oído tal música. Desde entonces Santos Vega desapareció del mundo, pero su espíritu continuó viviendo para siempre. De noche corría a través de la pampa como una sombra y a veces si alguien colgaba una guitarra en un árbol o en cualquier otro lugar, venía para tocarla. En esta leyenda Santos Vega es el símbolo del gaucho vencido por la civilización, representada ésta por el diablo.

Con el propósito de introducir reformas en las escuelas de Chile, Sarmiento hizo un viaje de estudio a Europa en 1845. Antes de regresar a Chile, pasó por los Estados Unidos donde conoció a muchos distinguidos americanos, entre ellos a Horace Mann, gran educador de Boston. Inspirado por sus ideas pedagógicas, Sarmiento volvió a la América del Sur para introducirlas allí.

Mientras tanto *Facundo* contribuyó a derribar [5] la tiranía de Rosas, después de lo cual Sarmiento pudo volver a su patria. Llegó a ser diputado, senador, gobernador de provincia, embajador y, por fin, en el año de 1862, presidente de la República. Su administración, que duró hasta 1874, fue una de las más beneficiosas para el país; en realidad, se puede decir que Sarmiento fue el fundador de la Argentina moderna. Predominó en él un gran interés por los problemas de la educación pública. Sabía que la educación sería uno de los remedios esenciales para el desarrollo de su país y un arma contra la ignorancia y la injusticia. La escuela, según Sarmiento, era el alma de la nación.

En *Facundo* se encuentran varias anécdotas con respecto al gran caudillo. Una es la que sigue:

Un objeto es robado una noche. Facundo forma la tropa; [6] hace cortar unas varitas de igual tamaño; [7] hace en seguida que se distribuyan [8] a cada

[1] destreza, *skill*.   [2] manejar, *(to) handle*.   [3] gaucho cantor, *gaucho singer, minstrel*.   [4] payador, *minstrel (who accompanied himself with a guitar)*.   [5] derribar, *(to) overthrow*.   [6] forma la tropa, *lines up the troop*.   [7] hace . . . tamaño, *he has some little sticks of equal length cut*.   [8] hace . . . distribuyan, *he has them passed out at once*.

soldado; y luego, con voz segura, dice: «Aquél cuya varita amanezca mañana más larga que los demás [1] es el ladrón.»

Al día siguiente se forma de nuevo la tropa, y Facundo procede a la comparación de las varitas. Hay un soldado cuya varita aparece más corta que las otras.

— ¡ Miserable,[2] tú eres ! — le grita Facundo con voz feroz.

Y, en efecto, era él; su turbación lo dejaba conocer demasiado.[3] La solución era sencilla; el crédulo gaucho, temiendo que en realidad creciese su varita, le había cortado un pedazo.

Otra anécdota sigue:

Algunas prendas de la montura [4] de un soldado son robadas y no se puede descubrir al ladrón. Facundo Quiroga hace formar la tropa y la manda desfilar enfrente de él. Empiezan a desfilar los soldados; desfilan muchos, y Facundo permanece inmóvil, con la mirada fija, terrible. De repente se abalanza [5] sobre uno, le agarra del brazo [6] y le dice con voz breve y seca:

— ¿ Dónde está la montura ?

— Allí, señor — contesta, señalando un bosquecillo.

— Cuatro tiradores [7] — grita entonces Quiroga.

¿ Qué revelación era ésta ? La del terror y la del crimen hecha ante un hombre sagaz.

Otra anécdota es la siguiente:

Estaba una vez un gaucho respondiendo a las preguntas que se le hacían por [8] un robo. Facundo le interrumpió, diciendo:

— Este pícaro está mintiendo; ¡ a ver . . . cien azotes ! [9]

Cuando el ladrón salió, Facundo dijo a un hombre que estaba presente:

— Vea, señor; cuando un gaucho al hablar hace marcas con el pie,[10] es señal que está mintiendo.

Con los azotes el gaucho lo confesó todo, es decir, que se había robado una yunta de bueyes.[11]

MODISMOS

con respecto a *concerning, with respect to*	en efecto *actually, in fact*
de nuevo *again*	mientras tanto *meanwhile, in the meantime*
de repente *suddenly*	para siempre *forever*
en cuanto a *as for, concerning*	una vez *once*

[1] Aquél . . . demás, *The one whose little stick will be longer than the rest by tomorrow morning.* [2] Miserable, *Wretch.* [3] su turbación . . . demasiado, *his confusion made it too obvious.* [4] Algunas prendas de la montura, *Some parts of the trappings (of a horse).* [5] se abalanza, *he springs.* [6] le agarra del brazo, *he grasps him by the arm.* [7] tiradores, *riflemen.* [8] se le hacían por, *which they were asking him about.* [9] azotes, *lashes.* [10] hace marcas con el pie, *shuffles his feet.* [11] yunta de bueyes, *yoke of oxen.*

PREGUNTAS

1. ¿ Qué sistema de gobierno querían establecer las nuevas repúblicas ?
2. ¿ Qué obstáculos lo impedían ?   3. ¿ Quién fue el hombre representativo del
intelecto sudamericano ?   4. ¿ Qué fue Sarmiento ?   5. ¿ Para qué tomó las armas
cuando todavía era muy joven ?   6. ¿ A dónde tuvo que huir ?   7. ¿ A qué se
dedicó en Chile ?   8. ¿ Cuál es la obra maestra de Sarmiento ?

9. ¿ Qué describe primero en *Facundo ?*   10. ¿ De qué trata la parte principal ?
11. ¿ Qué representa Facundo Quiroga ?   12. ¿ Qué representa la ciudad de
Buenos Aires ?   13. ¿ Qué explican al gaucho ?   14. ¿ Qué maneja con gran
destreza ?   15. ¿ Cómo es el gaucho ?

16. ¿ Quién fue buen ejemplo del gaucho cantor ?   17. ¿ Dónde cantaba una
tarde?   18. ¿ Quién se presentó allí ?   19. ¿ Quién cantó primero ?   20. ¿ Cuál
tocó mejor ?   21. ¿ Vieron otra vez a Santos Vega ?   22. ¿ Qué pasaba de noche ?

23. ¿ A dónde fue Sarmiento en 1845 ?   24. ¿ Por dónde pasó antes de regresar
a Chile ?   25. ¿ A quién conoció allí ?

26. ¿ A qué contribuyó la obra *Facundo ?*   27. Después de volver a la Argentina, ¿ qué llegó a ser Sarmiento ?   28. ¿ De qué fue el fundador ?   29. ¿ Qué
interés predominó en él ?   30. Según él, ¿ qué era la escuela ?

ESTUDIO DE PALABRAS

a. *Compare the meanings of:* gobierno, gobernar; pobre, pobreza; mejor,
mejoramiento; periódico, periodista, periodismo; influencia, influir; mano, manejar; aparecer, desaparecer; tirano, tiranía; educador, educación; independencia,
independiente; fuerza, fuerte; terror, terrible.

b. *Pronounce and give the English meaning of:* sistema, espíritu, obstáculo,
intelecto, dictador, física, lazo, símbolo, inmóvil.

c. *Find words or expressions of similar meaning to:* la mayor parte de, especialmente, otra vez, célebre, seguir, volver, por último, contestar, inmediatamente.

¿ SÍ O NO?

1. Las repúblicas hispanoamericanas estaban bien preparadas para gobernarse.
2. La clase militar había llegado a ser muy poderosa.
3. Muchos caudillos se hicieron dictadores.
4. El representativo del intelecto sudamericano fue Juan Manuel Rosas.
5. Sarmiento fue hijo de una familia rica y educada.
6. Dedicó su vida al desarrollo cultural y político de la Argentina.
7. Tuvo parte en la lucha contra el dictador Rosas.
8. Huyendo a Chile, Sarmiento llegó a ser presidente de ese país.
9. En Chile publicó una serie de artículos que hoy día se conocen como *Facundo,
o la civilización y la barbarie.*
10. Facundo Quiroga fue uno de los caudillos más crueles del tirano Rosas.

11. En la obra Sarmiento analiza la vida y las costumbres de los chilenos.

12. En la obra *Facundo* el gaucho representa la civilización.

13. La pampa, el caballo y la vaca explican al gaucho.

14. El gaucho maneja mal el cuchillo y el lazo.

15. Santos Vega fue un célebre payador.

16. Según la leyenda, el diablo anunció que con su música podía vencer al gaucho.

17. Santos Vega representa la civilización, vencida por el diablo.

18. Después de hacer un viaje a Europa, Sarmiento pudo volver directamente a la Argentina.

19. En los Estados Unidos conoció al gran educador, Horace Mann.

20. Después de volver a la Argentina, Sarmiento llegó a ser presidente del país.

Domingo Faustino Sarmiento, soldier, journalist, author, politician, teacher, deputy, senator, governor, ambassador, and finally, president of the Argentine Republic. (*Radio Times Hulton Picture Library*)

Lección diez y seis

Más planes para un viaje

Roberto. Buenas noches, Jorge.

   Jorge. Muy buenas, Roberto. Sé que te marchas pronto y siento mucho no haber podido pasar por tu casa hasta ahora. Primero mi hermano me pidió que llevara a mi sobrino Juanito al dentista,
5   y después quiso que le cobrara yo un cheque en el banco.

Roberto. ¿ Volviste a casa para almorzar ?

   Jorge. No, almorcé en casa de mi hermano. Después llevé a Juanito al parque para que se paseara en trineo. Como puedes suponer, se cansó mucho allí. Pero, ¿ qué hiciste tú esta tarde ?

10 *Roberto.* Primero llevé dos trajes a la tintorería para que me los limpiaran para pasado mañana. Luego fui a escoger esta cámara de treinta y cinco milímetros que me regaló papá. Quería que yo buscara una que me gustase.

   Jorge. Y has encontrado una muy bonita. Hay tantas marcas buenas
15   que es difícil escoger, ¿ no ?

(*Above*) *The Plaza de Francia in Panama City is a tribute to the memory of those Frenchmen who gave their lives attempting to build the Panama Canal.* (*Opposite*) *Hotel El Panamá in Panama City is one of the finest in Latin America.* (*Grace Line*)

Roberto. Sí, pero estoy muy contento con ésta. Papá tiene mucho interés por las transparencias y ahora podré tomar [1] muchas fotografías que le darán mejor idea de México. Como sabes, tiene pantalla y un proyector nuevo y podrá mirar las transparencias que le envíe yo.　　　　　　　　　　　　　　　　　　　　5

Jorge. Es una cámara magnífica. También tienes una cámara de cine, ¿ no ?

Roberto. Sí, de ocho milímetros, pero habrá ocasiones en que podré usar las dos. En México hay muchos días de fiesta y cuando haya bailes o fiestas populares, será mejor usar la cámara de cine. Para 10 probar la nueva, voy a meter este rollo de película, aunque estoy casi seguro de que no podrán revelarla antes que me marche.

Jorge. Apenas puedo esperar hasta que vuelvas de México para ver las fotografías que tomes. Bien sé que allá verás mil cosas interesantes.　　　　　　　　　　　　　　　　　　　　15

Roberto. ¿ Por qué no vas conmigo a pasar unos días allí ?

Jorge. ¡ Por Dios, hombre ! ¿ Dónde podría conseguir el dinero ?

Roberto. Pues, a ver si puedes guardar bastante para pasar tus vacaciones de verano conmigo. ¿ Qué te parece la idea ?

Jorge. ¡ Buena idea ! Ahora no sé, pero continuaré pensando en eso. 20 Más tarde veremos.

[1] **Sacar fotografías,** *to take photographs*, is also used.

183

Vocabulario

NOMBRES

el dentista   *dentist*
el día de fiesta   *holiday*
  Juanito   *Johnnie*
la ocasión (*pl.* ocasiones)   *occasion, chance,*
  opportunity
la pantalla   *screen* (movie)
el proyector   *projector*
el rollo   *roll*
el sobrino   *nephew*
la tintorería   *cleaning shop, cleaners*
la transparencia [1]   *transparency, slide*

ADVERBIO

apenas   *scarcely, hardly*

VERBOS

continuar (ú)   *to continue*
enviar (í)   *to send*
escoger (j)   *to choose, select*
guardar   *to guard, save, keep*
meter   *to put in*
regalar   *to give* (as a gift)
revelar   *to develop* (film)
suponer (*like* poner)   *to suppose*

EXPRESIONES

buenas noches   *good evening* (night)
cámara de cine   *movie camera*
cámara de treinta y cinco milímetros   *35 millimeter*
  camera
cansarse (mucho)   *to become* (very) *tired*
muy buenas   *good evening* (afternoon)
pasado mañana   *day after tomorrow*
pensar en   *to think of* (about)
¡ por Dios !   *for heaven's sake! good heavens!*

Preguntas

A. Answer in Spanish these questions based on the dialogue:

1. ¿ Quién habla con Roberto ? 2. ¿ Qué le pidió a Jorge su hermano ? 3. ¿ Qué quería su hermano que Jorge hiciera después ? 4. ¿ Por qué llevó a Juanito al parque ? 5. ¿ Se cansó Juanito ? 6. ¿ Qué hizo Roberto primero ? 7. ¿ A dónde fue después ? 8. ¿ Quién le regaló la cámara ? 9. ¿ Qué quería su papá ? 10. ¿ Qué le enviará Roberto a su papá ? 11. ¿ Tiene otra cámara Roberto ? 12. ¿ Qué va a meter en la cámara nueva ? 13. ¿ Podrán revelar la película antes que se marche ? 14. ¿ Qué quiere Roberto que haga Jorge ?

B. Cuestionario personal

1. ¿ Tiene Vd. cámara de cine ? 2. ¿ Tiene Vd. cámara de treinta y cinco milímetros ? 3. ¿ Qué metemos en una cámara ? 4. ¿ Le gusta a Vd. tomar fotografías ? 5. ¿ Toma Vd. muchas fotografías ? 6. ¿ Le gustan a Vd. las transparencias ? 7. ¿ Qué usamos a veces para mirarlas ? 8. ¿ Ha visto Vd. fotografías de México ? 9. ¿ Le gustaría a Vd. ir a México ? 10. ¿ Tienen muchos días de fiesta en México ?

---

[1] For *slide, transparency,* **la diapositiva** is also used.

Gramática

1. VERBS WITH CHANGES IN SPELLING

a. Verbs ending in –ger and –gir: **escoger,** *to choose*

Pres. Ind.	**escojo escoges escoge,** etc.
Pres. Subj.	**escoja escojas escoja escojamos escojáis escojan**

In verbs ending in –ger and –gir, **g** becomes **j** before the endings beginning with –o or –a. This change occurs in the first person singular present indicative and in all six forms of the present subjunctive.

b. Verbs ending in –iar and –uar: **enviar,** *to send;* **continuar,** *to continue*

Pres. Ind.	**envío envías envía enviamos enviáis envían**
Pres. Subj.	**envíe envíes envíe enviemos enviéis envíen**

Pres. Ind.	**continúo continúas continúa continuamos continuáis continúan**
Pres. Subj.	**continúe continúes continúe continuemos continuéis continúen**

Certain –ar verbs whose stems end in **i** and **u** require an accent mark on these letters in all singular forms and in the third person plural of the present indicative and present subjunctive tenses. All other forms are regular. **Esquiar,** *to ski,* is like **enviar.** However, the accent mark is not required on forms of **estudiar,** *to study,* and **pronunciar,** *to pronounce.*

2. THE IMPERFECT SUBJUNCTIVE TENSES

tomar		comer, vivir	
Singular		*Singular*	
tomara	tomase	comiera	viviese
tomaras	tomases	comieras	vivieses
tomara	tomase	comiera	viviese
Plural		*Plural*	
tomáramos	tomásemos	comiéramos	viviésemos
tomarais	tomaseis	comierais	vivieseis
tomaran	tomasen	comieran	viviesen

The imperfect subjunctive in Spanish has two forms, often referred to as the –ra and –se forms, and the same two sets of endings are used for the three conjugations. To form the imperfect subjunctive of *all* verbs, regular and irregular, drop –ron of the third person plural preterite indicative and add –ra, –ras, –ra, –ramos, –rais, –ran or –se, –ses, –se, –semos, –seis, –sen. Only the first person plural form has a written accent.

Stem-changing verbs, Class I, are regular in the imperfect subjunctive:

pensar: **pensara, pensaras,** etc.	**pensase, pensases,** etc.
volver: **volviera, volvieras,** etc.	**volviese, volvieses,** etc.

With two exceptions which will be explained later, the two imperfect subjunctive tenses are used interchangeably in Spanish. Just as the present subjunctive is often translated with *may* as part of its meaning, the imperfect subjunctive is often translated with *might:* **que tomara (tomase),** *that I* or *he might take.*

3. Use of the subjunctive tenses

Quiero que me cobre un cheque.	I want him to cash a check for me.
Se lo he dado para que lo cobre.	I have given it to him in order that he may cash it.
Le diré que lo cobre.	I shall tell him to cash it.
Dudo que lo haya hecho todavía.	I doubt that he has done it yet.

When the main verb in a sentence which requires the subjunctive in a dependent clause is in the present, future, or present perfect tense, or is a command, the verb in the clause is regularly in the present or present perfect subjunctive tense.

Quería que lavaran (lavasen) el coche.	He wanted them to wash the car.
Les dijo que lo lavaran (lavasen).	He told them to wash it.
Buscaba una cámara que le gustara (gustase).	He was looking for a camera that he liked.
Dijeron que leerían hasta que volviera (volviese).	They said (that) they would read until he returned (might return).

When the main verb is in the imperfect, preterite, conditional, or pluperfect tense, the verb in the dependent clause is usually in the imperfect subjunctive.

The present subjunctive *never* follows a verb in the imperfect, preterite, conditional, or pluperfect tense.

Me alegro de que llegaran anoche.	I am glad that they arrived last night.
Sentimos que perdiera el reloj.	We are sorry that he lost his watch.

The imperfect subjunctive, however, may follow the present, future, or present perfect tense when the action in the clause takes place in the past.

Ejercicios

a. Pattern drill.

1. ¿ Quiere Vd. comprarlo ?	No, no quiero comprarlo.
venderlo ?	No, no quiero venderlo.
describirlo ?	No, no quiero describirlo.

2. ¿ Quiere Vd. que yo lo compre ?   Sí, quiero que Vd. lo compre.
      venda ?   Sí, quiero que Vd. lo venda.
      describa ?   Sí, quiero que Vd. lo describa.

3. ¿ Le pedirán a Vd. que lo compre ?   Sí, me pedirán que lo compre.
      venda ?   Sí, me pedirán que lo venda.
      describa ?   Sí, me pedirán que lo describa.

4. ¿ Ha querido Vd. que yo lo compre ?   Sí, he querido que Vd. lo compre.
      venda ?   Sí, he querido que Vd. lo venda.
      describa ?   Sí, he querido que Vd. lo describa.

5. ¿ Quería Vd. que yo lo comprara ?   Sí, quería que Vd. lo comprara.
      vendiera ?   Sí, quería que Vd. lo vendiera.
      describiera ?   Sí, quería que Vd. lo describiera.

In this drill and in the ones that follow, the –se form may also be used: **comprase, vendiese, describiese.**

6. ¿ Le pidieron a Vd. que lo comprara ?   Sí, me pidieron que lo comprara.
      vendiera ?   Sí, me pidieron que lo vendiera.
      describiera ?   Sí, me pidieron que lo describiera.

7. ¿ Me pediría Vd. que lo comprara ?   Sí, yo le pediría que lo comprara.
      vendiera ?   Sí, yo le pediría que lo vendiera.
      describiera ?   Sí, yo le pediría que lo describiera.

8. ¿ Había esperado Vd. que yo lo comprara ?   Sí, había esperado que Vd. lo comprara.
      vendiera ?   Sí, había esperado que Vd. lo vendiera.
      describiera ?   Sí, había esperado que Vd. lo describiera.

b. Pronounce each infinitive, then give the first person singular present indicative, first singular present subjunctive, third plural preterite, and first singular imperfect subjunctive (both forms) of:

1. hablar. 2. comprender. 3. escribir. 4. meter. 5. vivir. 6. levantarse. 7. enviar. 8. continuar. 9. vender. 10. escoger. 11. volver. 12. sentarse.

c. Read in Spanish, supplying the correct form of the verb in parentheses:

1. ¿ Quieren que ella (trabajar) hoy ? 2. No, querían que ella (trabajar) ayer. 3. No fue posible que ellos (llegar) anoche. 4. Tampoco es posible que (llegar) hoy. 5. Como está Vd. aquí, nuestro abuelo preferirá que Vd. (quedarse) un mes. 6. Me dijo que le había pedido a Vd. que no (llegar) hasta el quince de julio. 7. Fue lástima que Vd. no (recibir) la carta. 8. Sería mejor que nosotros no le

Panama has long been called the "Crossroads of the Western World," and these Chinese workers in vegetable gardens there give evidence that some residents have come from afar. (Bernadine Bailey)

(visitar) al mismo tiempo. 9. Me dijo ayer que había sido necesario que nuestra abuela (vender) el coche inglés que le gustaba tanto. 10. Espera encontrar otro que le (gustar) tanto como ése. 11. Dudo que lo (encontrar) en esta ciudad. 12. Le diré que (escribir) a mi tío, que vive en Nueva York.

d. Read in Spanish, then read again, changing the main verb to the imperfect indicative tense and the verb in the dependent clause to the imperfect subjunctive:

1. Busco una criada que trabaje bien. 2. No conozco a ninguna que hable inglés. 3. Mi hermana no lee nada que le guste. 4. Quiere que yo le busque otros libros. 5. Espero que continúe leyendo el español. 6. Es mejor que escoja sus libros. 7. Ella siente mucho que yo no lea mucho. 8. Es imposible que ella comprenda eso. 9. Me alegro de que Vd. coma con nosotros. 10. Es lástima que Vd. y su padre piensen ir tan pronto a Guatemala. 11. Deseo que me escojan allá una falda de algodón. 12. Dudo que hallen una de lana.

e. Give the Spanish for:

1. His uncle gave him a movie camera. 2. He selected it yesterday. 3. He has been saving his money for two years. 4. His aunt gave him twelve rolls of film.

5. His father does not want him to take the projector to Mexico. 6. He prefers that Robert send him each roll of film. 7. After receiving the film, he will develop it. 8. I suppose that you will go with him. 9. Good heavens, Tom! Where could I get the money? 10. There will be other occasions to visit Mexico. 11. I shall have to be content with the slides that you send us. 12. Well, you can go to the cleaning shop now, can't you?

Composición (Optional)

1. Do you want me to take this coat to the cleaning shop? 2. By no means. It is clean; they cleaned it last week. 3. Is it heavy enough for the climate of Mexico? 4. Of course! There will be many occasions when I shall not need [a] coat. 5. The manager's nephew has invited me to visit him in September. 6. His family has a ranch and I hope that he takes me there. 7. You know that the sixteenth of that month is the national holiday, don't you? 8. It is probable that you won't be in the capital to celebrate it. 9. But this young man tells me that it doesn't matter. 10. The anniversary of the independence of Mexico is celebrated in all parts of the country.

Para practicar

a. Plática

— Diga.
— Habla Roberto. ¿Qué estás haciendo, Juan? ¿Estás ocupado?
— En este momento, no. Acabo de llegar a casa.
— Si no tienes planes, ¿puedes ir al centro conmigo?
— Sí, si quieres. ¿Qué pasa?
— Es que mi tío que vive en Nueva York me ha enviado un cheque.
— ¡Qué bueno! ¿Qué vas a comprar?
— Palos de golf.
— ¿Tu tío quiere que los compres?
— ¡Por supuesto! Quiere que yo escoja unos que me gusten.
— ¿Y te ha enviado bastante dinero para un juego entero?
— No, pero me ha enviado un cheque de cien dólares.
— ¡Qué tío! Sí te ayudaré a escogerlos antes que partas.
— Pues, ahorita paso por tu casa.
— Muy bien. Te espero en la calle.

ahorita *right now, right away*	el juego *set* (of matching articles)
entero, –a *entire, whole*	el palo de golf *golf club*

b. Prepara Vd. un discurso sobre los planes de un amigo suyo que va a pasar sus vacaciones en México. Tiene dos cámaras y piensa tomar (sacar) muchas fotografías en el viaje.

The Instituto Allende never inquires about the ages of its students who may be as young as twelve or considerably older.

San Miguel de Allende, four hours by car from Mexico City in the highlands to the northwest, gets its name, San Miguel, from the Franciscan friar who founded it in 1542, and from the revolutionary leader, Ignacio Allende, who was born there. Today it is famous for its art school, the Instituto Allende, whose patio you see here serving as a classroom.

Lección diez y siete

¿Quiere usted visitar la América española?

Luis y Pablo llegan a casa de Roberto. Éste abre la puerta, los saluda y los invita a entrar.

Luis. Roberto, ¿ sabes lo que pasó hoy ? Mi abuelo me dijo que si yo quisiera hacer un viaje a Europa o a la América del Sur, me daría el dinero. 5

Roberto. ¡ Magnífico ! Si yo estuviera en tu lugar, iría a Chile o a la Argentina. ¿ No tienes ganas de ir allá ?

Luis. ¡ Cómo no ! Pero si pudiera, me gustaría más visitar al mismo tiempo el Brasil y algunos otros países.

Roberto. Pues, ¿ no podrías visitar todos los países si tuvieses tiempo ? 10

Luis. Sí que podría, pero no es solamente cuestión de visitar. Yo también quisiera trabajar en un país de la América latina. Si yo hubiera estudiado economía política, como me aconsejaba mi padre, tal vez podría conseguir un puesto en una sucursal de alguna compañía. 15

Roberto. Eso no me parece imposible. Hay muchos jóvenes que no han tomado cursos de economía política y tienen buenos puestos allí. Tú no sólo sabes bien el español y el portugués, sino también conoces la vida y las costumbres latinoamericanas. Si pudieras ir a las oficinas de varias casas, sin duda hallarías algo. 20

Luis. Voy a pensar en eso. Pero Pablo, me sorprende que tú, que eres pintor, no vayas a México a pintar. En la capital y en ciudades como Taxco y San Miguel de Allende hay muchos artistas. Un artista mexicano, que es amigo mío, dice que no hay mejor sitio para los que tienen interés por el arte. 25

Roberto. Estoy de acuerdo. Si me visitaras en México, Pablo, verías que es un país muy pintoresco. Desde este momento debes pensar en hacer un viaje.

Pablo. ¡ Qué ganas tengo de ir ! También me gustaría ir a Guatemala, porque las artes populares tienen mucha importancia en esos dos 30 países. Pero es imposible ir este año. Vds.[1] hablan como si yo no tuviera que ganarme la vida. Todavía no puedo ganar mucho dinero pintando.

[1] In Spanish America **ustedes** with the corresponding verb form is regularly used instead of **vosotros** with the second person plural of the verb.

191

Roberto. Pues, nunca se sabe lo que va a pasar. ¿ No recuerdas que hace varios años que busco yo un puesto en un país de la América latina ? Estoy seguro de que algún día te veré en México.

Vocabulario

NOMBRES

el artista (*also f.*)   *artist*
la cuestión (*pl.* cuestiones)   *question, problem*
el curso   *course*
la economía política   *economics*
  Europa   *Europe*
la importancia   *importance*
el pintor   *painter*

ADJETIVOS

imposible   *impossible*
pintoresco, –a   *picturesque*

ADVERBIO

sólo   *only*

VERBOS

pintar   *to paint*
quisiera   (*I*) *should like*

EXPRESIONES

al mismo tiempo   *at the same time*
los que   *those who*
ganarse la vida   *to earn one's living*
no sólo . . . sino también   *not only . . . but also*
¡ qué ganas tengo de ir!   *how eager I am to go!*

Preguntas

A. Answer in Spanish these questions based on the dialogue:

1. ¿ A dónde llegan Luis y Pablo ? 2. ¿ Qué le dijo a Luis su abuelo ? 3. ¿ A dónde iría Roberto si estuviera en el lugar de Luis ? 4. ¿ Qué países le gustaría a Luis visitar ? 5. Si hubiera estudiado economía política, ¿ qué podría hacer ? 6. Según Roberto, ¿ sería eso imposible ? 7. ¿ Qué sabe Luis ? 8. ¿ Y qué conoce ? 9. ¿ Cuál de los jóvenes es pintor ? 10. ¿ En qué ciudades de México hay muchos artistas ? 11. ¿ A qué otro país le gustaría a Pablo ir ? 12. ¿ Por qué no puede ir a México ? 13. ¿ Cuánto tiempo hace que Roberto busca un puesto en un país de la América latina ? 14. ¿ De qué está seguro Roberto ?

B. Cuestionario personal

1. ¿ Es Vd. pintor ? 2. ¿ Es Vd. artista ? 3. ¿ Le gustaría a Vd. ser artista ? 4. ¿ Le gustaría a Vd. ir a México ? 5. ¿ A qué otros países le gustaría ir ? 6. ¿ Qué debemos saber antes de visitar los países de la América latina ? 7. ¿ Sabe Vd. el portugués ? 8. ¿ En qué país se habla portugués ? 9. ¿ Qué lengua se habla en los otros países de la América del Sur ? 10. ¿ Dónde está Guatemala ? 11. ¿ Cómo se llaman otros países de Centroamérica ? 12. ¿ Piensa Vd. hacer un viaje a México ? 13. ¿ Se gana Vd. la vida ? 14. ¿ Le gustaría a Vd. trabajar en un país latinoamericano ? 15. Si Vd. visitara la América del Sur, ¿ iría Vd. en coche o en avión ?

Gramática

1. THE IMPERFECT SUBJUNCTIVE OF IRREGULAR VERBS

Inf.	*3rd pl. pret.*	*Imp. subj.*
creer	creyeron	creyera, creyese
dar	dieron	diera, diese
decir	dijeron	dijera, dijese
estar	estuvieron	estuviera, estuviese
haber	hubieron [1]	hubiera, hubiese
hacer	hicieron	hiciera, hiciese
ir	fueron	fuera, fuese
leer	leyeron	leyera, leyese
oír	oyeron	oyera, oyese
poder	pudieron	pudiera, pudiese
poner	pusieron	pusiera, pusiese
querer	quisieron	quisiera, quisiese
saber	supieron	supiera, supiese
ser	fueron	fuera, fuese
tener	tuvieron	tuviera, tuviese
traer	trajeron	trajera, trajese
venir	vinieron	viniera, viniese

2. THE PLUPERFECT SUBJUNCTIVE TENSE

hubiera	hubiese	
hubieras	hubieses	
hubiera	hubiese	tomado, comido, vivido
hubiéramos	hubiésemos	
hubierais	hubieseis	
hubieràn	hubiesen	

Esperaban que yo lo hubiese visto.   They hoped that I had seen it.

The pluperfect subjunctive is formed by either form of the imperfect subjunctive of **haber** with the past participle. Its translation is similar to that of the pluperfect indicative: **que hubiesen tomado,** *that they had taken;* sometimes the word *might* is a part of the translation: *that they might have taken.*

3. CONDITIONAL SENTENCES

If-clause	*Conclusion*
Si él tuviera (tuviese) el dinero	**me lo daría.**
If he had the money (but he doesn't)	he would give it to me.
Si vinieran (viniesen) mañana	**lo harían.**
If they should (were to) come tomorrow	they would do it.

[1] See p. 238 for the preterite forms of **haber.**

A conditional sentence consists of an *if*-clause (*If he had the money*), and a conclusion or result clause (*he would give it to me*).

In an *if*-clause which indicates that a statement is at present untrue (first example) or that its condition may not be fulfilled in the future (second example), either of the imperfect subjunctive forms may be used (see examples at bottom of p. 193). Thus, whenever the English sentence has *should, were to,* in the *if*-clause, the imperfect subjunctive is used in Spanish.

The result clause, or conclusion, usually includes *would* in its meaning and is expressed by the conditional (or conditional perfect) tense,[1] as in English.

When the condition was untrue or contrary-to-fact in the past, the pluperfect subjunctive is used in the *if*-clause and the conditional or conditional perfect indicative tense is used in the conclusion:

Si le hubieran (hubiesen) visto   **nos lo dirían.**
  If they had seen him   they would tell (it to) us.
Si hubiera (hubiese) estudiado   **lo habría aprendido.**
  If he had studied   he would have learned it.

The imperfect (or pluperfect) subjunctive is always used after **como si**, *as if:*

Ella habla como si estuviera (hubiera *or* **hubiese estado) enferma.**
  She talks as if she were (had been) sick.

In conditional sentences which do *not* indicate that a statement is untrue or unlikely to become true in the future and which have the present indicative or future tense in the conclusion, in Spanish the present indicative is used in the *if*-clause and the present or future indicative in the conclusion:

Si está en su cuarto   **está estudiando.**
  If he is in his room   he is studying.
Si tiene el dinero   **me lo dará.**
  If he has the money   he will give it to me.

The future, the conditional, or the present subjunctive are never used after **si** meaning *if*.

Ejercicios

a. Substitution drill. Say each sentence in Spanish, then repeat, substituting in the clause the subjects indicated.

  1. Querían que *yo* les trajera el dinero.
     (ella, Juan, él y yo, los muchachos, tú)

[1] In reading you will also find the **–ra** form of the imperfect subjunctive in the result clause instead of the conditional: **Si vinieran, lo hicieran,** *If they should come, they would do it.* (This is one of the two exceptions to the rule that the two imperfect subjunctive tenses are used interchangeably in Spanish. See footnote, p. 202.)

2. Elena dudaba que *su hermano* fuera con ella.
(sus hermanos, yo, Vd., nosotros, tú)

3. Era necesario que *Pablo* estuviera allí.
(yo, tú, los alumnos, Pablo y yo, Vds.)

4. Se alegró de que *María* hubiera vuelto.
(yo, Vd., ella y yo, los niños, tú)

5. Juan *nos* rogó que hiciéramos eso.
(me, te, le, les, le . . . a José)

6. No había nada allí que *él* pudiera hacer.
(Vd., tú, yo, nosotros, las muchachas)

7. Trajeron el libro para que *Dorotea* lo leyera.
(María y yo, yo, Vd., los muchachos, tú)

8. Ella siente mucho que *los alumnos* no volvieran.
(yo, Vds., Vd., nosotros, la secretaria)

b. Repeat each sentence in Spanish and be able to tell why the indicative is used in the first sentence of each group and the subjunctive in the two which follow:

1. Si él está aquí a las diez, verá a Roberto.
Si estuviera aquí ahora, vería a Roberto.
Si hubiese estado aquí a las diez, habría visto a Roberto.

2. Si tengo tiempo, volveré para el almuerzo.
Si tuviera tiempo, volvería para el almuerzo.
Si hubiera tenido tiempo, habría vuelto para el almuerzo.

3. Si van a México, tendrán que comprar maletas ligeras.
Si fuesen a México, tendrían que comprar maletas ligeras.
Si hubiesen ido a México, habrían tenido que comprar maletas ligeras.

c. Say each sentence in Spanish. Repeat, substituting the imperfect (or pluperfect) subjunctive for the present (or present perfect) indicative after **si,** and changing the verb in the other clause from future (or future perfect) to conditional (or conditional perfect).

EXAMPLE: **Si tiene el dinero, me lo dará. Si tuviera (tuviese) el dinero, me lo daría.**

1. Si está aquí, lo hará. 2. Si vienen hoy, nos lo traerán. 3. Si no pueden hacerlo, me lo dirán. 4. Si los vemos, les daremos el dinero. 5. Si piensan partir mañana, no vendrán. 6. Si Vds. se lo dicen a ellos, no lo creerán. 7. No estaré listo si no me doy prisa. 8. Vds. no estarán cansados si descansan más. 9. No tendré frío si me pongo el abrigo. 10. Vendrá a verte si le llamas por teléfono. 11. Si han escrito las cartas, las habrán echado al correo. 12. Si ha terminado el trabajo, habrá ido al cine.

d. Read in Spanish, selecting the correct verb from those in parentheses:

1. Señor López, siento que Vd. (ha, haya, haber) hecho sus maletas. 2. ¿ Es preciso que Vd. y su esposa (partan, parten, partirán) ahora ? 3. Mi padre esperaba que Vds. (irían, fueran, irán) con él esta tarde. 4. Dudo que él (vuelva, vuelve, volverá) a su oficina antes de las dos. 5. Mi madre quería que mi hermano los (conozca, conoce, conociese). 6. Era lástima que él (había, haya, hubiera) ido al centro. 7. Si mi padre hubiera sabido eso, le habría pedido que (vaya, fuese, iría) a la oficina de correos. 8. Era lástima que no (volvió, vuelva, volviera) a casa antes de las cinco.

e. Put into Spanish (give both forms of the imperfect subjunctive):

1. they wrote, that I might write. 2. they went, that I might go. 3. they gave, that he might give. 4. they heard, that he might hear. 5. they came, that she might come. 6. they put, that you might put. 7. they said, that we might say. 8. they made, that we might make. 9. they brought, that they might bring. 10. they had (**tener**), that they might have. 11. they were (**estar**), that John might be. 12. they were (**ser**), that Mary might be. 13. they could, that you (*fam. sing.*) might be able. 14. they found out, that you (*fam. sing.*) might find out. 15. they believed, that you (*pl.*) might believe.

f. Give the Spanish for:

1. If he is in his room, he is writing a letter. 2. If he were in his room, he would write a letter. 3. If he had been in his room, he would have written a letter. 4. If they come tomorrow, they will bring me the money. 5. If they should come tomorrow, they would bring me the money. 6. If they had come yesterday, they would have brought me the money. 7. She is reading the book if she is at home. 8. She would read the book if she were at home. 9. She would have read the book if she had been at home last night. 10. These boys talk as if they read the book yesterday.

Composición (Optional)

1. If I wanted to take a trip to Spain, my uncle would give me a thousand dollars. 2. If I were in your place, I would go to South America. 3. I should like [it] if I could go to Peru. 4. You could visit all the South American countries if you had more time. 5. If I could speak Spanish, a friend of my cousins would give me a job in Argentina. 6. I want to work in (with) a company that has many branches. 7. It would be easier to get a job if I had studied agriculture and economics. 8. Were you thinking of the job that Robert has obtained ? 9. He hoped to be in a place where there would be (*use imp. subj. of* **haber**) painters and artists. 10. If he were in San Miguel de Allende, he would meet them. 11. They say that there is no better place for those who have an interest

in art. 12. My Mexican friends would agree if you had said that to them. 13. It is impossible for me to make the trip this year. 14. Don't talk to me as if I were rich. 15. I have to earn my living.

Para practicar

a. Repeat each sentence after your teacher, then make the substitutions given:

1. Si mi padre me diera más dinero, podría comprar muchas cosas.
   compraría un abrigo.
   haría un viaje a México.
   iría al cine todas las noches.
   no tendría que trabajar mucho.

2. Si Vd. viviera aquí, pasaríamos mucho tiempo escuchando discos.
   Si Vd. no trabajara,
   Si Vd. tuviera interés por la música,
   Si Vd. quisiera conocer la música española,
   Si Vd. pasara la noche conmigo,

3. Si tuviesen un coche, darían muchos paseos en él.
   nos llevarían a la escuela.
   tendrían menos dinero.
   irían al campo los sábados.
   harían un viaje a la Florida.

4. Iríamos a Chile si habláramos español.
   si hubiéramos estudiado economía política.
   si supiéramos algo de agricultura.
   si pudiéramos visitar los otros países.
   si tuviéramos bastante dinero.

b. Explique Vd. qué haría o a dónde iría si tuviera el dinero o si tuviera el tiempo.

(*Left*) *From a mural by Diego Rivera in the Secretary of Public Instruction Building, Mexico City. The rural school teacher of Mexico distributes books to children, workmen, laborers, soldiers, and Indian women so that everyone may learn to read and write. (Below) "Obreros" (Workmen), from a mural by José Clemente Orozco.*

Lección diez y ocho

Problemas de un joven pintor

Roberto. Pablo, he pensado más en lo que te dije ayer. Insisto en que hagas planes para ir a México en abril o mayo. Eso te daría bastante tiempo para hacer tus preparativos, ¿ no ?

Pablo. ¡ Ojalá pudiera hacer el viaje! Si alguien me prestara dinero, tal vez podría pasar unas semanas allí. Pero . . . 5

Roberto. Un momento. Debes recordar que tu tío mismo se interesa mucho por el arte. Sin duda te prestaría dinero si se lo pidieras.

Pablo. Pues, lo malo es que tengo muchos problemas que considerar. Aunque consienta en prestarme el dinero, le he prometido al señor Díaz trabajar en su oficina hasta principios de junio. Además 10 de eso, me falta ropa.

Roberto. ¡ Quiá, hombre! Ya tienes bastante ropa. Podrías alojarte conmigo si logro hallar buena habitación con una familia mexicana. Si tomo el desayuno y la cena en casa, costará mucho menos. Tú podrías hacer lo mismo. Además, si se lo [1] explicaras 15 todo al señor Díaz, estoy seguro de que te dejaría ir antes de junio. Te recomiendo que hables con él en seguida.

Pablo. No sé qué hacer. Será posible llegar a conocer a algunos pintores mexicanos, ¿ verdad ?

Roberto. ¡ Por supuesto! Para ti lo importante es ir a México. Te 20 aconsejo que vayas, venga lo que venga. Al volver acá, podrás vender algunas pinturas, y así pagarás la mayor parte de tus gastos.

Pablo. Pues, voy a hablar con mi tío. Claro que no podré ir si no me presta el dinero. Pero ya se hace tarde, Roberto. Sé bien lo 25 cansado que estarás mañana cuando suene el despertador.

Roberto. Es cierto. Hoy me he cansado mucho, y debiera acostarme en seguida. Sin embargo, no puedo creer que sea imposible que vayas a México. Quizás podamos hablar más antes que me marche, si no, nos escribiremos. 30

Pablo. ¡ Cómo no! Debes escribirme lo más pronto posible. Pues, buenas noches. Que duermas bien.

Roberto. Muchas gracias. Nos vemos.

---

[1] When **todo** is used as the direct object of the verb, the pronoun **lo** is also expressed before the verb.

Vocabulario

NOMBRES

el gasto *expense*
la habitación (*pl.* habitaciones) *room*
la pintura *painting*
el principio *beginning*
el problema (*note gender*) *problem*

ADVERBIOS

acá *here*
quizá(s) *perhaps*

EXCLAMACIÓN

¡ quiá ! *nonsense!*

VERBOS

alojarse *to lodge, live*
consentir (ie,i) en *to consent to*
considerar *to consider*
interesar *to interest*
lograr (+ *inf.*) *to succeed in* (+ *pres. part.*)

EXPRESIONES

claro que (+ *verb*) *of course*
dejar ir a uno *to allow (permit) one to go, let one go*
hasta principios de *until the beginning (first) of*
interesarse (mucho) por *to be (very) interested in*
llegar a conocer *to come (get) to know*
¡ ojalá (que) ! *would that! I wish that!*
se hace tarde *it's getting late*
venga lo que venga *come what may*

Preguntas

A. Answer in Spanish these questions based on the dialogue:

1. ¿ Quiénes están hablando ? 2. ¿ En qué insiste Roberto ? 3. ¿ Qué contesta Pablo ? 4. ¿ Qué podría hacer si alguien le prestara dinero ? 5. Según Roberto, ¿ quién le prestaría dinero a Pablo ? 6. ¿ Qué le ha prometido Pablo al señor Díaz ? 7. ¿ Qué le falta a Pablo ? 8. ¿ Dónde podría alojarse Pablo ? 9. ¿ Qué le recomienda Roberto ? 10. ¿ Qué podrá vender Pablo al volver a casa ? 11. ¿ Va a hablar Pablo con su tío ? 12. ¿ Por qué debiera acostarse Roberto ? 13. ¿ Qué harán los dos si no pueden hablar más ? 14. ¿ Cuándo debe escribirle Roberto a Pablo ? 15. ¿ Qué dice Pablo antes de salir ? 16. ¿ Qué contesta Roberto ?

B. Cuestionario personal

1. ¿ Es Vd. pintor ? 2. ¿ Qué hace un pintor ? 3. ¿ Qué vende un pintor ? 4. ¿ Se interesa Vd. por el arte ? 5. ¿ Hay un museo de arte en esta ciudad ? 6. ¿ Hay clases de arte en esta escuela ? 7. ¿ Hay pinturas en las paredes de esta sala de clase ? 8. ¿ Ha visto Vd. algunas pinturas españolas ? 9. ¿ Ha visto Vd. algunas pinturas mexicanas ? 10. ¿ Le gustaría a Vd. tener una pintura española ?

"The Garden of Art," at the corner of the *Paseo de la Reforma and Avenida In-
surgentes in Mexico City welcomes many visitors of all ages every Sunday morning.*

Gramática

1. The imperfect subjunctive of stem-changing verbs, classes II and III

Inf.	*3rd pl. pret.*	*Imperfect subjunctive*	
sentir	sintieron	sintiera, –ras, etc.	sintiese, –ses, etc.
dormir	durmieron	durmiera, –ras, etc.	durmiese, –ses, etc.
pedir	pidieron	pidiera, –ras, etc.	pidiese, –ses, etc.

Since stem-changing verbs, Classes II and III, change **e** to **i** and **o** to **u** in the third person singular and plural of the preterite, this change also occurs throughout the imperfect subjunctive.

2. Other uses of the subjunctive

a. Quiero acompañarle a Vd.	I want to accompany you. (*Strong wish*)
Quisiera acompañarle.	I should like to accompany you. (*Milder wish*)
Debo pagarle.	I must (ought to) pay him. (*Strong obligation*)
Debiera pagarle ahora.	I should pay him now. (*Milder obligation*)

The –ra imperfect subjunctive forms of **querer, deber,** and occasionally **poder,** are often used to make a statement milder or more polite.[1]

b. Tal vez lo ha terminado.	Perhaps he has finished it.
Quizás podamos dormir ahora.	Perhaps we may be able to sleep now.
Tal vez no vuelva esta noche.	Perhaps he may not return tonight.

The indicative is used after **tal vez, quizá(s),** *perhaps,* when certainty is expressed or implied. However, the subjunctive is used when doubt or uncertainty is implied.

c. ¡ Ojalá (que) yo pudiera hacerlo !	Would that I could do it !
¡ Ojalá (que) la hubieran visto !	I wish that they had seen it !

In exclamatory wishes **¡ Ojalá (que) !** *would (oh) that! I wish that!* is regularly followed by the imperfect subjunctive to refer to the present, and by the pluperfect subjunctive to refer to past time.

3. The neuter lo

Prefiere lo bueno a lo malo.	He prefers the good (the good part, what is good) to the bad.
Lo importante es ir a México.	The important thing (What is important) is to go to Mexico.
Hizo lo mismo.	He did the same thing.
Lea Vd. lo escrito.	Read what is written.

[1] This is the other exception to the rule about the use of the two imperfect subj. tenses.

The neuter article **lo** is used with masculine singular adjectives and past participles to form a noun phrase. The word *part* or *thing* is often a part of the phrase in English.

Sé lo cansados que están.	I know how tired they are.
Debes escribirme lo más pronto posible.	You must write me as soon as possible (the soonest possible).

The neuter form **lo** is used with all forms of adjectives and adverbs followed by **que** to express *how*.

The neuter **lo** is used with the superlative form of an adverb when an expression of possibility follows (last example).

4. SPECIAL USE OF PLURAL REFLEXIVE PRONOUNS

Nos vemos.	We'll be seeing one another (each other).
Se miraron.	They looked at each other.
Nos escribiremos.	We shall write to one another.

The plural forms of the reflexive pronouns (**nos, os, se**) may be used with verbs to translate *each other, one another*.

Ejercicios

a. Read in Spanish, then read again changing the main verb from the present indicative to the preterite and the verb in the clause from the present subjunctive to the imperfect subjunctive:

1. Mi padre *insiste* en que yo no le *pida* nada a mi hermano.   2. No *consiente* en que *hagamos* el viaje este verano.   3. *Recomienda* que Ricardo *busque* un nuevo puesto.   4. Me *aconseja* que me *duerma* en seguida.   5. Él y mi padre *dudan* que yo *esté* bien.   6. Les *sorprende* que Ricardo y yo *queramos* hacer tantas cosas.   7. Nunca nos *quedamos* en casa a menos que alguien *esté* enfermo. 8. Nos *piden* que *volvamos* a casa antes de las diez de la noche.

b. Supply the correct form of the imperfect subjunctive of the verb in parentheses:

1. Yo (querer) hacer el viaje este año.   2. Ramón me dijo que era posible que él y Felipe (poder) ir conmigo.   3. Dijo que tal vez nos (acompañar) Roberto también.   4. ¡ Ojalá (que) nosotros (tener) oportunidad de conseguir puestos allí !   5. Mi padre se alegraba de que el señor Romero le (haber) dado a Ramón un coche nuevo.   6. Era lástima que (ser) tan grande.   7. Yo tenía miedo de que nos (costar) mucho usarlo.   8. ¡ Ojalá que Roberto no (haber) vendido ese coche pequeño !   9. Yo (deber) escribir a mi abuelo.   10. Yo (querer) hacerlo ahora.   11. Pero mis padres (querer) que yo (esperar) hasta mañana.   12. Mamá dijo que quizás entonces nosotros (tener) mejor idea de nuestros planes.

The Hotel Jaragua, one of the luxury hotels in Santo Domingo, capital of the Dominican Republic.

c. Read each pair of sentences, noting the difference in meaning of the italicized words:

1. Es un restaurante *malo*. *Lo malo* es que no hay otro bueno. 2. ¿ Están Vds. *cansados?* Sí, nunca sabrás *lo cansados que* estamos. 3. ¿ Quiénes *lo* hicieron? *Lo que* han hecho es bueno. 4. Lo hicieron *el mismo día*. Hicimos *lo mismo*. 5. Me dijo *lo interesante que* era el libro. *¡ Qué interesante!* A mí no me gustó. 6. *Nos* escribieron el domingo. *Nos* escribimos todos los domingos. 7. ¿ Dónde *se vieron* Vd. y Juan? *Nos vimos* en el centro. 8. ¿ Qué *les* prometieron los dos hombres? No *se* prometieron nada. 9. Éste es *el mejor* de todos. *Lo mejor* es que nos gustan todos. 10. ¿ Has *escrito* la carta? ¿ Quieres leer *lo escrito?*

d. Read in Spanish, then repeat, changing the main verb to the present indicative and the verb in the clause to the present subjunctive:

1. No había nadie que durmiera tanto como él. 2. ¿ Conocía Vd. a alguien que pidiera más favores? 3. Yo esperaba que María se vistiera en seguida. 4. Nos alegrábamos de que José se sintiera mejor. 5. Insistían en que no les pidiéramos nada. 6. Temían que no me divirtiera mucho. 7. Siempre les pedíamos que se durmieran temprano. 8. Buscaban una muchacha que sirviera la mesa. 9. ¿ Por qué no creían que yo recomendara eso? 10. Era posible que no lograsen alojarse allí.

204

The cathedral Santa María the Minor, Primate of America, in Santo Domingo, presents a striking contrast to the modern hotel on the opposite page.

e. Give these pairs of sentences in Spanish:

1. Can you lend me the money ? Could you lend me the money ?
2. Will you (Do you want to) go to the movie now ? Would you like to go to the movie now ?
3. Will you (*fam. sing.*) wait a while ? Would you like to wait a while ?
4. Must you return home early ? Should you return home early ?
5. Must we write to them tonight ? Should we write to them tonight ?
6. Would (I wish) that he might come ! Would that he had come !
7. He writes to her often. They write to each other often.
8. We were talking in Spanish. We were talking to one another in Spanish.

Composición (Optional)

1. What did you tell me yesterday ? 2. I told you that I was making plans (in order) to go to Mexico in July. 3. Does that give you enough time to make your preparations ? 4. Of course! And if you could go with me we could spend several weeks traveling. 5. You must remember that when I go, my uncle George will go with me. 6. Besides, I have promised to work in Mr. Díaz's office until the fifteenth of August. 7. But if we were to explain it all to Mr. Díaz, wouldn't he let you go with me ? 8. I am not sure that he will permit it. 9. He doubts that it is important for me to travel. 10. Isn't he interested in art ? 11. Not at all, and he doubts that my paintings will be worth much. 12. If he

205

were acquainted with the great artists of the world, he would understand why
you want to paint. 13. Well, what he believes and what I want to do are not
the same thing. 14. You will never know how difficult it is ! 15. Would that
you could spend more time talking to him about Mexico !

Para practicar

a. La ropa

el cuello *collar*	la pana *corduroy*
la chaqueta *jacket*	los pantalones cortos *shorts, trunks*
el charol *patent leather*	el raso *satin*
el encaje *lace*	la seda *silk*
la franela *flannel*	el smoking *smoking jacket*
la funda *slip*	la tafetán *taffeta*
la gabardina *gabardine*	el terciopelo *velvet*
los géneros *materials*	el traje de etiqueta *formal attire*
la gorra *cap*	el traje de noche *evening dress*
el lino *linen*	

a cuadritos *checked*	de (con) tacón de piso *low (flat)-heeled*
a cuadros *plaid*	llevar *to wear*
de color café (claro) *(light) brown*	plegado, –a *pleated*
de (con) tacón alto *high-heeled*	rayado, –a *striped*

1. Practice putting articles of clothing, materials, and colors together in
phrases. Examples:

un traje de lana gris *a gray wool suit*

una camisa de algodón azul *a blue cotton shirt*

una falda plegada *a pleated skirt*

un abrigo de gabardina de color café claro *a light brown gabardine coat*

2. Now try describing your favorite outfit, one that you would like to have,
or the attire of one of your classmates. You might describe a boy's outfit in
this way: **Lleva (Usa) camisa de algodón azul, pantalones de pana gris y zapatos
y cinturón de cuero de color café.** A girl might be described: **Lleva (Usa) blusa
blanca, falda de lana verde, medias de nilón y zapatos de tacón de piso.**

b. Substitution drill. Say each sentence in Spanish, then repeat, substituting
the words in parentheses for the words in italics:

1. Quisiera comprar una chaqueta de *franela.*
    (gabardina, lana, pana)

2. Debiera buscar una blusa de *lino.*
    (seda, raso, tafetán)

3. No me gustan estos zapatos. ¡ Ojalá fueran de *cuero !*
    (charol, lino, raso)

4. Necesito un traje de noche. Tal vez pueda hallar una de *seda.*
    (tafetán, terciopelo, raso)

At the end of Cristo Street in the old section of San Juan, Puerto Rico, stands the beautiful small Santo Cristo Chapel.

5. No me probé ningún vestido que tuviera *cuello de encaje.*
    (mangas largas, cinturón de cuero, falda plegada)

6. *Lo malo* es que insisten en eso.
    (Lo importante, Lo extraño, Lo bueno)

7. *Insistí en* que sirvieran café.
    (Quisiera, Les pedí, No fue necesario)

8. ¡ Ojalá que Juanito *durmiera bien!*
    (no me pidiese eso, se vistiese pronto, no hubiese salido)

c. Su amigo Carlos insiste en que Vd. le acompañe a visitar a sus abuelos. Explique Vd. por qué Vd. quiere quedarse en casa. ¿ Su club va a celebrar una fiesta ? ¿ Sus tíos vienen de Puerto Rico a visitarlos ? ¿ Su padre va a comprar un coche nuevo ? ¿ Su madre va a celebrar su cumpleaños ? ¿ Qué otra cosa ?

(Top) Murals cover the walls of the tunnel between the Pan American Union Administration building and the main building, Washington, D.C. (Bottom) The Uruguyan artist Carlos Páez Vilaró completed the mural "Roots of Peace" in twenty-seven days (June, 1960).

LECTURA VI

Las artes hispanoamericanas

En gran parte de la América española el arte moderno es frecuentemente la expresión de ideas de reforma social. En México, por ejemplo, pintores como Diego Rivera, Orozco, Siqueiros, Covarrubias y otros han encontrado inspiración para sus obras en las ideas de la Revolución de 1910. Rivera y Orozco han sido los maestros de la decoración mural y han producido una 5 larga serie de frescos que adornan los muros de muchos edificios públicos. Las artes, las fiestas populares, la vida de los nativos y las nuevas ideas sociales les han proporcionado una gran variedad de temas.

Las ideas políticas y sociales de Diego Rivera le llevaron a hacer de sus murales un medio de propaganda. La enorme composición que se en- 10 cuentra en la escalera del Palacio Nacional de México tiene como tema la historia del país y sus luchas sociales desde la época prehispánica hasta la contemporánea. Expone también la visión de un futuro ideal. Naturalmente no toda la gente está de acuerdo con las ideas que Rivera expresó en sus obras. 15

El hombre y el mundo del siglo XX han sido también el tema general de José Clemente Orozco, que se interesó especialmente por la miseria humana y los aspectos más sórdidos de la vida mexicana. Se ha dicho que ningún otro pintor ha llegado a expresar como Orozco el aspecto eterno, humano y trágico de las luchas sociales de un país. 20

Muchos de los pintores mexicanos contemporáneos han pintado frescos en los Estados Unidos, donde han ejercido gran influencia en la pintura de este país. Entre éstos está Rufino Tamayo, que hoy día es considerado como uno de los mejores artistas mexicanos.

Hacia 1920 empezó también en el Perú un movimiento indígena en el 25 arte, pero no tan fuerte como en México a pesar de haber recibido gran influencia mexicana.

José Sabogal, a la cabeza de la nueva expresión artística del Perú, ha buscado su inspiración en el paisaje, en los tipos indígenas y en las regiones rurales de su país. Aunque ha interpretado la vida a través de los ojos del 30 indio, empleando como fondo los majestuosos Andes, en sus pinturas no se observa nada de propaganda, como en los artistas mexicanos. También ha tenido mucho éxito con sus obras en blanco y negro.

En todos los países hispanoamericanos se encuentran artistas de gran mérito que están buscando nuevas maneras de interpretar sus respectivas 35 regiones, pero aquí no podemos mencionar otros.

*(Right) Modern buildings in Guatemala City.
(Below) The new Central Bank contrasts with an
ancient tower in Tegucigalpa, Honduras.*

El amor por la música es característica de toda la América latina.   A
través de los siglos ha habido [1] dos tendencias: la popular, que es la expresión de las masas, y la culta, que muestra gran influencia europea.

Las variedades de música popular son infinitas; cada país tiene una rica
5 tradición musical con características especiales.   La rumba, la conga y
otras formas de música popular de Cuba y de las otras islas del Mar Caribe,
con una fuerte influencia africana, se han difundido por toda América,
especialmente por los Estados Unidos.   En los países con gran población
indígena es esta influencia la que más destaca.

[1] ha habido, *there have been.*

210

"The Return of Quetzalcóatl," by Chávez Morado, is a glass mosaic mural which rises above a pool and faces the court of the Science Faculties at the National University of Mexico.

These beautiful rugs, with dozens of brilliant colors and intricate patterns, are made entirely by hand by Puerto Rican artisans. This is only one of more than 600 U.S.-owned factories which are buzzing in the busy Commonwealth.

En el período contemporáneo muchos compositores, como el cubano Ernesto Lecuona, el pianista chileno Claudio Arrau, el argentino Juan Carlos Paz, el uruguayo Eduardo Fabini, y los mexicanos Manuel Ponce y Carlos Chávez, han tenido gran éxito en el desarrollo de temas autén-
5 ticamente americanos en sus obras.

Carlos Chávez es el fundador de la Orquesta Sinfónica de México. Convencido de la existencia de una música mexicana con carácter y vigor propios, Chávez se ha dedicado a integrar las varias fuentes de la verdadera tradición nacional. Aunque la esencia de su música es mexicana, sus temas
10 son originales y el elemento indígena se encuentra perfectamente asimilado. Su genio inventivo le ha ganado un lugar prominente en el mundo musical.

Hoy día por medio de los programas de radio y de televisión conocemos mucho mejor la música popular y tradicional de nuestros vecinos al sur.

En los años recientes la arquitectura ha tenido un renacimiento en toda
15 la América española. En todas las ciudades grandes vemos edificios de despachos, casas de apartamientos, escuelas, hoteles, casas particulares [1] y demás de diseños avanzados y originales. Un buen ejemplo de la arquitectura contemporánea es la nueva Ciudad Universitaria de México. Grandes mosaicos y pinturas cubren los muros de algunos de los edificios.
20 No sólo en México, sino también en Caracas, Bogotá, Santiago, Buenos Aires y en otras ciudades, se encuentran nuevos estilos de arquitectura en fuerte y atractivo contraste con las antiguas construcciones de la época hispánica.

MODISMOS

por ejemplo *for example*   tener (mucho) éxito *to be (very) successful*

PREGUNTAS

1. ¿ Qué es el arte moderno en gran parte de la América española ? 2. ¿ Quiénes son algunos pintores mexicanos ? 3. ¿ Qué han producido Rivera y Orozco ? 4. ¿ Qué les ha proporcionado muchos temas ? 5. ¿ Dónde se encuentra una enorme composición de Rivera ? 6. ¿ Qué ha sido el tema general de Orozco ? 7. ¿ Han pintado frescos en los Estados Unidos estos pintores mexicanos ? 8. ¿Quién es considerado uno de los mejores artistas mexicanos hoy día ?

9. ¿ En qué otro país hispanoamericano ha habido un movimiento indígena en el arte ? 10. ¿ Quién es un famoso artista peruano ? 11. ¿ En qué ha buscado su inspiración ?

12. ¿ Hay mucho amor por la música en la América latina ? 13. ¿ Qué formas de música han venido del Mar Caribe ? 14. ¿ Qué influencia ha sido

---

[1] particulares, *private*.

fuerte en esta música ? 15. ¿ Quiénes son algunos compositores contemporáneos ? 16. ¿ Quién es el fundador de la Orquesta Sinfónica mexicana ?

17. ¿ Qué edificios vemos en las ciudades grandes ? 18. ¿ Cuál es un buen ejemplo de la arquitectura contemporánea mexicana ? 19. ¿ Qué cubren los muros de algunos de los edificios ? 20. ¿ En qué otras ciudades se encuentran nuevos estilos de arquitectura ?

ESTUDIO DE PALABRAS

a. *In this selection find words related to:* pintar, arte, paisaje, expresar, carácter, composición, música, tradicional.

b. *Find words which illustrate:* Spanish **–dad** = English *–ty;* **–ción** = *–tion;* **–ia, –io** = *–y;* **–encia** = *–ence.*

c. *Give the name of the native of:* México, la Argentina, Chile, el Uruguay, Cuba, América, Venezuela, Europa.

d. *Pronounce the following and note the English meaning:* sórdido, *sordid;* movimiento, *movement;* carácter, *character;* esencia, *essence;* reciente, *recent;* arquitectura, *architecture;* época, *epoch;* diseño, *design;* majestuoso, *majestic;* mosaico, *mosaic;* avanzado, *advanced.*

REPASO

1. Muchos artistas hispanoamericanos usan el arte moderno para expresar sus ideas de ——.

2. Cuatro famosos pintores de México son ——.

3. Entre los varios temas de los muchos frescos de Rivera y de Orozco se encuentran ——.

4. —— hizo de sus murales un medio de propaganda.

5. José Clemente Orozco se interesó especialmente por ——.

6. Uno de los mejores artistas mexicanos de la época actual es ——.

7. Con los Andes como fondo, —— ha interpretado la vida a través de los ojos del indio peruano.

8. Dos formas de música popular del Mar Caribe son ——.

9. Claudio Arrau, un famoso pianista, es de ——.

10. ——, fundador de la Orquesta Sinfónica de México, ocupa un lugar importante en el mundo musical.

11. Escuchando programas de —— y de —— conocemos mejor la música de nuestros vecinos latinoamericanos.

12. La nueva —— es un buen ejemplo de la arquitectura contemporánea.

13. Grandes —— y —— cubren los muros de algunos de los edificios.

14. También se encuentran nuevos estilos de arquitectura en ciudades como ——.

15. Los edificios nuevos ofrecen un fuerte contraste con las antiguas construcciones de ——.

Juan Valera (1827-1905), best known for his novels which dealt with his native region of Andalusia in southern Spain, was also a poet, critic and writer of short stories. In the latter he preferred to use traditional folklore material.

El tío Cándido era natural y vecino de la ciudad de Carmona. Tal vez no le dieron el nombre de Cándido cuando nació, pero todos los que le conocían le llamaban Cándido porque lo era en extremo.[2] En toda Andalucía no era posible hallar sujeto más inocente y sencillo.

5 Además, era muy bueno y generoso y todo el mundo le quería. Como había heredado de su padre un pedacito de tierra, un pequeño olivar y una casita en el pueblo, y como no tenía hijos, aunque estaba casado, vivía cómodamente.

Con su buena vida se había puesto muy gordo. Solía ir a ver su olivar, 10 montado en un hermoso burro que poseía; pero el tío Cándido era muy bueno, pesaba mucho, no quería cansar demasiado al burro y le gustaba hacer ejercicio[3] para no ponerse más gordo. Así es que había tomado la costumbre de andar a pie parte del camino, llevando al burro detrás, por una cuerda.

15 Ciertos estudiantes pobres le vieron pasar un día a pie cuando volvía a su pueblo. Iba el tío Cándido tan distraído que no observó a los estudiantes.

Uno de éstos, que le conocía de vista y de nombre[4] y sabía que era inocente y sencillo, propuso a sus amigos que hiciesen al tío Cándido una 20 burla. Decidieron robarle el burro. Dos estudiantes se acercaron en gran silencio, le quitaron la cuerda al burro[5] y desaparecieron con él, mientras que otro siguió al tío Cándido llevando la cuerda en la mano.

Al poco rato tiró suavemente de la cuerda. Volvió el tío Cándido la cara y se quedó asombrado al ver que, en lugar de llevar el burro, llevaba a 25 un estudiante.

Éste suspiró y exclamó:

— ¡ Alabado sea Dios ![6]

— ¡ Por siempre bendito y alabado ![7] — dijo el tío Cándido.

Y el estudiante continuó:

30 — Perdóneme Vd., tío Cándido, el daño que sin querer le he hecho. Yo era un estudiante malo y jugaba mucho. Cada día estudiaba menos. Muy indignado mi padre, me maldijo[8] diciéndome: « Eres un burro y debieras convertirte en burro. » Dicho y hecho.[9] Apenas mi padre pronunció esas

---

[1] Quien . . . compre, *Let someone who does not know you buy you.*   [2] lo era en extremo, *he was extremely so (i.e., candid, innocent).*   [3] hacer ejercicio, *to (take) exercise.*   [4] de vista y de nombre, *by sight and name.*   [5] le quitaron la cuerda al burro, *they took the rope off the burro.* [6] ¡ Alabado sea Dios ! *God be praised!*   [7] ¡ Por siempre . . . alabado ! *Forever blessed and praised!* (*The customary reply to the preceding exclamation.*)   [8] me maldijo, *put a curse on me.* [9] Dicho y hecho, *No sooner said than done.*

palabras, me puse en cuatro patas[1] sin poderlo remediar y me vi convertido en burro. Cuatro años he vivido en forma de burro, y en este mismo momento acabo de recobrar mi figura y condición de hombre.

Aunque le sorprendió mucho la historia del estudiante, el tío Cándido le perdonó el daño y le dijo que fuese en seguida a presentarse a su padre. Sin esperar más, el estudiante se despidió del pobre hombre con lágrimas en los ojos y tratando de besarle la mano por la merced que le había hecho.

Muy contento de su obra de caridad, el tío Cándido volvió a su casita sin burro, pero no quiso decir lo que le había pasado porque el estudiante le rogó que guardase el secreto. Dijo que si se supiera[2] que él había sido burro, volvería a serlo[3] o la gente seguiría diciendo que lo era, y tal vez impediría que llegase a tomar su doctorado,[4] como era su propósito.

Pasó algún tiempo y el tío Cándido fue a una feria para comprar otro burro. Un gitano se acercó a él, le dijo que tenía un burro que vender y le llevó para que lo viera.

¡ Qué sorpresa cuando reconoció en el burro que el gitano quería venderle su propio burro que se había convertido en estudiante ! Entonces dijo para sí:

— Sin duda este pobrecito, en vez de aplicarse, ha vuelto a su mala vida, y su padre le ha convertido en burro de nuevo.

Luego, acercándose al burro y hablándole en voz baja, pronunció estas palabras, que han quedado como refrán:[5]

— Quien no te conozca que te compre.

MODISMOS

decir para sí *to say to oneself*	ponerse (+ *adj.*) *to become*
en lugar de *in place of, instead of*	querer (+ *a person*) *to like, love*
hacer daño a *to harm, do (cause) harm to*	sin querer *unintentionally*
hacer una burla a *to play a trick on*	

PREGUNTAS

1. ¿ Dónde vivía el tío Cándido ? 2. ¿ Cómo era ? 3. ¿ Cómo se había puesto ? 4. ¿ Quiénes le vieron pasar un día ? 5. ¿ Qué llevaba ? 6. ¿ Qué hicieron los estudiantes ? 7. ¿ Qué explicó el estudiante al tío Cándido ? 8. ¿ Qué hizo el tío Cándido ? 9. ¿ Por qué debía guardar el secreto ? 10. ¿ Por qué fue a la feria ? 11. ¿ Quién se acercó a él ? 12. ¿ Qué tenía el gitano ? 13. ¿ Qué vio el tío Cándido ? 14. ¿ Qué creyó ? 15. ¿ Qué pronunció en voz baja ?

---

[1] en cuatro patas, *on all fours.* [2] si se supiera, *if it were known.* [3] volvería a serlo, *he would be one again.* [4] impediría ... doctorado, *it would prevent his getting his doctor's degree (doctorate).* [5] refrán, *proverb.*

Avenida Roosevelt, the principal street of Nicaragua's capital, Managua, leads from the modernistic memorial to Franklin D. Roosevelt to the shore of Lake Managua.

Lección diez y nueve

Una mañana en casa

Roberto está durmiendo tan profundamente que no oye el despertador. Por lo tanto su hermano Miguel, que ya se ha levantado, trata de despertarle.

Miguel. Roberto, levántate de prisa porque ya es tarde.

Roberto. Vete, no me molestes.

Miguel. ¡ Son casi las ocho ! No te olvides de que debes estar en la oficina 5
del señor Ortiz a las nueve. Recuerda que hoy tienes que hacer
un millón de cosas. *(Por fin se despierta Roberto.)*

Roberto. ¿ Qué hora será ? Dime la verdad. Estoy tan cansado que
quisiera dormir por lo menos hasta el mediodía.

Miguel. ¡ Oye, hombre ! Date prisa. Ya te he dicho que son casi las ocho. 10
Levántate y vístete en seguida. Yo ya me he afeitado y me he
vestido.

Miguel se limpia los zapatos y se cepilla el abrigo mientras Roberto se levanta, se afeita y se viste. No tienen que peinarse porque tienen el pelo muy corto. Luego bajan al comedor donde ya está preparado el desayuno. Se desayunan despacio, 15 hablando como si Roberto no tuviese nada que hacer. De repente su mamá les dice que si continúan charlando, van a perder el autobús.

Miguel. ¿ Cuánto tiempo nos queda, mamá ?

Mamá. Solamente cinco minutos.

Miguel. ¡ Por Dios ! ¡ Ven, Roberto ! ¡ Ponte el sombrero y el abrigo ! 20
¡ Vámonos ahora mismo ! Tendremos que correr para llegar a la
esquina a tiempo.

Roberto. Espera un momento, Miguel. ¿ Dónde estará mi libreta de
cheques ? Ah, ya recuerdo. Está en el bolsillo del saco que llevé
ayer. Iré por ella. 25

Miguel. Pues, ya no podemos coger el autobús. Tendremos que llamar un
taxi si no queremos llegar tarde.

Roberto. Esperemos hasta que venga otro autobús. No es preciso estar en
la oficina del señor Ortiz a las nueve en punto porque solamente
quiere despedirse de mí. 30

Miguel. ¡ Caramba ! ¿ Por qué no me dijiste eso antes ? Entonces, como
el próximo autobús tarda quince minutos en llegar, puedo dar una
ojeada al periódico.

Roberto. Y yo voy a tomar otra taza de café.

217

Vocabulario

NOMBRES

el bolsillo *pocket*
la libreta de cheques *checkbook*
la ojeada *glance*

ADJETIVO

próximo, –a *next*

ADVERBIO

profundamente *deeply, soundly*

VERBOS

afeitarse *to shave*
cepillar *to brush*
coger (j) *to catch; pick, gather*
despertar (ie) *to wake up, awaken; (reflex.)
  wake (oneself) up*
peinarse *to comb one's hair*

EXPRESIONES

¡caramba! *gosh!*
dar una ojeada a *to glance at*
de prisa *quickly, in a hurry*
de repente *suddenly*
¡oye! *listen!*

perder (ie) (el autobús) *to miss (the bus)*
por lo menos *at least*
por lo tanto *therefore*
un millón de (cosas) *many (things)*

Preguntas

A. Answer in Spanish these questions based on the dialogue:

1. ¿Por qué no oye Roberto el despertador? 2. ¿Cómo se llama su hermano? 3. ¿Qué dice Miguel cuando trata de despertar a Roberto? 4. ¿Qué contesta Roberto? 5. ¿Qué hora es? 6. ¿Dónde tiene que estar Roberto a las nueve? 7. ¿Qué quisiera hacer Roberto? 8. ¿Ya se ha afeitado Miguel? 9. ¿Qué hace Miguel mientras Roberto se levanta y se viste? 10. ¿Qué hacen los dos por fin? 11. ¿Se desayunan de prisa? 12. ¿Qué dice su mamá de repente? 13. ¿Cuánto tiempo les queda? 14. ¿Qué dice Miguel? 15. ¿Qué tiene que buscar Roberto? 16. Según Miguel, ¿qué tendrán que tomar si no quieren llegar tarde? 17. ¿Qué dice Roberto a esto? 18. ¿Cuánto tiempo tardará en llegar el próximo autobús? 19. ¿Qué puede hacer Miguel? 20. ¿Y qué va a hacer Roberto?

B. Cuestionario personal

1. ¿Tiene Vd. despertador? 2. ¿Siempre lo oye cuando suena? 3. Si no lo oye Vd., ¿quien le (la) despierta? 4. ¿Duerme Vd. a veces hasta el mediodía? 5. ¿Se viste Vd. de prisa todas las mañanas? 6. ¿Tiene Vd. que peinarse? 7. ¿Se limpia Vd. los zapatos todas las mañanas? 8. ¿Se da Vd. prisa cuando se levanta tarde? 9. ¿Dónde come Vd.? 10. ¿Quién le prepara el desayuno? 11. ¿Toma Vd. café para el desayuno? 12. ¿Toma Vd. más de una taza? 13. ¿Toma Vd. un autobús para venir a la escuela? 14. ¿Lo pierde Vd. a veces? 15. ¿Qué hora es? 16. ¿A qué hora empieza esta clase? 17. ¿A qué hora termina? 18. ¿A qué hora vuelve a casa? 19. ¿Llega Vd. tarde a veces? 20. ¿A qué hora se acuesta Vd.?

Gramática

1. FAMILIAR COMMANDS

a. Familiar singular commands:

Inf.	Affirmative		Negative	
hablar	habla (tú)	speak	no hables (tú)	don't speak
comer	come (tú)	eat	no comas (tú)	don't eat
escribir	escribe (tú)	write	no escribas (tú)	don't write
volver	vuelve (tú)	return	no vuelvas (tú)	don't return
pensar	piensa (tú)	think	no pienses (tú)	don't think
dormir	duerme (tú)	sleep	no duermas (tú)	don't sleep
pedir	pide (tú)	ask	no pidas (tú)	don't ask
coger	coge (tú)	catch	no cojas (tú)	don't catch

The affirmative familiar singular command has the same form as the third singular of the present indicative tense in all verbs, except the ten listed below. This form is often called the singular imperative.

The negative familiar singular command is the familiar second person singular of the present subjunctive. The pronoun **tú** is omitted, except for emphasis.

The ten verbs which have irregular familiar singular command forms are:

decir:	di	no digas	salir:	sal	no salgas
haber:	he	no hayas	ser:	sé	no seas
hacer:	haz	no hagas	tener:	ten	no tengas
ir:	ve	no vayas	valer:	val	no valgas
poner:	pon	no pongas	venir:	ven	no vengas

With reflexive verbs the pronoun **te** must be attached to affirmative familiar commands and it must precede the verb in negative commands. An accent mark must be written when **te** is added to a singular command form of more than one syllable:

levantarse	levántate (tú)	get up	no te levantes (tú)	don't get up
sentarse	siéntate (tú)	sit down	no te sientes (tú)	don't sit down
vestirse	vístete (tú)	get dressed	no te vistas (tú)	don't get dressed
irse	vete (tú)	go away	no te vayas (tú)	don't go away
ponerse	ponte (tú)	put on	no te pongas (tú)	don't put on

Remember that the third person singular and plural forms of the present subjunctive are used for polite commands, affirmative and negative: **Hable Vd., no hable Vd., hablen Vds., no hablen Vds.**

b. Familiar plural commands:

As stated earlier, in most Spanish American countries the polite commands with **Vds.** are normally used in familiar plural address. Since you will be reading material from Spain in which the plural familiar forms may be used, they are given on the following page so that you may recognize them.

hablar:	hablad	no habléis		dormir:	dormid	no durmáis
comer:	comed	no comáis		pedir:	pedid	no pidáis
escribir:	escribid	no escribáis		venir:	venid	no vengáis

To form the affirmative familiar plural commands of *all* verbs, drop the final –r of the infinitive and add –d. For the negative familiar plural commands use the second person plural of the present subjunctive. The subject **vosotros, –as** is usually omitted.

levantarse:	levantaos	no os levantéis		dormirse:	dormíos	no os durmáis
sentarse:	sentaos	no os sentéis		irse:	idos	no os vayáis
ponerse:	poneos	no os pongáis		vestirse:	vestíos	no os vistáis

In forming the plural familiar commands of reflexive verbs, final –d is dropped before the reflexive **os** in all forms except **idos** (**irse**). All –ir reflexive verbs except **irse** require an accent mark on the **i** of the stem of the verb: **vestíos**.

2. The future and conditional tenses used for probability

Estará en casa.	He is probably (must be) at home.
¿ Qué hora será ?	I wonder what time it is. (What time can it be ? About what time is it ?)
Habrá mucha gente allí.	There must be (probably are) many people there.

The future tense is used in Spanish to indicate probability, supposition, or conjecture concerning an action or condition in the present.

The future perfect and the conditional are used for probability in the past. You will find these forms in later reading.

Ya habrá llegado.	He has probably already arrived.
Serían las dos.	It was probably (must have been) two o'clock.

Ejercicios

a. Say in Spanish, then repeat, making a familiar affirmative command.

EXAMPLE: **Juan le habla. Háblale, Juan.**

1. Roberto le despierta. 2. Ricardo se levanta. 3. Miguel me dice la verdad. 4. Marta se da prisa. 5. María sale en seguida. 6. Juanito duerme bien. 7. José se sienta. 8. Juanita se viste pronto. 9. Dorotea se lo devuelve. 10. Carlitos va con ellos.

b. Say in Spanish, then repeat, making a negative familiar command.

EXAMPLE: **Pablo no le saluda. No le saludes, Pablo.**

1. Dolores no se olvida del libro. 2. Carmen no la molesta. 3. Jorge no lo hace. 4. Ramón no viene conmigo. 5. Elena no las come. 6. Enrique no me pide

nada.   7. Luis no se sienta.   8. Juanita no se desayuna.   9. Isabel no escoge el libro.   10. Guillermo no escribe la carta.

c. Answer each of the following questions two ways, using the present indicative in your first answer and the future of probability in the second.

> EXAMPLE: **¿ Es inteligente el joven ?   Sí, el joven es inteligente.   Sí, el joven será inteligente.** (*To be sure of the difference in meaning of the two replies, refer to page 220.*)

1. ¿ Está Juan en la oficina ?   2. ¿ Tiene quince años ?   3. ¿ Vive con sus padres ?   4. ¿ Trabaja mucho ?   5. ¿ Tiene hermanos ?   6. ¿ Son españoles ? 7. ¿ Están en Nueva York ?   8. ¿ Tienen muchos amigos ?   9. ¿ Son nuevos estos discos ?   10. ¿ Reciben muchas cartas ?

d. Read in Spanish, selecting the correct verb form to complete each sentence:

1. Aunque el señor Ortiz (llegara, llegó) ayer, no le he visto.   2. Cuando (bajó, bajara) del tren, mi padre le saludó.   3. Cuando yo le (veo, vea), también le saludaré.   4. Mi madre estaba usando el coche, de modo que (tuvieron, tuvieran) que tomar un taxi.   5. Papá piensa comprar otro coche, para que (tendremos, tengamos) dos.   6. Si yo (estaba, estuviera) en su lugar, compraría un coche extranjero.   7. Mamá dice que (podremos, podamos) ir a Nueva Orleáns si no (haga, hace) demasiado calor.   8. Yo (quisiera, quisiese) esperar hasta el otoño.   9. Tal vez (tengamos, tendremos) otro coche para entonces.   10. Aunque no (vayamos, iremos) al estado de la Luisiana, es cierto que haremos un viaje. 11. Antes que nos (dijo, dijera) papá que el señor Ortiz pensaba visitarnos, insistió en hablar español.   12. También insistió en que lo (hablamos, hablásemos) en casa.   13. Se alegraba de que José y yo lo (practicábamos, practicáramos) todos los días.   14. Temía que no (podríamos, pudiéramos) comprender al señor Ortiz.   15. Yo estaba seguro de que (hablara, hablaría) varias lenguas.   16. Lo interesante era que el señor Ortiz no quería (hablara, hablar) en español, sino en francés.

e. Make each pair of sentences into one sentence modeled after the example:

Vds. saldrán pronto.   Es muy necesario.   Es muy necesario que Vds. salgan pronto.

1. ¿ Están aquí ?   Lo dudo.   2. ¿ Está Vd. enfermo ?   Espero que no.   3. Esa criada no habla mucho.   Busco otra.   4. ¿ Cuándo llegaron ?   No estábamos aquí.   5. ¿ Lo ha leído alguien ?   Es posible.   6. Nadie ha llegado.   Es cierto. 7. Es probable.   Siempre tienen bastante dinero.   8. ¿ Llegarán antes que partamos ?   Es mucho mejor.   9. María tenía mucho miedo.   El hombre trataba de entrar en la casa.   10. Van al centro.   Es muy necesario.   11. ¿ Están en casa de Juanita esta noche ?   Creo que no.   12. No volverán hasta la semana que viene. Es lástima.

f. Give in Spanish, using familiar forms:

1. Get up, Charles. 2. I want you to get up. 3. Dress (yourself) quickly, Tom. 4. Your mother wants you to dress quickly. 5. Don't leave the house. 6. I hope that you won't leave the house. 7. Go to the bank for a checkbook. 8. I wanted you to go to the bank for a checkbook. 9. Put on your coat. 10. I asked you to put on your coat. 11. Catch the next bus. 12. It will be necessary for you to catch the next bus. 13. Shave yourself. 14. Is it possible that you haven't shaved (yourself)? 15. Brush my hat. 16. I asked you to brush my hat. 17. Don't arrive late. 18. It is a pity that you always arrive late.

Composición (Optional)

1. Mother, Mike is still sleeping. 2. Then you will have to awaken him. 3. Did you send my jacket to the cleaning shop? 4. Yes, I sent it yesterday. 5. If you need it, they will deliver it to us today. 6. Did Mike get up? Has he dressed himself yet? 7. No, he is shaving now. 8. He'll be ready for breakfast soon. 9. The two boys eat breakfast slowly. 10. They continue talking as if they had nothing to do. 11. Finally their mother tells them that they have five minutes left. 12. They put on their hats and coats at once. 13. Where can Robert's checkbook be? 14. He is going to say good-bye to Mr. Ortiz. 15. He glances at the newspaper when he passes through the living room and he says that it is going to rain. 16. They won't be long in reaching Mr. Ortiz's office.

Para practicar

a. Las partes del cuerpo humano (*The parts of the human body*)

la barba *chin*	el dedo *finger*	la mejilla *cheek*	el pie *foot*
la boca *mouth*	el hombro *shoulder*	la nariz *nose*	la pierna *leg*
el brazo *arm*	el labio *lip*	el ojo *eye*	la rodilla *knee*
la cara *face*	la mano *hand*	la oreja *ear*	el tronco *trunk*

Other words which may be used in the questions or answers in **b**, and in the pattern drills in **c**, are:

el cepillo *brush*	el lápiz de (para) labios *lipstick*
el dedo del pie *toe*	la lengua *tongue*
el diente *tooth*	la muela *molar, tooth*
la espalda *back*	la navaja (eléctrica) *(electric) razor*
el estómago *stomach*	el oído *ear* (inner)
la garganta *throat*	el peine *comb*
el jabón *soap*	la uña *fingernail*

b. Preguntas

1. ¿Cuáles son las partes principales del cuerpo humano? 2. ¿Cuáles son las partes de la cabeza? 3. ¿Qué tenemos en la boca? 4. ¿Qué usan las mu-

Street scene in Managua, Nicaragua.

chachas en los labios ? 5. ¿ Cuántos dedos tenemos en cada mano ? 6. ¿ Cuántos dedos tenemos en los dos pies ? 7. ¿ Qué llevamos en los pies ? 8. ¿ Qué llevamos en las manos ? 9. ¿ Qué lleva uno en la cabeza ? 10. ¿ Con qué vemos ? 11. ¿ Con qué oímos ? 12. ¿ Con qué trabajamos ? 13. ¿ Qué tenemos en los dedos ? 14. ¿ Con qué se afeitan los muchachos ? 15. ¿ Cuántos brazos tiene Vd. ? 16. ¿ Cuántas piernas tiene Vd. ? 17. ¿ Le duele a Vd. la cabeza ? 18. ¿ Le duele a Vd. una muela ? 19. ¿ A quién vamos a ver cuando nos duele una muela ? 20. ¿ Le duele a Vd. el estómago ?

c. Pattern drill.

1. ¿ Te lavas la cara ?	Sí, me lavo la cara.
las manos ?	Sí, me lavo las manos.
el pelo ?	Sí, me lavo el pelo.
2. ¿ Te duele la cabeza ?	No, no me duele la cabeza.
la garganta ?	No, no me duele la garganta.
el estómago ?	No, no me duele el estómago.
3. ¿ Te duelen los ojos ?	Sí, me duelen los ojos.
los pies ?	Sí, me duelen los pies.
las muelas ?	Sí, me duelen las muelas.
4. ¿ Qué usas para lavarte ?	Uso jabón y agua para lavarme.
limpiarte los dientes ?	Uso un cepillo pequeño para limpiarme los dientes.
cepillarte el abrigo ?	Uso un cepillo para cepillarme el abrigo.
peinarte ?	Uso un peine para peinarme.

d. Explique Vd. lo que es un despertador. ¿ Para qué sirve ? ¿ Le gusta a Vd. oírlo ? ¿ Necesita Vd. uno o dos ? ¿ Se despierta Vd. mismo o le despierta alguien ?

223

(*Top, left*) *Futuristic towers dominate the entrance to Mexico City's "Satellite City,"*
a modern housing development. (*Top, right*) *Ultramodern church at Palmiro,*
near Cuernavaca, Mexico. (*Bottom*) *School girls parade in Mexico City.*

Lección veinte

Cartas de presentación

Roberto llega a la oficina del señor Ortiz. Tiene que esperar un rato, pero por fin entra y los dos se saludan.

Sr. Ortiz. Roberto, quiero felicitarle. Sé que le dieron a Vd. el puesto en México. ¡Cómo quisiera poder pasar una temporada en mi patria! Tal vez pueda hacerlo el otoño que viene. Bueno, he 5 enviado por Vd. porque quiero darle cartas de presentación para algunos amigos míos que viven allí. Mi secretaria las escribió ayer. Por desgracia no tuve tiempo para hacerlo yo mismo.

Roberto. Es Vd. muy amable, señor Ortiz. Estoy muy agradecido.

Sr. Ortiz. Es un placer hacerlo. Si yo estuviera en su lugar, iría a hablar 10 con estos señores en cuanto llegara. Todos se pondrán a su disposición y harán todo lo que puedan para hacer más agradable su estancia allí. Si preguntan por mí, déles mis mejores recuerdos.

Roberto. Le agradezco cuanto ha hecho por mí. Sé bien que es una ver- 15 dadera fortuna tener amigos cuando llega uno a un país extranjero.

Sr. Ortiz. A propósito, ¿cuánto tiempo hace que habla Vd. español?

Roberto. Hace seis años más o menos. Empecé a estudiarlo en la escuela preparatoria. Luego, cuando el gobierno envió a mi padre a 20 Chile, pasé dos años allí con mi familia. Desde entonces he hablado con todos los que saben algunas palabras porque no he querido olvidarlo.

Sr. Ortiz. Para norteamericano, habla Vd. bien nuestra lengua; en reali- dad, podría uno tomarle por mexicano. 25

Roberto. Es gran favor que me hace.

Sr. Ortiz. No, es la verdad. Ya verá Vd. cómo va a servir de buen vecino en México. Los que, como Vd., hablan español pueden hacer mucho para estrechar las relaciones entre México y los Estados Unidos. Mire Vd.; aquel señor, el de los anteojos, que está 30 hablando con el Sr. Smith, es un ejemplo de lo que es un verdadero buen vecino. Hace muchos años que trabaja como gerente de una casa norteamericana en México. Precisamente la semana pasada fue nombrado vice presidente de su compañía.

225

Quiero presentársele a él en cuanto termine su entrevista. ¿ Puede esperar unos momentos ?

Roberto. ¡ Cómo no ! Tendré mucho gusto en conocerle. Le doy a Vd. las gracias por todo, señor Ortiz.

5 *Sr. Ortiz.* No hay de qué, Roberto. Y no deje de enviarme una tarjeta de vez en cuando.

Vocabulario

NOMBRES

los anteojos *glasses, spectacles*
la disposición *disposition, service*
la entrevista *interview*
la estancia *stay*
el favor *compliment*
la fortuna *fortune, good luck*
el gobierno *government*
la patria *fatherland, country*
la presentación *introduction*
los recuerdos *regards*
las relaciones *relations*

la temporada *short time, spell*
el vice presidente *vice president*

ADJETIVOS

agradecido, –a *grateful*
verdadero, –a *true, real*

ADVERBIO

precisamente *precisely, just*

VERBOS

estrechar *to tighten*
nombrar *to name, appoint*

EXPRESIONES

dar las gracias a *to thank*
(el otoño) que viene *next (fall)*
es gran favor que me hace *you are paying me a great compliment*
estrechar las relaciones *to improve (strengthen) relations*
no hay de qué *don't mention it, you are welcome*
servir de *to serve as*
un verdadero buen vecino *a real good neighbor*
yo mismo *I myself*

Preguntas

Answer in Spanish these questions based on the dialogue:

1. ¿ A dónde llega Roberto ? 2. ¿ Qué dice el señor Ortiz después que se saludan ? 3. ¿ Qué sabe el señor Ortiz ? 4. ¿ Por qué ha enviado por Roberto ? 5. ¿ Qué le dice Roberto al señor Ortiz ? 6. ¿ Qué harán los amigos mexicanos del señor Ortiz ? 7. ¿ Cuánto tiempo hace que Roberto habla español ? 8. ¿ Cuándo empezó a estudiarlo ? 9. ¿ En qué país vivió después ? 10. ¿ Qué ha hecho desde entonces ? 11. Según el señor Ortiz, ¿ habla bien el español ? 12. ¿ De qué va a servir Roberto en México ? 13. ¿ Qué pueden hacer allí los que saben bien la lengua ? 14. ¿ De qué es ejemplo el señor que está hablando con el señor Smith ? 15. ¿ Cuánto tiempo hace que sirve de gerente de una casa norteamericana ? 16. ¿ Qué puesto acaba de recibir ? 17. ¿ Quiere conocerle Roberto ? 18. ¿ Qué debe hacer Roberto de vez en cuando ?

(*Above, left*) *Unusual hats are seen on the beach at Acapulco.* (*Above, right*) *Street scene in Taxco.* (*Below, left*) *The bronze sculpture* "*Prometheus,*" *by Arenas Betancourt, at the University of Mexico. The School of Veterinary Medicine is in the background.*

Gramática

1. The definite article with **que** and **de**

a. Esta carta y la que Vd. tiene   This letter and the one that (which) you have

Los que trajo son míos.   Those (The ones) which he brought are mine.

¿ Conoce Vd. a los que salieron?   Do you know those (the ones) who left ?

El que, *he who, the one who (that, which),* **la que,** *she who, the one who (that, which),* and **los (las) que,** *those* or *the ones who (that, which)* may refer to persons or things.   These forms are called compound relative pronouns because each one, composed of the definite article and **que,** introduces a clause.

Lo que dicen es verdad.   What they say is true.

Lo que means *what* or *that which* and refers only to an idea or a statement, never to a definite person or thing.   **Cuanto,** *all that,* is often used instead of **todo lo que.**

The subjunctive is used after the compound relatives when the antecedent is indefinite: **Harán cuanto (todo lo que) puedan,** *They will do all that they can (may be able).*

Quien busca halla.   He (The one) who seeks, finds.

Quien (*pl.* **quienes**) refers to persons and is used, particularly in proverbs, to mean *he (those) who, the one(s) who.*

b. mi casa y la de Juan   my house and John's (that of John)
    este vestido y el de María   this dress and Mary's (that of Mary)
    aquel señor, el de los anteojos   that gentleman, the one with the glasses

The definite article is used before a phrase beginning with **de** to mean *the one(s) of (with, in), that (those) of,* and occasionally instead of a demonstrative to indicate an English possessive (first two examples).

2. The passive voice

Estas cartas fueron escritas por él.   These letters were written by him.
Fue nombrado vice presidente de la casa.   He was named vice president of the firm.

In the passive voice the subject of the verb is acted upon by a person or thing. To express the passive voice in Spanish use a form of **ser** with the past participle, which agrees with the subject in gender and number.   *By* is usually expressed by **por.**   When a person is the subject, **ser** and the past participle are used even though the agent is not expressed (second example).

Remember that:

a. When no agent is mentioned (with the one exception mentioned at the bottom of p. 228), the passive is expressed by **se** with the active form of the verb: **Aquí se habla español,** *Spanish is spoken here.*

b. **Estar** plus a past participle describes an existing condition, but never an action: **La carta está escrita en español,** *The letter is written in Spanish.*

3. SUMMARY OF THE USES OF **para** AND **por**

Para is used:

a. To express the purpose, the person, or the place for which persons or things are intended or destined:

Las cartas son para ellos.	The letters are for them.
Salieron para México.	They left for Mexico.

b. To express a time limit (*for* or *by* a certain time):

La lección es para mañana.	The lesson is for tomorrow.
Estaré de vuelta para las seis.	I'll be back by six o'clock.

c. With an infinitive to express purpose, meaning *to, in order to:*

Pueden hacer mucho para estrechar las relaciones entre los dos países.
They can do much to strengthen relations between the two countries.

d. To express *for* in a comparison that is understood but not stated:

Para joven, habla Vd. bien.	For a young man, you talk well.

Por is used:

a. To express *for* in the sense of *in exchange for, on account of, because of, on behalf of, for the sake of, as:*

Lo vendió por dos dólares.	He sold it for two dollars.
Lo hizo por ella.	He did it for her (because of her, for her sake).
Le tomaron por mexicano.	They took him for (as) a Mexican.

b. To express the space of time during which an action continues (*for, during*):

Estudian por la tarde.	They study during (in) the afternoon.
Estuve allí por tres días.	I was there for three days.

c. To show by *what, whom* something is done; also *through, along, by:*

Pase Vd. por mi casa.	Come by my house.
Quiere viajar por México.	He wants to travel through Mexico.
La carta fue escrita por ella.	The letter was written by her.

d. To show the object of an errand or search, *for*, after such verbs as **ir, enviar, venir, preguntar:**

He enviado (venido) por Vd.	I have sent (come) for you.
Preguntaron por él.	They asked for (about) him.

e. To form certain idiomatic expressions:

por aquí	around here, this way	**por favor**	please
por desgracia	unfortunately	**por fin**	finally
¡ por Dios !	for heaven's sake !	**por lo menos**	at least
por eso	therefore, for that reason	**por supuesto**	of course, certainly

Ejercicios

a. Make the proper substitution for the noun in italics.

EXAMPLE: **Ese hombre y *el hombre* que le acompaña son hermanos.**
Ese hombre y el que le acompaña son hermanos.

1. Esta oficina y *la oficina* que visitamos ayer son grandes. 2. *El señor* que nos saludó no es el gerente. 3. *Estas oportunidades* que tiene Vd. ahora son excelentes. 4. *Los norteamericanos* que trabajan allí están muy contentos. 5. Ricardo es *el muchacho* que quiere acompañarle. 6. Esa escuela es *la escuela* que tiene muchas clases de español. 7. El Sr. Ortiz y el Sr. Morales son *los hombres* que me dieron el puesto. 8. *El viaje* que voy a hacer será interesante. 9. *Los jóvenes* que hablan español tienen buenas oportunidades. 10. *El muchacho* del sombrero negro es mi primo. 11. *La mujer* del vestido rojo trabaja en esta tienda. 12. Les daré *las revistas* que tengo.

b. Supply the correct relative pronoun:

1. Ese vestido y —— —— tengo son muy largos. 2. Esta blusa costó más que —— —— compró María. 3. No me gustan estas medias tanto como —— —— vi ayer. 4. Y a mí no me gustan estos zapatos míos tanto como —— —— vimos en el centro. 5. María quería una falda pero —— —— escogió no le quedaba bien. 6. Anita buscaba un sombrero pero —— —— le gustaba era muy caro. 7. La muchacha es —— —— nos acompañó. 8. —— —— piden Vds. es imposible. 9. Sin embargo, haré —— pueda para ayudarlos. 10. Estos libros son —— —— querían, ¿ verdad ? 11. Sí, y esa pluma es —— —— compré para Isabel. 12. Pero esos lápices no son —— —— quiero usar hoy. 13. Marta conoce bien a aquel muchacho y a —— —— vienen por la calle. 14. Este coche y —— —— acaba de pasar son nuevos.

c. Choose **para** or **por** to complete each sentence:

1. Salimos —— el centro. 2. Pasamos —— un parque. 3. Tuvimos que estar allí —— las tres. 4. Mamá nos había dado dinero —— nuestras compras. 5. Pagué un dólar y medio —— un par de medias. 6. Eran —— mi amiga

Océano Atlántico

Golfo de México

Océano Pacífico

Mar Caribe

SIERRA MADRE ORIENTAL

SIERRA MADRE OCCIDENTAL

Río Grande

Golfo de California

San Diego
Nogales
La Paz
Chihuahua
El Paso
Ciudad Juárez
Guadalajara
San Luis Potosí
Aguascalientes
Zacatecas
Saltillo
Monterrey
Querétaro
Laredo
Nuevo Laredo
Pachuca
Acapulco
Oaxaca
MÉXICO
★México
Toluca★
Cholula
Puebla
Cuernavaca
Tampico
Veracruz
Campeche
Mérida
YUCATÁN

HONDURAS BR.
●Belice
GUATEMALA
Guatemala★
HONDURAS
Tegucigalpa★
San Salvador★
EL SALVADOR
NICARAGUA
Managua★
COSTA RICA
★San José
PANAMÁ
★Panamá ●Panamá
Canal de Panamá

★La Habana
CUBA
Santiago●
JAMAICA
★Kingston
Port au Prince★
HAITÍ
REP. DOMINICANA
★Santo Domingo
PUERTO RICO
★San Juan

MÉXICO, LA AMÉRICA CENTRAL Y EL CARIBE

Carolina. 7. También compramos unos billetes —— el sábado. 8. Dimos con la señora Díaz que preguntó —— nuestra madre. 9. Ella nos dijo que iba a salir —— México el lunes. 10. Estuvimos en el centro —— dos horas. 11. Tomamos un autobús —— ir a casa de Carolina. 12. Queríamos llegar allá —— las seis. 13. Carolina es muy alta —— una muchacha de catorce años. 14. Su padre habla francés y ella lo estudia —— él. 15. Su madre nos enseñó un vestido que había hecho —— Carolina. 16. Ésta también nos enseñó otro que fue hecho —— su abuela. 17. Nuestro hermano vino —— nosotras a las siete y media. 18. Siempre tenemos que estudiar —— la noche.

d. Give the Spanish for:

1. We eat in order to live. 2. He will leave for Mexico tomorrow. 3. He thanked me for the magazine. 4. These letters were written by my secretary. 5. Unfortunately the boys are ill. 6. Charles was named vice president of the club. 7. His father serves as manager of a large company. 8. He will be in Mexico for a month. 9. This letter of introduction is for a friend of mine. 10. Give them my best regards, please. 11. Don't fail to write me a card. 12. Did you pick the flowers for Caroline? 13. My father sent me for a newspaper. 14. John gave me two dollars for the book. 15. We did that for her (sake). 16. You are paying me a great compliment. 17. Don't mention it. 18. They will finish the interview by four o'clock. 19. For that reason I am going to wait a while. 20. Mr. Ortiz always does all that he can for Robert.

Composición (Optional)

1. Robert reached Mr. Ortiz's office at eleven o'clock. 2. Mr. Ortiz gave him several letters that were written by the vice president of the firm. 3. Mr. Ortiz would like to return to his country (fatherland) for a short time. 4. He hopes to be there by the sixteenth of September. 5. He has sent for Robert in order to congratulate him. 6. Robert thanks him for all that he has done for him. 7. He wants Robert to inquire about some friends of his. 8. Robert is glad to be able to talk Spanish with them. 9. Mr. Ortiz is sure that Robert will be a real good neighbor while he remains in Mexico. 10. He says that those who know Spanish like Robert can do much to strengthen relations between the two countries.

Para practicar

a. Learn the following proverbs:
1. Poco a poco se va lejos.
2. Quien mucho duerme, poco aprende.
3. Más vale algo que nada.
4. Más vale tarde que nunca.
5. Lo que mucho vale, mucho cuesta.

6. No dejes para mañana lo que puedas hacer hoy.
7. Lo que bien se aprende, tarde se olvida.
8. Haz bien y no mires a quien.
9. Antes que te cases, mira lo que haces.
10. Lo que no se comienza, nunca se acaba.

b. Question and answer drill, with a compound relative used in the reply:

1. ¿ Le gusta a Vd. ese sombrero ?   No, pero me gusta el que tienes en la mano.
     esa blusa ?   No, pero me gusta la que tienes en la mano.
     ese reloj ?   No, pero me gusta el que tienes en la mano.

2. ¿ Le gustan estos zapatos ?   No, pero me gustan los que compraste ayer.
    estas medias ?   No, pero me gustan las que compraste ayer.
    estos guantes ?   No, pero me gustan los que compraste ayer.

3. ¿ Vino ese joven ayer ?   Sí, es el que vino.
  esa joven   Sí, es la que vino.
 ¿ Vinieron esos niños ?   Sí, son los que vinieron.
    esas muchachas ?   Sí, son las que vinieron.

4. ¿ Qué dice Juan ?   No sé lo que dice.
  quiere   No sé lo que quiere.
  cree   No sé lo que cree.

c. Question and answer drill, with the passive voice used in the reply:

¿ Escribió Juan la composición ?   Sí, fue escrita por él.
¿ Abrió Carlos la puerta ?   Sí, fue abierta por él.
¿ Hizo María los vestidos ?   Sí, fueron hechos por ella.
¿ Vio Anita a los niños ?   Sí, fueron vistos por ella.
¿ La nombró Vd. secretaria ?   Sí, fue nombrada secretaria por mí.
¿ Le nombraron Vds. presidente ?   Sí, fue nombrado presidente por nosotros.

d. Answer the questions based on these two sentences:

Tomás salió para Granada en tren. Pasó por Córdoba y se quedó allí por dos días para visitar a un amigo.

1. ¿ Quién salió ? 2. ¿ En qué salió Tomás ? 3. ¿ Para dónde salió Tomás ? 4. ¿ Quién salió para Granada en tren ? 5. ¿ Por dónde pasó Tomás ? 6. ¿ Por cuánto tiempo se quedó Tomás en Córdoba ? 7. ¿ Para qué se quedó Tomás allí ? 8. ¿ Quién se quedó en Córdoba por dos días ?

e. Explique Vd. lo que es un vecino, un buen vecino, un mal vecino. ¿ Son buenos vecinos nuestros los países de habla española de este hemisferio ? ¿ Somos nosotros buenos vecinos de ellos ? ¿ Qué le parece a Vd. ?

(Left) Tapping a rubber tree in Peru.
(Below) Drilling for oil at Lobitos in northern Peru.

Lección veinte y una

En la estación

Ramón. ¡ Hola, Tomás ! ¿ Tú por aquí ? Creí que pensabas pasar por casa
de Roberto para despedirte de él.

Tomás. Yo sabía que ibas a preguntarme eso, pero déjame explicar. Por
desgracia, mi mamá se puso enferma y llamamos al médico.
Como éste no pudo venir hasta las ocho, no quise dejarla sola. 5

Ramón. ¡ Qué pena ! Espero que pronto se sienta bien. Dale mis mejores
recuerdos, por favor.

Tomás. Lo haré con mucho gusto. Ahora, dime lo que pasó en la estación.
Condujiste tu propio coche, ¿ no ?

Ramón. Sí, pero primero, déjame decirte lo que ocurrió antes de llegar allá. 10
Anoche Roberto me dijo que podía ir con él y con su familia.
Como su casa está cerca de la nuestra, fui allá a pie esta mañana.
Al llegar, oí gritar a Miguel desde el garaje que no podía poner en
marcha el coche. Fui por el mío y los llevé a la estación. Todos
estaban nerviosos y me decían: « Date prisa, Ramón. Vamos 15
a perder el tren. ¿ No puedes ir más rápidamente ? » Por fin se
calmaron cuando vieron que íbamos a llegar a tiempo. Los dejé
enfrente de la estación antes de estacionar el coche. Roberto iba
a hacer facturar sus maletas, pero su padre le aconsejó que las
pusiera en el coche cama porque sería más fácil cuando las revi- 20
saran en Nuevo Laredo. En cuanto hubo entrado en la estación,
Roberto se dio cuenta de que varios amigos suyos le aguardaban
allí. Como le quedaba poco tiempo antes de la salida del tren,
fuimos inmediatamente al andén donde alguien empezó a gritar:
« ¡ Señores viajeros, al tren ! » Roberto abrazó a su padre y a 25
Miguel, y besó a su hermana Marta y a su madre. Ésta empezó a
llorar cuando Roberto subió al tren. Nosotros le gritábamos:
« ¡ Que lo pases bien ! ¡ No dejes de escribirnos a menudo ! ¡ Que
te hagas rico pronto ! ¡ Que tengas suerte ! ¡ Feliz viaje ! »
Salido el tren, nosotros subimos otra vez al coche y volvimos a 30
casa, tristes por verle partir, pero muy contentos por saber que
en México le esperaban buenas oportunidades e interesantes
experiencias.

Vocabulario

NOMBRES

el andén	*platform*
el garaje	*garage*
la salida	*departure*
el viajero	*traveler*

ADJETIVOS

nervioso, –a	*nervous*
propio, –a	*own*

CONJUNCIÓN

e   *and* (before i–, hi–)

VERBOS

abrazar (c)	*to embrace*
aguardar	*to await, wait (for)*
besar	*to kiss*
calmarse	*to become calm, calm oneself*
conducir (zc; j)	*to drive, lead, conduct*
estacionar	*to park*
facturar	*to check* (baggage)
llorar	*to weep, cry*
ocurrir	*to occur, happen*
revisar	*to examine*

EXPRESIONES

a menudo *often*	¡ que lo pases bien ! *good-bye* (lit., *may you*
darse cuenta de *to realize*	*fare well*) !
¡ feliz viaje ! *(have a) happy trip!*	¡ qué pena ! *what a pity!*
hacerse (+ *noun*) *to become*	¡ señores viajeros, al tren ! *all aboard,*
ir a pie *to walk, go on foot*	*travelers!*
poner en marcha *to start*	¿ tú por aquí ? *you here?*
ponerse (+ *adj.*) *to become*	

Preguntas

A. Answer in Spanish these questions based on the dialogue:

1. ¿ Quiénes están hablando ?   2. ¿ Qué había pensado hacer Tomás ?   3. ¿ Qué pasó en su casa ?   4. ¿ A qué hora llegó el médico ?   5. ¿ Qué espera Ramón ? 6. ¿ Qué quiere saber Tomás ?   7. ¿ Qué oyó Ramón al llegar a casa de Roberto ?   8. ¿ Qué hizo Ramón ?   9. ¿ Qué decían todos mientras iban a la estación ?   10. ¿ Cuándo se calmaron todos ?   11. ¿ Hizo facturar Roberto sus maletas ?   12. ¿ Quiénes estaban en la estación ?   13. ¿ A dónde fueron inmediatamente ?   14. ¿ Qué gritaba alguien pronto ?   15. ¿ A quién abrazó Roberto ? 16. ¿ Abrazó a su hermana y a su madre ?   17. ¿ Qué empezó a hacer su madre cuando subió al tren ?   18. ¿ Qué gritaban todos ?   19. Salido el tren, ¿ qué hicieron Ramón y la familia de Roberto ?   20. ¿ Estaban tristes o contentos ?

B. Cuestionario personal

1. ¿ Sabe Vd. conducir un coche ?   2. ¿ Le gusta a Vd. conducir un coche ? 3. ¿ Conduce Vd. mucho ?   4. ¿ Tiene Vd. miedo de conducir un coche ? 5. ¿ Viene Vd. a la escuela en coche ?   6. ¿ Viene Vd. a pie ?   7. ¿ Viene Vd. en autobús ?   8. ¿ Dónde guardamos un coche en casa ?   9. ¿ A dónde vamos para tomar un tren ?   10. ¿ A dónde vamos para subir al tren ?   11. ¿ Ha viajado Vd. mucho en tren ?   12. ¿ Ha viajado Vd. en avión ?   13. ¿ Le gusta a Vd. viajar en avión ?   14. ¿ Prefiere Vd. viajar en coche o en tren ?   15. ¿ Prefiere Vd. viajar en coche o en avión ?   16. ¿ Qué decimos cuando una persona sale en un viaje ?

Gramática

1. VERBS ENDING IN –ducir: conducir, to conduct, drive

Pres. Ind.	conduzco conduces conduce conducimos conducís conducen
Pres. Subj.	conduzca conduzcas conduzca conduzcamos conduzcáis conduzcan
Preterite	conduje condujiste condujo condujimos condujisteis condujeron
Imp. Subj.	condujera condujeras, etc. condujese condujeses, etc.

Verbs ending in –ducir, like **conocer**, change **c** to **zc** in the first person singular present indicative and throughout the present subjunctive. The stem of these verbs in the preterite and imperfect subjunctive tenses is **conduj–**. Like **conducir**: **traducir**, *to translate.*

2. USES OF THE INFINITIVE

a. Oí gritar a Miguel. — I heard Mike shout (shouting).
Los vimos salir. — We saw them leave (leaving).

After **oír** and **ver** the infinitive is regularly used in Spanish, while the present participle is often used in English. Note the word order in the first example.

b. Déjame (Permítame Vd.) explicar. — Let me (Permit me to) explain.
Los mandé poner en el coche. — I ordered them (to be) put in the car.
Hizo facturar sus maletas. — He had his suitcases checked.
Le permití jugar un rato. — I permitted (allowed) him to play a while.

Dejar, hacer, mandar, and **permitir** are usually followed by the infinitive when the subject of the second verb is a pronoun. However, when the subject of the second verb is a noun the subjunctive is regularly used: **Le permití a Juan que jugara un rato,** *I permitted John to play a while.*

While usage varies, with **dejar** and **hacer** personal objects are usually direct; with other verbs they are usually indirect.

For *Let (Permit) me* plus a verb, use **Déjame, Déjeme Vd.,** or **Permíteme, Permítame Vd.** plus the infinitive.

When the subject of the second verb is a thing, the second verb is often given a passive translation: **Hizo facturar sus maletas,** *He had his suitcases checked.*

3. ABSOLUTE USE OF THE PAST PARTICIPLE

Salido él tren, volvimos a casa.
After the train had left (The train having left), we returned home.
Escritas las cartas, las eché al correo.
The letters written (Having written the letters), I mailed them.

The past participle is often used independently with a noun or pronoun. Used thus the participle precedes the noun or pronoun it modifies and with which it agrees in gender and number. The translation depends on the context.

4. Possessive pronouns

el mío	la mía	los míos	las mías	mine
el tuyo	la tuya	los tuyos	las tuyas	yours (*fam.*)
el nuestro	la nuestra	los nuestros	las nuestras	ours
el vuestro	la vuestra	los vuestros	las vuestras	yours (*fam.*)
el suyo	la suya	los suyos	las suyas	his, hers, its, yours (*formal*), theirs

a. mi coche; el mío, el nuestro — my car; mine, ours

nuestra casa; la mía, la nuestra — our house; mine, ours

sus maletas; las suyas — his (her, your, their) suitcases; his (hers, yours, theirs)

¿ Tiene Vd. el suyo ? — Do you have yours ?

Vendieron la suya. — They sold theirs.

Este equipaje es nuestro. — This baggage is ours.

The possessive pronouns are formed by using the definite article **el** (**la, los, las**) with the long forms of the possessive adjectives (p. 90). After **ser** the article is usually omitted.

b. mi madre y la de ella — my mother and hers

nuestros padres y los de él — our parents and his

el coche de ellos y el de Vd. — their car and yours

Since **el suyo** (**la suya, los suyos, las suyas**) may mean *his, hers, its, yours* (formal), *theirs*, these pronouns may be clarified by substituting **el de él, el de ella, el de usted(es), el de ellos (ellas)**. The article agrees with the thing possessed.

5. Translation of *to become*

¡ Que te hagas rico pronto ! — May you become (get) rich soon !

Llegó a ser una ciudad grande. — It became a large city.

Mi mamá se puso enferma. — My mother became ill.

Se volvió loco. — He became crazy.

Hacerse plus a noun or the adjectives **rico** and **feliz** means *to become*, denoting conscious effort. **Llegó a ser** means approximately the same, indicating final result: **Llegó a ser (Se hizo) médico,** *He became a doctor.* Also recall that **Se hace tarde** means *It is getting (becoming) late.*

Ponerse followed by an adjective or past participle, which agrees with the subject of the verb, expresses a physical, mental, or emotional change. **Volverse** indicates a violent change: **Se volvió loco,** *He became crazy.*

Se is used with many transitive verbs to express the idea of *become*. Contrast **Los calmaron,** *They calmed them,* with **Se calmaron,** *They became calm (calmed themselves).*

6. The preterite perfect tense

hube hablado	hubimos hablado
hubiste hablado	hubisteis hablado
hubo hablado	hubieron hablado

En cuanto (Cuando) hubo venido, me llamaron.
As soon as (When) he had arrived, they called me.

The preterite perfect tense is formed with the preterite of **haber** and the past participle. It is used only after such conjunctions as **cuando,** *when;* **en cuanto,** *as soon as;* **después (de) que,** *after;* **apenas,** *scarcely.* Except after such conjunctions, the pluperfect is used to translate the English past perfect: **habían hablado,** *they had spoken.*

Ejercicios

a. Say in Spanish and repeat twice, first using an affirmative familiar command, then a negative familiar command.

EXAMPLE: **Bárbara me espera. Bárbara, espérame** *or* **Espérame, Bárbara.**
Bárbara, no me esperes *or* **No me esperes, Bárbara.**

1. Juan la abraza. 2. Ricardo me aguarda. 3. Mamá la besa. 4. Roberto se calma. 5. Tú lo conduces. 6. María las revisa. 7. Carlos va por María. 8. Miguel se sienta. 9. Marta se pone el sombrero. 10. Luis lo hace.

b. Say in Spanish, then repeat, substituting the words in parentheses for those in italics and using the correct form of the possessive pronoun:

1. Si quieres *un mapa* (una pluma, unos lápices, unas revistas), toma el mío. 2. No van a llevar *mi equipaje* (mi cámara, mis paquetes, mis maletas), sino el suyo. 3. Tengo *el sombrero* (los sombreros, la blusa, las blusas) de Vd., pero no veo el de ella. 4. *Su jardín* (Sus jardines, Sus casas, Su casa) y el nuestro no son muy grandes.

c. Say each sentence in Spanish, then repeat, substituting the pronouns in parentheses for the one in italics and changing the verb accordingly:

1. Mi padre quiere que *yo* los vea jugar.
   Mi padre quería que *yo* los viera jugar.
   (tú, él, ellas, Vd.)

2. No quieren que *tú* conduzcas el coche.
   No querían que *tú* condujeras el coche.
   (Vd., ella, ellos, nosotros)

3. Es posible que *él* se calme.
   Era posible que *él* se calmara.
   (ella, Vd., ellos, nosotros)

4. No cree que *ella* lo haya hecho.
   No creía que *ella* lo hubiera hecho.
   (tú, Vd., yo, nosotros)

5. Sienten que *yo* me haya puesto enfermo.
   Sentían que *yo* me hubiera puesto enfermo.
   (Vd., tú, nosotros, ellas — *make the adjective agree*)

d. Say each form in Spanish, then give the corresponding form in the tense indicated at the left:

1. *Pret.*   abrazo, beso, conduzco, me calmo, aguardo
2. *Pres. Subj.*   ocurre, estaciona, llora, abraza, conduce
3. *Imp. Subj.*   hubieron, revisaron, pusieron, condujeron, dieron
4. *Pres. Ind.*   conduzcamos, abracemos, perdamos, lloremos, vayamos

e. Give in Spanish twice, first using polite singular commands, then familiar singular commands:

1. Wait for us. 2. Examine this suitcase. 3. Don't cry. 4. Calm yourself. 5. Let me carry them. 6. Go on foot. 7. Don't become nervous. 8. Kiss them.

f. Give in Spanish:

1. They became rich. 2. The city became large. 3. She became tired. 4. I did not realize that. 5. We had the suitcases checked. 6. They waited for us often. 7. I started the car. 8. Don't fail to write to me. 9. Let me drive to-night. 10. What a pity! 11. Good luck to you! (May you be lucky!) 12. (Have a) happy trip!

13. his secretary and mine. 14. my baggage and his. 15. our suitcases and yours. 16. your friends and ours. 17. their house and ours. 18. your (*fam.*) ticket and hers. 19. our parents and theirs. 20. her sisters and yours (*fam.*).

Composición (Optional)   (*Use familiar forms*)

1. Why didn't you go by Robert's house? 2. He wanted to say good-bye to you. 3. Let me explain. Unfortunately my mother became very sick and I had to call the doctor. 4. He couldn't come until nine o'clock. 5. It was necessary for me to stay at home until he arrived. 6. Besides, I did not want to leave my mother alone. 7. Mike called me before I left the house. 8. He could not start their car and he wanted me to take them to the station. 9. We did not have much time left and we had to hurry. 10. They feared that we would miss the train. 11. Upon arriving, Robert had his suitcases put into the Pullman. 12. He knew that someone would examine them when he arrived at New Laredo. 13. As soon as we had reached the platform, someone shouted: "All aboard, travelers!" 14. When Robert got on the train, his mother wept a little. 15. Then we shouted: "Good-bye! Don't fail to write to us! May you be lucky! Get rich quickly!"

Para practicar

a. Pattern drill, with a possessive pronoun used in the reply:

1. ¿ Tiene Vd. su billete?   Sí, tengo el mío.
       sus billetes?   Sí, tengo los míos.

¿ Tiene Vd. su maleta ?	Sí, tengo la mía.
sus maletas ?	Sí, tengo las mías.

2. ¿ Quiere Luis mi libro ? — No quiere el suyo, sino el de ella.

        mi pluma ? — No quiere la suya, sino la de ella.

        mis libros ? — No quiere los suyos, sino los de él.

        mis plumas ? — No quiere las suyas, sino las de él.

3. ¿ De quién es este sombrero ? — Es mío.

        es esta blusa ? — Es mía.

        son estos guantes ? — Son míos.

        son estas pulseras ? — Son mías.

b. Explique Vd. lo que pasó anoche cuando Vd. y Arturo fueron a la estación de ferrocarril (al aeropuerto) para despedirse de Roberto. ¿ Llegaron Vds. mucho tiempo antes de la salida del tren (avión) ? ¿ Qué le gritaron Vds. a Roberto ? ¿ A qué hora volvieron Vds. a casa ?

c. The following poem, aside from being a well-known work by an eighteenth century Spanish writer, gives you a fine opportunity for practice in pronunciation. It contains nearly every sound possible in the Spanish language. It is the story of a man who sees a donkey roaming in a nearby meadow. The donkey suddenly comes upon a shepherd's forgotten flute and, upon examining it, gives a snort. This causes air to pass through the instrument and the donkey hears music — by chance. Thereupon, the donkey becomes very proud of his musical skill. The author adds that there are always those who, like the donkey, get things right even though they do not know what they are doing. (New words in this poem are not included in the end vocabulary.)

El burro flautista

by Tomás de Iriarte

1. *Esta fabulilla*
   Salga bien o mal,
   Me ha ocurrido ahora
   Por casualidad.

2. *Cerca de unos prados*
   Que hay en mi lugar,
   Pasaba un borrico
   Por casualidad.

3. *Una flauta en ellos*
   Halló que un zagal
   Se dejó olvidada
   Por casualidad.

4. *Acercóse a olerla*
   El dicho animal
   Y dio un resoplido
   Por casualidad.

5. *En la flauta el aire*
   Se hubo de colar
   Y sonó la flauta
   Por casualidad.

6. *— ¡ Oh! — dijo el borrico*
   — ¡ Qué bien sé tocar!
   — ¿ Y dirán que es malo
   La música asnal ?

7. *Sin reglas del arte*
   Borriquitos hay
   Que una vez aciertan
   Por casualidad.

Here is a display of beautiful silver in an Ecuadorian store.

LECTURA VII

El gemelo [1]

La condesa de Noroña, al recibir y leer la urgente carta de invitación, hizo un movimiento de contrariedad.[2] ¡ Hacía tanto tiempo que no asistía a las fiestas ![3] Desde la muerte de su esposo: dos años y medio. Parte por tristeza verdadera, parte por comodidad, se había acostumbrado a no salir de noche, a acostarse temprano y a quedarse en casa, concentrándose en el amor materno — en Diego, su adorado hijo único.

— Sin embargo, no hay regla sin excepción; se trata de la boda de Carlota, la sobrina predilecta . . . Y lo peor es que han adelantado el día — pensó la condesa. — Se casan el diez y seis . . . Estamos a diez . . . Veremos si madama Pastiche me saca de este apuro. En una semana puede hacerme un vestido. Con los encajes y mis joyas . . .

Tocó el timbre y dentro de poco vino la doncella.

— ¿ Qué estabas haciendo ? — preguntó la condesa impaciente.[4]

— Ayudaba a Gregorio a buscar una cosa que ha perdido el señorito Diego.

— ¿ Y qué cosa es ésa ?

— Un gemelo de los puños. Uno de los que la señora condesa le regaló hace un mes.

— ¡ Dios mío ! ¡ Qué chico ! ¡ Perder ese gemelo, tan precioso y tan original ! No los hay así [5] en Madrid. Sigue buscando y ahora tráeme del armario mis encajes.

La doncella obedeció, no sin hacer un movimiento de sorpresa a la orden inesperada. Al retirarse ella, la dama pasó a la amplia alcoba y tomó de su secreter unas llaves pequeñas; se dirigió a otro mueble, un escritorio grande y lo abrió, diciendo:

— Afortunadamente las he retirado del Banco este invierno.

Al introducir la llave en uno de los cajones [6] notó con gran sorpresa que estaba abierto.

— ¿ Lo habré dejado así ? [7] — murmuró ella.

Era el primer cajón de la izquierda, en que creía haber colocado su gran rama de diamantes.[8] Sólo contenía cosas sin valor, un par de relojes y papeles de seda.[9] La señora, turbada, empezó a examinar los otros cajones. Todos estaban abiertos; dos de ellos rotos. Las manos de la dama tem-

---

[1] gemelo, *cuff link.* [2] contrariedad, *annoyance.* [3] ¡ Hacía . . . fiestas ! *She hadn't attended festivals for so long!* [4] impaciente, *impatiently.* (*Adjectives are often used as adverbs in Spanish.*) [5] No los hay así, *There aren't any like them.* [6] cajones, *drawers.* [7] ¿ Lo habré dejado así? *Can I have left it this way?* [8] creía . . . diamantes, *she thought she had put her valuable diamond spray.* [9] papeles de seda, *tissue paper.*

blaban. Ya no cabía duda;[1] faltaban de allí todas las joyas: rama de diamantes, sartas[2] de perlas, collares, broche de rubíes y diamantes . . . ¡ Robada ! ¡ Robada !

Una impresión extraña dominó a la condesa. Ella recordaba que al
5 envolver en papeles de seda el broche de rubíes, había notado que parecía sucio, y que era necesario llevarlo para hacerlo limpiar.

— Y el mueble estaba bien cerrado por fuera[3] — pensó la señora.
— Ladrón de la casa. Alguien que entra aquí con libertad a cualquier hora;[4] alguien que puede pasar aquí un rato probando las llaves . . .
10 Alguien que sabe el sitio en que guardo mis joyas, su valor, y mi costumbre de no usarlos en estos últimos años.

De repente grita ella un nombre:
— ¡ Lucía !

¡ Era ella ![5] No podía ser nadie más.[6] Era cierto que Lucía, doncella
15 leal e hija de honrados padres, servía en la casa hacía ocho años.[7] Pero — pensaba la condesa — uno puede ser leal . . . y ceder a la tentación. Poco a poco la imagen de Lucía se transformaba en una mujer codiciosa, astuta, que esperaba el momento de robar sus joyas . . . Por eso quedó sorprendida ella cuando la mandé traer los encajes. Ella creía que necesitaría las
20 joyas también.

Furiosa, la dama escribió con lápiz algunas palabras en una tarjeta, la puso en un sobre, escribió la dirección, tocó el timbre dos veces, y cuando Gregorio apareció en la puerta, se la entregó.

— Esto, a la delegación,[8] ahora mismo.
25 Sola otra vez, la condesa volvió a mirar los cajones.

— Tiene fuerza la ladrona; sin duda en la prisa no halló la llave propia de cada uno y los forzó — pensó ella.

En ese momento entró Lucía trayendo una caja de cartón.[9]
— Trabajo me ha costado [10] hallarlos, señora.
30 La señora no respondió. Quería cogerla por un brazo y arrojarla contra la pared. Las joyas eran de la familia . . . Se domina la voz, pero los ojos no. Su terrible mirada buscó la de Lucía, y la encontró fija en el escritorio, abierto aún, con los cajones fuera. En tono de asombro, de asombro alegre, la doncella exclamó, acercándose:
35 — ¡ Señora ! ¡ Señora ! Ahí . . . en ese cajón . . . ¡ El gemelo que faltaba ! ¡ El gemelo del señorito Diego !

---

[1] Ya no cabía duda, *There was no longer any doubt.* [2] sartas, *strings.* [3] por fuera, *on the outside.* [4] a cualquier hora, *at any time.* [5] ¡ Era ella ! *It was she!* [6] nadie más, *anyone else.* [7] servía . . . años, *had been serving in the house for eight years.* [8] delegación, *police station.* [9] cartón, *cardboard.* [10] Trabajo me ha costado, *It has been hard for me.*

La condesa abrió la boca, extendió los brazos, comprendió . . . sin comprender. Y de repente cayó hacia atrás, perdido el conocimiento,[1] casi roto el corazón.

(*Adapted from Emilia Pardo Bazán*[2])

MODISMOS

estamos a diez   *it is the tenth*   se trata de   *it is a question of*

PREGUNTAS

1. ¿ Qué recibió la condesa ? 2. ¿ Salía ella todas las noches ? 3. ¿ Cómo se llamaba su hijo ? 4. ¿ Quién iba a casarse ? 5. ¿ En qué día del mes iban a celebrar la boda ? 6. ¿ Qué necesitaba la condesa ? 7. ¿ Qué estaba haciendo la doncella ? 8. ¿ A dónde pasó la condesa ? 9. ¿ Qué notó ella ? 10. ¿ Qué contenía el cajón ? 11. ¿ Qué faltaba de allí ? 12. ¿ Qué creyó ella ? 13. ¿ Qué escribió con lápiz ? 14. ¿ Quién apareció en la puerta ? 15. ¿ Qué le dijo ella ? 16. ¿ Qué trajo Lucía en ese momento ? 17. ¿ Qué quería hacer la condesa ? 18. ¿ Qué exclamó la doncella ? 19. ¿ Qué hizo la condesa entonces ? 20. ¿ Cómo cayó ella ?

[1] perdido el conocimiento, *unconscious*.   [2] *See p. 271 for comments on the author.*

CARTAS ESPAÑOLAS

In this section will be given only some of the basic points concerning personal and business letters in Spanish. In general, formulas used in Spanish, particularly for the salutation and conclusion of business letters, are less brief and direct than in English, although they are less formal and flowery than formerly. Not all terms are used with equal frequency in all the Spanish-speaking countries, but sufficient variety is included here for ordinary purposes.

The new words and expressions whose English equivalents are given in this section are not listed in the Spanish-English vocabulary, unless used elsewhere in the text. However, meanings are listed for all new words used in the Exercises (pages 252–253).

A. Address on the envelope

The title of the person to whom the letter is addressed begins with **señor** (**Sr.**), **señora** (**Sra.**), or **señorita** (**Srta.**[1]). **Sr. don** (**Sr. D.**) may be used for a man, **Sra. doña** (**Sra. Dª.**) for a married woman, and **Srta.** for an unmarried woman:

Señor don Carlos Rojas **Sr. D. Jorge Ortiz y Moreno**
Srta. Carmen Villegas **Sra. doña María Ocampo de Pidal**

In the third example note that Spanish surnames often include the name of the father (**Ortiz**), followed by that of the mother (**Moreno**). Often the mother's name is dropped (first two examples). A woman's married name is her maiden name followed by **de** and the surname of her husband (fourth example).

Two complete addresses follow:

Sr. D. Luis Monterde **Srta. María Muñoz**
Calle 5 de Mayo, 26 **Avenida Bolívar, 134**
México 5, D.F. **Caracas, Venezuela**

Two business addresses are:

Ocampo Hermanos (Hnos.) **Señores (Sres.) López Díaz y Cía, S.A.**
Apartado (Postal) 583 **Paseo de la Reforma, 12**
Buenos Aires, Argentina **México 2, D.F.**

---

[1] **Srita.** and **Sta.** are sometimes used as abbreviations for **señorita**.

246

In an address one writes first **calle** (**avenida,** *avenue;* **paseo,** *boulevard;* **camino,** *road;* **plaza,** *square*), then the house number. **Apartado** (**Postal**), *post office box,* may be abbreviated to **Apdo.** (**Postal**). The abbreviation **Cía** = **Compañía**; **S.A.** = **Sociedad Anónima,** equivalent to English *Inc.* (*Incorporated*); and **D.F.** = **Distrito Federal,** *Federal District.*

Airmail letters are marked **Vía aérea, Correo aéreo,** or **Por avión.** Special delivery letters are marked **Urgente,** and registered letters, **Certificada.**

B. The heading of the letter

The most common form of the date line is:

Madrid, 4 de mayo de 1963

The month is usually not capitalized unless it is given first in the date. For the first day of the month 1° (**primero**) is regularly used; the other days are written 2, 3, 4, etc. Other forms of the date line are:

Lima, Junio 15, 1962
Quito, 1° abril de 1964

The address which precedes the salutation of the business and formal social letter is the same as that on the envelope. In familiar letters only the salutation need be used.

C. Salutations and conclusions for familiar letters

Some forms used in addressing relatives or close friends are:

Querido hermano (Juan):	**(Mi) querida hija:**
Querida amiga mía:	**Queridísima** [1] **mamá:**

In conclusions of familiar letters many types of formulas are used. Some commonly used endings for letters in the family are:

(Un abrazo de) tu hijo, *(one boy signs)*
Tu hijo (hija) que te quiere, *(one boy or girl signs)*
Con todo el cariño [2] **de tu hermano (hermana),** *(one boy or girl signs)*

For friends (also the family) the following are suitable:

Un abrazo de tu (su) amiga que te (le) quiere,
Tuyo (Suyo) afectísimo (afmo.), [3] *or* **Tuya (Suya) afectísima (afma.),**
Cariñosos saludos [4] **de tu buen amigo (buena amiga),**
Sinceramente, *or* **Afectuosamente,** [5]

In the first few letters to a Spanish friend one normally uses the polite forms of address; as the correspondence continues more familiar forms may be used.

---

[1] Queridísima, *Dearest.* [2] cariño, *affection.* [3] Tuyo (Suyo) afectísimo, *Affectionately yours.*
[4] Cariñosos saludos, *Affectionate greetings.* [5] Afectuosamente, *Affectionately, Sincerely.*

D. Salutations for more formal social letters or for business letters

Formulas which may be used in social letters are:

Estimado señor: Dear Sir:
Muy estimado señor Pidal: Dear Mr. Pidal:
Muy distinguida señorita: Dear Miss:
Estimada señora Salas: Dear Mrs. Salas:
Estimada amiga (Isabel): Dear Friend (Betty):

Appropriate salutations for business letters or those addressed to strangers, equivalent to "My dear Sir," "Dear Sir," "Dear Madam," "Gentlemen," etc., are:

Muy señor (Sr.) mío: (*from one person to one gentleman*)
Muy señor nuestro: (*from a firm to one gentleman*)
Muy señores (Sres.) míos: (*from one person to a firm, or to several persons*)
Muy señores nuestros: (*from one firm to another firm*)
Muy señora mía: (*from one person to a woman*)
Muy señorita nuestra: (*from a firm to a young woman*)

E. Conclusions for informal social and business letters

Common forms equivalent to "Sincerely (yours)," "Cordially yours," "Affectionately yours," are:

Suyo afectísimo (afmo.), *or* **Suyos afectísimos (afmos.),**
Queda [1] **(Quedo) suyo afmo. (suya afma.),**
Le saluda cariñosamente (muy atentamente),
Con todo cariño (afecto, corazón),
Sinceramente (suyo, suya), *or* **(Muy) atentamente,**

Other phrases which may accompany these formulas are:

Dé (Da) mis mejores (afectuosos) recuerdos a toda su (tu) familia,
    Give my best (affectionate) regards to all your family,
Salude afectuosamente de mi parte a su esposa,
    Give my affectionate greetings to your wife,
Con mis mejores deseos para usted y los suyos, me despido,
    With my best wishes for you and your family, I remain,
Reciba un saludo muy cordial de su amigo y servidor,
    Cordial greetings from your good friend,
De usted muy cordialmente,
    (Very) cordially yours,

---

[1] **Queda** is in the third person if the signee is the subject. Also note the next example.

F. The body of business letters

The Spanish business letter usually begins with a sentence which states the purpose of the letter. A few examples, with English translation, follow. Note that the sentences cannot always be translated word for word:

Acabo (Acabamos) de recibir su carta del 15 de abril.
I (We) have just received your letter of April 15.
Nos complacemos en acusar recibo de . . .
We are pleased to acknowledge receipt of . . .
Tenemos el gusto de avisar a Vd.[1] que hemos recibido . . .
We are pleased to tell (inform) you that we have received . . .
Le ruego (suplico) tenga [2] Vd. la bondad de enviarme . . .
Please (I ask you to please) send me . . .
Adjunto enviamos giro bancario No.[3] ——, del día 14 del corriente . . .
Enclosed find bank draft No. —— of the 14th (of this month) . . .
Adjunto le envío un giro postal por $5.00, que cubre el importe de . . .
I am sending you a postal money order for $5.00, for the cost of . . .
Muchas gracias por su atenta carta del dos de mayo, en la cual me informa . . .
Many thanks for your (good) letter of May 2 in which you tell me . . .

Some proper conclusions which might accompany these salutations are:

Reciba un saludo muy cordial de su amigo y servidor,
Cordial greetings from your friend,
Aprovecho esta oportunidad (ocasión) para ofrecerme su atto. y s. s.,[4]
I take this opportunity to remain, sincerely yours,
En espera de sus gratas noticias, quedamos de Vds. attos. y ss. ss.,
Awaiting good news from you, we remain, sincerely,
Me es muy grato quedar suyo afmo. s. s.,
Sincerely yours,
Dando las anticipadas gracias por su atención en este asunto, me suscribo de Vd. atto. y s. s.,
Thanking you in advance for your attention in this matter, I remain, sincerely,

As noted above, the Spanish conclusion usually requires more than a mere "Very truly yours," or "Sincerely yours." However, there is a tendency nowadays to shorten conclusions of business letters, particularly as correspondence continues with an individual or firm.

One must be consistent in the agreement of salutations and conclusions, keeping in mind whether the letters are addressed to a man or a woman, or to a firm, and whether the letters are signed by one person or by an individual for a firm.

---

[1] **Usted(es)** may also be abbreviated to **Ud(s)**. Since **usted** is technically a noun (coming from **vuestra merced**), the object pronoun **le** is sometimes omitted before the verb, particularly in letter writing. [2] **Que** is often omitted after such verbs as **rogar, pedir, suplicar, esperar.**
[3] **No. = número.** [4] **Seguro servidor** (*sing.*) may be abbreviated to: *S. S.* or *s. s.;* **seguros servidores** (*pl.*) to *SS. SS., Ss. Ss.,* or to *ss. ss.* **Atto. = atento; attos. = atentos.**

G. Sample letters

The following letters translated freely from Spanish to English will show how natural, idiomatic phrases in one language convey the same meaning in another. Read the letters aloud for practice and be able to write them from dictation. At the end of this section are some words and phrases, not all of which are used in the sample letters, which should be useful in composing original letters.

1.   11 de enero de 1964

. . . .

Muy señores míos:

Me es grato avisarles a ustedes que acabo de recibir su atenta del 8 del actual y el ejemplar de su catálogo con la lista de precios que se sirvieron remitirme por separado.

Tengan ustedes la bondad de enviarme a la mayor brevedad posible ejemplares de los libros siguientes: . . .

Adjunto hallarán un cheque por pesos 47,20 [1] en pago de la factura del 17 del pasado.

Quedo de ustedes su atto. y S. S.

January 11, 1964

. . . .

Gentlemen:

I am glad to inform you that I have just received your letter of January 8 and the copy of your catalogue with the list of prices which you kindly sent me under separate cover.

Please send me as soon as possible copies of the following books: . . .

Enclosed you will find a check for $47.20 (47.20 *pesos*) in payment of your bill of December 17 (of the 17th of last month).

Sincerely yours,

2.   14 de enero de 1964

. . . .

Muy señor nuestro:

Acusamos recibo de su favor del 11 del presente, en que hallamos adjunto su cheque por pesos 47,20, que abonamos en su cuenta, y por el cual le damos a Vd. las gracias.

---

[1] Read **cuarenta y siete pesos, veinte centavos.** While the comma between the dollars and cents has largely been replaced in Spanish by a period, it is still used. The English comma is often written as a period in Spanish: **pesos** 1.542,65.

Hoy le enviamos a vuelta de correo el pedido de libros que se sirvió hacernos, cuyo importe cargamos en su cuenta.

En espera de sus nuevos gratos pedidos, nos es grato ofrecernos sus afmos. attos. amigos y ss. ss.

January 14, 1964

Dear Sir:

We acknowledge receipt of your letter of January 11, in which we found enclosed your check for $47.20 (47.20 *pesos*), which we are crediting to your account, and for which we thank you.

Today we are sending you by return mail the order for books which you kindly sent us (made of us), the amount of which we are charging to your account.

Awaiting other kind orders from you, we remain, sincerely yours,

VOCABULARIO ÚTIL

abonar   *to credit*
adjunto, –a   *enclosed*
el asunto   *matter*
avisar   *to advise, inform*
cargar (gu)   *to charge*
el catálogo   *catalogue*
comunicar (qu)   *to inform, tell*
dirigir (j)   *to address, direct*
el ejemplar   *copy*
el envío   *shipment, remittance*
la factura   *bill, invoice*
el franqueo   *postage*
el giro   *draft*

grato, –a   *kind, pleased*
el importe   *cost, amount*
la muestra   *sample*
ofrecer(se) (zc)   *to offer, be, offer one's services*
el pago   *payment*
el pasado   *last month*
el pedido   *order*
permitirse   *to take the liberty (to)*
el recibo   *receipt*
referir(se) (ie,i) (a)   *to refer (to)*
remitir   *to remit, send*
servirse (i)   *to be so kind as to*

a la mayor brevedad posible   *as soon as possible*
a vuelta de correo   *by return mail*
acusar recibo de   *to acknowledge receipt of*
anticipar las gracias   *to thank in advance*
de antemano   *in advance, beforehand*
del actual (presente)   *of the present month*
en contestación a   *in reply to*
en espera de   *awaiting*
en su cuenta   *to one's account*
giro postal   *money order*
hacer un pedido   *to place (give) an order*
lista de precios   *price list*
(nos) es grato   *(we) are pleased to*
paquete postal   *parcel post*
por separado   *under separate cover*
sírva(n)se (+ *inf.*)   *please, be pleased*
tener el agrado (gusto) de   *to be pleased to*
tenga(n) Vd(s). la bondad de   *please, have the kindness to*

EJERCICIOS

a. Address envelopes to the following:

1. Mr. John White
137 University Avenue
Santiago, Chile

2. Professor Charles Martín
Box 562
Bogotá, Colombia

3. Miss Barbara Moreno
516 Reforma Boulevard
Mexico City 2, Mexico

4. Mrs. Mary Ortiz
8 Independence Square
Madrid, Spain

b. Write the following date lines and salutations, then read aloud:

1. Madrid, May 2, 1963; Dear Mr. Aguilar: 2. Barcelona, March 17, 1962; Dear Mrs. Rivas: 3. Granada, September 30, 1964; Dear Miss Muñoz: 4. Montevideo, January 1, 1961; Dear Mother: 5. Santo Domingo, October 12, 1960; Dear Son: 6. Caracas, December 25, 1959; Dear Cousin Betty:

c. Write in Spanish:

1. Dear Sir: (*from one person*) 2. Dear Sir: (*from a firm*) 3. Gentlemen: (*from one person*) 4. Gentlemen: (*from a firm*) 5. Dear Madam: (*from one person*) 6. My dear Madam: (*for a young woman*)

d. Read in Spanish and translate into correct business English:

1. Ruego a ustedes tengan la bondad de darme informes . . .
2. Le doy a Vd. las gracias por su grato pedido.
3. Le acusamos recibo de su atenta del 3 de mayo.
4. Con su favor del 23 del pasado recibimos el giro postal por $20.
5. Adjunta le remitimos una muestra.
6. Con la presente tenemos el gusto de remitir a ustedes un cheque No. —.
7. Su carta del 15 del presente fue referida a nuestro gerente.
8. Tengo el gusto de referirme al pedido que se sirvió hacerme . . .

e. Read in Spanish and give approximate translations for the following conclusions and indicate whether the signature would be that of an individual or a firm:

1. En espera de sus gratas noticias le envía un cordial saludo su buen amigo,
2. Nos es grato saludarla atentamente,
3. Muy cordialmente le saluda su afmo. y s. s.,
4. Sin otro asunto, quedo de Vd. como su atento amigo y seguro servidor,
5. Sin otro asunto, quedamos como sus attos. y ss. ss.,
6. Aprovecha esta oportunidad para saludarle con la mayor consideración,

7. Aprovechamos esta ocasión para saludar a ustedes muy atentamente, suyos affmos. y ss. ss.,

8. Anticipándole las gracias por su atención en este asunto, saluda a Vd. muy atentamente,

f. Give the Spanish for:

1. to acknowledge receipt of. 2. by return mail. 3. under separate cover. 4. in reply to. 5. in payment of the invoice. 6. by air mail. 7. (by) parcel post. 8. upon receiving the telegram. 9. as soon as possible. 10. to thank in advance. 11. please send. 12. I am pleased to inform you (*pl.*). 13. to place an order. 14. to address a letter. 15. upon mailing the package.

g. Write in Spanish:

1.   May 20, 1963

Dear Mr. Díaz:
   We acknowledge receipt of your letter of May 17 and under separate cover we are sending you the price list you asked for. Upon receiving your order, we shall send the shipment by return mail.
   Thanking you in advance, we remain,
                                                     Sincerely yours,

2.   September 25, 1964

Dear Miss Ortega:
   In reply to your letter of September 23, I am pleased to send you by air mail the information you need. . . .
   Please give my best regards to all your family.
                                                     Sincerely yours,

h. Suggestions for original letters in Spanish:

1. Write to a foreign student, describing some of your daily activities. Try to use words which you have had in this text.
2. Write to a cousin, describing some shopping which you have done recently.
3. Assume that you are the Spanish secretary for an American exporting firm. Write a reply to a Spanish American firm which has asked for a recent catalogue and prices.
4. Write an acknowledgment of receipt of the catalogue by the Spanish American firm. Also indicate that an order will follow soon.

Elaborate puppets ("fallas"), which satirize many aspects of the social and political life in Spain, are constructed in the squares and street intersections of Valencia during the second week of March.

The burning of the "fallas" at midnight on March 19, St. Joseph's Day, is the climax of a week of festivity that attracts thousands of visitors to Valencia.

LECTURAS

These stories have been chosen from the works of recognized Spanish and Spanish American writers. As you read each one, ask yourself such questions as: What is the author attempting to do? To give a picture of Spanish or Spanish American life? To show the character of an individual? To deal with a social, economic, or political problem? To establish moral values?

Don't limit yourself to finding out what happens in the story. Once you have decided what the author is trying to do, start thinking. Do you agree with the writer? Have you, in your experience, encountered anything similar to the situation in the story? Is the situation true to life in the period it represents? Do the characters seem natural? What qualities do they show? Remember that you can judge the character of an individual by what he does, by what he says, and by what people say about him.

Finally, do not expect the Spanish short story always to be action-packed, with a strong climax. In this country, with its many magazines, the short story has become a highly developed and publicized literary form. In Spanish literature, a small incident or a human emotion may provide the body of a story and the thoughts of one of the characters may make up most of its action. Read these stories for what they are and enjoy their humor, tragedy, local color, variety, and punch lines. « ¡ Que se diviertan Vds. mucho ! »

La lección de música

Vicente Riva Palacio (Mexico, 1832–1896), soldier, politician, and diplomat, wrote a number of Mexican historical novels and realistic short stories. The confidence game, which he has chosen to depict in La lección de música *has long existed in fact and in fiction, because there is always someone gullible enough and greedy enough to be taken in by what appears to be a chance to make a "fast dollar." The music lesson in this story, which is adapted from* Un stradivarius, *is indeed a costly one.*

Use this story to check your own attention to details. Read it, close your book, and describe carefully the "con" man, his associate, and his victim.

I

— ¿Qué desea usted? Pase usted, caballero; aquí hay todo lo que pueda necesitar. Tome usted asiento si quiere . . .

— Mil gracias. Deseaba yo ver unos ornamentos de iglesia de mucho lujo.[1]

5 — Aquí encontrará usted cuanto necesite, todo muy bueno, muy barato y para todas las fiestas del año.

— Pues, veremos; porque tengo un encargo de un tío muy rico, de Guadalajara, que quiere hacer un regalo a la catedral.

El vendedor era el tío Samuel, un rico comerciante y dueño de una gran
10 joyería situada en una de las principales calles de México; pero en ella podían encontrarse collares y pulseras, pendientes y alfileres de brillantes, de rubíes, de perlas y esmeraldas, ornamentos de iglesia, lujosos muebles y objetos de arte.

El tío Samuel era bajo de estatura, gordo y rubio; también era muy
15 codicioso. El caballero era un joven pálido, alto y delgado, con mirada triste, pelo lacio, levita negra y vieja, y pantalones negros y viejos. Además, llevaba en la mano izquierda un violín metido en una caja de tafilete negro. Sin duda era un músico.

Dejó el músico la caja sobre el mostrador y comenzó don Samuel a
20 presentar ornamentos. Se tomaron medidas, se hicieron comparaciones y, por fin, después de una hora de conferencia, el músico tenía ya todos los informes para escribir al tío y esperar la respuesta y el giro. Antes de retirarse, dijo:

— ¿Tendría usted inconveniente en que dejara yo * aquí este violín
25 para no tener que llevarlo a mi casa, porque vivo lejos?

— Ninguno — contestó el vendedor.

---

[1] de mucho lujo, *very elegant.*   * *Asterisks refer to points discussed in the Translation Aids at the end of each reading selection. Refer to these explanations in preparing your assignments. The list of idioms should be reviewed before reading each selection.*

—Pero es que quisiera que no se maltratara, porque lo estimo en mucho.[1]

—Pierda usted cuidado. Vea usted dónde lo coloco, y ahí lo encontrará sin que nadie lo haya tocado.*

Y como trataba·de atraer a un buen comprador, colocó cuidadosamente la caja en una vitrina donde todo el mundo la vería. 5

Al día siguiente, entre la multitud de compradores que entraron en la casa de don Samuel, llegó un caballero de unos cuarenta años de edad, de aspecto aristocrático, elegantemente vestido. Buscaba un alfiler para corbata y no pudo hallar ninguno que le gustase; pero al retirarse le llamó la atención la caja del violín tan vieja y maltratada,* en medio de tantos 10 objetos brillantes y lujosos.

—¡Qué! ¿También vende usted instrumentos de música, o es ese violín tan bueno que lo guarda usted en esa caja tan horrible?

—No es mío; me lo dejaron a guardar,* y con tales recomendaciones que sólo ahí me pareció seguro. 15

—¡Hombre! Enséñemelo usted, que yo soy también aficionado a violines. Debe de ser [2] una cosa de poco valor.

[1] lo estimo en mucho, *I esteem it highly.*   [2] Debe de ser, *It must be.*

257

El tío Samuel abrió la caja, el caballero tomó el violín, lo miró, lo volvió por todos lados, y al fin, mirando al vendedor, le dijo:

— Éste es un violín de Stradivarius legítimo, y si usted quiere por él seiscientos duros, en este momento se los doy y me lo llevo.*

5 El vendedor abrió los ojos, la boca y los oídos, y hasta las manos, no sólo por el descubrimiento, sino porque pensaba comprar el violín al [1] pobre músico, que seguramente necesitaba dinero y que no sabía el gran valor del instrumento. Se le ocurrió [2] en seguida decir al caballero:

— Mire usted, el violín no es mío; pero si usted quiere poseerlo, hablaré
10 al dueño, aunque me parece que ha de pedir mucho por él.

— ¿ Me pregunta si quiero poseerlo ? En París cuando por casualidad hay un Stradivarius, vale unos diez o doce mil francos.

— ¿ Y hasta cuánto puedo ofrecer ?

— Pues oiga usted mi último precio. Si me lo consigue usted por mil
15 duros, le doy a usted cincuenta * y pasado mañana vendré a saber lo que pide el dueño, porque tengo que salir para Veracruz y no puedo perder más tiempo.

II

Al día siguiente el pobre músico llegó a la joyería. No había noticia todavía del tío que quería los ornamentos, pero venía a recoger su violín.
20 El tío Samuel lo sacó de la vitrina afectando la mayor indiferencia y, antes de entregarlo, le dijo:

— Hombre, si usted quisiera vender este violín, yo tengo un amigo que es aficionado a los violines y quiero hacerle un regalo, puesto que usted dice que es bueno.

25 — ¡ Oh ! no, señor; yo no lo vendo.

— Pero yo le pago muy bien. Le daré a usted trescientos duros.

— ¿ Trescientos duros ? Por doble no he querido venderlo.

— ¡ Bah ! No vale tanto, pero para que vea usted que quiero favorecerle, le daré seiscientos.

30 — No, señor, de ninguna manera.

— Setecientos.

— Mire usted; estoy muy pobre, tengo que sostener a mi madre que está enferma y pagar otros gastos. Si usted me diera ochocientos duros se lo dejaría,[3] pero en el acto.

35 Don Samuel pensó un momento: « Ochocientos me cuesta; en mil se lo doy al caballero que debe venir esta tarde, y que me ha ofrecido, además,

---

[1] al, *from the.*   [2] Se le ocurrió, *It occurred to him.*   [3] se lo dejaría, *I would let you have it.*

cincuenta duros; gano doscientos cincuenta de una mano a otra.[1] » Y continuó diciendo en voz alta:

— Bien, joven; para que vea usted que quiero ayudarle, aquí están mis ochocientos duros.

Y abriendo una caja de hierro, sacó en oro el dinero que entregó al 5 músico. El joven lo recibió con lágrimas en los ojos, diciendo en voz baja: «¡ Madre mía ! ¡ Madre mía ! », y salió de la joyería rápidamente.

III

Pasaron ocho días sin que el caballero que deseaba comprar el violín se presentara * en la tienda a cumplir su promesa, cuando entró en ella, por casualidad, uno de los famosos violinistas extranjeros que había llegado a 10 México a dar algunos conciertos.

— A ver, ¿ qué le parece a usted este violín ? — le preguntó don Samuel, que ya le conocía, abriendo la caja y mostrándole el Stradivarius.

El extranjero tomó el violín, lo examinó cuidadosamente, lo tocó un poco, y lo entregó al vendedor, diciendo: 15

— Pues no vale más que cinco duros.

Casi se cayó al suelo el tío Samuel . . . cuando recordó cuanto había pagado por el instrumento.

Muchos años después enseñaba el violín, diciendo:

— Fui muy tonto. Son ochocientos duros que me ha costado esta 20 lección de música.

[1] de una mano a otra, *in the deal.*

TRANSLATION AIDS

1. The present tense is often used in Spanish for the future:

en este momento se los doy y me lo llevo.
at this moment I'll give them to you and I'll take it with me.
le doy a usted cincuenta ...
I'll give you fifty ...

2. The passive voice is more common in English than in Spanish. Frequently a sentence in the active voice is better translated by an English passive, especially if the sentence is long:

le llamó la atención la caja del violín tan vieja y maltratada ...
his attention was attracted by the violin case which was so old and mistreated ...
(Note the extra words needed for translation.)
me lo dejaron a guardar ...
it was left for me to keep ...

3. The subjunctive may be translated by the English present participle, particularly after **sin que**:

ahí lo encontrará sin que nadie lo haya tocado.
you will find it there without anyone's having touched (played) it.
Pasaron ocho días sin que el caballero ... se presentara ...
A week passed without the gentleman ... presenting himself ...
¿ Tendría usted inconveniente en que dejara yo ... ?
Would you have any objection to my leaving ... ?

4. Translation of **se**:

a. The reflexive pronoun is often not translated or it gives the verb a special meaning:

Se quedó sorprendido.	*He was surprised.*
No quería casarse con ella.	*He didn't want to marry her.*
Se atreven a ...	*They dare to ...*
Comenzó a enojarse.	*He began to get angry.*

b. Mutual or reciprocal use (one subject acting on another):

Se miraron.	*They looked at each other.*

c. Passive voice:

Se tomaron medidas.	*Measurements were taken.*

MODISMOS

al fin	*finally*	por casualidad	*by chance*
en el acto	*at once*	puesto que	*since*
ocho días	*a week*	ser aficionado a	*to be fond of*
pierda Vd. cuidado	*don't worry*		

PREGUNTAS

I. 1. ¿ Qué deseaba ver el joven ? 2. ¿ Cómo se llamaba el dueño de la tienda ? 3. ¿ Cuáles eran las cosas que se vendían allí ? 4. ¿ Cómo era el dueño ? 5. ¿ Qué llevaba el joven ? 6. ¿ Dónde puso la caja ? 7. ¿ Para quién eran los ornamentos ? 8. ¿ Dónde vivía el joven ? 9. ¿ Qué le pidió al dueño ? 10. ¿ Dónde colocó éste la caja ? 11. ¿ Quién llegó a la tienda al día siguiente ? 12. ¿ Qué buscaba ? 13. ¿ Qué le llamó la atención ? 14. ¿ Cuánto ofreció al vendedor por el instrumento ? 15. ¿ Por qué pensaba don Samuel comprar el violín ? 16. ¿ Cuánto valía un Stradivarius en París ? 17. ¿ Cuál fue el último precio del caballero ?

II. 18. ¿ Cuándo volvió el músico ? 19. ¿ Quería vender el violín ? 20. ¿ Qué ofreció primero el dueño ? 21. ¿ Cuánto pidió el músico al fin ? 22. ¿ Por qué necesitaba dinero ? 23. ¿ Por cuánto lo vendió ?

III. 24. ¿ Cuánto tiempo pasó ? 25. ¿ Se presentó el caballero ? 26. ¿ Quién examinó el violín un día ? 27. ¿ Por qué había venido a México ? 28. Según el violinista, ¿ cuánto valía el violín ? 29. ¿ Qué pasó entonces ? 30. ¿ Qué dijo el tío Samuel muchos años después ?

EJERCICIOS

I. Busque Vd. en la primera parte de este cuento lo contrario de estas palabras:

pobre	gordo	poco	contento
malo	cerca	comprador	nuevo
bajo	blanco	vender	derecha

II. Cambie el verbo pasivo de cada frase a la voz activa.

EJEMPLO: **Podían encontrarse collares. Podían encontrar collares.**

1. Se creía que era rico. 2. Se hicieron comparaciones. 3. Se tomaron medidas. 4. Se ha dicho que vale mucho. 5. Se venden estas cosas por mucho dinero. 6. Se cerró la tienda a las cuatro.

III. Complete cada frase en español:

1. El dueño de la joyería se llamaba ———— y era un hombre ————.
2. Entró en la tienda un joven ———— que quería comprar ————.
3. Éste pidió permiso para ————.
4. Al día siguiente un caballero le ofreció al tío Samuel ———— por ————.
5. Cuando el joven volvió a la tienda, ———— le pagó ————.
6. Una semana más tarde entró en la tienda un ———— que había llegado a México a ————.
7. El tío Samuel le preguntó: — ¿ ———— ?
8. El músico le dijo que ————.
9. Al saber esto, el hombre codicioso ————.
10. Por fin decidió que su lección de música ————.

Las noches largas de Córdoba

Narciso Campillo (1835–1900), author of Las noches largas de Córdoba, *wrote about the southern Spain in which he lived. In this story we have a practical joker whose pranks scarcely seem possible unless you know how very dark a* persiana *can make a room. (A* persiana, *a heavy metal blind similar to our Venetian blinds, covers the window completely on the outside.) If you have experienced this darkness, you will realize that this is not a preposterous tale with a stupid principal character, but rather the perfectly possible story of a simple and unsuspecting countryman who visits in the home of a city friend.*

I

El señor Frutos llegó una tarde a Córdoba.   Dejó su mulo en un establo, y en seguida se presentó en casa de su amigo, el señor Lopera.   Como era tan gordo y hacía mucho calor, llegó rojo como un tomate.   Apenas se hubo sentado, sacó un pañuelo, se limpió el cuello y la cara y empezó a
5 preguntar a su amigo muchas tonterías.   El señor Lopera respondió lo mejor que pudo,* y al anochecer le llevó al comedor donde había una comida excelente.   Pero el señor Frutos había comido en el camino y no tenía ganas de cenar;   en cambio, bebía mucho.

— Amigo Frutos, déjese usted de beber [1] y tome esta carne o algo más.
10 — No tengo hambre, gracias, sino sed.   Mañana verá usted si tengo apetito.

---

[1] déjese usted de beber, *stop drinking.*

— Es que de aquí a mañana [1] no es tan breve como usted cree. ¿ No ha oído hablar de las noches largas de Córdoba ?

— No, señor, pero aquí pasará * como en mi pueblo: las noches son largas en diciembre y enero, y cortas en el verano; esto lo [2] saben hasta los niños y los tontos.

— Sin duda así es, y yo no diré lo contrario. Lo que aseguro es que, aún teniendo el mismo número de horas, aquí las noches parecen mucho más largas que en otros lugares, y de ahí viene su fama.

— Pues, señor Lopera, aunque sean más largas que la Letanía,[3] seguramente no lo advertiré porque vengo tan cansado que nada podrá despertarme. Y hablando de sueño, con su permiso quisiera acostarme.

El señor Lopera le acompañó a la habitación que le tenía preparada, y le dijo:

— Aquí, amigo mío, estará usted fresco y descansará bien, sin que nada ni nadie le moleste. ¿ Ve usted allí un cordón, cerca de la cama ? Pues si necesita algo, tire de él y vendrá inmediatamente un criado que he puesto a sus órdenes. Conque, amigo Frutos, que duerma usted bien.

El señor Frutos le dio las gracias y quedó solo. Pronto se metió en la cama. Eran las once y se durmió en seguida.

II

Dejémosle descansar, mientras el señor Lopera da sus instrucciones al criado, que era listo y muy a propósito para [4] hacer una burla. Éste se reía mucho de lo que oía y prometió seguir las órdenes de su amo.

El señor Frutos tenía razón al decir que tenía ganas de dormir... Desde las once de la noche hasta las doce del día siguiente durmió trece horas sin despertar una sola vez. Pero como todo tiene su fin, a las doce se despertó y se sentó en la cama. Al abrir los ojos no vio nada. La habitación estaba negra y no se oía ruido alguno [5] fuera. Aquel cuarto obscuro y silencioso parecía una tumba. ¡ Cómo! ¿ Era posible que aún no hubiese amanecido ? Quedó sentado en la cama más de una hora y media. Nada: ni entraba un rayo de luz, ni oía ruido alguno. Al fin tiró del cordón, pero nadie vino. Tiró otra vez, con más fuerza. Entonces, al cabo de algunos minutos, sintió [6] pasos de un hombre que andaba despacio. Era el criado. Venía en camisa de noche, sin zapatos, trayendo una vela en la mano, y con esa cara del hombre a quien despiertan en lo mejor de su sueño. Bostezó, y dijo al señor Frutos:

---

[1] de aquí a mañana, *from now until tomorrow.* [2] lo. (*Do not translate.*) [3] Letanía, *Litany* (*a form of prayer*). [4] muy a propósito para, *very ready to.* [5] no se oía ruido alguno, *no noise whatever was heard.* (*Alguno used after a noun is a negative and is very emphatic, often equivalent to "any whatever, any at all.")* [6] sintió, *he heard.*

—Acabo de oír la campanilla. ¿Qué manda usted? ¿Se ha puesto enfermo?

—¡No lo permita Dios,[1] hombre! ¿Por qué había de ponerme[2] enfermo?

5 —¿Qué sé yo?[3] Como usted acaba de acostarse hace poco tiempo, y me llama a medianoche, creí ...

—¡Hace poco tiempo! ¡A medianoche! ¡Dios mío! ¿Es medianoche todavía? Y la gente de la casa, ¿no se ha levantado?

—¿Para qué se ha de levantar,[4] señor? Yo me he levantado, pensando 10 que usted me necesitaba, cuando ha llamado.

—Dispensa, hombre, y vuélvete a tu cama. Creí haber dormido[5] nueve o diez horas por lo menos.

El criado salió con la vela en la mano, cerró la puerta, y se retiró silenciosamente. Quedó otra vez en la obscuridad el señor Frutos, pues por la 15 ventana y la puerta no entraba un rayo de luz. Procuró entonces dormirse, y logró hacerlo después de un largo rato. Pero como ya había descansado muchas horas, durmió solamente hasta las tres y media o las cuatro de la tarde. La misma obscuridad, el mismo silencio. ¿Cómo? ¿Sería todavía de noche o estaría soñando?*

20 El buen hombre se tocaba el rostro, el pecho, los brazos, para convencerse de que estaba verdaderamente despierto. Al cabo tiró del cordón. Poco después el criado llegó, como antes, y preguntó qué deseaba.

—¿Qué he de desear?[6] Levantarme. Ya me parece que hace una semana que duermo. Tengo sed, tengo hambre. ¡Qué país! ¡Las horas 25 parecen siglos!

El criado le dio agua, y mientras bebía, le dijo:

—¡Levantarse! ¿Y para qué? ¿Para aburrirse, esperando la llegada del día? ¿Sabe usted qué hora es?

—Dame ese reloj, que está allí en la mesa, y lo sabremos.

30 El criado le llevó el reloj con mucho gusto.

—¡Las tres y media!—exclamó el señor Frutos, mirando su reloj. —¡Las tres y media, nada más! ¡Conque faltan dos horas y media[7] antes que amanezca, si es que jamás amanece en esta ciudad!

—Pues me parece, señor, que ese reloj anda muy de prisa. Desde mi 35 cuarto se oye el de la iglesia y además, al venir miré el del comedor y todavía no han dado las tres, aunque ya faltará poco.[8]

---

[1] ¡No lo permita Dios! *God forbid!* [2] ¿Por qué había de ponerme ...? *Why should I become ...?* [3] ¿Qué sé yo? *How should I know?* [4] ¿Para qué se ha de levantar ...? *Why should they get up ...?* [5] Creí haber dormido, *I thought that I had slept.* [6] ¿Qué he de desear? *What do you think I want?* [7] faltan dos horas y media, *it is two and a half hours.* [8] ya faltará poco, *it must be almost that time.*

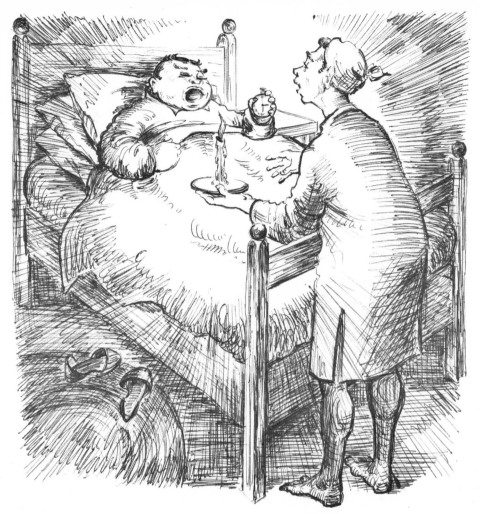

— La paciencia es lo que a mí me falta. Dame agua otra vez, hombre...
Gracias. ¡ Si lo hubiera sabido ! Pero, ¿ qué hacen aquí de noche ? ¿ En
qué se divierten ?

— ¿ En qué ? Pues, en dormir. ¿ Quiere usted pasarla jugando a la
pelota ?   5

— Lo que quiero es que amanezca.* Mira: puedes retirarte; pero en
cuanto amanezca, no dejes de llamarme, aunque seguramente estaré
despierto. ¡ Y qué hambre tengo !

— ¿ Quiere usted que le traiga vino y bizcochos, o alguna otra cosa ? [1]

— No, retírate, retírate; pero quiero que me llames antes que salga el 10
sol.[2]

— Pierda usted cuidado — contestó, saliendo con la vela.

---

[1] alguna otra cosa, *something else.*   [2] antes que salga el sol, *before sunrise (the sun rises).*

III

Otra vez el señor Frutos está solo con sus pensamientos. ¿ En qué pensaba ? En mil cosas . . . Se acordaba de su pueblo, de su familia, de sus amigos y hasta de su mulo que había dejado en el establo. Pasó una hora, dos horas, y al fin se durmió otra vez. Cuando se despertó de nuevo
5 era verdaderamente de noche. Llamó por tercera vez, y por tercera vez vino el criado. Pero en esta ocasión venía de mal humor.

— Parece que no voy a dormir esta noche. Si usted estuviera enfermo, yo le ayudaría, pero estando bueno, ¿ por qué se divierte en llamarme a cada momento ?

10 — ¡ A cada momento ! ¿ Dices que me divierto ? Mira, tráeme el reloj otra vez.

El criado tomó el reloj, lo miró y dijo:

— Se ha parado.

— Lo creo de veras, porque no anda para siempre. Pero, hombre,
15 ¿ es posible que no haya amanecido todavía ? Dos veces he querido [1] abrir la ventana, y no pude hacerlo. Abre tú, y veremos.

El criado fue derecho a la ventana y la abrió. Era de noche esta vez y el pobre señor Frutos exclamó:

— ¡ Pues, es de noche y está lloviendo ! ¡ Si esto sigue me voy a morir
20 de viejo [2] antes de que amanezca ! Tengo hambre. Mientras me visto, porque no quiero quedarme más en la cama, tráeme varias libras de jamón, pan, y . . .

— Señor, eso no puede ser: la gente de esta casa se ha acostado y el cuarto donde todo se guarda está cerrado; pero en el comedor hay vino y
25 bizcochos. Si usted quiere . . .

— ¡ Por supuesto, hombre ! ¡ Bizcochos y vino ! Pero anda, y no tardes, o vas a encontrarme muerto. ¡ Anda, hombre, anda !

Salió el criado y al poco rato volvió con un plato de bizcochos y una botella de vino y lo puso todo sobre la mesa.

30 — Puedes retirarte, hombre, y muchas gracias. No volveré a llamarte. Aquí mismo aguardaré hasta que amanezca.

IV

Como todo tiene su fin en el mundo, lo tuvo también aquella noche. Con la primera luz del día, que le parecía tan bella al señor Frutos, corrió del cuarto, llamando a todas las puertas y exclamando:

35 — ¡ Ya amaneció,[3] señores; ya va a salir el sol !

---

[1] he querido, *I have tried.*   [2] me voy a morir de viejo, *I'm going to die of old age.*   [3] ¡ Ya amaneció . . . ! *Dawn has arrived at last . . . !*

Despertó a todas las personas de la casa, algunas de las cuales creyeron que el señor Frutos se había vuelto loco. El primero que se presentó fue el señor Lopera, medio despierto, con un pañuelo de seda en la cabeza y vestido en su camisa de noche. Preguntó:

— ¿ Qué es esto ? ¿ Qué ruido es éste, hombre ? 5

— ¡ Pues, amaneció y va a salir el sol ! ¡ Por fin se acabó la noche ! [1]

— ¿ Y para eso tanto ruido ? Todas las noches se acaban; todos los días sale el sol, si no está nublado, y luego viene otra vez la noche con su luna y las estrellas.

— ¡ Usted dice que viene otra vez la noche ! — exclamó con terror el 10 señor Frutos. — ¡ La noche se parece a un siglo ! En cuanto me desayune, monto en mi mulo, y vuelvo a mi pueblo. Ya no quiero ver las maravillas de Córdoba. Llegué el martes, y me voy el miércoles.

— Dispense usted, amigo Frutos. No es miércoles, sino jueves. Soy su amigo y me alegro de tenerle en mi casa; en ocho o quince días [2] tendré 15 el gusto de acompañarle a todas partes, y . . .

— ¡ Ocho o quince días, es decir, ocho o quince noches como la que he pasado ! ¡ De ninguna manera ! Y usted asegura que hoy es jueves y no miércoles. Bien podría ser * sábado y hasta domingo. He perdido la cuenta del tiempo, pero lo importante es que me muero de hambre; * sí, 20 señor, de hambre, y de eso no tengo duda. Mande usted que me preparen algo: sopa, huevos, jamón, pan, vino . . .

— Basta, amigo Frutos; tendrá usted todo lo que quiera. Aguárdeme en el comedor.

Mientras que el señor Frutos comía libras de carne y pan y bebía muchas 25 copas de vino, el señor Lopera le describía todas las maravillas de la ciudad de Córdoba, pero todo esto fue escribir sobre la arena. El señor Frutos se quedó firme en su propósito. Todavía no eran las nueve de la mañana cuando, montado en su mulo, se daba prisa para verse cuanto antes en su pueblo. 30

Muy antigua es en Andalucía la costumbre de saludarse los viajeros,[3] aunque no se conozcan ni jamás se hayan visto. El señor Frutos se encontró con muchos en el camino que se dirigían a Córdoba, pero cuando alguien le saludaba, contestaba siempre:

— ¡ Qué noches tan largas ! 35

Durante toda su vida cuando hablaba de una gran distancia, de una persona muy alta, o de algo que duró mucho tiempo, siempre decía:

— ¡ Es más largo que las noches de Córdoba !

---

[1] se acabó la noche, *the night has ended.* [2] en ocho o quince días, *in a week or two.* [3] la costumbre de saludarse los viajeros, *the custom of travelers' greeting each other.*

TRANSLATION AIDS

1. The future tense is often used in Spanish to express something that is probably true in the present and, in the same way, the conditional tense is used to express what was probably true in the past. The words *probably, I wonder, it may (might) be,* and similar expressions are used in the translation of these tenses in this usage. Also see page 220.

aquí pasará	*it probably happens (must happen) here*
¿ Sería todavía de noche o estaría soñando ?	*Could it still be night or could he be dreaming ?*
bien podría ser	*it might well be*

2. In addition to its use as a pronoun object, meaning *it,* **lo** is used:

a. With an adjective to form an abstract noun:

Lo importante es que me muero de hambre.
The important thing is that I am dying of hunger.

b. With an adjective followed by **que,** meaning *how:*

Sé lo largas que son.	*I know how long they are.*

c. With adverbs to form an adverbial phrase:

Respondió lo mejor que pudo.	*He answered the best that he could.*

d. With **cual (que)** to form a relative pronoun, referring to an idea or situation:

No contestó el criado, lo cual (lo que) me sorprendió.
The servant did not answer, which surprised me.

e. With **que** to form a compound relative pronoun, meaning *what, that which:*

Lo que quiero es que amanezca.	*What I want is that dawn (will) come.*

f. With **de,** meaning *the affair (matter, question) of:*

Lo de anoche no era necesario.
The affair of last night was not necessary.

g. With certain verbs, such as **ser, parecer,** in answer to a question, or to recall a predicate noun or adjective, and with a meaning equivalent to *so:*

¿ Es Vd. médico ? Lo soy.	*Are you a doctor ? I am.*
Está enfermo pero no lo parece.	*He is sick but he doesn't seem so.*

MODISMOS

a todas partes	*everywhere*	dar (las tres)	*to strike (three)*
al anochecer	*at nightfall*	de mal humor	*in a bad humor*
al cabo	*finally*	dispensa (tú), dispense Vd.	*excuse me*
al cabo de	*after, at the end of*	en cambio	*on the other hand*
¡ anda !	*go ahead (on) !*	hace poco tiempo	*a short time ago*
aquí mismo	*right here*	oír hablar de	*to hear about*
¡ cómo !	*what!*	parecerse a	*to resemble, seem like*
cuanto antes	*as soon as possible*	¿ qué manda Vd. ?	*what would you like?*

PREGUNTAS

I. 1. ¿ A dónde llegó el señor Frutos ?   2. ¿ Dónde se presentó ?   3. ¿ Qué tiempo hacía ? 4. Al sentarse, ¿ qué hizo ?   5. ¿ Qué hizo en vez de comer ? 6. ¿ De qué no había oído hablar ?   7. ¿ Qué dijo el señor Lopera al salir de la habitación ?   8. ¿ Qué hora era ?

II. 9. ¿ Cómo era el criado ?   10. ¿ Cuántas horas durmió el señor Frutos ? 11. ¿ Qué vio al abrir los ojos ?   12. ¿ Cómo parecía el cuarto ?   13. ¿ Cuánto tiempo quedó sentado en la cama ?   14. Al fin, ¿ qué hizo ?   15. ¿ Cómo estaba vestido el criado ?   16. ¿ Qué hora era según el criado ?   17. ¿ Hasta qué hora durmió entonces ?   18. ¿ Qué le trajo el criado ?

III. 19. ¿ En qué pensaba el señor Frutos ?   20. ¿ Cuándo se despertó por tercera vez ?   21. ¿ Qué quería el señor Frutos ?   22. ¿ Qué le trajo el criado ? 23. ¿ Cuánto tiempo había pasado ?

IV. 24. ¿ Qué hizo al ver la luz del día ?   25. ¿ Cómo se presentó el señor Lopera ?   26. ¿ Qué preguntó éste ?   27. ¿ Qué le parecía la noche al señor Frutos ? 28. ¿ Qué iba a hacer después de desayunarse ?   29. ¿ Qué comió ?   30. ¿ Qué le describía el señor Lopera ?   31. Cuando alguien le saludaba en el camino, ¿ qué contestaba ?   32. ¿ Qué decía cuando hablaba de algo que duró mucho tiempo ?

EJERCICIOS

I. Cambie cada verbo de la primera persona del pretérito a la tercera persona, comenzando la frase con **El señor Frutos.** Cambie también los adjetivos y los pronombres si es necesario.

EJEMPLO: **Llegué a casa de mi amigo.   El señor Frutos llegó a casa de su amigo.**

1. Dejé mi mulo en un establo.
2. Me presenté en casa de un amigo.
3. Llegué rojo como un tomate.
4. Saqué mi pañuelo.
5. Me limpié el cuello y la cara.
6. Empecé a preguntarle a mi amigo muchas tonterías.
7. Me acosté temprano.
8. Le di las gracias al señor Lopera.
9. Me metí en la cama.
10. Me dormí en seguida.

II. Lea en español, escogiendo la expresión apropiada (*appropriate*) para completar las frases.

acababa de	muy a propósito para	saliera el sol
ha de	para convencerle de	se ha puesto
me falta	perdiera cuidado	serían

1. El señor Lopera era un hombre ———— hacer una burla.
2. El criado dijo que ———— oír la campanilla.

3. Luego le dijo al señor Frutos que ———, porque él mismo le llamaría antes que ———.

4. El señor Frutos no sabía qué hora era. Creía que ——— las siete de la mañana.

5. Una vez el señor dijo: — Lo que a mí ——— es la paciencia. ——— ser la hora de levantarme.

6. El criado tuvo que hablar mucho ——— que no había amanecido.

III. Haga frases originales, empleando las siguientes expresiones:

1. tener que
2. aquí tiene Vd.
3. tener . . . años (de edad)
4. tener tiempo para
5. tener ganas de
6. tener mucho gusto en
7. tener razón (suerte, miedo, sueño, frío, calor, hambre, sed)

IV. ¿ Verdad o no ?

Repita cada frase, indicando si es verdad o no.

1. El señor Frutos pensó en su pueblo y en su familia toda la noche larga.
2. No sabía dónde estaba su mulo.
3. Cuando abrió la ventana era de noche y estaba lloviendo.
4. La luz del día le pareció más bella que nada.
5. No pudo comer nada en el desayuno.
6. Había dormido unas treinta o treinta y dos horas.
7. Al despertarse, tenía muchas ganas de ver las maravillas de Córdoba.
8. La expresión « escribir sobre la arena » quiere decir « gastar tiempo y palabras ».

Representative of Spain's industrial progress is the steel mill in Avilés, a seaport on the northern coast.

Temprano y con sol [1]

Doña Emilia Pardo Bazán (1852–1921), author of Temprano y con sol *and* El gemelo, *which you read earlier, is one of Spain's best known women novelists. She presents life and people as she sees them, without affectation and pretense. Consider the Condesa in* El gemelo *— wealthy, accustomed to dictating her own life, immediately suspicious of her servant when her jewels disappeared, completely unbelieving when the identity of the real thief is identified. She seems very real, but no more so than her trusted servants and her weakling son. In the same way in* Temprano y con sol, *with the runaway teenagers who are desperate in their search for romance but helpless when they face reality, the author handles a situation so real that it might occur any day anywhere.*

El empleado que vendía billetes en la Estación del Norte [2] quedó sorprendido al oír una voz infantil que dijo:

— ¡ Dos billetes de primera [3] . . . a París !

Sacando la cabeza por la ventanilla, vio a una niña de doce a trece años, de ojos y pelo negros, vestida con elegancia.* De la mano traía a un niño 5 que tenía la misma edad que ella más o menos, y que también parecía de muy buena familia. El niño parecía confuso; la niña alegre, con nerviosa alegría. El empleado sonrió y preguntó paternalmente:

— ¿ Directo o a la frontera ? A la frontera son ciento cincuenta pesetas, y . . . 10

— Aquí está el dinero — contestó la niña, abriendo su bolsa.

El empleado volvió a sonreír y dijo:

— Aquí no hay bastante.

— ¡ Hay quince duros y tres pesetas ! — exclamó la niña.

— Pues, no es suficiente . . . Y para convencerse, pregunten ustedes a 15 sus papás.

Al decir esto el empleado,* el niño se puso rojo, y la niña, impaciente y dando una patada [4] en el suelo, exclamó:

— ¡ Pues entonces . . . un billete más barato !

— ¿ Cómo [5] más barato ? ¿ De segunda ? ¿ De tercera ? ¿ A una esta- 20 ción más cerca ? ¿ Escorial, Ávila ?

— ¡ Ávila, sí, Ávila ! — respondió la niña.

El empleado pensó un momento; se encogió de hombros; [6] luego le entregó dos billetes. Sonó la campana; salieron los dos chicos al andén; subieron al primer coche que vieron, y al entrar, comenzaron a bailar. 25

---

[1] Temprano y con sol, *Early and with sunshine (fair weather)*. [2] Estación del Norte, *North Station (in Madrid)*. [3] de primera = de primera clase. [4] dando una patada, *stamping her foot*. [5] ¿ Cómo . . . ? *What do you mean . . . ?* [6] se encogió de hombros, *he shrugged his shoulders*.

271

¿ Cómo comenzó aquella gran pasión ?   Pues, de la manera más sencilla, más inocente . . .   Comenzó por una manía . . .   Ambos eran coleccionistas de sellos de correo.

El papá de Serafina, llamada Finita, y la mamá de Francisco, llamado
5 Currín, ni siquiera se visitaban, a pesar de vivir en el mismo edificio: en el principal[1] el papá de Finita, y en el segundo la mamá de Currín.   Currín y Finita, en cambio, se encontraban muy a menudo en la escalera, cuando él iba a clase y ella salía para su colegio.   Nunca habían reparado el uno en la otra,[2] pero una mañana, al bajar la escalera, Currín notó que Finita
10 llevaba bajo el brazo un objeto, un hermoso libro encuadernado en cuero rojo . . . ¡ magnífico álbum de sellos como el que deseaba tanto !   En seguida rogó a Finita que le enseñase el álbum y empezaron a hojearlo[3] allí en la escalera.

— Esta página es del Perú . . .   Mira los sellos de las islas de Hawaí . . .
15 Tengo la colección completa . . .   Mira las de Terranova[4] . . .

Mientras hojeaba el álbum mirando sellos de muchos países, Currín gritaba de vez en cuando:

— ¡ Ay ! ¡ Ay ! ¡ Qué bonito ! ¡ Éste no lo tengo ! . . .

Por fin, al llegar a uno muy raro, de la república de Liberia, exclamó:
20 — ¿ Me lo das ?

— Toma — respondió ella alegremente.

— Gracias, hermosa — contestó Currín.

Finita se puso roja, y al notar Currín * que ella era muy linda, murmuró:

— ¿ Sabes que te he de decir una cosa ?[5]
25 — Anda, dímela.[6]

— Hoy no — contestó, confuso.

La criada que acompañaba a Finita al colegio había mostrado hasta aquel instante mucha tolerancia, pero por fin dijo que debían ir al colegio.

Currín se quedó mirando su sello . . . y pensando en Finita.   Currín era
30 un chico de carácter dulce, aficionado a los dramas tristes, a las novelas de aventuras extraordinarias, y a leer versos y aprenderlos de memoria. Siempre estaba pensando que le había de suceder algo raro y maravilloso. De noche soñaba mucho, y con cosas del otro mundo y con viajes largos a países desconocidos.   Aquella noche había soñado que Finita y él habían
35 hecho una excursión breve . . . a Terranova, al país de los sellos hermosos.

Al día siguiente, nuevo encuentro en la escalera.   Currín llevaba dupli- cados de sellos que iba a dar a Finita.   En cuanto la niña vio a Currín, sonrió y se acercó con misterio.*

---

[1] el principal = el piso principal. [El piso principal *is usually the second floor in Spain;* el (piso) segundo *would be the third*.]   [2] Nunca . . . otra, *They had never noticed one another.*   [3] hojearlo, *turn the pages (leaves) of it.*   [4] Terranova, *Newfoundland.*   [5] te he de decir una cosa, *there is something I must tell you.*   [6] Anda, dímela, *Come now, tell me.*

— Aquí te traigo esto — balbuceó él.[1]

Finita puso un dedo sobre los labios, como para indicar que la criada podía oírlos. Pero cuando Currín le entregó los sellos, Finita se quedó, al parecer, algo disgustada. Sin duda esperaba otra cosa; y acercándose a Currín, le murmuró:

— ¿ Y ... aquello ?

— ¿ Aquello ... ?

— Lo que ibas a decirme ayer ...

Currín suspiró, se miró a los zapatos, y por fin dijo:

— No era nada ...

— ¡ Cómo nada ! — exclamó Finita furiosa. — ¡ Qué tonto ! ¿ Nada, eh ?

Y el muchacho se puso entonces muy cerquita del oído de la niña, y murmuró suavemente:

— Sí, era algo ... Quería decirte que eres ... ¡ muy linda !

Y espantado al decir esto, echó a correr escalera abajo, y salió a la calle.

Currín escribía versos a Finita y no pensaba más que en ella. Se peinaba con cuidado,* se compró una corbata nueva, y suspiraba a solas.[2] Al fin de la semana eran novios. La criada cerraba los ojos ... o no veía, creyendo que allí se hablaba de sellos, y aprovechaba la ocasión para hablar con el cocinero ...

Cierta tarde creyó el portero que soñaba. ¿ No era aquélla la señorita Serafina, que salía sola ? ¿ Y no era aquél que iba atrás el señorito Currín ?

---

[1] balbuceó él, *he stammered.*   [2] a solas, *to himself (alone).*

273

¿ Y no subían los dos a un coche ? ¡ Jesús, María y José ![1] ¡ Pero cómo están los tiempos y las costumbres ! ¿ A dónde irán ?[2] ¿ Debo avisar a sus padres ?

— Oye tú — decía Finita a Currín apenas el tren se puso en marcha.[3]
5 — Ávila, ¿ cómo es ? ¿ Muy grande ? ¿ Bonita lo mismo que París ?
— No — respondió Currín con cierto escepticismo. — Debe de ser un pueblo de pesca.
— Hay que seguir a París. Yo quiero ver París; también quiero ver las Pirámides de Egipto.
10 — Sí . . . — murmuró Currín, — pero . . . ¿ el dinero ?
— ¿ Dinero ? — contestó Finita. — ¡ No seas tonto ! ¡ Se pide prestado ![4]
— ¿ Y a[5] quién ?
— ¡ A cualquiera !
15 — ¿ Y si no nos lo quieren dar ?
— Yo tengo reloj que empeñar. Tú también. Empeño además mi abrigo nuevo. ¡ Escribiré a mi papá que nos envíe un cheque ! Papá los está mandando cada día a París y a todas partes.
— Tu papá estará furioso . . . Como mi mamá . . . ¡ No sé qué será
20 de nosotros ![6]
— Pues voy a empeñar el reloj. ¡ Cuánto nos divertiremos en Ávila ! Me llevarás al café . . . y al teatro . . . y al paseo.
Cuando oyeron gritar « Ávila » saltaron del tren, pero al estar en el andén no sabían qué hacer.
25 — ¿ Por dónde se va a Ávila ? — preguntó Currín a un mozo, que viendo a dos niños sin equipaje, se encogió de hombros y se alejó.
Por instinto se encaminaron a una puerta; entregaron sus billetes, y subieron a un coche que los llevó a un hotel.
Acababa de recibir el alcalde de Ávila un telegrama de Madrid, pidiendo
30 la captura de los dos enamorados. Sin pérdida de tiempo los fugitivos fueron llevados a Madrid y allí Finita fue puesta en un colegio, y Currín en otro, de donde no le permitieron salir en todo el año.
Con motivo del triste suceso,[7] la madre de Currín y el padre de Finita, que eran viudos,[8] llegaron a conocerse. Se visitaron a menudo y hay quien
35 dice[9] que algún día van a escaparse como Finita y Currín.

---

[1] ¡ Jesús, María y José ! *Heavens above !* [2] irán. (*Future used for conjecture.*) [3] apenas . . . marcha, *the moment (as soon as) the train started.* [4] ¡ Se pide prestado ! *One (We) can borrow it !* [5] a, *from.* [6] qué será de nosotros, *what will become of us.* [7] Con motivo del triste suceso, *Because of the sad event.* [8] viudos, *widow and widower.* [9] hay quien dice, *there are those who say.*

Ávila, one of the finest examples of a medieval town in Europe, stands on the Adaja River in Old Castile. The well-preserved walls have nine gates and more than eighty towers.

TRANSLATION AIDS

1. An infinitive may have a subject in Spanish. In this case the subject follows the verb. **Al** plus an infinitive is frequently expressed in English by a *when*-clause.

Al decir esto el empleado . . .   *When the employee said this . . .*
Al notar Currín que . . .   *When Frank noticed that . . .*

2. A phrase made up of **con** plus a noun is often best translated as an adverb: **con cuidado,** *carefully;* **con elegancia,** *elegantly;* **con misterio,** *mysteriously.*

3. A number of Spanish and English words are similar in form, but quite different in meaning:

el colegio (*private*) *school*   suceder *to happen*
disgustado, –a *displeased*   el suceso *event, happening*
el portero *janitor, doorman*

MODISMOS

al parecer *apparently*
echar a (+ *inf.*) *to begin to*
hoy no *not today*
ponerse rojo, –a *to blush, become red*
salir a la calle *to go out into the street*

soñar (ue) con *to dream of*
pedir (i) prestado a *to borrow (from)*
¿ por dónde se va a . . .? *how does one (do we) go (get) to . . .?*

PREGUNTAS

1. ¿ Quién vendía billetes ? 2. ¿ Qué dijo la voz infantil ? 3. ¿ Cuántos años tenía la niña ? 4. ¿ Cómo estaba vestida ? 5. ¿ A quién traía ella de la mano ? 6. ¿ Qué preguntó el empleado ? 7. ¿ Cuánto dinero tenía la niña ? 8. ¿ A dónde iban ? 9. Al sonar la campana, ¿ a dónde salieron los dos chicos ? 10. Al subir al coche, ¿ qué comenzaron a hacer ?

11. ¿ Qué eran ambos chicos ? 12. ¿ Cómo se llamaba la niña ? 13. ¿ El niño ? 14. ¿ En dónde se encontraban muy a menudo ? 15. ¿ Qué llevaba Finita un día ? 16. ¿ Qué rogó Currín a Finita ? 17. ¿ Qué gritaba Currín mientras hojeaba el álbum ? 18. Por fin, ¿ qué dijo la criada ? 19. ¿ Cómo era Currín ? 20. ¿ A qué era aficionado ?

21. ¿ Qué llevaba Currín al día siguiente ? 22. ¿ Qué quería saber Finita ? 23. Por fin, ¿ qué murmuró Currín ? 24. ¿ Qué hizo Currín entonces ? 25. ¿ Qué escribía el chico ? 26. ¿ Qué eran los dos al fin de la semana ? 27. ¿ Qué notó el portero cierta tarde ?

28. Según Currín, ¿ cómo es Ávila ? 29. ¿ A dónde quiere ir Finita ? 30. ¿ Qué necesita para ir allá ? 31. ¿ Qué pueden empeñar ? 32. Al llegar a Ávila, ¿ qué hicieron ? 33. ¿ Qué preguntó Currín a un mozo ? 34. ¿ A dónde los llevó un

coche ? 35. ¿ Qué acababa de recibir el alcalde ? 36. ¿ A dónde fueron llevados los niños ? 37. ¿ Dónde fueron puestos allí ? 38. ¿ Quiénes llegaron a conocerse ? 39. ¿ Se visitaron ellos ? 40. ¿ Qué dicen sus vecinos ?

EJERCICIOS

I. ¿ Cuáles son las partes del cuerpo que se mencionan en este cuento ? ¿ Sabe Vd. otras ?

II. Busque sinónimos (*synonyms*) para estas palabras y expresiones:

empezar	bastante	enviar
contestar	pedir	sonrió otra vez
lindo	enseñar	los dos

III. Substituya (*Substitute*) los nombres con los apropiados pronombres, haciendo los otros cambios que sean necesarios.

EJEMPLO: **El muchacho le dio el billete a la muchacha. Él se lo dio a ella.**

1. El muchacho quería comprar un billete para la muchacha.
2. El empleado le entregó dos billetes al muchacho.
3. Pasaron una hora mirando sellos.
4. Finita puso un dedo sobre los labios.
5. Currín le escribía versos a Finita.

IV. ¿ Verdad o no ?

Lea en español, corrigiendo (*correcting*) las frases que son falsas:

1. Los niños compraron billetes para Sevilla.
2. Cada uno de ellos vivía en una casa grande y elegante.
3. Sus padres los llamaban Serafina y Francisco.
4. Los dos tenían quince o diez y seis años, más o menos.
5. No se interesaban por los sellos de correo.
6. Una noche Currín soñó con Finita.
7. Después de dos semanas eran novios.
8. Ávila está en la costa de España y es un famoso pueblo de pesca.
9. Los dos enamorados pasaron varios días en Ávila.
10. Se dice que los padres de los muchachos piensan casarse algún día.

El buen ejemplo

El buen ejemplo is vastly different from La lección de música, *which was also written by Vicente Riva Palacio. You will have to decide for yourself what you find in it. Is it merely fantasy — an imaginary tale about a man and his parrot? Is it primarily a picture of customs and manners? Is it satire, wherein only a parrot imitates the teacher? Or is it another example of the old saying, "Imitation is the sincerest form of flattery?"*

En la parte sur de la República Mexicana, y en las cuestas de la Sierra Madre, hay un pueblecito como son en general todos aquéllos: casitas blancas cubiertas de tejas rojas o de brillantes hojas de palma, que se refugian de los ardientes rayos del sol tropical a la fresca sombra de los
5 árboles.

En este pueblo había una escuela que debe estar allí todavía; pero entonces la dirigía don Lucas Forcida, hombre muy bien querido de todos los vecinos. Jamás faltaba al cumplimiento de su pesada obligación.[1]

En esa escuela, siguiendo tradicionales costumbres en aquellos tiempos,
10 el estudio para los muchachos era una especie de orfeón;[2] y en diferentes tonos, pero siempre con gran monotonía, en coro se estudiaban y en coro se cantaban no sólo las letras * y las sílabas, sino también la doctrina cristiana y la tabla de multiplicar. Había veces cuando los chicos gritaban a cual más y mejor.[3]

15 A las cinco de la tarde los chicos salían corriendo de la escuela, tirando piedras, coleando perros y dando gritos y silbidos,[4] pero ya fuera del poder de don Lucas, que los miraba alejarse,* trémulo de satisfacción.

Entonces don Lucas se pertenecía a sí mismo: sacaba a la calle una gran butaca de mimbre;[5] un criado le traía una taza de chocolate con pan, y
20 don Lucas, gozando del fresco de la tarde, comenzaba a tomar su modesta merienda, partiéndola cariñosamente con su loro.

Don Lucas tenía un loro que era, como se dice hoy, su debilidad, y que se quedaba en una percha a la puerta de la escuela, a respetable altura para escapar de los muchachos, y al abrigo del [6] sol por un pequeño cobertizo de
25 hojas de palma. Aquel loro y don Lucas se entendían perfectamente. Raras veces mezclaba sus palabras, más o menos bien aprendidas, con los cantos de los chicos.

Pero cuando la escuela quedaba desierta y don Lucas salía a tomar su chocolate, entonces aquellos dos amigos daban expansión libre a todos sus

---

[1] Jamás . . . obligación, *He never faltered in the carrying out (fulfilment) of his difficult task.*
[2] una especie de orfeón, *a kind of singing society.*   [3] a cual más y mejor, *each trying to outdo the other (lit., each more and better).*   [4] coleando . . . silbidos, *pulling dogs' tails and shouting and whistling.*   [5] butaca de mimbre, *wicker (easy) chair.*   [6] al abrigo de, *protected from.*

afectos. El loro recorría la percha de arriba abajo,[1] diciendo cuanto sabía y cuanto no sabía; se colgaba de las patas, cabeza abajo, para recibir el pan mojado con chocolate que con cariño le llevaba don Lucas.

Y esto pasaba todas las tardes.

Pasaron así varios años, y don Lucas llegó a tener tal confianza en su [5] querido *Perico*, como le llamaban los muchachos, que ni le cortaba las alas ni le ponía cadena.

Una mañana, a eso de las diez, uno de los chicos, que por casualidad estaba fuera de la escuela, gritó espantado:

— ¡ Señor [2] maestro, que [2] se vuela *Perico!* [10]

Oír esto y lanzarse a la puerta maestro y discípulos, fue todo uno; [3] y, en efecto, a lo lejos, como un grano de esmalte verde herido por los rayos del sol, se veía al ingrato * volando hacia el cercano bosque.

Como toda persecución era imposible, porque no sabía don Lucas a dónde había ido ni habría podido distinguirlo entre la multitud de loros [15] que vivían en el bosque, don Lucas volvió a ocupar su asiento y las clases continuaron como si no hubiera pasado aquel terrible acontecimiento.

Pasaron varios meses, y don Lucas, que había olvidado la ingratitud de *Perico*, tuvo que hacer una excursión a uno de los pueblos cercanos, aprovechando sus vacaciones. [20]

Muy temprano por la mañana ensilló su caballo, tomó un ligero desayuno y salió del pueblecito, despidiéndose de los pocos vecinos que encontraba por las calles.

En aquel país, pueblos cercanos son los que sólo están separados por una distancia de doce a catorce leguas, y don Lucas necesitaba caminar la [25] mayor parte del día.

Eran las dos de la tarde; el sol derramaba torrentes de fuego; ni el viento más ligero agitaba las hojas de las palmas, inmóviles como árboles de hierro bajo el cielo claro y azul. Los pájaros se quedaban callados entre las hojas de los árboles, y sólo las cigarras cantaban constantemente en [30] medio de aquel terrible silencio.

El caballo de don Lucas avanzaba lentamente, pero de repente don Lucas creyó oír a lo lejos el canto de los chicos de la escuela cuando estudiaban las letras y las sílabas.

Al principio aquello le pareció una alucinación producida por el calor, [35] pero, a medida que [4] avanzaba los cantos seguían siendo más claros; aquello era una escuela en medio del bosque desierto.

---

[1] recorría ... abajo, *ran up and down the perch.* [2] *Do not translate.* [3] Oír ... uno, *The moment the teacher and pupils heard this they rushed to the door.* [4] a medida que, *as.*

Se detuvo asombrado y temoroso, cuando de los árboles cercanos salió, tomando vuelo, una bandada de loros que iban cantando acompasadamente:[1] *ba, be, bi, bo, bu; la, le, li, lo, lu;* y tras ellos, volando majestuosamente, un loro, que al pasar cerca del espantado maestro, volvió la cabeza,
5 diciéndole alegremente:

— ¡ Don Lucas, ya tengo escuela !

Desde esa época los loros de aquella región, adelantándose a su siglo,[2] han visto desaparecer las sombras de la ignorancia.*

---

[1] iban cantando acompasadamente, *were (going) singing rhythmically.*   [2] adelantándose a su siglo, *getting ahead of their own century.*

280

TRANSLATION AIDS

1. The infinitive is regularly used after the verbs **oír**, *to hear*, **ver**, *to see*, and **mirar**, *to watch, look at.*

que los miraba alejarse	*who watched them leave*
han visto desaparecer las sombras de la ignorancia	*(they) have seen the shadows of ignorance disappear*

2. The passive is often best rendered by an active construction.

en coro se estudiaban y en coro se cantaban no sólo las letras . . .	*in a chorus they studied and in a chorus they sang (chanted) not only the letters . . .*
se veía al ingrato	*they saw the ungrateful one (wretch)*

MODISMOS

al principio *at first, at the beginning*   raras veces *seldom, rarely*

PREGUNTAS

1. ¿ Dónde está el pueblecito ?   2. ¿ De qué están cubiertas las casitas ? 3. ¿ Qué tiempo hace allí ?   4. ¿ Quién dirigía la escuela ?   5. ¿ Cómo estudiaban los muchachos ?   6. ¿ Qué aprendían ?   7. ¿ A qué hora salían de la escuela ? 8. ¿ Qué hacían al salir ?   9. ¿ Qué sacaba a la calle el maestro ?   10. ¿ Qué le traía un criado ?   11. ¿ Con quién partía don Lucas su merienda ?

12. ¿ Dónde se quedaba el loro ?   13. ¿ Qué hacía el loro mientras don Lucas estaba fuera de la escuela ?   14. ¿ Qué le daba don Lucas ?

15. ¿ Cómo llamaban al loro los muchachos ?   16. ¿ Qué hizo Perico una mañana ?   17. ¿ Por qué era imposible la persecución de Perico ?

18. ¿ Qué excursión tuvo que hacer don Lucas varios meses más tarde ? 19. ¿ Qué hizo muy temprano por la mañana ?   20. ¿ Se desayunó ?   21. ¿ Qué tiempo hacía ?   22. ¿ Cómo avanzaba el caballo ?   23. De repente, ¿ qué creyó oír don Lucas ?   24. ¿ Qué era todo aquello ?   25. ¿ De dónde salió una bandada de loros ?   26. ¿ Qué cantaban ?   27. ¿ Quién volaba tras los otros loros ? 28. ¿ Qué le dijo a don Lucas al pasar cerca de él ?

EJERCICIOS

I. Lea en español, luego repita, empleando la forma apropiada del pretérito o del imperfecto:

1. El pueblo se parece a muchos pueblos mexicanos.
2. En él hay una escuela donde todo se estudia en coro.
3. Los chicos vuelven a casa todos los días a las cinco.
4. El director se llama don Lucas y cuando toma su merienda, la parte con su loro Perico.

5. Los dos, don Lucas y el loro, se entienden perfectamente.
6. Con los años don Lucas llega a tener gran confianza en Perico.
7. No le corta las alas ni le pone cadena.
8. Un día el pájaro ingrato sale de la casa y vuela hacia el bosque.
9. Don Lucas no sabe dónde está Perico.
10. Un día tiene que hacer una excursión a otro pueblo.
11. Monta en su caballo y sale de su pueblo.
12. Pasando por el bosque, cree oír el canto de los chicos en la escuela.
13. Se da cuenta de que hay allí una escuela.
14. Se detiene cuando ve una bandada de loros que canta.
15. Uno de los loros le dice que tiene su propia escuela.

II. Conteste en una frase completa:

1. Si sale Vd. corriendo, ¿ se va lentamente ?
2. Si el pájaro tiene un cobertizo de hojas, ¿ está encima o debajo de ellas ?
3. ¿ Es grato o ingrato el amigo que usa el coche de Vd. sin darle las gracias ?
4. ¿ Por qué ponemos una cadena a un animal o a un pájaro ?
5. ¿ Es fácil distinguir a un loro de otros ?

III. Busque en este cuento lo contrario de estas palabras:

arriba, pesado, posible, rápidamente, aparecer, acercarse, al fin, recordar, tarde, dentro de.

IV. Describa a don Lucas Fornida.

The Church of Santa Prisca, in the old silver mining city of Taxco, is one of the best examples of baroque architecture in Mexico.

EL ALACRÁN[1] DE FRAY GÓMEZ

Ricardo Palma (Peru, 1833–1919) was a great teller of tales. For background, he needed only a little history. To give purpose to his story, he often chose some human quality, such as generosity, pity, sympathy, greed, or false pride. He could then turn his imagination loose, moving at full speed ahead, to turn out a delightful story. His many tales, called tradiciones, *present a series of pictures of Peru's development from the time when it was an Inca empire through its colonial period, its struggle for independence from Spain, and on into its existence as an independent republic. The* Tradiciones peruanas, *from which* De Soto y los incas ajedrecistas *and* El alacrán de fray Gómez *have been adapted, are a pleasant mixture of fact and fiction and in some cases, as in the one which you are about to read, add to that mixture a bit of the supernatural.*

Cuando yo era muchacho, oía con frecuencia a las viejas exclamar, hablando del precio de una cosa: « ¡ Esto vale tanto como el alacrán de fray Gómez! » Y explicar este dicho es lo que me propongo con esta tradición.

5 Fray Gómez nació en España en 1560 y vino a Lima en 1587. Por muchos años vivía en un convento[2] franciscano, haciendo tantos milagros que ganó mucha fama entre la gente devota y supersticiosa.

Estaba una mañana fray Gómez en su celda, entregado a la meditación,[3] cuando alguien dio a la puerta unos discretos golpecitos, y una voz débil
10 dijo:

— ¡ Alabado sea el Señor !

— Por siempre jamás, amén.[4] Entre, hermano — contestó fray Gómez.

Y entró en la celda un individuo humildemente vestido, pero en cuyo rostro se veía la proverbial honradez del castellano viejo.[5] En la celda no
15 había más que cuatro sillones de cuero, una mesa sucia, una cama sin colchón ni sábanas, y con una piedra por almohada.

— Tome asiento, hermano, y dígame sin rodeos[6] lo que por acá le trae — le dijo fray Gómez.

— Soy un hombre de bien ...

20 — Bien se ve,[7] y deseo que persevere, que * así merecerá en esta vida terrena la paz de la conciencia, y en la otra la bienaventuranza.[8]

— Es el caso que soy buhonero,[9] que tengo una familia numerosa, y que mi comercio no prospera por falta de dinero, que no por holgazanería.[10]

---

[1] alacrán, *scorpion.* [2] convento, *monastery.* [3] entregado a la meditación, *lost in meditation.* [4] Por siempre jamás, amén, *Forever and ever, amen.* (*This salutation and the preceding are commonly used between members of religious orders.*) [5] castellano viejo. (*This term refers to one who represents the long, noble tradition of the old Spanish province of Castile.*) [6] sin rodeos, *without beating around the bush.* [7] Bien se ve, *It is evident.* [8] merecerá ... bienaventuranza, *you will have peace of conscience in this earthly life (this world) and bliss in the other (life) (in heaven).* [9] Es ... buhonero, *The fact is that I am a peddler.* [10] que no por holgazanería, *and not because of laziness.*

— Me alegro, hermano, porque a quien honradamente trabaja, Dios le ayuda.[1]

— Pero es el caso, padre, que hasta ahora Dios no me ha oído.

— No desespere, hijo, no desespere.

5 — Pues es el caso que he llamado a muchas puertas pidiendo un préstamo de quinientos duros, y todas las [2] he encontrado cerradas. Y es el caso que anoche me dije a mí mismo: «¡ Ea ! Jeromo, buen ánimo [3] y anda a pedirle el dinero a fray Gómez; que * si él lo quiere, encontrará medio para sacarte del apuro. » Y es el caso que aquí estoy porque he venido, y a su 10 paternidad le pido y ruego que me preste esos quinientos duros por seis meses.

— ¿ Cómo ha podido imaginarse, hijo, que en esta triste celda encontraría esa suma de dinero ?

— No sé, padre, pero tengo fe en que no me dejará ir desconsolado.

15 — La fe le salvará, hermano. Espere un momento.

Y mirando las paredes blancas de la celda, vio un alacrán que caminaba tranquilamente sobre el marco de la ventana. Fray Gómez arrancó una página de un libro viejo, se dirigió a la ventana, cogió con cuidado al alacrán, lo envolvió en el papel y volviéndose hacia el castellano viejo le 20 dijo:

— Tome, buen hombre, y empeñe esta alhaja, pero no olvide devolvérmela dentro de seis meses.

El buhonero no pudo hallar palabras con que expresar su gratitud. Se despidió de fray Gómez y más que de prisa se encaminó a la tienda de un 25 usurero.

[1] a quien. . . ayuda, *God helps those who work honestly* (*help themselves*). [2] todas las, *all of them, them all.* [3] buen ánimo, *cheer up.*

La alhaja era espléndida, verdadera alhaja de una reina. Era un prendedor en forma de un alacrán. Formaba el cuerpo una magnífica esmeralda, y la cabeza un brillante diamante con dos rubíes por ojos.

El usurero, que era hombre conocedor,[1] miró la alhaja con codicia, y ofreció darle mil duros por ella. Sin embargo, nuestro español se empeñó en [2] no aceptar más de quinientos duros por seis meses. Se firmaron los documentos, pero el usurero estaba seguro de que el dueño de la alhaja volvería otra vez por más dinero y de que por fin sería dueño de la preciosa alhaja.

Con los quinientos duros prosperó tanto en su comercio que a la terminación del plazo Jeromo pudo sacar la alhaja, y, envuelta en el mismo papel en que la había recibido, se la devolvió a fray Gómez.

Éste tomó el alacrán, lo puso en el marco de la ventana, le echó una bendición,[3] y dijo:

— Animalito de Dios, sigue tu camino.

Y el alacrán echó a andar libremente por las paredes de la celda.

TRANSLATION AID

Que is often used as a conjunction meaning *for, because:*

que así merecerá	*for (because) in this way you will merit (have)*
que si él lo quiere	*for if he wishes (to)*

PREGUNTAS

1. ¿ Qué dicho se explica en esta tradición ? 2. ¿ Dónde nació fray Gómez ? 3. ¿ A qué ciudad sudamericana vino ? 4. ¿ Dónde vivía allí ? 5. ¿ Cómo ganó mucha fama entre la gente devota ? 6. ¿ Dónde estaba una mañana ? 7. ¿ Quién llegó a su celda ? 8. ¿ Qué había en la celda ? 9. ¿ Qué era este hombre ? 10. ¿ Prosperaba su comercio ? 11. ¿ Por qué ha llamado a muchas puertas ? 12. ¿ Cómo las ha encontrado ? 13. ¿ Por qué ha venido a hablar con fray Gómez ?

14. ¿ Qué vio fray Gómez en el marco de la ventana ? 15. ¿ Qué hizo fray Gómez entonces ? 16. ¿ En qué envolvió el alacrán ? 17. ¿ Qué debía hacer el hombre ? 18. ¿ Cuándo debía devolver el alacrán ? 19. ¿ En qué se convirtió el alacrán ? 20. ¿ Cuánto ofreció el usurero por la alhaja ? 21. ¿ Cuánto aceptó el español ? 22. ¿ De qué estaba seguro el usurero ? 23. ¿ Prosperó el español en su comercio entonces ? 24. ¿ Qué pudo hacer ? 25. ¿ Qué hizo fray Gómez con el alacrán ? 26. ¿ Qué hizo el alacrán ?

---

[1] hombre conocedor, *an expert.* [2] se empeñó en, *insisted on.* [3] le echó una bendición, *he blessed it.*

EJERCICIOS

I. Lea en español, escogiendo la palabra apropiada:

1. Fray Gómez nació en ——.
   a. Chile   b. Lima   c. Bolivia   d. España

2. Vivía en el siglo ——.
   a. diez y nueve   b. diez y seis   c. sesenta   d. quince

3. Pasaba mucho tiempo ——.
   a. hablando de los precios   b. meditando   c. escribiendo tradiciones
d. pidiendo préstamos

4. Vivía en su celda en ——.
   a. una fortaleza   b. una cárcel   c. una prisión   d. un convento

5. Entró en su celda un día un castellano ——.
   a. honrado   b. bien vestido   c. soltero   d. rico

6. El hombre le pidió a fray Gómez un préstamo por ——.
   a. seis meses   b. un año   c. varios días   d. muchos años

7. Fray Gómez cogió —— y lo envolvió.
   a. un libro viejo   b. el marco de la ventana   c. un sillón de cuero
d. al alacrán

8. Después vio el castellano que era ——.
   a. un cuerpo grande   b. un alacrán vivo   c. una alhaja espléndida
d. un buhonero

9. Jeromo aceptó solamente ——.
   a. mil duros   b. el alacrán   c. su bendición   d. quinientos duros

10. A los seis meses Jeromo le devolvió a fray Gómez ——.
    a. el dinero   b. la tienda   c. la alhaja   d. un documento

II. ¿ Verdad o no ?

1. Fray Gómez vivió en España por veinte y siete años.
2. Era dominicano.
3. El castellano viejo era pobre, pero honrado.
4. La celda de fray Gómez tenía muebles elegantes.
5. Los buhoneros venden muchas cosas.
6. El alacrán se convirtió en una alhaja preciosa.
7. Formaba el cuerpo un brillante diamante.
8. El usurero ofreció dar solamente cien duros por la alhaja.
9. Jeromo prosperó mucho en su comercio durante los seis meses.
10. Cuando fray Gómez echó una bendición al alacrán, éste empezó a andar
por las paredes.

(*Right*) *Guatemalan girls, wearing colorful native costumes, use backstrap looms to weave intricate Mayan designs into present-day textiles.* (*Below*) *Street scene in Guatemala City.*

EL AMANTE CORTO DE VISTA

Ramón de Mesonero Romanos (1803–1882) published numerous sketches, depicting customs and manners of Spain, in several Madrid newspapers. These keen observations of contemporary life and popular types were presented in a subtly humorous vein which was kind, rather than satirical and sharp. In El amante corto de vista he takes the "boy meets girl" theme and develops it according to the customs of the day. Mistaken identity has long been a source of humor in many literatures; Spanish girls from good homes do not even today enjoy complete freedom in their social activities. In this sketch Mesonero Romanos has used nearsightedness, mistaken identity, and parental supervision of a daughter's love affairs to give you an amusing story.

El joven Mauricio, por desgracia, tenía un defecto importante, y era . . . el ser corto de vista,[1] muy corto de vista, lo cual le impedía en todos sus planes.

Mauricio, a la edad de veintitrés años, no podía dejar de bailar, pero le
5 molestaban tanto los anteojos moviéndose en el baile que no deseaba ponérselos. El amor vino por fin a herirle y una noche que bailaba con la bella Matilde de Laínez en casa de la Marquesa de M., no pudo menos de hacer una declaración. La joven, en quien sin duda los atractivos de Mauricio hicieron su efecto, no le reprendió.

10 Ya nuestros amantes habían hablado un largo rato y Mauricio averiguó la hora y el minuto en que Matilde se asomaría al balcón; la iglesia a donde iba a oír misa, los paseos y las tertulias que frecuentaba, sus óperas predilectas; en una palabra, todos los detalles en que piensan los jóvenes en tales casos. Pero el desafortunado Mauricio se olvidó de reconocer bien a
15 la mamá y a una hermana mayor de Matilde que estaban en el baile; no observó a su padre, coronel de caballería; y por último, no se atrevió a informar a la joven que era corto de vista.

Al día siguiente, a la hora indicada, corrió a la calle en que vivía Matilde, buscando cuidadosamente las señas de la casa. Ella le había dicho que
20 era número 12, y que estaba en una esquina; pero la otra esquina, que era número 72, le pareció 12 al desafortunado joven y allí se quedó para esperarla.

Matilde, que le vio venir, salió pronto al balcón, sonriendo con todas sus gracias. Pero Mauricio, de pie en la otra esquina, con los ojos fijos en
25 el balcón de la casa de enfrente, apenas observó la belleza que se había asomado al balcón número 12.

Esto enojó mucho a Matilde. Ella tosió dos veces, sacó su pañuelo blanco, pero todo era inútil porque el amante la miraba rápidamente y

---

[1] el ser corto de vista, *being nearsighted.*

volvía la espalda para poner sus ojos en el otro objeto.   Una hora y más duró esta escena, hasta que el buen muchacho, desesperado, y creyéndose abandonado de su novia, sintió fuertes tentaciones de hablar con la otra joven que todavía estaba en el balcón.

Dicho y hecho.   Cruza la calle, se detiene bajo el balcón y alza la cabeza 5 para hablarle; * pero en el mismo momento ella le tira a la cara el pañuelo, y sin dirigirle una palabra, entró en la casa y cerró el balcón.   Mauricio recogió el pañuelo y reconoció en él las mismas iniciales que había visto en el que llevaba Matilde la noche del baile...   Miró después la casa, y viendo el número 12: ¿ cómo pintar ¹ su desesperación ?   10

II

Tres días con tres noches ² paseó en vano enfrente de la casa, el balcón siempre cerrado.   La tercera noche se presentaba en el teatro una de las óperas predilectas de la mamá y en uno de los palcos el joven creía ver a la mamá, acompañada de la causa de su tormento.   Se asoma a la puerta del palco; no hay duda ... son ellas ³ ...   Trata de llamarles la atención pero 15 en vano.   Por último, se acaba la ópera y en la parte más obscura de la escalera se acerca a la joven y dice:

—Señorita, perdone usted mi equivocación ... si sale usted al balcón le diré ... entretanto tome usted el pañuelo.

—Caballero, ¿ qué dice usted ? — le contestó una voz extraña.   20

—Señora ...

—¡ Calle ! El pañuelo es de mi hermana menor.

— ¿ Qué es eso, hija ?

—Nada, mamá; este caballero me da un pañuelo de Matilde.

— ¿ Y cómo tiene este caballero un pañuelo de Matilde ?   25

—Señora ... yo ... dispense usted ... el otro día ... la otra noche, quiero decir ... en el baile de la Marquesa de ...

—Es verdad, mamá; el señor bailó con mi hermana, y no es extraño que olvidase el pañuelo.

—Es verdad, señorita; ella lo olvidó ...   30

—De veras es extraño; en fin, caballero, le damos a usted las gracias.

Un rayo caído a sus pies * no habría turbado más al pobre Mauricio, y lo peor era que había atado en el pañuelo un billete en que hablaba de su amor, de la equivocación de la casa, en fin, todo el drama, y él no sabría quién iba a leer el papel.   35

---

¹ ¿ cómo pintar ? *how could one describe?*   ² Tres días con tres noches, *For three days and nights.*   ³ son ellas, *it is they.*

Trémulo, él las siguió a lo lejos, hasta que entraron en su casa. En vano esperaba escuchar algunas palabras. Pero al fin, a las doce de la noche, no había más remedio que [1] retirarse a su casa.

Entretanto, ¿ qué pasaba dentro de la casa ? La mamá, que tomó el
5 pañuelo para reprender a la niña, había descubierto el billete. Pasados los primeros momentos de su enojo,* por consejo de la hermana mayor, decidió callar y escribir una respuesta con el objeto de que no tuviese ganas de volver. Así lo hicieron, y firmaron el billete con el nombre de Matilde. Hecho esto, se fueron a dormir,* seguras de que a la mañana siguiente el
10 desafortunado joven pasaría por la calle.

III

No habían dado las ocho cuando ya estaba en el portal. Oyó abrirse el balcón . . . y . . . una mano blanca arrojó un billete; corrió a recogerlo, y encontró que . . . el balcón se había cerrado ya, y la esperanza de su corazón también.

15 No se puede describir el efecto que todo esto hizo en Mauricio. Basta decir que renunció *para siempre* el amor; pero, en fin, era joven y al cabo de quince días pensó de otra manera, y salió al paseo del Prado [2] con un amigo suyo. Era una de aquellas hermosas noches de julio que invitan a tomar el fresco [3] bajo los árboles. Mauricio, con su franqueza natural,
20 contó a su amigo su última aventura, con todos los incidentes, pero al acabar esta historia sintió un rápido movimiento en las sillas inmediatas, donde, entre otras personas observó sentados a un soldado y a una joven. Sacó sus anteojos . . . (¡ tonto ! ¿ por qué no los sacaste al principio ?), y vio que la joven que estaba sentada a su espalda oyendo su conversación
25 era nada menos que [4] la hermosa Matilde.

—¡ Ingrata ! . . . — fue lo único que él pudo decir, mientras el papá llamaba a un muchacho para encender el cigarro.

—Yo no he escrito ese billete — contestó ella. (Mauricio obtuvo esta respuesta al cabo de un cuarto de hora.)

30 —¿ Pues quién ?

—No sé . . . a las doce estaré en el balcón.

Lleno de esperanza, el pobre Mauricio aguardó esa hora. Corrió bajo el balcón; miró brillar sus hermosos ojos y vio su mano blanca . . . Pero aquella noche su papá había decidido tomar el fresco y allí estaba sentado,
35 aunque su hija le pedía que se acostase.

—Querida — dijo Mauricio — ¿ es usted ?

—Matilde — le dice el padre en voz baja — ¿ te llama a ti ?

---

[1] no había más remedio que, *there was nothing to do but.*   [2] salió al paseo del Prado, *went out on the Paseo del Prado (a fashionable boulevard in the heart of Madrid).*   [3] invitan a tomar el fresco, *invite one to go out for some fresh air.*   [4] nada menos que, *none other than.*

—No, papá: yo no sé . . .

—Pues te llama a ti o a tu hermana.

—Para que vea usted — continúa el joven — si yo tuve motivo para enojarme. Ahí va [1] el billete . . .

—A ver, muchacha; trae una luz, que voy a leerlo . . .   5

Dicho y hecho. Entra en la sala mirando a su hija con ojos amenazadores; abre el billete y lee . . . « *Caballero, si la noche del baile de la Marquesa le hice concebir esperanzas locas* [2] . . . »

—¡ Qué es esto ! . . . esta letra [3] es de mi mujer . . .

—¡ Ay, papá mío !   10

—¡ Infame ! [4] ¡ A los cuarenta años haciendo concebir esperanzas locas !

—Pero, papá . . .

—Déjame despertarla . . .

[1] Ahí va, *There is.*   [2] le hice concebir esperanzas locas, *I caused you to build up false hopes.*
[3] letra, *handwriting.*   [4] ¡ Infame ! *Disgraceful wretch !*

En efecto, así lo hizo, y en más de una hora se oyeron voces y gritos por toda la vecindad. Al fin el joven, lleno de susto, decidió averiguar lo que pasaba. Llamó a la puerta y el padre se asomó al balcón.

— Caballero, haga usted el favor de esperar un momento.

5 El padre coge dos pistolas y baja rápidamente. Abre la puerta y dice:

— Escoja usted.

— Cálmese usted — contesta el joven. — Yo soy un caballero; mi nombre es Mauricio N., y mi casa es bien conocida. Déjeme explicar la confusión que he hecho en la familia de usted.

10 Entonces explicó todos los hechos, y cuando los apoyaron [1] la mamá y las hijas, se calmó la agitación del celoso coronel.

Al día siguiente la Marquesa de M. presentó a Mauricio en casa de Matilde, y el padre, informado de todo, no se opuso a ello.

Desde aquí la historia de estos amores siguió más tranquila. Dentro de 15 poco tiempo se casaron Mauricio y su novia, a pesar de que ésta, mirada de cerca, a buena luz [2] y con anteojos, le pareció a aquél [3] no tan bella. Sin embargo, sus cualidades morales eran muy apreciables, y Mauricio, para olvidar sus defectos, no tenía más que . . . quitarse los anteojos.

TRANSLATION AIDS

1. The present tense is often substituted for the imperfect or preterite in telling a story. This change in tense brings the story up to the present so that the events seem more real to the reader.

Cruza la calle, se detiene bajo el balcón, y alza la cabeza para hablarle.	*He crossed the street, stopped beneath the balcony, and raised his head to talk to her.*

[1] apoyaron, *confirmed.*   [2] mirada de cerca, a buena luz, *observed at close range, in a good light.*
[3] aquél, *the former.*

2. Review the absolute use of the past participle (page 237), observe the translations of the examples below, then explain each use of the past participle:

Pasados los primeros momentos de su enojo . . .

When the first moments of her anger had passed . . . (The first moments of her anger having passed . . .)

Hecho esto, se fueron a dormir.

Having done this, they went to sleep.

Note the following examples of the other uses of the past participle:

Ella le había dicho el número.	*She had told him the number.*
Mi casa es bien conocida.	*My house (family) is well known.*
Ella estaba sentada a su espalda.	*She was seated at his back.*
Tenía puestos los anteojos.	*He had his glasses on.*
A la hora indicada . . .	*At the time indicated . . .*
Un rayo caído a sus pies . . .	*A thunderbolt fallen (If a bolt of lightning had fallen) at his feet . . .*

MODISMOS

a la semana siguiente *the following* (*next*) *week*

de pie *standing*

dentro de poco tiempo *within a short time*

en fin *in short*

no poder menos de *not to be able to help*

querer decir *to mean*

PREGUNTAS

I. 1. ¿ Cuál era el defecto de Mauricio ? 2. ¿ Cuántos años tenía ? 3. ¿ Por qué no se ponía los anteojos cuando bailaba ? 4. ¿ De quién se enamoró una noche ? 5. ¿ Qué averiguó luego ? 6. ¿ Qué era el padre de Matilde ? 7. ¿ Sabía ella que Mauricio era corto de vista ? 8. ¿ A dónde fue él al día siguiente ? 9. ¿ Cuál era el número de la casa ? 10. ¿ Cuál era el número de la casa donde se quedó Mauricio ? 11. ¿ Dónde estaba Matilde ? 12. ¿ Qué hizo ella ? 13. ¿ Cuánto tiempo pasó así ? 14. Cuando se acercó Mauricio al balcón de Matilde, ¿ qué hizo ella ? 15. ¿ Qué observó él al fin ?

II. 16. ¿ Cuántos días paseó él enfrente de la casa ? 17. ¿ A dónde fue la tercera noche ? 18. ¿ Qué pasó en la escalera ? 19. ¿ Qué había atado él en el pañuelo ? 20. ¿ A qué hora volvió él a casa ? 21. ¿ Qué hizo la mamá ?

III. 22. ¿ A qué hora se vio Mauricio en el portal ? 23. ¿ Qué renunció al leer el billete ? 24. ¿ A dónde fue al cabo de quince días? 25. ¿ Cómo era la noche ? 26. ¿ Quién le acompañó ? 27. ¿ Qué le contó a su amigo ? 28. ¿ Quiénes estaban sentados cerca de ellos ? 29. ¿ Qué llamó Mauricio a la joven ? 30. ¿ Qué contestó ella ? 31. ¿ A qué hora prometió estar en el balcón ? 32. ¿ Estaba sola ella ? 33. ¿ Qué tiró Mauricio ? 34. ¿ De quién era la letra del billete ? 35. ¿ Qué se oyó en la casa ? 36. ¿ Qué tenía el padre cuando abrió la puerta ? 37. ¿ Se calmó el coronel ? 38. ¿ Quién presentó a Mauricio en casa de Matilde ? 39. ¿ Qué pasó dentro de poco tiempo ? 40. ¿ Qué podía hacer Mauricio para olvidar los defectos de Matilde ?

EJERCICIOS

I. Dé los adverbios que corresponden a los adjetivos:

1. cuidadoso	3. inútil	5. feliz	7. natural
2. atractivo	4. rápido	6. tranquilo	8. moral

II. Lea en español, luego repita, cambiando las frases al plural:

1. La carta estaba escrita.
2. Fue escrita por la profesora.
3. Se escribió antes de la medianoche.
4. El cigarro estaba encendido.
5. Fue encendido por ese señor.
6. Se encendió hace poco tiempo.

III. Lea en español, escogiendo la apropiada forma del imperfecto de **ser** o de **estar.**

1. Mauricio —— corto de vista. 2. —— un joven de veintitrés años. 3. —— enamorado de Matilde. 4. —— amado de ella también. 5. Él siempre —— pensando en ella. 6. —— las ocho cuando llegó al portal. 7. La mano blanca que arrojó el billete —— de la madre. 8. Su amigo —— de Valencia. 9. El soldado —— a otra mesa. 10. Mauricio —— triste.

IV. Lea en español, corrigiendo las frases que son falsas:

1. Mauricio tenía la gran desgracia de ser corto de vista.
2. No pudo menos de enamorarse de Matilde Laínez.
3. Tuvo mucha dificultad en encontrar la casa donde vivía su querida.
4. Mauricio la vio y la reconoció cuando salió al balcón.
5. Cruzó la calle en seguida y, detiéndose bajo su balcón, habló con ella durante una hora o más.
6. Tres días más tarde, **al** presentarse en un teatro, Mauricio creía verla con su mamá.
7. Le devolvió el pañuelo que ella le había tirado el otro día.
8. Al acabarse la ópera, habló con la mamá y con la hermana de Matilde.
9. Mauricio le envió a Matilde un billete atado en un pañuelo.
10. Matilde no fue la que lo leyó primero ni la que escribió la respuesta.
11. El padre de Matilde escribió la respuesta.
12. Por fin Mauricio tuvo que explicar toda la confusión que había causado.
13. Después de todo Mauricio fue presentado formalmente en casa de Matilde.
14. A la luz buena y con los anteojos Matilde le pareció aún más bella que antes.
15. Poco después se casaron los novios y pasaron una vida feliz y tranquila.

Typical street scene (right) and tiny park (below) in Vejer de la Frontera, a picturesque mountain town, which overlooks the western entrance to the Strait of Gibraltar.

La propina

Baldomero Lillo (1867–1923) was one of the first Chilean short story writers to treat the national social problems of his country. While most of his stories deal with the hard life of the mines and rural areas, some are characterized by a fine humorous note. Here, in La propina, *we have the white-collared worker of the city, Palomares, whose social ambition has carried him far beyond his greatest dreams.*

In this country our democratic principles and our free enterprise have served to lessen somewhat the emphasis on wealth and social position. Even so, without looking too far we might find a Palomares who uses dollars as stepping stones to his future.

El joven miró su reloj y, saliendo de la tienda, corrió a su cuarto. El tren salía a las cinco en punto y no tenía más que unos pocos minutos para prepararse. Con nerviosos movimientos se puso la camisa de batista, la corbata de raso y el frac nuevo que acababa de comprar. Luego, ponién-
5 dose el sombrero y el abrigo, salió corriendo a la calle. Sólo tenía media hora para llegar a la estación que estaba situada en las afueras de la ciudad. Pronto encontró un coche y al subir, gritó:

— ¡ A la estación, porque voy a tomar el tren de las cinco !

— Es difícil, señor; ya queda poco tiempo — contestó el cochero, que
10 era un hombre grande y fuerte.

— ¡ Cinco pesos de propina si llegas a tiempo !

El arranque repentino del coche anunció al joven que las mágicas palabras no habían caído en el vacío. Metió la mano en uno de los bolsillos del saco y sacó una elegante invitación. Leyó varias veces la invitación en que
15 su nombre, Octaviano Palomares, aparecía escrito por una mano de mujer. Una nota decía al pie: « Se bailará. »

Mientras el coche corría envuelto en una nube de polvo, el impaciente viajero gritaba:

— ¡ Más a prisa, hombre, más a prisa !

20 Palomares, dependiente de la tienda llamada « La Camelia Roja, » era un joven alto y elegante. Era el favorito de la clientela femenina de la ciudad que siempre insistía en ser atendida por él, con gran envidia de los otros dependientes.

Una tarde entró en la tienda la rica doña Petronila de los Arroyos, acom-
25 pañada de su hija, la linda Conchita, una joven de veintidós años de edad. Residentes de un pueblo cercano, habían tomado el tren para hacer algunas compras, pues estaba muy próximo el día de santo de la joven que iban a celebrar con grandes festejos.

Palomares atendió a las distinguidas señoras con tantas sonrisas y tanta
298

cortesía que la madre dijo a su hija estas palabras, que cayeron en la tienda como una bomba:

— Conchita, no te olvides de enviar al señor Palomares una invitación para que honre con su presencia nuestra modesta tertulia.

La muchacha sonrió graciosamente y, mirando al joven, contestó: 5

— No, mamá, no me olvidaré.

Después de acompañar a las señoras al coche que los esperaba y de colocar en él los paquetes de las compras, Palomares ocupó su sitio detrás del mostrador con el rostro resplandeciente de felicidad. ¡ Qué suerte poder asistir a tan aristocrática recepción con personas tan importantes ! 10

Desde ese día la afectación de Palomares creció muchísimo. Con gran envidia los otros dependientes le veían ensayar graciosas actitudes, sonrisas y reverencias delante del espejo que estaba en la tienda.

Compró un frac elegante para asistir a la recepción y esperaba con impaciencia la invitación. Cuando aparecía el cartero, corría a ver si había 15 venido. Pero la invitación no llegaba.

Mientras el coche pasaba rápidamente por las calles, Palomares trataba de adivinar cuál de los dependientes había ocultado la invitación debajo de unas piezas de percal. Por casualidad la había encontrado allí cuando ponía las piezas sobre el mostrador. A cada instante gritaba con im- 20 paciencia:

— ¡ Más a prisa, hombre, más a prisa !

El coche entra en la estación cuando ya el tren se ha puesto en marcha. Palomares grita con desesperación pero el cochero dice:

— No se aflija, señor. Antes de que llegue a la curva, lo alcanzamos. 25

Los caballos galopan rápidamente por el camino paralelo a la línea férrea.[1] De pronto se paran y el cochero grita:

---

[1] línea férrea, *railway*.

— ¡ Baje, señor, corra, alcáncelo !

Palomares baja y va a correr hacia el tren cuando el cochero le cierra el paso,[1] diciéndole:

— ¿ Y mi dinero ? ¡ Y la propina, señor !

5   Mientras busca en los bolsillos, Palomares recuerda que al mudarse de ropa olvidó la cartera y el reloj. Pero como no hay tiempo que perder en vanas explicaciones, se quita el abrigo y lanzándolo a la cara del cochero, corrió tras el tren.

El tren sube despacio la pendiente de la montaña. Los pasajeros han 10 sacado la cabeza por la ventanilla y los del último vagón, con el conductor, salen a la plataforma. Aquella escena parece divertirlos mucho, y Palomares oye sus risas y sus voces de aliento:

— ¡ Corra, corra ! ¡ Va a alcanzarlo ![2]

No comprende esta última frase hasta que se siente de pronto sujeto por 15 los faldones del frac, mientras una voz furiosa suena a su espalda:

— ¡ La propina, señor !

Se vuelve rápidamente y de un puñetazo en la mandíbula echa a tierra al testarudo cochero. Comienza a correr otra vez y pronto gana el terreno perdido. Por fin, sólo unos pocos metros le separan del último vagón. 20 Entre las caras risueñas que le miran Palomares ve la de una linda mujer de ojos azules y de una boca que ríe alegremente. Esto le anima a un mayor esfuerzo para alcanzar el tren. Pero, mientras los pasajeros ríen y gritan, Palomares se siente sujeto de nuevo por los faldones del frac, al mismo tiempo vuelve a oír: « ¡ La propina, señor ! » El joven se detiene 25 y golpea el rostro y el pecho del cochero hasta derribarle. Luego continúa su duelo de velocidad con la locomotora.

Sus piernas fuertes le llevan como el viento. El tren, próximo a entrar en la curva, ha disminuido notablemente su velocidad. Tres minutos más y descenderá rápidamente por la pendiente de la montaña. « ¡ Ahora o 30 nunca ! » piensa Palomares, haciendo un esfuerzo supremo. Del último vagón oye muchas voces que le animan, entre ellas la dulce voz de la señorita que exclama, dando palmadas:

— ¡ Hurra, hurra !

Palomares, casi sin aliento, redobla sus esfuerzos. A su espalda y muy 35 cerca oye los pasos y los gritos del cochero. Uno de los pasajeros extiende sus brazos y, cogiendo las manos de Palomares, le levanta como una pluma. Pero parece que una fuerza extraordinaria va a arrancarle del tren. De nuevo oye « ¡ La propina, señor !, » y con un gran esfuerzo se libra de las manos del cochero.

---

[1] le cierra el paso, *blocks his way.*   [2] lo, *you.*

Mientras levantan a Palomares en triunfo a la plataforma, distingue al feroz cochero que agita algo que parece a la distancia dos negras banderas. Se lleva las manos a su espalda [1] y descubre que del elegante frac sólo queda algo tan pequeño que apenas puede compararse con una chaquetilla de torero. Aquel desastre le deja tan anonado que se deja conducir [2] a un departamento del vagón. En la puerta hay un letrero que dice: « Míster Duncan e hija. »

Al entrar en el departamento, Palomares ve a la señorita de los « hurras, » [3] que comienza a reír con aquella risa que produce en el joven el efecto de una música melodiosa. Con sus rizos de oro que se escapan por debajo de una gorra azul, le parece la más bella criatura del mundo. La contempla y se olvida completamente del frac, del baile, de doña Petronila y de Conchita. La señorita ríe y, mientras se pone colorada, sus ojos azules se llenan de lágrimas. Míster Duncan está loco de alegría. Por fin, la tristeza que minaba la salud de su hija, haciéndola languidecer de melan- colía, ha abandonado la presa que los viajes, las distracciones y toda clase de cuidados no habían podido arrancar durante dos años de lucha al misterioso mal. [4] El que ha hecho tal milagro le parece enviado del cielo y siente por él la más calurosa simpatía. En el arrogante y fuerte joven, que

---

[1] Se lleva las manos a su espalda, *He puts his hands behind him.* [2] se deja conducir, *he lets himself be taken.* [3] la señorita de los « hurras, » *the girl who had been shouting "hurrah."* [4] ha abandonado ... mal, *has given up its hold (on her) which travels, distractions and all kinds of attentions have been unable to break in two years of fighting against the mysterious malady.*

derriba atletas y alcanza los trenes a la carrera, ve el superhombre ideal de la energía masculina.

El tren vuela por los campos, y aunque se detiene en un pueblecito frente a la casa de la rica doña Petronila de los Arroyos, ningún viajero desciende
5 del último vagón.

Al día siguiente se recibió en La Camelia Roja un telegrama que produjo en la ciudad la mayor excitación. El telegrama decía así: « Hoy me embarco en el *Colombia* para dar una vuelta por [1] el mundo. Saludos. — Palomares. »

MODISMOS

más a prisa *faster*   unos (–as) pocos (–as) *a few*

PREGUNTAS

1. ¿ Qué miró el joven ? 2. ¿ A dónde corrió ? 3. ¿ A qué hora salía el tren ? 4. ¿ Qué se puso el joven ? 5. ¿ Cuánto tiempo tenía para llegar a la estación ? 6. ¿ Qué tomó para ir allá ? 7. ¿ Cuánto dinero ofreció de propina al cochero ? 8. ¿ Cómo se llamaba el joven ? 9. ¿ Qué sacó del bolsillo ? 10. ¿ Qué gritaba él mientras corría el coche ?

11. ¿ Qué era Palomares ? 12. ¿ Quiénes entraron en la tienda una tarde ? 13. ¿ Dónde vivían ? 14. ¿ Qué día estaba muy próximo ? 15. ¿ Qué dijo la madre a su hija ? 16. ¿ Qué compró Palomares ?

17. ¿ Dónde había encontrado Palomares la invitación ? 18. ¿ Llegan a la estación a tiempo ? 19. ¿ Dónde puede alcanzar el tren ? 20. Al pararse, ¿ qué grita el cochero ? 21. ¿ Qué recuerda Palomares ? 22. ¿ Qué hace entonces ? 23. ¿ Qué hacen los pasajeros del tren ? 24. ¿ Qué dicen ? 25. ¿ Qué se siente de pronto Palomares ? 26. ¿ Qué hace entonces ? 27. Mientras corre otra vez, ¿ qué ve ? 28. ¿ Qué pasa entonces ? 29. ¿ Por qué ha disminuido el tren su velocidad ? 30. ¿ Qué pasará en tres minutos más ? 31. ¿ Qué hace uno de los pasajeros ? 32. Después de estar Palomares en la plataforma, ¿ qué agita el cochero ? 33. ¿ Qué queda del elegante frac ? 34. ¿ A dónde conducen a Palomares ? 35. ¿ Qué hace la señorita cuando Palomares entra en el departamento ? 36. ¿ Cómo está Míster Duncan ? 37. ¿ Qué siente por Palomares ? 38. ¿ Qué ve en él Míster Duncan ? 39. ¿ Qué se recibió en La Camelia Roja al día siguiente ? 40. ¿ Qué decía el telegrama ?

EJERCICIOS

I. Lea en español, escogiendo el verbo apropiado:

1. (queja, queda) No me —— bastante tiempo para hacerlo.
2. (llevar, tomar) Vamos a —— el tren de las doce.
3. (lleva, toma) Es el tren que nos —— a los Arroyos.

[1] para dar una vuelta por, *to take a trip around.*

4. (Levantaron, Se levantaron) —— a Palomares a la plataforma.
5. (Hemos, Tenemos) —— reservado una mesa también.
6. (dijo, dejó) Me —— conducirle al departamento.
7. (He, Tengo) —— reservados dos billetes.
8. (se llevaron, se llenaron) Sus ojos —— de lágrimas.

II. Dé el verbo, nombre o adjetivo que corresponde a cada palabra, empezando la frase con: **El nombre (verbo, adjetivo) es** ——.

Verbo	*Nombre*	*Adjetivo*
invitar	——	
comprar	——	
	felicidad	——
	sonrisa	
	mostrador	
reír	——	
——	grito	
	——	fuerte
	tristeza	——
	——	alegre
viajar	——	
——	baile	

III. Escoja uno de los siguientes modismos para cada frase:

a tiempo, acababa de, al mismo tiempo, asistir a, comenzó a, de nuevo, de pronto, al detenerse, en punto, no ... más que, se había olvidado de, se había puesto en marcha, por casualidad, quitarse, trataba de, unos pocos

1. Eran las cinco ——.
2. El joven —— llegar a la estación.
3. Sabía que el tren saldría ——.
4. Iba a —— una aristocrática recepción.
5. Al llegar a casa no tardó en —— la ropa.
6. —— comprar un frac nuevo.
7. —— se paró el coche.
8. Palomares bajó y —— correr.
9. El tren ya ——.
10. Al mudarse de ropa Palomares —— su cartera y de su reloj.
11. —— oyó a su espalda estas palabras: « La propina, señor. »
12. —— continuaba su duelo de velocidad con el tren.
13. Solamente —— metros le separaban del último vagón.
14. Del elegante frac —— quedaba —— una chaquetilla de torero.
15. —— entró en el departamento de un hombre rico.
16. Estaba tan contento allí que, —— el tren en el pueblecito de doña Petronila, no descendió Palomares.

Brasilia, in the interior of Brazil, is Latin America's newest and most modern capital. (*Above*) Brazilian Congress and Senate buildings. (*Left*) Sculpture by María Martins, with the presidential palace, called the Palace of Dawn, in the background.

(*Above*) Ultramodern church in Brasilia. (*Left*) The Copacabana Beach, in Brazil's former capital, Rio de Janeiro, is one of South America's finest beaches. (*Below*) Niemeyer statues in front of the Palace of Dawn.

EL TIEMPO Y EL ESPACIO

Julio Camba (Spain, 1882–1962), from whose writings El tiempo y el espacio, Los estados engomados, Las boticas, *and* Una peluquería americana *have been chosen, writes like the journalist that he was. A humorist and satirist, he uses for his subject matter the foibles, social customs, institutions, and daily habits of the people among whom he lived, both in Spain and abroad. The Spaniard's disregard for punctuality, the American addiction to chewing gum, our drugstores, and the activities in a large city barber shop — these are good materials for his comments. You will remember Camba for his keen observations and for his fine humor which is never so sharp that it wounds.*

Tengo un asunto urgente que ventilar con un amigo. Desde luego el amigo se opone a que lo ventilemos * hoy.

— ¿ Le parece a usted que nos veamos * mañana ?

— Muy bien. ¿ A qué hora ?

5 — A cualquier hora. Después de almorzar, por ejemplo . . .

Yo le hago observar a mi amigo que eso no constituye una hora. Después de almorzar es algo demasiado vago, demasiado elástico.

— ¿ A qué hora almuerza usted ? — le pregunto.

— ¿ Que[1] a qué hora almuerzo ? Pues a la hora en que almuerza todo
10 el mundo: a la hora de almorzar . . .

— Pero ¿ qué hora es la hora de almorzar para usted ? ¿ El mediodía ?
¿ La una de la tarde ? ¿ Las dos . . . ?

— Por ahí, por ahí . . . — dice mi amigo. — Yo almuerzo de una a dos.
A veces me siento a la mesa cerca de las tres . . . De todos modos a las
15 cuatro siempre estoy libre.

— Perfectamente. Entonces podríamos citarnos[2] para las cuatro.

Mi amigo asiente.

— Claro que, si me retraso unos minutos — añade —; usted me esperará. Quien dice a las cuatro, dice a las cuatro y cuarto y cuatro y media.
20 En fin, de cuatro a cinco yo estaré sin falta en el café. ¿ Le parece a usted ?

Yo quiero puntualizar:[3]

— Digamos a las cinco.

— ¿ A las cinco ? Muy bien. A las cinco . . . Es decir, de cinco a cinco
y media . . . Uno no es un tren, ¡ qué diablo ! Supóngase usted que me
25 rompo una pierna . . . .

— Pues citémonos para las cinco y media — propongo yo.

Entonces a mi amigo se le ocurre una idea brillante.

— ¿ Por qué no citarnos a la hora del aperitivo ?[4] — sugiere.

---

[1] *Some phrase like* Pregunta usted *is understood before que.*   [2] citarnos, *make an appointment.*
[3] puntualizar, *to be more definite.*   [4] aperitivo, *appetizer, apéritif. (Many Spaniards go to a café to take vermouth or other appetizers in the evening before dinner.)*

Hay una nueva discusión para fijar en términos de reloj [1] la hora del aperitivo. Por último, quedamos en reunirnos de siete a ocho. Al día siguiente dan las ocho, y claro está, mi amigo no comparece. Llega a las ocho y media echando el bofe,[2] y el camarero le dice que yo me he marchado.

5

— No hay derecho [3] — exclama días después al encontrarme en la calle. — Me hace usted fijar una hora, me hace usted correr, y resulta que no me aguarda usted ni diez minutos. A las ocho y media en punto yo estaba en el café.

Y lo más curioso [4] es que la indignación de mi amigo es auténtica. Eso 10 de que [5] dos hombres que se citan a las ocho tengan que reunirse a las ocho, le parece algo completamente absurdo.

---

[1] términos de reloj, *terms of a watch, i.e., definitely.* [2] echando el bofe, *out of breath.* [3] No hay derecho, *You have no right to do that.* [4] lo más curioso, *the funniest thing.* [5] Eso de que, *The idea that.*

Lo lógico, para él, es que se vean * media hora, tres cuartos de hora o una hora después.

— Pero fíjese usted bien [1] — le digo. — Una cita es una cosa que tiene que estar tan limitada en el tiempo como en el espacio. ¿ Qué diría usted
5 si habiéndose citado conmigo en la Puerta del Sol,[2] se enterase de que yo había acudido a la cita en los Cuatro Caminos ? [3] Pues eso digo yo de usted cuando, habiéndonos citado a las ocho, veo que usted comparece a las ocho y media. De despreciar [4] el tiempo, desprecie usted también el espacio. Y de respetar el espacio, ¿ por qué no guardarle también al tiempo
10 un poco de consideración ?

— Pero con esa precisión, con esa exactitud, la vida sería imposible — opina mi amigo.

¿ Cómo explicarle que esa exactitud y esa precisión sirven, al contrario, para simplificar la vida ? ¿ Cómo convencerle de que, acudiendo puntual-
15 mente a las citas, se ahorra mucho tiempo para invertirlo en lo que se quiera ? *

Imposible. El español no acude puntualmente a las citas, no porque considere que * el tiempo es una cosa preciosa, sino, al contrario, porque el tiempo no tiene importancia para nadie en España. No somos superiores,
20 somos inferiores al tiempo. No estamos por encima, sino por debajo, de la puntualidad.

TRANSLATION AIDS

There are many ways in which the Spanish subjunctive clauses may be expressed in English:

el amigo se opone a que lo ventilemos
  the friend opposes our airing (discussing) it
¿ Le parece a usted que nos veamos . . . ?
  What do you think about our seeing each other . . . ?
Lo lógico . . . es que se vean
  The logical thing . . . is that they see each other (meet)
si . . . se enterase de que
  if . . . you should find out that
para invertirlo en lo que se quiera
  to invest it in whatever one wishes (may wish)
no porque considere que
  not because he may consider (think) that

---

[1] fíjese usted bien, *think carefully.*   [2] Puerta del Sol, *Gate of the Sun.* (*A large square in the central part of Madrid into which some ten or twelve streets lead.*)   [3] Cuatro Caminos, *Four Roads.* (*A section in the northern part of Madrid.*)   [4] De despreciar = Si usted desprecia, *If you scorn (disregard).*

Outdoor café in Plasencia, in western Spain.

MODISMOS

claro está	*of course, to be sure*	por debajo de	*under, beneath*
de todos modos	*at any rate, anyway*	por encima de	*above, beyond*
desde luego	*of course, certainly*	quedar en	*to agree; decide*

PREGUNTAS

1. ¿ Qué tiene Camba que ventilar con un amigo ? 2. ¿ A qué hora quiere el amigo que se vean al día siguiente ? 3. ¿ A qué hora almuerza el amigo ? 4. ¿ A qué hora siempre está libre ? 5. ¿ Se citan para las cuatro ? 6. Por fin, ¿ qué idea se le ocurre al amigo ? 7. ¿ A qué hora quedan en reunirse ? 8. Al día siguiente, ¿ qué hace Camba a las ocho ? 9. ¿ Qué exclama el amigo días después ? 10. ¿ Qué le parece absurdo al amigo ? 11. Según Camba, ¿ cómo es una cita ? 12. Si una persona desprecia el tiempo, ¿ qué otra cosa debe despreciar ? 13. ¿ Qué no puede explicar Camba ? 14. ¿ Por qué no acude puntualmente a las citas el español ?

EJERCICIO

Prepare una breve conversación original entre dos españoles que quieren citarse para hablar de un asunto urgente.

309

Los estados engomados [1]

Se ha dicho que el francés es un hombre muy condecorado y que come mucho pan. El americano,[2] a su vez, es un hombre sin condecoraciones y que masca mucha goma.[3]

Mascar goma: he aquí el gran vicio nacional de los Estados Unidos de
5 Norteamérica. Los americanos mascan goma así como los chinos fuman opio. La goma de mascar es el paraíso artificial de este pueblo. En el tranvía o en el ferrocarril yo he visto a veces frente a mí 15 o 20 personas en fila abriendo y cerrando la boca, como si fueran peces, y con una expresión beatífica en los ojos. Esta expresión respondía al gusto que experi-
10 mentaban mascando goma.

El año pasado, los americanos han mascado goma por valor de 30 millones de dólares.[4] Es decir, que han gastado en mascar muy poco menos de lo que [5] un pueblo como España gasta en comer. La cifra es realmente asombrosa, porque, si bien hay personas que usan una goma nueva para
15 cada rato de masticación, hay, en cambio, otras que se guardan la goma mascada y la remascan otra vez y otra más, haciéndola durar semanas enteras. Cuando se tiene poco dinero, es preciso estirar la goma, y aprovecharla mientras dé de sí.[6]

La goma de mascar es una goma perfumada y sumamente blanda, que
20 se vende en forma de pastillas. Las familias pobres, sin embargo, yo creo que compran neumáticos viejos y que los mascan en común; esto es, que el padre y la madre y los hijos y las muchachas se sientan todos alrededor del neumático y que le meten el diente [7] simultáneamente. Un neumático de automóvil, utilizado en esta forma, puede durarle a una familia todo
25 el año.

Yo no sé si ustedes han oído hablar de la mandíbula americana, esta mandíbula prominente, de la que se envanecen los americanos,[8] considerándola un signo de gran energía. Pues, para mí, la mandíbula americana se forma en fuerza de mascar goma.
30 No quiero entrar en detalles sobre la manera americana de masticar; pero sí advertiré que los americanos jamás se esconden ni se cohiben [9] para la masticación. Hasta hay quien considera [10] que el acto de mascar goma es un acto lleno de poesía.

---

[1] Los estados engomados, *The Gummed States.*   [2] *Camba uses* americano *to mean* "*North American, Yankee.*"   [3] masca mucha goma, *chews much gum.*   [4] *This is the figure for about 1920; today it is some 300 million dollars per year.*   [5] de lo que, *than.*   [6] mientras dé de sí, *as long as it lasts.*   [7] le meten el diente, *they begin to eat on it (lit., put their teeth into it).*   [8] de la que se envanecen los americanos, *of which the Yankees boast.*   [9] se cohiben, *restrain themselves.*   [10] Hasta hay quien considera, *Even there are those who consider.*

Todo el mundo masca goma en América, los ricos y los pobres, los negros y los amarillos, los americanos de origen inglés o francés y los germano-americanos. Y aquí es donde aparecen la utilidad y la trascendencia social y política de la goma de mascar. No sólo el hábito de mascar goma constituye algo común para las diferentes razas que pueblan los Estados 5 Unidos, algo que iguala entre ellos a los americanos de procedencias más diversas, y que los diferencia, al mismo tiempo, de los ciudadanos de otros países, sino que, poco a poco la masticación va creando * unos rasgos

fisionómicos típicamente americanos,[1] entre los que predomina la mandí-bula, como he dicho antes. Si en el porvenir llega a existir [2] un tipo ameri- 10 cano tan característico como lo son hoy el tipo inglés o el francés o el español, los americanos podrán decir que, para formarlo, se han gastado en goma millones y millones de dólares. Este país va adquiriendo cohesión * a fuerza de goma. Según las estadísticas del ministro de Comercio, es por valor de 30 millones de dólares la cantidad de goma que se echa cada año 15 en el *melting pot* o crisol de las razas. Los Estados Unidos, como pueblo, puede decirse que están pegados con goma. Son los Estados Unidos con Goma o los Estados Engomados.

[1] unos . . . americanos, *some typically American facial characteristics.*   [2] Si . . . existir, *If in the future there comes into existence.*

TRANSLATION AIDS

With **ir**, the present participle indicates that the action keeps on increasing. The words *gradually* or *little by little* may be used to express the idea in English:

la masticación va creando
  chewing gradually creates
este país va adquiriendo cohesión
  this country is gradually acquiring cohesion (*is acquiring cohesion little by little*)

MODISMOS

a (en) fuerza de *as a result of, by dint of,*	esto es *that is*
on account of	he aquí *here is, here you have*
a su vez *in his (one's) turn*	si bien *although*

PREGUNTAS

1. ¿ Qué se ha dicho del francés ? 2. ¿ Qué es el americano ? 3. Según Camba, ¿ cuál es el gran vicio nacional de los Estados Unidos ? 4. ¿ Qué ha visto Camba en el tranvía o en el ferrocarril ? 5. ¿ Han gastado mucho los americanos en goma de mascar ? 6. ¿ Qué es la goma de mascar ? 7. Según Camba, ¿ qué compran las familias pobres ? 8. ¿ Cuánto tiempo puede durarle a una familia un neumático ? 9. ¿ Cómo es la mandíbula americana ? 10. ¿ Cómo se forma ? 11. ¿ Quiénes mascan goma en América ? 12. ¿ Qué constituye el hábito de mascar goma para las diferentes razas ? 13. Según Camba, ¿ existe un tipo americano característico ? 14. ¿ Cómo va adquiriendo cohesión nuestro país ? 15. Como pueblo, ¿ qué son los Estados Unidos ?

EJERCICIO

Prepare un breve discurso, dando en sus propias palabras algunas de las ideas de Camba sobre la goma de mascar en los Estados Unidos.

(*Top*) *This swimming pool of the San Fernando Club in semi-tropical Cali, south-western Colombia, may be used the year round.* (*Bottom*) *The Grace Line "Santa Rosa" is loading cargo at the pier in Cartagena, one of Colombia's main ports on the Caribbean.*

LAS BOTICAS

¿ Por qué se dice en España eso de « hay de todo, como en botica » ?[1]
¿ Qué hay, vamos a ver, en las boticas españolas ? ¿ Es que * hay cigarros,
pongo por caso ? [2] ¿ Es que hay pañuelos de bolsillo ? ¿ Es que hay artículos de escritorio . . . ? ¿ Qué diría un boticario español si un señor le
5 pidiese una cámara ? Y si una señora se acercase a la botica con el
propósito de tomarse un helado, o un chocolate, o una taza de caldo, ¿ es
que * el boticario conservaría ante ella su ecuanimidad ?

Pues aquí, en las boticas venden verdaderamente de todo. Cigarros y
artículos de escritorio, pañuelos de bolsillo y cámaras, chocolates y helados
10 y tazas de caldo. Venden sellos de correo, venden cacerolas, venden
bombones, venden despertadores, venden máquinas de afeitar, venden
fonógrafos, y hasta creo que venden medicamentos.

La gente, a falta de cafés, se pasa aquí el día en las boticas. Ante los
mostradores de mármol hay siempre varias mujeres y algunos hombres
15 tomando refrescos. Con frecuencia un cliente quiere ensayar un fonógrafo, y la botica se llena de melodías gangosas.[3] El público sigue el
compás y los empleados también. Se va de un lado al otro bailando un
fox-trot o un *one-step* atenuados. Lejos del mostrador, la gente examina
los puestos de libros, las vitrinas de bisutería,[4] los álbumes de tarjetas
20 postales, los artículos de *toilette*. Hay música, hay luz, hay risas, hay buen
olor . . . Un europeo vacilaría mucho antes de confiarle a ninguno de estos
boticarios la confección de una receta.[5]

Y es que * el europeo tiene una idea supersticiosa de los boticarios y las
boticas. Para él, hacer una poción es algo más difícil que hacer un re-
25 fresco. El europeo figura la raíz de ruibarbo [6] como una substancia sagrada
que debe ser vendida por un hombre muy triste en un lugar también muy
triste y que huela a [7] raíz de ruibarbo precisamente. Vender medicinas
es algo tan importante para nosotros, que lo consideramos incompatible
con la venta de ninguna otra cosa. El boticario nos parece todavía un
30 mago, un alquimista de gorro corto,[8] con sus alambiques y sus retortas de
etiquetas latinas.[9]

Y en América, el boticario es un comerciante como los demás y las
boticas son tiendas igual que las otras. El boticario americano no se da

---

[1] ¿ eso de « . . . botica » ? *that matter of "there is everything, as in a drugstore?"* [2] pongo por
caso, *I offer as an example.* [3] gangosas, *nasal.* [4] vitrinas de bisutería, *showcases of costume
jewelry.* [5] confección de una receta, *the filling of a prescription.* [6] raíz de ruibarbo, *rhubarb
root.* [7] huela a, *may smell of.* [8] un mago, un alquimista de gorro corto, *a magician, an alchemist with a skull cap.* [9] sus alambiques y sus retortas de etiquetas latinas, *his stills and his
retorts with Latin labels.*

importancia.[1] Si usted le pide un medicamento porque su tía de usted se encuentra moribunda, él lo despacha a usted sin adoptar para ello un continente grave ni solemne. Y si ha hecho usted una conquista [2] y quiere obsequiarla con una caja de bombones, el boticario le da a usted la caja de bombones de la misma manera. El boticario americano no se solida- 5 riza [3] con las cosas que vende. Vende bombones como vende medicinas, vende papel de escribir como vende petacas, vende ligas como vende perfumes. Vende las cosas más contradictorias del mundo. Vende de todo, como en botica.

TRANSLATION AIDS

At the beginning of a question, **es que** is regularly not translated.

¿ Es que hay cigarros ?
  Are there (any) cigarettes ?
¿ es que el boticario conservaría ante ella su ecuanimidad ?
  would the druggist maintain his poise before her ?

When **es que** begins a statement, it may mean *the fact is (that)* or the phrase is left untranslated.

es que el europeo tiene . . .
  the fact is that the European has or *the European has . . .*

---

[1] no se da importancia, *doesn't assume any importance for himself.*   [2] ha hecho usted una conquista, *you have won the affection of a girl.*   [3] no se solidariza, *doesn't identify himself.*

Next to a "perfumería," where one can buy many kinds of perfume
and cosmetics, is a poster advertising a current movie.

PREGUNTAS

1. ¿ Qué se dice en España con respecto a las boticas ? 2. ¿ Qué venden en las boticas americanas ? 3. ¿ Dónde se pasa el día la gente americana ? 4. ¿ Dónde se pasa el día la gente española ? 5. ¿ Qué toman las mujeres y los hombres en la botica ? 6. ¿ Qué quiere ensayar con frecuencia un cliente ? 7. ¿ Qué examina la gente que está lejos del mostrador ? 8. ¿ Qué idea tiene el europeo de los boticarios ? 9. ¿ Qué es la raíz de ruibarbo para el europeo ? 10. ¿ Qué venden en una botica española ? 11. ¿ Qué es el boticario americano ? 12. ¿ Es verdad lo que escribe Camba acerca de las boticas americanas ?

EJERCICIOS

I. Explique en sus propias palabras la diferencia (*difference*) entre una botica española y una americana.

II. Describa una botica que conoce usted bien.

316

No hay nada tan americano como una peluquería americana. ¡ No, nada ...! Ni los rascacielos americanos, ni las bebidas americanas, ni el reporterismo americano ... Una peluquería americana es algo mucho más enérgico, mucho más complicado, mucho más mecánico, mucho más rápido, mucho más caro y mucho más americano que todo eso. 5

Uno entra, e inmediatamente se encuentra atacado por dos o tres boxeadores que le despojan [1] del sombrero, de la chaqueta, del chaleco, del cuello y de la corbata. El procedimiento es eficaz, pero demasiado violento.

— ¿ Por qué me boxean ustedes ? — dicen que dijo una vez un extranjero. — No es necesario. Yo no hago resistencia ninguna ... 10

Consumado el despojo,[2] uno es conducido a una silla que, en una fracción de segundo, se convierte en cama de operaciones. Entonces un hombre, con una mano enorme, le coge a uno la cabeza * como pudiera coger un melocotón, y poniéndole con la otra mano una navaja cerca del cuello,* le pregunta: 15

— ¿ Qué es lo que usted desea ? ¿ Afeitar ? ¿ Cortar el pelo ? ¿ Masaje facial ? ¿ Arreglar las uñas ? [3] ¿ Limpiar las botas ? ¿ Masaje craneano ? ¿ Champú ? ¿ Quinina ... ?

Uno está completamente a la merced de aquel hombre y no puede negarle nada. 20

— Sí — va diciendo uno. — Lo que usted quiera ...

El hombre da ciertas órdenes, que nosotros no percibimos porque previamente, y de un solo golpe de brocha, nos ha tapado los ojos y los oídos * con una capa de jabón. Notamos que alguien nos trabaja en las manos,* y adivinamos que es una manicura. Alguien debe también estarnos 25 limpiando las botas. Mientras tanto, el peluquero nos somete a unos procedimientos científicos de tortura ... Ya estamos afeitados, y a la capa de jabón ha sucedido una capa de pomada.[4] La mano enorme nos da masaje. Luego nos tapa la cara con una toalla caliente, que nos abrasa. En seguida la toalla caliente es substituida por una toalla empapada en agua fría. No 30 podemos ver, hablar ni respirar. ¿ Cuál será la intención de este hombre al someternos a temperaturas alternas ? ¿ No es ése un procedimiento que se usa para matar cierta clase de microbios.

Libres de la última toalla, podemos ver a la manicura que arregla nuestras uñas, al peluquero y al limpiabotas. Todas nuestras extremi- 35 dades están en manos ajenas. Numerosas personas trabajan por nuestra

---

[1] que le despojan, *who strip you*. [2] Consumado el despojo, *When the stripping is completed*.
[3] ¿ Arreglar las uñas ? *A manicure (Fix your nails)?* [4] a la capa de jabón ... pomada, *a layer of face cream has followed the layer of soap*.

cuenta, y no deja de haber¹ cierta satisfacción en pensar que uno le da de vivir a tanta gente.²

— ¿ No podría usted emplear conmigo a alguien más ? — pregunta a veces un millonario.

5 En realidad, nosotros no hemos enumerado a todas las personas que nos sirven. Hay todavía un hombre, en un ángulo de la peluquería, dedicado a limpiar, planchar y cepillar nuestro sombrero. El sombrero también recibe su correspondiente masaje. Es nuestra sexta extremidad, como si dijéramos.³

10 Y nuestro suplicio continúa. Ahora estamos sometidos a una fuerte corriente eléctrica. El peluquero pasa por nuestra cara un aparato vibratorio, que nos hace el efecto de una máquina apisonadora.* Ya tenemos las botas limpias. La manicura abandona nuestra mano derecha y se nos apodera de la izquierda,* mientras el peluquero comienza a cortarnos el 15 pelo.*

Por fin, el suplicio termina. Es decir, todavía hay que pagar la cuenta ... Sacamos un fajo de billetes y los distribuimos entre la multitud.

Y todo esto, incluso el pago, que es lo que nos ha parecido más largo, no ha durado ni un cuarto de hora. Todo se ha hecho rápidamente y con 20 mucha maquinaria. No hay duda de que una peluquería americana es la cosa más americana del mundo.

TRANSLATION AIDS

In speaking of the parts of the body (or clothing on the person) in Spanish, the possessive adjective is regularly replaced by the definite article. When the parts of the body of another person are acted upon, the verb requires the indirect

---

¹ no deja de haber, *there is* (*lit., there does not fail to be*). ² uno le da ... gente, *one provides a living for so many people.* ³ como si dijéramos, *as it were.*

object of the person and the part of the body is the direct object. Note the translation of the following:

le coge a uno la cabeza
he takes one's head
poniéndole con la otra mano una navaja cerca del cuello
putting a razor near his neck with the other hand
nos ha tapado los ojos y los oídos
he has covered our eyes and ears
nos trabaja en las manos
works on our hands
que nos hace el efecto de una máquina apisonadora
which has the effect of a road roller on us
se nos apodera de la izquierda
(she) takes hold of our left one
comienza a cortarnos el pelo
(he) begins to cut our hair

PREGUNTAS

1. ¿ Hay algo tan americano como una peluquería americana ? 2. ¿ Qué pasa cuando uno entra en una peluquería ? 3. ¿ A dónde es conducido uno ? 4. ¿ En qué se convierte la silla ? 5. ¿ Qué le pregunta a uno el peluquero ? 6. ¿ Qué hace el peluquero con la brocha ? 7. ¿ Qué notamos después ? 8. ¿ Con qué nos tapa la cara ? 9. Libres de la toalla, ¿ a quiénes podemos ver ? 10. ¿ Qué satisfacción tiene una persona ? 11. ¿ Qué hace un hombre que está en un ángulo de la peluquería ? 12. Por fin, ¿ qué hay que hacer ? 13. ¿ Cuánto tiempo ha durado todo esto ? 14. ¿ Cómo se ha hecho todo ?

EJERCICIOS

I. Conteste en español:

1. ¿ Qué es un peluquero ?
2. ¿ Dónde trabaja un peluquero ?
3. ¿ Para qué usa el peluquero una navaja ?
4. ¿ Qué hace un limpiabotas ?
5. ¿ Qué hace una manicura ?
6. ¿ Para qué usamos el jabón ?
7. Después de lavarnos las manos, ¿ qué usamos ?
8. ¿ Qué usamos cuando nos bañamos ?
9. ¿ Cuáles son algunas partes del cuerpo ?
10. ¿ Cuáles son algunos artículos de ropa ?

II. 1. Explique en sus propias palabras lo que pasa en una peluquería americana, según Camba.
2. Explique lo que pasa en una peluquería de esta ciudad.

LA MANZANA PROHIBIDA

These modern counterparts of Adam and Eve, Mr. Adams and Miss Evans, indulge in a time-worn discussion of the beauties of nature versus that great joy of the flesh — food. Finally the hungry Miss Evans violates the laws of her modern garden of Eden. Read the story to find out how she and Mr. Adams suffered as a result of her refusal to heed a man-made law. There are situations in this tale of today which parallel those in the original story of Adam and Eve. Would you call this story a parable?

The author, Álvaro de Laiglesia (1922–), is a contemporary Spanish writer whose humor has added much to the literature of the day.

(Adaptación a la escena actual [1] del primer drama de la humanidad)

La escena representa un parque público al atardecer.[2] Mr. Adams y Miss Evans pasean bajo los árboles.

Miss Evans. Yo creí que me invitaría usted a tomar el té en cualquier
5   parte, míster Adams.
Mr. Adams. Sería una lástima meterse en un local cerrado en una tarde tan encantadora. ¡ El parque está tan agradable !
Miss Evans. El apetito es ciego, amigo mío: él no entiende de belleza.[3]
Mr. Adams. No obstante, aquí se respira aire puro . . . ¡ Qué paz ! . . .
10   Sólo el canto de algún pájaro rezagado [4] interrumpe el silencio del atardecer . . . ¿ No ama usted la Naturaleza, señorita ?
Miss Evans. La mujer moderna no ama la Naturaleza, míster Adams. Mientras no existan en el campo escaparates con bolsos y sombreros, el campo no tendrá atractivos para nosotras.
15   Creí que íbamos a tomar un té con algo sólido, porque tengo un hambre de lobo.[5]
Mr. Adams. Los hombres de negocios como yo necesitamos reposar después del trabajo cotidiano: en el parque olvidamos los bancos, las cotizaciones, los balances, las letras de cambio.[6]
20 *Miss Evans.* Yo detesto el campo; todos los árboles son iguales.
Mr. Adams. ¿ Pero qué dice usted del aroma de las flores ?
Miss Evans. ¡ Horrible ! Esas pobrecillas * nunca conseguirán superar a los grandes perfumistas parisienses.
Mr. Adams. No puedo creer que prefiera usted merendar a dar un paseo
25   por el parque, amiga mía.

---

[1] la escena actual, *stage of the present time.* [2] al atardecer, *at nightfall, in the late afternoon.* [3] él no entiende de belleza, *it doesn't understand anything about beauty.* [4] el canto de algún pájaro rezagado, *the song of an occasional (lit., straggler) bird.* [5] tengo un hambre de lobo, *I'm as hungry as a wolf.* [6] letras de cambio, *drafts, bills of exchange.*

Miss Evans. Se lo juro. Tenga usted en cuenta que el apetito ha dejado de ser un pecado de lesa femineidad.[1] Ahora las mujeres hacemos dos comidas de tres platos como cualquier hijo de vecino.[2]

Mr. Adams. ¡ Se está tan bien aquí . . . ![3]   5

Miss Evans. (*Viendo un manzano en medio de un macizo.*) En ese caso, espere un momento. (*Se acerca al manzano.*)

Mr. Adams. ¿ Qué va usted a hacer, Miss Evans ?

Miss Evans. (*Con frivolidad.*) Comerme una manzana; tengo hambre.

Mr. Adams. ¡ Por favor, señorita ! ¡ Eso está prohibido !   10

Miss Evans. No nos verá nadie, no se preocupe. (*Coge la manzana.*)

Mr. Adams. ¡ Qué chiquilla * es usted, Miss ! Como nos vea el guarda, estamos frescos.[4]

Miss Evans. (*Ofreciéndole la manzana.*) ¿ Quiere usted probar un poco ?

Mr. Adams. No, muchas gracias. No acostumbro tomar nada entre   15 horas.[5]

Miss Evans. Pues usted se lo pierde.[6] (*Empieza a comerse la manzana.*) Es riquísima. Claro que preferiría una taza de té con paste-lillos.* Pero los árboles no han llegado aún a la perfección de servir tés completos.[7]   20

---

[1] un pecado de lesa femineidad, *a sin of lese-femininity.* (*The expression* lesa majestad, *lese-majesty, means* "treason," *or* "a crime against" *or* "an insult offered to the sovereign power." *"Lese-femininity" refers here to something belonging by law to a woman.*)   [2] cualquier hijo de vecino, *any person (any mother's son).*   [3] ¡ Se está tan bien aquí ! *It is so very pleasant here!* [4] Como . . . frescos, *If the guard sees us, we are* "hooked."   [5] entre horas, *between meals.* [6] Pues usted se lo pierde, *Well, you are the one who is losing out.*   [7] *For* té completo *small sandwiches and pastries are served with tea.*

321

Guarda. (*Acercándose a ellos de improviso.*) Conque robando manzanas, ¿ eh ?

Mr. Adams. ¿ Robando ? ¿ Qué quiere usted decir ? . . . Yo le aseguro . . .

Guarda. No tiene nada que asegurar. Los he sorprendido, y basta.

5 *Mr. Adams.* ¿ Va usted a pensar que yo . . . ?

Guarda. Yo no pienso nada, amiguito.* Pero la ley es la ley, y hay que obedecerla. ¿ No han leído ese cartel ? « Respetad las plantas y los árboles. »

Mr. Adams. ¿ Cree usted acaso . . . ?

10 *Guarda.* Vamos, vamos; menos palabrería,[1] y a pagar la multa.

Mr. Adams. (*Pagando la multa.*) ¡ Qué atropello ! [2]

Guarda. ¡ Ni atropello ni nada ! [3] (*Cobrando la multa.*) Y ahora, fuera de este parque.

Mr. Adams. ¿ Cómo que fuera ? ¡ Qué insolencia !

15 *Guarda.* ¡ He dicho que fuera ! [4] Debería darle vergüenza; [5] a su edad, comportarse como un golfillo * . . .

Mr. Adams. (*Intenta protestar, pero comprende que es inútil: el guarda va armado con un bastón. Él y Miss Evans, seguidos de cerca por la autoridad municipal, llegan a la puerta del parque y salen.* 20 *Míster Adams está sofocado de humillación.*) ¡ Qué atrocidad más intolerable ! Me quejaré a la Alcaldía. ¡ Qué grosero ! ¡ Echarnos del parque ! (*Miss Evans sonríe divertida, y ambos se dirigen hacia un salón de té.*)

---

[1] Vamos, vamos; menos palabrería, *Well, come now, less chattering.*   [2] ¡ Qué atropello ! *What an insult!*   [3] ¡ Ni atropello ni nada ! *Insult, nothing!*   [4] ¡ He dicho que fuera ! *I (have) said to get out!*   [5] Debería darle vergüenza, *You should be ashamed.*

TRANSLATION AIDS

Diminutives are used widely in Spanish, particularly in familiar conversation. While diminutives commonly express smallness in size or endearment, at times they imply insignificance, contempt, even irony or satire. The most frequent endings are –ito, –cito, –ecito; others are –illo, –cillo, –ecillo, –ico, –uelo, etc.

esas pobrecillas   *those poor (little) things*
¡ Qué chiquilla es usted !   *What a little child (baby) you are!*
pastelillos   *small cakes (pastries)*
amiguito   *my fine friend*
un golfillo   *a little ragamuffin*

MODISMOS

de improviso   *suddenly, unexpectedly*   tener en cuenta   *to bear (keep) in mind*
no obstante   *nevertheless*

PREGUNTAS

1. ¿ Dónde están Mr. Adams y Miss Evans ?   2. ¿ Qué quiere tomar ella ?
3. ¿ Ama ella la Naturaleza ?   4. ¿ Por qué no tiene atractivos para ella el campo ?
5. ¿ Qué necesitan los hombres de negocios ?   6. Después de pasear un rato, ¿ qué
ve ella ?   7. ¿ Por qué coge una manzana ?   8. ¿ Qué preferiría Miss Evans ?
9. De improviso, ¿ quién se acerca ?   10. ¿ Qué tiene que hacer Mr. Adams ?
11. ¿ Se quedan los dos en el parque después de eso ?   12. ¿ Por qué no protesta
Mr. Adams ?   13. ¿ Cómo está él después que salen del parque ?   14. ¿ Qué
hace Miss Evans ?   15. Por fin, ¿ a dónde van ambos ?

EJERCICIOS

I. Complete en español:

1. Una persona que quiere comer tiene ——.
2. Una manzana es una fruta; el árbol es ——.
3. Un hombre que trabaja en un banco piensa en —— y ——.
4. En un parque se prohibe —— las frutas y las flores.
5. El guarda dijo que sería necesario pagar ——.
6. Iba armado ——.
7. El guarda representaba ——.
8. Al salir del parque los dos se dirigieron hacia ——.

II. Dé una frase original con cada expresión:

1. hay que
2. de improviso
3. querer decir
4. tener en cuenta
5. acercarse a
6. ¡ qué + *noun!*
7. claro que
8. dejar de

UNA MONEDA DE ORO

"Los pobres rara vez tienen monedas de oro" expresses the underlying theme in this story; the story itself deals with that rare occasion. Francisco Monterde (Mexico, 1894–) pictures for us a man's emotions which range from surprise through the joy of possession to doubt, satisfaction, pride, dismay, embarrassment, and relief. The writer's style is clear and concise; his view of the situation understanding and kind.

Aquella Navidad fue alegre para un pobre: Andrés, que no tenía trabajo desde el otoño.[1]

Atravesaba el parque, al anochecer, cuando vio, en el suelo, una moneda que reflejaba la luz fría de la luna.   De pronto, creyó que era una moneda
5 de plata; al cogerla, sorprendido por el peso, cambió de opinión: « Es una medalla,[2] desprendida de alguna cadena,[3] » pensó.   Hacía mucho tiempo que no tenía [4] en sus manos una moneda de oro, y por eso había olvidado cómo eran.   Hasta que, al salir del parque pudo examinarla en la claridad, se convenció de que, realmente, era una moneda de oro.

10 Palpándola, Andrés comprendía por qué los avaros amontonan tesoros, para acariciarlos en la soledad.   ¡ Era tan agradable su contacto !

Con la moneda entre los dedos, metió la mano derecha en el bolsillo del pantalón.   No se decidía a soltar en él la moneda, por temor a perderla, como el que la dejó en el parque, el que la había poseído antes que él.   De
15 seguro no era un pobre, pensó: los pobres rara vez tienen monedas de oro. Sería rico * y aquella moneda pasaría inadvertida para él, que tendría otras muchas iguales.   Y Andrés reflexionó que si supiera quién la había perdido, rico o pobre, le devolvería la moneda, aunque no lo gratificara.

Cuando soltó la moneda, después de cerciorarse de que el bolsillo no tenía
20 agujeros, estaba tibia, como si tuviera vida propia.[5]

---

[1] que no tenía trabajo desde el otoño, *who had not had work since fall.*   [2] medalla, *gold coin.*
[3] desprendida de alguna cadena, *which has broken loose from a chain.*   [4] Hacía mucho tiempo que no tenía, *It had been a long time since he had had.*   [5] como si tuviera vida propia, *as if it were alive (lit., had a life of its own).*

Mientras Andrés caminaba apresurado, rumbo a su casa, la moneda de oro saltaba alegremente en el bolsillo; pero como no tenía compañeros que la hicieran sonar al tocarla, su alegría era silenciosa.

Una duda asaltó a Andrés: ¿ No sería una moneda falsa ? * Se detuvo en la esquina, y volvió a examinarla, al pie de un farol. Vio sus letras, bien grabadas; la hizo sonar. La apariencia y el timbre — claro, fino — casi le devolvieron la tranquilidad. Para tranquilizarse por completo, estuvo a punto de entrar en una tienda, comprar algo y pagar con la moneda de oro. Si la aceptaban, indudablemente era buena, si no . . .; pero era mejor mostrarla a alguien que le dijera la verdad. Andrés prefirió llevar la moneda a su casa.

El camino le pareció menos largo que las otras noches, en que volvía derrotado en la lucha por encontrar empleo, porque ahora pensaba en la sorpresa que causaría a su mujer, cuando le enseñara la moneda de oro.

Su casa — dos piezas humildes — estaba obscura y vacía, cuando él llegó. Su mujer había salido, con la niña, a entregar la ropa que cosía diariamente.

Encendió una luz y se sentó a esperarlas, junto a la mesa sin pintura.[1] Con una esquina del mantel a cuadros rojos[2] frotó la moneda, y cuando oyó cercanas las voces de su mujer y de su hija, la escondió debajo del mantel.

La niña entró por delante, corriendo; él la tomó en brazos, la besó en la frente, y la sentó sobre sus piernas. La mujer llegó después; su cara tenía una expresión triste:

— ¿ Conseguiste algo ? . . . Yo no pude comprar el pan, porque no me pagaron la costura que llevé a entregar . . .

En vez de contestar, Andrés, sonriente, levantó la punta del mantel.

La mujer vio con asombro la moneda, y la tomó en sus manos. Andrés temió que fuera a decir: « Es falsa, » pero ella sólo dijo:

— ¿ Quién te la dio ?

— Nadie. La encontré.

Y refirió la historia del hallazgo. Para explicarlo mejor, colocó la moneda en el piso y retrocedió unos pasos.

— Yo venía así, caminando . . .

La niña se apresuró a coger la moneda, la puso sobre la palma de la mano izquierda, extendida; la arrojó al aire; y la hizo rodar por el suelo. Andrés se la arrebató, entonces, temeroso.

— ¡ Cuidado, no vaya a irse por una rendija[3] o por un agujero ! . . .

---

[1] sin pintura, *unpainted.*   [2] a cuadros rojos, *red-checked.*   [3] ¡ Cuidado . . . rendija . . . ! *Be careful, for fear (lest) it will go through a crack . . . !*

Guardó la moneda en uno de los bolsillos del chaleco y se sentó junto a la mesa.

— ¿ Qué compramos con ella ?

— Hay que pagar . . . ¡ Debemos tanto ! . . . — suspiró la mujer.

5 — Es verdad; pero recuerda que hoy es Nochebuena. Tenemos que celebrarla. ¿ No te parece ?

La mujer se oponía a ello. Deberían pagar, antes . . . Andrés, malhumorado, se quitó el saco y el chaleco y los colgó en el respaldo de la silla.

— Está bien — dijo: — pasaremos la Nochebuena sin cenar, a pesar de
10 que tenemos una moneda de oro.

Conciliadora la mujer,[1] respondió:

— Podrías ir a comprar algo; guardaremos lo demás.

Andrés aceptó. Volvió a ponerse el chaleco, el saco, y salió de su casa. En la calle tropezó con Pedro, su vecino.

15 — ¿ Adónde vas ? . . . ¿ Quieres venir a tomar algo conmigo ?

Andrés aceptó. Después de beber y charlar un buen rato, se despidió de Pedro y siguió hacia la tienda. ¿ Compraría sólo alimentos para esa noche o también dulces y algún juguete para la niña ?

Comenzó por pedir los alimentos. Cuando el paquete estuvo listo,
20 Andrés buscó la moneda, primero en el pantalón, después en el chaleco;

---

[1] Conciliadora la mujer, *The wife, in a move to settle the matter peacefully.*

pero la moneda de oro no estaba en ninguno de sus bolsillos. Acongojado,[1] la buscó en todos, nuevamente — en el pantalón, en el chaleco, en el saco — sin encontrarla. Cuando se convenció de que ya no la tenía, se disculpó con el dependiente y salió de la tienda.

En pocos minutos recorrió, angustiado, las calles que lo separaban de su 5 casa. Al entrar, vio a la niña dormida, con la cabeza entre los brazos, sobre la mesa, y a su mujer, sentada junto a ella, cosiendo. No se atrevía a decir la verdad. Al fin, murmuró:

— La moneda . . .

— ¿ Qué ? 10

— . . . Se me perdió.[2]

— ¡ Cómo !

La niña, sobresaltada, abrió los ojos, bajó los brazos, y entonces se oyó, bajo la mesa, el fino retintín [3] de la moneda de oro.

Andrés y su mujer, riendo, como locos, se inclinaron a recoger la moneda, 15 que la niña había escamoteado [4] mientras el chaleco estaba colgado en la silla.

TRANSLATION AIDS

The conditional tense may be used to express probability or conjecture in the past.

Sería rico y aquella moneda pasaría inadvertida para él, que tendría otras muchas monedas iguales.

He probably was (must be) rich and that coin would probably be (go) unnoticed by him, who must have many others like it.

¿ No sería una moneda falsa ?

Couldn't it be (Wasn't it probably) a counterfeit coin ?

MODISMOS

cambiar de opinión *to change one's mind*	rara vez *rarely, seldom*
por completo *completely*	rumbo a *in the direction of, headed for*
por temor a *for fear of*	tropezar con *to come upon, run into, meet*

PREGUNTAS

1. ¿ Qué atravesaba Andrés al anochecer ? 2. ¿ Qué vio en el suelo ? 3. ¿ Qué creyó ? 4. ¿ Qué era realmente ? 5. ¿ Dónde puso la moneda ? 6. ¿ Qué duda asaltó a Andrés ? 7. ¿ Dónde volvió a examinar la moneda ? 8. ¿ Compró algo con la moneda ?

[1] Acongojado, *In anguish.* [2] Se me perdió, *I lost it.* [3] retintín, *tinkle.* [4] había escamoteado, *had made off with.*

9. ¿ Cuántas piezas tenía su casa ?   10. ¿ Estaban en casa su mujer y la niña cuando llegó Andrés ?   11. ¿ Qué hizo Andrés cuando la niña entró corriendo ?   12. ¿ Por qué no pudo comprar pan la mujer ?   13. ¿ Qué temió Andrés cuando su mujer tomó la moneda ?   14. ¿ Qué preguntó ella ?   15. ¿ Qué hizo la niña ?   16. ¿ Dónde guardó Andrés la moneda ?   17. ¿ Qué quería hacer Andrés ?   18. ¿ Qué decidieron por fin ?

19. ¿ Con quién tropezó Andrés en la calle ?   20. ¿ Qué hizo su vecino ?   21. ¿ Qué pidió Andrés en la tienda ?   22. ¿ Qué pasó entonces ?   23. Al entrar en la casa, ¿ qué vio Andrés ?   24. Al despertarse la niña, ¿ qué se oyó ?   25. ¿ Cuándo había tomado la niña la moneda de oro ?

EJERCICIOS

I. Lea en español, dando la forma correcta del verbo:

1. Andrés está contento aunque (ser) pobre.
2. Fue posible que la moneda (ser) de oro.
3. Se la devolverá al otro hombre cuando le (ver).
4. Volverá a examinarla cuando (detenerse) en la esquina.
5. La esconde cuando (oír) a su mujer y a su hija.
6. Su mujer está sorprendida cuando le (enseñar) la moneda.
7. Levantó la punta del mantel cuando (entrar) la mujer.
8. Tienen una moneda que (poder) gastar.
9. Comprarán los alimentos que les (faltar).
10. Hallaron la moneda cuando (despertarse) la niña.

II. Complete en español según lo que ha leído en el cuento:

1. Los avaros ——.
2. Para Andrés el contacto con la moneda era ——.
3. Cuando llegó Andrés, su casa estaba ——.
4. Su esposa había salido a ——.
5. Debían mucho y su esposa dijo que ——.
6. Andrés quería celebrar porque ——.
7. Cuando iba a pagar los alimentos, la moneda no ——.
8. La buscó en ——.
9. Cuando se convenció de que ya no la tenía ——.
10. Al entrar en su casa vio ——.
11. No se atrevía a ——.
12. Cuando la niña dejó caer la moneda, Andrés y su esposa ——.

III. Dé lo contrario de cada palabra:

1. triste	4. hallar	7. corto
2. recordar	5. pobre	8. derecha
3. la obscuridad	6. apagar (la luz)	9. vender

(*Top*) *Guests relax at the swimming pool of Havana's Hotel Nacional, or* (*bottom*) *at one of the city's racetracks.*

Una carta a Dios

Gregorio López y Fuentes (Mexico, 1897–), who writes about the Mexico of today, here deals with a problem found in many Spanish-speaking countries — the necessity of producing on small plots of ground enough foodstuff to feed a family and pay the rent. In Una carta a Dios *the author makes it easy for you to visualize the setting and to sense the tragedy and humor of the situation. However, the thing that you will probably remember longest is the simple and unshaken faith of a man who is faced by calamity — a faith that will not take "No" for an answer.*

I

La casa — única en todo el valle — estaba en uno de esos cerros que, a manera de pirámides rudimentarias,[1] dejaron algunas tribus al continuar sus peregrinaciones.[2] Desde allá se veían las vegas,[3] el río y, junto al corral, la milpa, ya a punto de jilotear.[4] Entre las matas del maíz, el frijol con su
5 florecilla morada, promesa segura de una buena cosecha.

Lo único que estaba haciendo falta a la tierra era una lluvia, cuando menos un fuerte aguacero,[5] de ésos que forman charcos entre los surcos.[6] Dudar de que llovería habría sido lo mismo que dejar de creer en la experiencia de quienes, por tradición, enseñaron a sembrar en cierto día * del
10 año.

Durante la mañana, Lencho — que conocía bien el campo y creía absolutamente en las viejas costumbres — no había hecho más que examinar el cielo por el rumbo del noreste.

— Ahora sí que viene el agua, vieja.
15 Y la vieja, que preparaba la comida, le respondió:
— Dios lo quiera.[7]

Los muchachos más grandes limpiaban de hierba la siembra,[8] mientras que los más pequeños jugaban cerca de la casa, hasta que la mujer les gritó a todos:
20 — Vengan[9] a comer . . .

Fue en el curso de la comida cuando, como lo había asegurado Lencho, comenzaron a caer gruesas gotas de lluvia. Por el noreste se veían avanzar grandes montañas de nubes. El aire olía a jarro nuevo.[10]

— Hagan de cuenta, muchachos — exclamaba el hombre mientras sentía
25 la alegría de mojarse con el pretexto de recoger algunos enseres[11] olvidados sobre una cerca[12] de piedra, — que no son gotas de agua las que están

---

[1] rudimentarias, *unfinished.*   [2] peregrinaciones, *wanderings.*   [3] vegas, *plains.*   [4] la milpa, ya a punto de jilotear, *the cornfield, now about to tassel.*   [5] aguacero, *shower.*   [6] charcos entre los surcos, *pools among the furrows.*   [7] Dios lo quiera, *May God grant it.*   [8] limpiaban de hierba la siembra, *were pulling out (cleaning) the grass from the sown field.*   [9] *See note 1, page 191.*
[10] olía a jarro nuevo, *smelled like a new jar.*   [11] enseres, *implements.*   [12] cerca, *fence.*

cayendo: son monedas nuevas; las gotas grandes son de diez centavos y las gotas chicas son de cinco . . .

Y dejaba pasear sus ojos satisfechos por la milpa a punto de jilotear, adornada con las hileras del frijol con su florecilla morada, y entonces toda ella cubierta por la transparente cortina de la lluvia. Pero, de pronto, 5 comenzó a soplar un fuerte viento y con las gotas de agua comenzaron a caer granizos [1] muy grandes. Ésos sí que parecían monedas de plata nueva. Los muchachos, exponiéndose a la lluvia, corrían y recogían las perlas heladas de mayor tamaño.[2]

— Esto sí que está muy malo — exclamaba mortificado el hombre; 10 — ojalá que pase pronto . . .

No pasó pronto. Durante una hora el granizo cayó sobre la casa, la huerta, el cerro, la milpa y todo el valle. El campo estaba tan blanco que parecía una salina.[3] Los árboles, sin una hoja. El maíz, hecho pedazos.[4] El frijol, sin una flor. Lencho, con el alma llena de tristeza. Pasada la 15 tormenta, en medio de los surcos, decía a sus hijos:

— Más habría dejado una nube de langosta [5] . . . El granizo no ha dejado nada: no tendremos ni maíz ni frijoles . . .

La noche fue de lamentaciones: [6]
— ¡ Todo nuestro trabajo, perdido !   20
— ¡ Y ni a quién acudir ! [7]
— Este año tendremos hambre . . .
Pero en el fondo del corazón de cuantos vivían en aquella casa solitaria * en medio del valle, había una esperanza: la ayuda de Dios.
— No te mortifiques tanto,[8] aunque el mal es muy grande. ¡ Recuerda 25 que nadie se muere de hambre !
— Eso dicen: nadie se muere de hambre . . .

---

[1] granizos, *hailstones.* [2] las perlas heladas de mayor tamaño, *the largest frozen pearls.* [3] salina, *salt flat.* [4] hecho pedazos, *beaten to pieces.* [5] Más . . . langosta, *A swarm of locusts would have left more.* [6] La noche fue de lamentaciones, *They spent the night lamenting (complaining).* [7] ¡ Y ni a quién acudir ! *And no one to whom to turn !* [8] No te mortifiques tanto, *Don't be so discouraged.*

Y mientras llegaba el amanecer, Lencho pensó mucho en lo que había visto en la iglesia del pueblo los domingos: un triángulo y dentro del triángulo un ojo,[1] un ojo que parecía muy grande, un ojo que, como le habían explicado, lo mira todo, hasta lo que está en el fondo de las 5 conciencias.

II

Lencho era hombre rudo y él mismo solía decir que el campo embrutece, pero no lo era tanto [2] que no supiera escribir. Con la luz del día y aprovechando la circunstancia de que era domingo, después de haberse afirmado en su idea de que sí hay quien vela por todos,[3] * se puso a escribir una carta 10 que él mismo llevaría al pueblo para echarla al correo.

Era nada menos que una carta a Dios.

· « Dios — escribió, — si no me ayudas tendré hambre con todos los míos [4] durante este año; necesito cien pesos para volver a sembrar [5] y vivir mientras viene la otra [6] cosecha, pues el granizo . . . »

15 Escribió en el sobre « A Dios », metió la carta y, aun preocupado, se dirigió al pueblo. Ya en la oficina de correos, puso un sello en la carta y la echó en el buzón.

Un empleado, que era cartero y todo en la oficina de correos, llegó riendo ante su jefe: le mostraba nada menos que la carta dirigida a Dios. Nunca 20 en su existencia de cartero había conocido esa dirección. El jefe de la oficina — gordo y bonachón [7] — también se puso a reír, pero muy pronto dijo para sí, mientras daba golpecitos en su mesa con la carta:

— ¡ La fe ! ¡ Ojalá que yo tuviera la fe de quien escribió esta carta ! * ¡ Creer como él cree ! ¡ Esperar con la confianza con que él sabe esperar ! 25 ¡ Sostener correspondencia con Dios !

Y, para no defraudar aquel tesoro de fe, descubierto por una carta que no podía ser entregada, el jefe concibió una idea: contestar la carta. Pero una vez abierta, se vio que para contestar necesitaba algo más que buena voluntad, tinta y papel. Pero no se dio por vencido: exigió a su empleado 30 una dádiva,[8] él puso parte de su sueldo y a varias personas les pidió dinero « para una obra piadosa ».

Le fue imposible reunir los cien pesos pedidos por Lencho, y decidió enviar al campesino cuando menos lo que había reunido: algo más que la

---

[1] *The triangle symbolizes the Holy Trinity (the Father, Son, and Holy Spirit) and the eye represents the infinite knowledge of God.* [2] embrutece . . . tanto, *makes one stupid, but he wasn't so much so.* [3] después . . . todos, *after having reassured himself that there certainly is one who watches over all.* [4] todos los míos, *all my family.* [5] volver a sembrar, *to replant.* [6] otra, *next.* [7] bonachón, *good-natured.* [8] exigió a su empleado una dádiva, *he demanded a donation of his employee.*

mitad. Puso los billetes en su sobre dirigido a Lencho y con ellos una carta que no tenía más que una palabra, a manera de firma: DIOS.

Al siguiente domingo Lencho llegó a preguntar, más temprano que de costumbre, si había alguna carta para él. Fue el mismo cartero quien le entregó la carta, mientras que el jefe, con la alegría de quien ha hecho una   5 buena acción, miraba por una ventana desde su despacho.

Lencho no mostró la menor sorpresa al ver los billetes — tanta era su seguridad —, pero se enojó al contar el dinero . . . ¡ Dios no podía haberse equivocado, ni negar lo que se le había pedido ! [1]

Inmediatamente, Lencho se acercó a la ventanilla para pedir papel y 10 tinta. En la mesa para el público, se puso a escribir, arrugando mucho la frente a causa del esfuerzo que hacía para expresar sus ideas. Al terminar, fue a pedir un sello, el cual mojó con la lengua y luego aseguró de un puñetazo. [2]

En cuanto la carta cayó al buzón, el jefe fue a recogerla. Decía: 15
« Dios: Del dinero que te pedí, sólo llegaron a mis manos sesenta pesos. Mándame el resto, que me hace mucha falta; [3] pero no me lo mandes por la oficina de correos, porque los empleados son muy ladrones. [4] — Lencho. »

---

[1] se le había pedido, *had been asked of him.*   [2] aseguró de un puñetazo, *put on with a blow of his fist.*   [3] que me hace mucha falta, *since I need it very much.*   [4] muy ladrones, *great thieves.*

TRANSLATION AIDS

1. Note that with the addition of a preposition, certain verbs change in meaning:

dejar   *to leave (behind), let go* — dejar de   *to stop (cease), fail to*
dudar   *to doubt* — dudar de   *to distrust*
haber   *to have (helping verb)* — haber de   *to be to, be supposed to*
hacer   *to make, do* — hacer de cuenta   *to notice, take into account*
pensar   *to think* — pensar en   *to think about*
tratar   *to treat* — tratar de   *to try to, deal with*
volver   *to return* — volver a (hacerlo) *(to do it) again*

2. While **quien** and **quienes** most often mean *who*, **quien** may also mean *the one who* and **quienes** may mean *the ones (those) who*. **Cuantos, –as** is also used to mean *the ones who* or *all those who*.

Hay quien vela por todos.	*There is one who watches over all.*
La fe de quien escribió la carta.	*The faith of the one who wrote the letter.*
La experiencia de quienes enseñaron a sembrar en cierto día.	*The experience of those who taught that one should plant on a certain day.*
En el fondo del corazón de cuantos vivían en aquella casa solitaria.	*In the bottom of the hearts of all those who lived in that lonely house.*

MODISMOS

a manera de   *in the style of, like (a)*
cuando menos   *at least*
darse por vencido   *to give up*
hacer de cuenta   *to notice*

hacer falta a   *to need, be lacking*
por el rumbo de   *in the direction of*
una vez   *once*

PREGUNTAS

I. 1. ¿ Dónde estaba la casa ?   2. ¿ Qué se veía desde ella ?   3. ¿ Quién era Lencho ?   4. ¿ Qué faltaba para asegurar una buena cosecha ?   5. ¿ En qué se cambió la lluvia ?   6. ¿ Pasó pronto la tormenta ?   7. ¿ Cómo estaban los árboles después ? ¿ El maíz ? ¿ El frijol ?   8. ¿ Qué temía Lencho ?   9. ¿ Qué esperanza le quedaba ?

II. 10. ¿ Qué hizo el domingo siguiente ?   11. ¿ Qué pidió ?   12. Al terminar, ¿ a dónde se dirigió ?   13. ¿ Dónde echó la carta ?   14. ¿ Quién la vio primero?   15. ¿ Quién la leyó?   16. ¿ Cómo era este hombre?   17. ¿ Qué decidió hacer?   18. Para hacerlo, ¿ qué les pidió a varias personas ?   19. ¿ Reunió los cien pesos ?   20. ¿ Qué decidió entonces ?   21. ¿ Dónde puso los billetes ?   22. ¿ Qué decía la carta que puso con ellos ?   23. ¿ Cuándo volvió Lencho a la oficina de correos ?   24. ¿ Quién le entregó la carta ?   25. ¿ Dónde estaba el jefe en ese momento ?

Calle 18 de Julio is one of Montevideo's principal streets.

26. Al ver los billetes, ¿ estaba sorprendido Lencho? 27. ¿ Cuándo se enojó?
28. ¿ Cuántos pesos había? 29. ¿ Qué pidió Lencho en su segunda carta?
30. ¿ Qué llamó a los empleados?

EJERCICIOS

I. Dé el infinitivo que corresponde a cada nombre:

1. lluvia	4. sorpresa	7. comida	10. pregunta
2. siembra	5. equivocación	8. alegría	11. ayuda
3. esperanza	6. seguridad	9. duda	12. expresión

II. Use cada expresión en una frase original:

1. sí que	5. ponerse a	9. en cuanto
2. dejar de	6. volver a (+ *inf.*)	10. hacer falta a
3. no . . . más que	7. a punto de	11. por el rumbo de
4. de pronto	8. ¡ Ojalá que . . . !	12. acercarse a

III. Lea en español, usando **por** o **para** en cada frase:

1. La mesa era —— el público. 2. Lencho se sentó —— expresar sus ideas.
3. Dejó pasear sus ojos —— el papel. 4. Mandó la carta —— la oficina de
correos. 5. El jefe descubrió mucho —— ella. 6. Lencho creía que Dios velaba
—— todos.

IV. Dé un breve resumen (*summary*) en español de lo que pasa en este cuento.

335

Mañana de sol

*The brothers Serafín (1871–1938) and Joaquín (1873–1944) Álvarez Quintero are
known for their light comedies and their short farces, such as* Mañana de sol, *which
portray so well the types of people and the customs common to their native Andalucía,
in southern Spain. Their works are noted for their warmth, charm, grace, and
humor. In this play you will also see how well they handle older characters and how
pleasantly they deal with the predicament in which doña Laura and don Gonzalo
find themselves.*

The device of unrevealed identity employed by the authors is, as you noted in El
amante corto de vista, *a favorite means of many Spanish writers for creating a
humorous situation. Another device commonly used is that of light satire or irony,
for example in some of doña Laura's sharp remarks, such as, "I thought that you
were going to get out a telescope (to read)" . . . "You probably killed only time" . . .
"Did you accompany Columbus on one of his voyages?" Also contributing to the
play's comic element are the fabulously sad and equally untrue fates which these two
oldsters picture for the young Gonzalo and the beautiful Laura of days long past.*
Mañana de sol *takes on, in the moment of farewells, an aspect of tragicomedy when
Gonzalo, who has boasted of his acquaintances among the literary lights of Spain,
and Laura, no longer the fair* Niña de la Plata, *lack the courage to tell each other
that their identities are no longer secret.*

Personajes

Doña Laura	Don Gonzalo
Petra, *criada*	Juanito, *criado*

Lugar apartado de un paseo público, en Madrid. Es una mañana de otoño
templada y alegre. Salen doña Laura y Petra. Doña Laura es una viejecita de
unos setenta años de edad, de cabellos muy blancos y manos muy finas. Lleva
una sombrilla en la mano, y la acompaña Petra, su criada.

5 *Doña Laura.* Ya llegamos . . . ¡ Gracias a Dios ! * Temí que me hubieran
  quitado el sitio. Es una mañana tan templada . . .

  Petra. Pica el sol.

Doña Laura. A ti, que tienes veinte años. (*Se sienta en el banco.*) ¡ Ay ! . . .
  Hoy me he cansado más que otros días. (*Pausa. Observando*
10 *a Petra, que parece impaciente.*) Vete, si quieres, a charlar
  con tu guarda.

  Petra. Señora, el guarda no es mío; es del jardín.

Doña Laura. Es más tuyo que del jardín. Anda a buscarle, pero no te
  alejes.

15 *Petra.* Está allí esperándome.

Doña Laura. Diez minutos de conversación, y aquí en seguida.

  Petra. Bueno, señora.

Doña Laura. (*Deteniéndola.*) Pero escucha.

    Petra. ¿Qué quiere usted?

Doña Laura. ¡Que * te llevas las migas de pan!

    Petra. Es verdad; no sé dónde tengo la cabeza.

Doña Laura. En la escarapela [1] del guarda.   5

    Petra. Tome usted. [2] (*Le da un cartucho de papel* [3] *pequeño y se va.*)

Doña Laura. (*Mirando hacia los árboles de la derecha.*) Ya están llegando
los tunantes. ¡Bien saben la hora!... (*Se levanta, va hacia
la derecha y arroja poco a poco las migas de pan.*) Éstas, para
los más atrevidos... Éstas, para los más glotones [4]... 10
Y éstas, para los más pequeños... (*Vuelve a su banco y
observa el festín de los pájaros.*) Pero, hombre, que * siempre
has de bajar tú el primero. Ya baja otro. Y otro. Ahora
dos juntos. Ahora tres. Ese pequeño va a llegar hasta aquí.
Bien; muy bien: aquél coge su miga y se va a una rama a 15
comérsela. Es un filósofo. ¡Qué nube! Pero, ¿de dónde
salen tantos? Mañana traigo más.

(*Salen don Gonzalo y Juanito. Don Gonzalo es un viejo de la misma edad
que * doña Laura. Al andar arrastra los pies. Viene de mal humor, del brazo
de Juanito, su criado.*)   20

Don Gonzalo. Vagos, más que vagos... ¿Por qué no están diciendo
misa?...

    Juanito. Aquí puede usted sentarse; no hay más que una señora.

(*Doña Laura vuelve la cabeza y escucha el diálogo.*)

Don Gonzalo. No me da la gana, [5] Juanito. Yo quiero un banco solo. 25

    Juanito. ¡Si no lo hay! [6]

Don Gonzalo. ¡Aquél es mío!

    Juanito. Pero se han sentado tres curas...

Don Gonzalo. ¡Pues que se levanten! *... ¿Se levantan, Juanito?

    Juanito. ¡Qué se han de levantar! [7] Allí están charlando. 30

Don Gonzalo. Como si los hubieran pegado al banco... Ven por aquí,
Juanito, por aquí.

(*Se encamina hacia la derecha resueltamente. Juanito le sigue.*)

Doña Laura. (*Indignada.*) ¡Hombre de Dios! *

Don Gonzalo. (*Volviéndose.*) ¿Es a mí? [8]   35

---

[1] escarapela, *badge.*   [2] Tome usted, *Here.*   [3] cartucho de papel, *paper cone.*   [4] los más
glotones, *the greediest ones.*   [5] No me da la gana, *I don't want to.*   [6] ¡Si no lo hay! *But there
isn't any!*   [7] ¡Qué se han de levantar! *Of course they aren't getting up!*   [8] ¿Es a mí? *Are
you talking to me?*

Doña Laura. Sí, señor; a usted.

Don Gonzalo. ¿Qué pasa?

Doña Laura. ¡Que* me ha espantado usted los pájaros, que estaban comiendo migas de pan!

5 Don Gonzalo. ¿Y qué tengo yo que ver con los pájaros? Además, ¡el paseo es público!

Doña Laura. Entonces no se queje usted de que le quiten el asiento los curas.

Don Gonzalo. Señora, no estamos presentados. No sé por qué se toma
10 usted la libertad de dirigirme la palabra. Sígueme, Juanito. (Se van los dos.)

Doña Laura. ¡Qué hombre! No hay como[1] llegar a cierta edad para ponerse impertinente. (Pausa.) Me alegro; le han quitado

[1] No hay como, *There is nothing like.*

338

aquel banco también... Está furioso... Sí, sí; busca, busca un banco... ¡Pobrecillo! Se limpia el sudor... Ya viene, ya viene... Con los pies levanta más polvo que un coche.

Don Gonzalo. (*Sale y se encamina a la izquierda.*) ¿ Se han ido los curas, 5 Juanito ?

Juanito. No sueñe usted con eso, señor. Allí siguen.

Don Gonzalo. ¡ Este Ayuntamiento, que no pone más bancos para estas mañanas de sol...! Pues, tengo que sentarme en el de la vieja. (*Refunfuñando,[1] se sienta al otro extremo que[2] doña* 10 *Laura, y la mira con indignación.*) Buenos días.

Doña Laura. ¡ Hola ! ¿ Usted por aquí ?

Don Gonzalo. Insisto en que no estamos presentados.

Doña Laura. Como me saluda usted, le contesto.

Don Gonzalo. A los buenos días se contesta con los buenos días; eso es lo 15 que ha debido usted hacer.[3]

Doña Laura. También usted ha debido pedirme permiso para sentarse en este banco, que es mío.

Don Gonzalo. Aquí no hay bancos de nadie.

Doña Laura. Pues, usted decía que el de los curas era suyo. 20

Don Gonzalo. Bueno, bueno, bueno. (*Entre dientes.*) Esa vieja podía estar haciendo calceta.[4]

Doña Laura. No gruña usted, porque no me voy.

Don Gonzalo. (*Sacudiéndose las botas con el pañuelo.*) Si regaran un poco más, tampoco perderíamos nada. 25

Doña Laura. Ocurrencia es:[5] limpiarse las botas con el pañuelo.

Don Gonzalo. ¿ Eh ?

Doña Laura. ¿ Se sonará usted con un cepillo ?[6]

Don Gonzalo. ¿ Eh ? Pero, señora, ¿ con qué derecho ... ?

Doña Laura. Con el de la vecindad.[7] 30

Don Gonzalo. (*A su criado.*) Mira, Juanito, dame el libro, porque no tengo ganas de oír más tonterías.

Doña Laura. Es usted muy amable.

Don Gonzalo. Si no fuera usted tan entrometida ...

Doña Laura. Tengo el defecto de decir todo lo que pienso. 35

Don Gonzalo. Y el de hablar más de lo que conviene.[8] Dame el libro, Juanito.

---

[1] Refunfuñando, *Muttering.*   [2] al otro extremo que, *at the end opposite.*   [3] ha debido usted hacer, *you should have done.*   [4] haciendo calceta, *knitting.*   [5] Ocurrencia es, *That's a strange idea.*   [6] ¿ Se ... cepillo? *I wonder if you blow your nose with a brush?*   [7] Con el de la vecindad, *That of my nearness to you.*   [8] de lo que conviene, *than is proper.*

(*Juanito saca del bolsillo un libro y se lo entrega. Luego se va hacia la derecha y desaparece. Don Gonzalo, mirando a doña Laura siempre con rabia, se pone unas gafas prehistóricas, saca una gran lente, y se dispone a leer.*)

5 *Doña Laura.* Creí que iba usted a sacar ahora un telescopio.

Don Gonzalo. ¡ Oiga usted !

Doña Laura. Debe usted de tener muy buena vista.

Don Gonzalo. Como ¹ cuatro veces mejor que usted.

Doña Laura. Ya se conoce.²

10 *Don Gonzalo.* Algunas liebres y algunas perdices lo pudieran atestiguar.

Doña Laura. ¿ Es usted cazador ?

Don Gonzalo. Lo he sido ³ . . . Y aún . . . aún . . .

Doña Laura. ¿ Ah, sí ?

Don Gonzalo. Sí, señora. Todos los domingos, ¿ sabe usted ? ⁴ cojo mi
15 escopeta y mi perro, ¿ sabe usted ? y me voy a una finca de mi propiedad . . . A matar el tiempo, ¿ sabe usted ?

Doña Laura. Sí; probablemente no mata usted más que el tiempo . . .

Don Gonzalo. ¿ No ? Ya le podría enseñar yo a usted una cabeza de jabalí que tengo en mi despacho.

20 *Doña Laura.* Y yo le podría enseñar a usted una piel de tigre que tengo en mi sala. ¡ Vaya un ⁵ argumento !

Don Gonzalo. Está bien, señora. No tengo ganas de hablar más. Déjeme usted leer.

Doña Laura. Pues con callar, hace usted su gusto.⁶

25 *Don Gonzalo.* Antes voy a tomar un polvito.⁷ (*Saca una caja de rapé.*⁸) De esto sí le doy.⁹ ¿ Quiere usted ?

Doña Laura. Según. ¿ Es fino ?

Don Gonzalo. No lo hay mejor.¹⁰ Le gustará.

Doña Laura. A mí me descargará mucho la cabeza.

30 *Don Gonzalo.* Y a mí.

Doña Laura. ¿ Usted estornuda ?

Don Gonzalo. Sí, señora; tres veces.

Doña Laura. Hombre, y yo otras tres: ¡ qué casualidad !

(*Después de tomar cada uno su polvito, aguardan los estornudos. Pronto
35 estornudan alternativamente.*)

---

¹ Como, *About.* ² Ya se conoce, *It is evident.* ³ Lo he sido, *I have been one.* ⁴ ¿ sabe usted ? *you see?* ⁵ ¡ Vaya un . . . ! *What an . . . !* ⁶ Pues . . . gusto, *Well, by keeping quiet you can do as you like.* ⁷ polvito, *pinch of snuff.* ⁸ rapé, *snuff.* ⁹ De esto sí le doy, *I will give you some of this.* ¹⁰ No lo hay mejor, *There isn't any better.*

Doña Laura. ¡ Ah . . . chis !
Don Gonzalo. ¡ Ah . . . chis !
Doña Laura. ¡ Ah . . . chis !
Don Gonzalo. ¡ Ah . . . chis !
Doña Laura. ¡ Ah . . . chis !   5
Don Gonzalo. ¡ Ah . . . chis !
Doña Laura. ¡ Jesús ! *
Don Gonzalo. Gracias. Buen provecho.[1]
Doña Laura. Igualmente. (Nos ha reconciliado el rapé.)
Don Gonzalo. Pero va usted a permitirme leer en voz alta, ¿ verdad ?   10
Doña Laura. Lea usted como quiera; no me molesta.
Don Gonzalo. (*Leyendo:*)

> Todo en amor es triste;
> mas,[2] triste y todo, es lo mejor que existe.

De Campoamor;[3] es de Campoamor.   15
Doña Laura. ¡ Ah !
Don Gonzalo. También hay otros poemas en este libro. Escuche usted
éste:

> Pasan veinte años: vuelve él . . .

Doña Laura. No sé qué me da [4] verle a usted leer con tantos cristales . . . 20
Don Gonzalo. ¿ Pero es que [5] usted, por casualidad, lee sin gafas ?
Doña Laura. ¡ Claro !
Don Gonzalo. ¿ A su edad ? . . . Me permito dudarlo.
Doña Laura. Déme usted el libro. (*Lo toma y lee:*)

> Pasan veinte años: vuelve él,   25
> y al verse, exclaman él y ella:
> (— ¡ Santo Dios ! * ¿ y éste es aquél ? [6] . . .)
> (— ¡ Dios mío ! * ¿ y ésta es aquélla ? . . .)

(*Le devuelve el libro.*)
Don Gonzalo. En efecto, tiene usted una vista envidiable.   30
Doña Laura. (¡ Como sé los versos de memoria !)
Don Gonzalo. Yo soy muy aficionado a los buenos versos . . . Hasta los
compuse en mi juventud.

---

¹ Buen provecho, *May it benefit you, To your health.*   ² mas, *but.*   ³ *Campoamor, Ramón de*
(1817–1901), well-known Spanish poet.   ⁴ No sé qué me da, *I can't tell you how it makes me feel.*
⁵ es que. (*Omit in translation.*)   ⁶ ¿ y éste es aquél? *and is this man that one (of long ago)?*

Doña Laura. ¿ Buenos ?

Don Gonzalo. De todo había.[1] Fui amigo de Espronceda,[2] de Zorrilla, de Bécquer . . . A Zorrilla le conocí en América.[3]

Doña Laura. ¿ Ha estado usted en América ?

5 *Don Gonzalo.* Varias veces. La primera vez tenía seis años.

Doña Laura. ¿ Acompañó usted a Colón en una de sus expediciones ?

Don Gonzalo. (*Riéndose.*) No tanto,[4] no tanto . . . Soy viejo, pero no conocía a los Reyes Católicos . . .

Doña Laura. Je, je . . .

10 *Don Gonzalo.* También fui gran amigo de Campoamor. En Valencia nos conocimos . . . Soy valenciano.

Doña Laura. ¿ Sí ?

Don Gonzalo. Allí nací; allí pasé mis primeros años. ¿ Conoce usted aquella región ?

15 *Doña Laura.* Sí, señor. Cerca de Valencia había una finca donde pasé algunas temporadas. Pero hace muchos años, muchos. Estaba próxima al mar, oculta entre naranjos y limoneros . . . La llamaban . . . ¿ Cómo la llamaban ? . . . *Maricela.*

Don Gonzalo. ¿ *Maricela* ?

20 *Doña Laura.* *Maricela.* ¿ Conoce usted el nombre ?

Don Gonzalo. ¡ Ya lo creo ! Allí vivió la mujer más preciosa que jamás he visto. ¡ Y ya he visto algunas en mi vida ! . . . Su nombre era Laura. El apellido no lo recuerdo . . . ¡ Ah, sí ! Laura . . . Laura . . . ¡ Laura Llorente !

25 *Doña Laura.* Laura Llorente . . .

Don Gonzalo. ¿ Qué ? (*Se miran con atracción misteriosa.*)

Doña Laura. Nada . . . Era ella mi mejor amiga.

Don Gonzalo. ¡ Es casualidad !

Doña Laura. Sí que * es extraña casualidad. Se llamaba la *Niña de Plata.*

30 *Don Gonzalo.* La *Niña de Plata* . . . Así la llamaban todas sus amigas. ¿ Querrá usted [5] creer que la veo ahora mismo, como si la tuviera presente, en aquella ventana de las campanillas azules ? . . . ¿ Se acuerda usted de aquella ventana ?

Doña Laura. Me acuerdo. Era la de su cuarto. Me acuerdo.

35 *Don Gonzalo.* En ella se pasaba horas enteras . . . En mis tiempos, digo.[6]

Doña Laura. (*Suspirando.*) Y en los míos también.

---

[1] De todo había, *There was a bit of everything.* [2] *José de Espronceda (1808–1842), José Zorrilla (1817–1893), and Gustavo Adolfo Bécquer (1836–1870) were Spanish romantic poets.* [3] *América. (Often used, as here, to refer to Spanish America or Latin America exclusively.)* [4] *No tanto, Not that bad.* [5] *¿ Querrá usted . . . ? Would you . . . ?* [6] *digo, I mean.*

Don Gonzalo. Era ideal, ideal ... Blanca como la nieve ... Los cabellos muy negros ... Los ojos muy negros y muy dulces ... Su cuerpo era fino, esbelto ... Era un sueño, era un sueño ...

Doña Laura. (¡ Si supieras que la tienes al lado,[1] ya verías lo que los sueños valen !) Yo la quise de veras. Fue muy desgraciada. Tuvo 5 unos amores muy tristes.

Don Gonzalo. Muy tristes. (*Se miran de nuevo.*)

Doña Laura. ¿ Usted lo sabe ?

Don Gonzalo. Sí.

Doña Laura. (¡ Qué cosas hace Dios ! Este hombre es aquél.) 10

Don Gonzalo. Precisamente el enamorado galán era ... era un pariente mío ...

Doña Laura. Sí, un pariente ... A mí me contó ella en una de sus últimas cartas la historia de aquellos amores, verdaderamente románticos. 15

Don Gonzalo. Platónicos. No se hablaron nunca.

Doña Laura. Él, su pariente de usted, pasaba todas las mañanas a caballo por la veredilla de los rosales,[2] y arrojaba a la ventana un ramo de flores, que ella cogía.

Don Gonzalo. Y luego, por la tarde, volvía a pasar el enamorado galán, y 20 recogía un ramo de flores que ella le echaba. ¿ No es verdad ?

Doña Laura. Eso es. Su familia quería casarla con [3] un comerciante ... un cualquiera [4] ...

Don Gonzalo. Y una noche que * mi pariente pasaba la finca para oírla 25 cantar, se presentó de improviso aquel hombre.

Doña Laura. Y le provocó.

Don Gonzalo. Y se riñeron.

Doña Laura. Y hubo desafío.

Don Gonzalo. Al amanecer: en la playa. Y allí se quedó malamente herido 30 el comerciante. Mi pariente tuvo que esconderse primero, y luego que huir.

Doña Laura. Conoce usted al dedillo [5] la historia.

Don Gonzalo. Y usted también.

Doña Laura. Ya le he dicho a usted que ella me la contó. 35

Don Gonzalo. Y mi pariente a mí ... (Esta mujer es Laura ... ¡ Qué cosas hace Dios !)

---

[1] la tienes al lado, *she is at your side.* [2] por la veredilla de los rosales, *along the little path with the rosebushes.* [3] quería casarla con, *wanted to marry her to.* [4] un cualquiera, *a nobody.* [5] al dedillo, *perfectly.*

Doña Laura. (No sospecha quién soy. ¿Para qué decírselo? Que *
conserve aquella ilusión . . .)

Don Gonzalo. (No sabe que habla con el galán . . . Callaré.) (*Pausa.*)

Doña Laura. ¿ Y fue usted, acaso, quien le aconsejó a su pariente que no
5   volviera a pensar en Laura ?

Don Gonzalo. ¿ Yo ? ¡ Pero mi pariente no la olvidó un segundo !

Doña Laura. Pues, ¿ cómo se explica su conducta ?

Don Gonzalo. ¿ Usted sabe ? . . . Mire usted, señora; el muchacho se
    refugió primero en mi casa — temoroso de las consecuencias
10   del duelo con aquel hombre, muy querido allá. Luego se
    marchó a Sevilla; después vino a Madrid . . . Le escribió
    a Laura ¡ qué sé yo [1] el número de cartas ! algunas en
    verso . . . Pero sin duda las debieron de interceptar los
    padres de ella, porque Laura no contestó . . . Gonzalo
15   entonces, desesperado, llegó a ser soldado y se fue a África
    donde encontró la muerte, abrazado a la bandera española y
    repitiendo el nombre de Laura . . . Laura . . . Laura . . .

Doña Laura. (¡ Qué embustero !)

Don Gonzalo. (¡ No he podido matarme de un modo más gallardo !) ¿ Quién
20   sabe si estaría ella a los dos meses cazando mariposas [2] en su
    jardín, indiferente a todo . . . ?

Doña Laura. Ah, no, señor; no, señor . . .

Don Gonzalo. Pues, es condición [3] de mujeres . . .

Doña Laura. Pues aunque sea condición de mujeres, la *Niña de Plata* no
25   era así. Mi amiga esperó noticias un día, y otro, y otro . . .
    y un mes, y un año . . . y la carta nunca llegó. Una tarde,
    a la puesta del sol, se la vio dirigirse a la playa, aquella
    playa donde su enamorado tenía el duelo. Escribió su
    nombre — el nombre de él — en la arena, y se sentó luego
30   en una roca, la mirada fija en el horizonte . . . Las olas poco
    a poco iban cubriendo la roca en que estaba la niña . . .
    ¿ Quiere usted saber más ? . . . Acabó de subir la marea [4] . . .
    y la arrastró consigo . . .

Don Gonzalo. ¡ Jesús !

35 *Doña Laura.* Cuentan los pescadores de la playa que en mucho tiempo no
    pudieron borrar las olas [5] aquel nombre escrito en la arena.
    (¡ A mí no me ganas tú a finales poéticos !) [6]

---

[1] ¡ qué sé yo . . . ! *I don't know . . . !*   [2] si . . . mariposas, *whether two months later she was
probably chasing butterflies.*   [3] condición, *the nature.*   [4] Acabó de subir la marea, *The tide finally
rose.*   [5] no pudieron borrar las olas, *the waves couldn't erase.*   [6] ¡ A mí . . . poéticos ! *You
aren't going to surpass me in poetic endings !*

Don Gonzalo. (¡ Miente más que yo !) (*Pausa.*)

Doña Laura. ¡ Pobre Laura !

Don Gonzalo. ¡ Pobre Gonzalo !

Doña Laura. (¡ Yo no le digo que a los dos años me casé con un fabricante de cervezas !) 5

Don Gonzalo. (¡ Yo no le digo que a los tres meses me fui a París con una bailarina !)

Doña Laura. Pero, ¿ ha visto usted cómo nos ha unido la casualidad, y cómo hemos estado hablando como si fuéramos antiguos amigos ? 10

Don Gonzalo. Y a pesar de que empezamos riñendo.

Doña Laura. Porque usted me espantó los pájaros.

Don Gonzalo. Venía de muy mal humor.

Doña Laura. Sí, ya le vi. ¿ Va usted a volver mañana ?

Don Gonzalo. Si hace sol, desde luego. Y no sólo no espantaré los pájaros, 15 sino que también les traeré migas de pan . . .

Doña Laura. Muchas gracias, señor . . . Son buena gente . . . Pero, ¿ dónde está Petra ? (*Se levanta.*) ¿ Qué hora será ya ?

Don Gonzalo. (*Levantándose.*) Cerca de las doce. Pero, ¿ dónde está Juanito ? 20

Doña Laura. (*Desde la izquierda.*) Allí la veo con su guarda. (*Haciendo señas con la mano para que se acerque.*)

Don Gonzalo. (*Contemplando a la señora.*) (No . . . no me descubro[1] . . . Que * recuerde siempre al joven que pasaba a caballo y le echaba flores a la ventana de las campanillas azules . . .) 25

Doña Laura. ¡ Qué trabajo le ha costado despedirse ! Ya viene.

Don Gonzalo. Juanito, en cambio . . . ¿ Dónde èstará Juanito ? Se habrá engolfado con alguna niñera.[2] (*Mirando hacia la derecha, y haciendo señas como doña Laura después.*) Diablo de muchacho[3] . . . 30

Doña Laura. (*Contemplando al viejo.*) (No . . . no me descubro . . . Vale más que recuerde siempre a la niña de los ojos negros, que le arrojaba las flores cuando él pasaba por la veredilla de los rosales . . .)

(*Juanito sale por la derecha y Petra por la izquierda. Petra trae un ramo de* 35 *violetas.*)

Doña Laura. Vamos, mujer; creí que no llegabas nunca.[4]

---

[1] no me descubro, *I won't make myself known.* [2] Se habrá . . . niñera, *He has probably taken up with some nursemaid.* [3] Diablo de muchacho, *That confounded boy.* [4] no llegabas nunca, *you would never arrive.*

Don Gonzalo.	Pero, Juanito, ¿ por qué llegas tan tarde ?
Petra.	Estas violetas son un regalo que me ha dado mi novio para usted.
Doña Laura.	¡ Qué bonitas ! Muchas gracias. (*Al tomarlas, ella deja caer dos o tres.*) Son muy hermosas . . .
Don Gonzalo.	(*Despidiéndose.*) Pues, señora, yo he tenido un honor muy grande . . . un placer inmenso . . .
Doña Laura.	Y yo una verdadera satisfacción . . .
Don Gonzalo.	¿ Hasta mañana ?
Doña Laura.	Hasta mañana.
Don Gonzalo.	Si hace sol . . .
Doña Laura.	Si hace sol . . . ¿ Irá usted a su banco ?
Don Gonzalo.	No, señora; vendré a éste.
Doña Laura.	Este banco es muy de usted.[1] (*Se ríen.*)
Don Gonzalo.	Y repito que traeré migas para los pájaros . . . (*Vuelven a reírse.*)
Doña Laura.	Hasta mañana.
Don Gonzalo.	Hasta mañana.

5 (línea)

10 (línea)

15 (línea)

---

[1] Este banco es muy de usted, *You are very welcome on this bench.*

(*Doña Laura sale con Petra. Don Gonzalo, antes de irse con Juanito, con gran esfuerzo se agacha¹ a recoger las violetas caídas. Doña Laura vuelve naturalmente el rostro y lo ve.*)

Juanito. ¿Qué hace usted, señor?
Don Gonzalo. Espera, hombre, espera.   5
Doña Laura. (No me cabe duda; es él.)
Don Gonzalo. (Estoy seguro; es ella.)

(*Después de hacerse un nuevo saludo de despedida:*) ²

Doña Laura. (¡Santo Dios! ¿y éste es aquél?...)
Don Gonzalo. (¡Dios mío! ¿y ésta es aquélla?...)   10

(*Se van, apoyado cada uno en el brazo de su servidor y volviendo el rostro, sonrientes como si él pasara por la veredilla de los rosales y ella estuviera en la ventana de las campanillas azules.*)

TRANSLATION AIDS

1. The names **Dios, Jesús,** and the like, in exclamations are not considered improper. They are seldom translated literally into English.

¡Dios mío!	*Heavens! My goodness!*
¡Gracias a Dios!	*Thank goodness!*
¡Hombre de Dios!	*For heaven's sake! Good heavens!*
¡Jesús!	*Heavens! Bless you!*
¡Santo Dios!	*Good heavens! Heavens above!*

2. Translation of **que**

a. In dialogue **que** is not translated when it introduces a phrase or a sentence dependent on a verb understood or previously expressed:

¡Que te llevas las migas de pan!	*You are taking the bread crumbs with you!*
...que siempre has de bajar tú el primero	*...you are always the first one to come down*
¡Que me ha espantado usted los pájaros...!	*You have scared off my birds...!*

b. Indirect commands are usually introduced by **que,** except in the first person plural:

¡Pues que se levanten!	*Well, let (have) them get up!*
Que conserve aquella ilusión.	*Let him keep that illusion.*
Que recuerde siempre...	*Let her always remember ...*

¹ se agacha, *bends over.* ² Después de ... despedida, *After waving good-bye to each other again.*

c. After **mismo, que** is translated by *as:*

la misma edad que   *the same age as*

d. **Sí que** is used for emphasis:

Sí que es extraña casualidad.   *It certainly is a strange coincidence.*

e. **Que** sometimes means *when:*

una noche que mi pariente pasaba   *one night when my relative was passing*

MODISMOS

a los dos meses (años) *two months (years)*   eso es *that's it, that's right*
  later, after two months (years)   tener que ver con *to have to do with*
dirigir la palabra *to talk to*

PREGUNTAS

1. ¿ Quiénes son los personajes de esta comedia ? 2. ¿ Dónde tiene lugar la acción ? 3. ¿ Hace buen o mal tiempo ? 4. ¿ Cuántos años tiene doña Laura ? 5. ¿ Cuántos años tiene Petra ? 6. ¿ Por qué está impaciente la criada ? 7. ¿ Qué han traído consigo las dos ? 8. ¿ Para qué son las migas de pan ? 9. ¿ De qué edad es don Gonzalo ? 10. ¿ Por qué viene de mal humor ? 11. Por fin, ¿ dónde tiene que sentarse ? 12. Después de sentarse, ¿ qué hace don Gonzalo ? 13. ¿ Qué saca para leer ? 14. ¿ Por qué estornudan doña Laura y don Gonzalo ? 15. ¿ De quién es el poema ? 16. ¿ Quién lo lee ? 17. ¿ Cómo es que doña Laura puede leer bien sin gafas ?

18. ¿ Dónde nació don Gonzalo ? 19. ¿ Qué había cerca de Valencia ? 20. ¿ Quién vivió en Maricela ? 21. ¿ Cómo la llamaban sus amigas ? 22. ¿ Dónde pasaba ella horas enteras ? 23. ¿ Quién pasaba a caballo todas las mañanas ? 24. ¿ Cuándo volvía a pasar por allí el galán ? 25. ¿ Con quién quería casar a Laura su familia ? 26. ¿ Qué pasó una noche cuando el galán pasaba la finca ? 27. ¿ Qué tuvo que hacer el galán ? 28. Según don Gonzalo, ¿ dónde encontró la muerte ? 29. ¿ Qué hizo Laura cuando no recibió noticias de su enamorado ?

30. ¿ Va a volver don Gonzalo al día siguiente ? 31. ¿ Qué traerá consigo ? 32. ¿ A qué hora salen para volver a casa ? 33. ¿ Qué trae Petra para doña Laura ? 34. ¿ Qué dice don Gonzalo cuando se despide de doña Laura ? 35. ¿A qué banco irá don Gonzalo al día siguiente ? 36. Antes de irse, ¿ qué hace don Gonzalo ? 37. ¿ Qué dice para sí doña Laura ? 38. ¿ Y qué dice don Gonzalo ?

EJERCICIOS

I. 1. Aprenda de memoria la primera conversación entre doña Laura y Petra (p. 337, l. 35–p. 339, l. 36).

2. Aprenda de memoria la conversación entre doña Laura y don Gonzalo (p. 340, l. 5–p. 341, l. 9).

3. Aprenda de memoria la conversación que empieza « Soy valenciano » (p. 342, l. 10) y que termina con « Conoce Vd. al dedillo la historia » (p. 343, l. 33).

4. Prepare un monólogo (*monologue*), usando todas las declaraciones jactanciosas (*boastful statements*) de don Gonzalo.

II. Prepare frases originales, usando las expresiones siguientes:

1. poco a poco	6. en voz alta	11. pensar en
2. haber de	7. saber de memoria	12. llegar a ser
3. tener que ver con	8. sí que	13. dejar caer
4. encaminarse a	9. acordarse de	14. no ... más que
5. tener ganas de	10. de improviso	15. soñar con

III. ¿ Verdad o no ?

1. Petra fue la nieta de doña Laura.
2. Doña Laura era una vieja de setenta años y de cabellos blancos.
3. Traían migas de pan para una merienda en el paseo.
4. Juanito fue mayor que don Gonzalo.
5. Petra estaba algo enamorada del guarda.
6. Al principio doña Laura y don Gonzalo se miraron con indignación.
7. Doña Laura le habló de los amores de una amiga suya.
8. A decir verdad, ella estaba hablándole de sí misma.
9. Don Gonzalo habló con gran orgullo de haber conocido a varios poetas.
10. Por fin se reconocieron y se abrazaron.

These magnificent tennis courts are owned by the Puerta de Hierro Club in Madrid.

PLATERO Y YO

Juan Ramón Jiménez (Spain, 1881–1958), recipient of the Nobel Prize for Litera-
ture in 1956, first achieved a literary reputation as a lyric poet, whose writings were
marked by gentleness and sadness. These same qualities are evident in Platero y yo,
the story of a donkey, which has made famous the town of Moguer and its children,
and has been read by many who are long past their childhood. There are in the story,
which is called a prose poem, many sketches similar to Platero, Alegría, Carnaval,
and Melancolía, *through which the reader comes to know* Platero *as a delightful*
donkey and a lovable companion.

PLATERO

Platero es pequeño, peludo,[1] suave; tan blando por fuera, que se diría
todo de algodón, que no lleva huesos. Sólo los espejos de azabeche [2] de sus
ojos son duros cual dos escarabajos de cristal negro.[3]

Lo dejo suelto y se va al prado, y acaricia tibiamente con su hocico,
5 rozándolas apenas, las florecillas rosas, celestes y gualdas [4] . . . Lo llamo
dulcemente: « ¿ Platero ? » y viene a mí con un trotecillo alegre, que
parece que se ríe, en no sé qué cascabeleo ideal [5] . . .

Come cuanto le doy. Le gustan las naranjas mandarinas; las uvas
moscateles, todas de ámbar; los higos morados, con su cristalina gotita de
10 miel [6] . . .

Es tierno y mimoso igual que un niño, que una niña . . .; pero fuerte y
seco por dentro, como de piedra. Cuando paso sobre él los domingos, por
las últimas callejas del pueblo, los hombres del campo, vestidos de limpio
y despaciosos,[7] se quedan mirándolo:

15 — Tiene acero.[8]

Tiene acero. Acero y plata de luna,[9] al mismo tiempo.

PREGUNTAS

1. ¿ Cómo es Platero ? 2. ¿ De qué color son sus ojos ? 3. ¿ A dónde va
cuando su amo lo deja suelto ? 4. ¿ Come mucho ? 5. ¿ Qué le gusta comer ?
6. ¿ Es fuerte o débil ? 7. ¿ Por dónde pasan Platero y su amo los domingos ?
8. ¿ Qué dicen de él los hombres de campo ?

---

[1] peludo, *hairy.* [2] espejos de azabeche, *jet mirrors.* [3] cual . . . negro, *as two beetles of black
crystal.* [4] acaricia . . . gualdas, *he carelessly fondles the little red, blue, and yellow flowers with his nose,
scarcely touching them.* [5] no sé qué cascabeleo ideal, *with the perfect jingling of his bell. (The reference
to the jingling of the bells worn by donkeys indicates the happiness with which Platero responds to his
master's call.)* [6] gotita de miel, *tiny drop of honey.* [7] vestidos . . . despaciosos, *dressed in their
Sunday best and walking slowly.* [8] Tiene acero, *He has steel (in his body), i.e., he is strong.* [9] plata
de luna, *quicksilver, i.e., (he is) lively (or spirited).*

ALEGRÍA

Platero juega con Diana, la bella perra blanca que se parece a la luna creciente, con la vieja cabra gris, con los niños . . .

Salta Diana, ágil y elegante, delante del burro, tocando su leve campanilla, y hace que le muerde los hocicos.[1] Y Platero, poniendo las orejas en punta cual dos cuernos de pita,[2] la embiste blandamente [3] y la hace 5 rodar sobre la hierba en flor.

La cabra va al lado de Platero, rozándose a sus patas,[4] tirando, con los dientes, de la punta de las espadañas de la carga.[5] Con una clavellina o con una margarita en la boca, se pone frente a él, le topa en el testuz,[6] y brinca luego, y bala [7] alegremente, mimosa igual que una mujer . . .   10

Entre los niños, Platero es de juguete.[8] ¡ Con qué paciencia sufre sus locuras ! ¡ Cómo va despacito, deteniéndose, haciéndose el tonto,[9] para que ellos no se caigan ! ¡ Cómo los asusta, iniciando, de pronto, un trote falso !

¡ Claras tardes del otoño moguereño ! [10] Cuando el aire puro de octubre 15 afila los límpidos sonidos, sube del valle un alborozo idílico de balidos,[11] de rebuznos,[12] de risas de niños, de ladridos y de campanillas . . .

[1] hace . . . hocicos, *acts as if she is biting his nose.*   [2] poniendo . . . pita, *pointing his ears like two shoots of the century plant.*   [3] la embiste blandamente, *gently rushes against her.*   [4] rozándose a sus patas, *rubbing against his feet.*   [5] la punta . . . carga, *the ends of the cattail of the load (on the donkey's back).*   [6] le topa en el testuz, *(she) runs against his forehead.*   [7] bala, *bleats.*   [8] de juguete, *like a plaything.*   [9] haciéndose el tonto, *playing the fool.*   [10] moguereño, *of Moguer (a town in southwestern Spain).*   [11] un alborozo idílico de balidos, *an idyllic gaiety of bleatings.*   [12] rebuznos, *brays.*

PREGUNTAS

1. ¿ Con qué animales juega Platero ? 2. ¿ Cómo se llama la perra ? 3. ¿ A qué se parece Diana ? 4. ¿ Cómo es Diana ? 5. ¿ Cómo juegan Platero y Diana ? 6. ¿ Por dónde va la cabra ? 7. ¿ Qué tiene la cabra en la boca ? 8. Cuando Platero juega con los niños, ¿ por qué va muy despacio ? 9. ¿ Cómo asusta a los niños a veces ? 10. ¿ Qué se oye en octubre ?

CARNAVAL [1]

¡ Qué guapo está hoy Platero ! Es lunes de Carnaval, y los niños, que se han vestido de máscara, le han puesto el aparejo moruno,[2] todo bordado en rojo, azul, blanco y amarillo, de cargados arabescos.[3]

Agua, sol y frío. Los redondos papelillos[4] de colores van rodando
5 paralelamente por la acera, al viento agudo de la tarde, y las máscaras, ateridas,[5] hacen bolsillos de cualquier cosa para las manos azules.[6]

Cuando hemos llegado a la plaza, unas mujeres vestidas de locas, con largas camisas blancas y guirnaldas de hojas verdes en los negros y sueltos cabellos, han cogido a Platero en medio de un corro bullanguero,[7] y han
10 girado alegremente en torno de él.

Platero, indeciso, yergue[8] las orejas, alza la cabeza, y como un alacrán cercado por el fuego, intenta, nervioso, huir por doquiera.[9] Pero, como es tan pequeño, las locas no le temen y siguen girando, cantando y riendo a su alrededor. Los chiquillos, viéndole cautivo, rebuznan para que él re-
15 buzne. Toda la plaza es ya un concierto altivo de metal amarillo, de rebuznos, de risas, de coplas, de panderetas y de almireces[10] . . .

Por fin, Platero, decidido, igual que un hombre, rompe el corro y se viene a mí trotando y llorando, caído el lujoso aparejo. Como yo, no quiere nada con[11] el Carnaval . . . No servimos para[12] estas cosas.

PREGUNTAS

1. ¿ Qué día es ? 2. ¿ De qué se han vestido los niños ? 3. ¿ Qué le han puesto a Platero ? 4. ¿ Qué tiempo hace ? 5. ¿ Quiénes estaban en la plaza ? 6. ¿ Qué llevaban las mujeres ? 7. ¿ Dónde está Platero ? 8. ¿ Qué intenta hacer Platero ?

---

[1] Carnaval, *Carnival.* (*A period of gaiety, usually three days, preceding Ash Wednesday, the beginning of Lent. Compare the "Mardi Gras" of New Orleans.*) [2] aparejo moruno, *Moorish harness.* [3] de cargados arabescos, *with heavy Arabic decorations.* [4] papelillos, *confetti.* [5] ateridas, *stiff with the cold.* [6] hacen . . . azules, *make pockets out of anything for their hands blue with the cold.* [7] corro bullanguero, *noisy crowd.* [8] yergue, *lifts up.* [9] por doquiera, *wherever he can.* [10] panderetas y de almireces, *tambourines and brass mortars (for kitchen use).* [11] no quiere nada con, *he doesn't want to have anything to do with.* [12] No servimos para, *We are no good for.*

9. ¿ Qué siguen haciendo las mujeres ? 10. ¿ Por qué rebuznan los chiquillos ?
11. ¿ Qué se oye en la plaza ? 12. Por fin, ¿ qué hace Platero ?

MELANCOLÍA

Esta tarde he ido con los niños a visitar la sepultura de Platero, que está
en el huerto de la Piña, al pie del pino redondo y paternal. En torno, abril
había adornado la tierra húmeda de grandes lirios amarillos.

Cantaban los chamarices [1] allá arriba, en la cúpula verde, toda pintada
de cenit azul,[2] su trino menudo, florido y reidor,[3] se iba en el aire de oro de 5
la tarde tibia, como un claro sueño de amor nuevo.

Los niños, así que [4] iban llegando, dejaban de gritar. Quietos y serios,
sus ojos brillantes en mis ojos, me llenaban de preguntas ansiosas.

— ¡ Platero amigo ! — le dije yo a la tierra; — si, como pienso, estás
ahora en un prado del cielo y llevas ahora sobre tu lomo peludo a los ángeles 10
adolescentes, ¿ me habrás quizá olvidado ? Platero, dime: ¿ te acuerdas
aún de mí ?

Y, cual contestando mi pregunta, una leve mariposa blanca, que antes
no había visto, revolaba insistentemente, igual que un alma, de lirio en
lirio . . . 15

PREGUNTAS

1. ¿ A dónde ha ido el amo con los niños ? 2. ¿ Dónde está la sepultura ?
3. ¿ Qué mes es ? 4. ¿ Dónde cantaban los chamarices ? 5. ¿ Cuándo dejaban
de gritar los niños ? 6. Según el amo, ¿ dónde está Platero ? 7. ¿ A quiénes
lleva sobre su lomo peludo ? 8. ¿ Qué revolaba de lirio en lirio ?

EJERCICIOS

I. 1. Describa Vd. a Platero.
2. Describa Vd. a Diana.
3. Describa Vd. lo que pasa en el Carnaval.
4. Describa Vd. el sitio de la sepultura de Platero.

II. 1. La historia de *Platero* se ha llamado « un poema en prosa ». ¿ Puede Vd.
explicar esto ?
2. Esta historia se ha traducido a varias lenguas. ¿ Qué interés tiene para
personas fuera de España ?
3. ¿ Qué emoción siente Vd. después de haber leído las cuatro selecciones de
Platero ? ¿ Alegría ? ¿ Tristeza ? ¿ Melancolía ? ¿ Enojo ? ¿ Simpatía ?
¿ Cariño ?

[1] chamarices, *blue titmice.* [2] toda . . . azul, *all against a background of blue sky.* [3] su trino
. . . reidor, *their fine, elegant, and cheerful warbling.* [4] así que, *at the moment that.*

Paisaje

The works of Federico García Lorca (1898–1936) have brought him recognition as one of Spain's greatest lyric poets. His poems, beautiful in thought and in words, frequently are marked by sadness, for García Lorca wrote with great feeling about life and its passing, man's conflicts, and the inevitability of death. The career of this brilliant poet was ended by his tragic death in the early days of the Spanish Civil War (1936–1939).

El campo
de olivos
se abre y se cierra
como un abanico.
5 Sobre el olivar
hay un cielo hundido
y una lluvia oscura
de luceros fríos.
Tiembla junco y penumbra [1]
10 a la orilla del río.
Se riza el aire gris.
Los olivos,
están cargados
de gritos.
15 Una bandada
de pájaros cautivos
que mueven sus larguísimas
colas en lo sombrío.

La guitarra

Empieza el llanto
20 de la guitarra.
Se rompen las copas
de la madrugada. [2]
Empieza el llanto
de la guitarra.
25 Es inútil callarla.
Es imposible
callarla.

---

[1] Tiembla junco y penumbra, *Reeds tremble and there is partial darkness.*   [2] Se rompen ... madrugada, *The wine glasses of dawn break (i.e., the wailing of the guitar causes the glasses to break).*

Llora monótona
como llora el agua
como llora el viento
sobre la nevada.[1]
Es imposible   5
callarla.
Llora por cosas
lejanas.
Arena del Sur caliente
que pide camelias blancas. 10
Llora flecha sin blanco,[2]
la tarde sin mañana,
y el primer pájaro muerto
sobre la rama.
¡ Oh, guitarra !   15
Corazón malherido
por cinco espadas.[3] *

EJERCICIOS

I. Después de leer el poema *Paisaje* varias veces, conteste en español:

1. ¿ Qué árboles hay en el paisaje ? 2. ¿ Cómo se abre y se cierra el campo de olivos ? 3. ¿ Qué tiempo hace ? 4. ¿ Qué tiembla a la orilla del río ? 5. ¿ De qué color es el aire ? 6. ¿ Qué hay en los olivos ? 7. ¿ Cómo son sus colas ?

II. Lea el poema *La guitarra*, y aprenda de memoria la primera parte. Luego conteste en español:

1. ¿ Qué empieza ? 2. ¿ Qué se rompe ? 3. ¿ Se puede callar la guitarra ? 4. ¿ Cómo llora ? 5. ¿ Dónde llora el viento ? 6. ¿ Qué pide la arena del Sur caliente ? 7. ¿ A qué se parecen los cinco dedos ?

---

[1] nevada, *fallen snow.*   [2] Llora flecha sin blanco, *It weeps like an arrow without a target.*
[3] Corazón . . . espadas, *A heart badly wounded by five swords.* (*A metaphor referring to the five fingers of the player when they strike the strings of the guitar.*)

La noria [1]

Antonio Machado (1875–1939), born in Seville, spent most of his life in Castile. His poems, mostly of a serious and melancholy, but personal, nature reflect so clearly the somber, austere spirit of that region that he is often called the singer of the campos de Castilla.

<blockquote>

La tarde caía [2]
triste y polvorienta.[3]

El agua cantaba
su copla plebeya [4]
5   en los cangilones [5]
de la noria lenta.

Soñaba la mula,
¡ pobre mula vieja !
al compás de sombra
10 que en el agua suena.[6]

</blockquote>

---

[1] noria, *water-wheel (usually worked by a mule or horse).* [2] caía, *was fading.* [3] polvorienta, *dusty.*
[4] plebeya, *plebeian, of the common people.* [5] cangilones, *buckets.* [6] al compás . . . suena, *in time to the rhythm of the darkness (within the water-wheel) and the water itself.*

La tarde caía
triste y polvorienta.

Yo no sé qué noble,
divino poeta,
unió a la amargura   5
de la eterna rueda [1]

la dulce armonía
del agua que sueña,
y vendó [2] tus ojos,
¡ pobre mula vieja! . . .   10

Mas sé que fue un noble,
divino poeta,
corazón maduro
de sombra y de ciencia.[3]

EJERCICIOS

I. Después de leer el poema varias veces, conteste en español:

1. ¿ Cómo caía la tarde ? 2. ¿Qué cantaba el agua ? 3. ¿ Era joven la mula ?
4. ¿ Cómo era el poeta ? 5. ¿ Qué hizo el poeta ?

II. 1. Dé en español un breve resumen de este poema.
   2. ¿ Qué emoción siente Vd. después de haber leído el poema ?

[1] unió . . . rueda, *joined to the bitterness of the eternal (water-)wheel.* [2] vendó, *he bandaged (blind-folded).* [3] corazón . . . ciencia, *with a heart filled with both doubt and knowledge.*

LECTURAS RÁPIDAS

La buenaventura

In the language of your younger brothers and sisters, La buenaventura *is a story of "cops and robbers." For you it may have the thrills and excitement of some of the "westerns" that you watch on television. In any language it is a tale of outlaws in the days before fast automobiles, sub-machine guns, and luxurious hideaways, but with plenty of fast talk and fast action.*

The author, Pedro Antonio de Alarcón (1833–1891), studied law and later theology, and worked as a journalist before settling down to serious writing. Known as one of Spain's best short story writers, he also wrote a number of novels.

I

No sé qué día de agosto del año de 1816 el excelentísimo Sr. D. Eugenio Portocarrero, conde del Montijo y Capitán General de Granada, estaba sentado en su despacho cuando llegó a la puerta un pobre gitano de sesenta años de edad, llamado Heredia. Éste bajó de su burro y dijo que quería ver al Capitán General. 5

Los guardias se rieron de él, pero cuando el Capitán General supo que Heredia quería hablar con él, mandó que le dejasen pasar al gitano.

Éste entró en el despacho de su Excelencia y poniéndose de rodillas [1] exclamó:

— ¡ Viva su Excelencia [2] muchos años ! 10

— Levántate y dime qué deseas — respondió el Conde secamente.

— Pues, señor, vengo a que [3] se me den los mil reales.

— ¿ Qué mil reales ?

— Los que ha ofrecido hace días al que traiga las señas de Parrón.

— Pues, ¿ tú le conocías ? 15

— No, señor.

— Entonces . . .

— Pero ya le conozco.

— ¡ Cómo !

— Es muy sencillo. Le he buscado; le he visto; traigo las señas, y pido 20 los mil reales.

— ¿ Estás seguro de que le has visto ? — exclamó el Capitán General con gran interés.

El gitano se echó a reír, y respondió:

— Ayer vi a Parrón. 25

— ¿ Sabes lo que dices ? ¿ Sabes que hace tres años que se persigue a ese bandido que nadie conoce ni ha podido ver nunca ? [4] ¿ Sabes que todos

---

[1] poniéndose de rodillas, *kneeling.* [2] ¡ Viva su Excelencia . . .! *May your Highness live . . .!*
[3] a que, *in order that.* [4] hace . . . nunca, *for three years they have pursued that bandit whom no one knows nor has ever been able to see.*

los días roba, en distintos sitios de estas montañas, a algunos viajeros, y después los mata, pues dice que los muertos no hablan ? ¿ Sabes, en fin, que ver a Parrón es encontrarse con la muerte ?

El gitano se echó a reír otra vez, y dijo:

5 — ¿ Y no sabe su Excelencia que lo que no puede hacer un gitano no hay quien lo haga ?[1] Repito que no sólo he visto a Parrón, sino que he hablado con él.

— ¿ Dónde ?

— En el camino de Tózar.

10 — Dame pruebas de ello.

— Escuche su merced. Hace ocho días mi burro y yo caímos en poder de unos ladrones. Me ataron bien y me llevaron a su campamento. En el camino me preguntaba: « ¿ Será esta gente de Parrón ? Si lo son, no hay remedio y me matan, porque ese bandido no permite vivir a los que 15 le hayan visto. »

De repente se presentó un hombre vestido con mucho lujo,[2] y sonriendo me dijo:

— Amigo, ¡ yo soy Parrón !

Al oír esto me caí al suelo. Cuando el bandido se echó a reír, me puse de 20 rodillas y exclamé en todos los tonos de voz que pude inventar:

— ¡ Bendita sea tu alma, rey de los hombres ! ¡ Deja que te dé un abrazo ! ¡ Qué ganas tenía de encontrarte para decirte la buenaventura y besarte la mano ! ¿ Quieres que te enseñe a cambiar burros muertos por burros vivos ? ¿ Quieres que le enseñe francés a una mula ?

25 Riéndose de esto, el conde del Montijo preguntó:

— ¿ Qué respondió Parrón a todo eso ?

— Lo mismo que su Excelencia: reírse.

— ¿ Y tú ?

— Me reí también, pero corrían por las mejillas lágrimas tan grandes 30 como las naranjas. En aquel momento, sin embargo, Parrón me dio la mano, diciendo: « Amigo, eres el único hombre de talento que ha caído en mi poder. Todos los otros tienen la mala costumbre de tratar de ponerme triste, de llorar, de quejarse y de hacer cosas que me ponen de mal humor. Sólo tú me has hecho reír, y si no fuera por[3] esas lágrimas . . . »

35 — Pues, señor, son lágrimas de alegría.

— Lo creo. Es la primera vez que me he reído desde hace[4] seis u ocho años. Verdad es que tampoco he llorado . . . Ahora dime la buenaventura.

Yo cogí la mano y pensé un momento antes de decirle:

---

[1] no hay quien lo haga, *no one can do* (there is no one who can do it).   [2] con mucho lujo, *very elegantly.*   [3] si no fuera por, *if it were not for.*   [4] desde hace, *for.*

— Parrón, aunque me quites la vida o me la dejes, morirás ahorcado.

— Ya lo sabía yo — respondió el bandido con gran tranquilidad. — Dime cuándo.

Me puse a pensar: « Este hombre va a perdonarme la vida;[1] mañana llego a Granada y les doy sus señas; pasado mañana le cogen . . . »   5

— ¿ Preguntas cuándo ? — le respondí en voz alta. — Pues va a ser el mes próximo.

Parrón tembló y yo también. Entonces continuó:

— Pues mira tú, gitano. Vas a quedarte en mi poder. Si en el mes próximo no me ahorcan, te ahorco a ti. Si muero para esa fecha, quedarás 10 libre.

Entonces me condujeron a la cueva y Parrón montó en su caballo y se alejó.

— Ya comprendo — exclamó el Capitán General. — Parrón ha muerto; tú has quedado libre, y por eso sabes sus señas . . .   15

— Todo lo contrario, mi general. Parrón vive y esto es lo malo de la historia.

II

Pasaron ocho días sin que Parrón volviese a verme. Según uno de los bandidos eso no era cosa rara. Entretanto yo les decía la buenaventura a todos los bandidos, prometiéndoles que no serían ahorcados y que llegarían 20 a ser viejos. A causa de esto solían sacarme de la cueva y atarme a un árbol, donde no hacía tanto calor, pero siempre tenía yo un par de guardias.

Una tarde, a eso de las seis, los ladrones que habían salido aquel día trajeron al campamento a un pobre labrador de unos cuarenta o cincuenta años.   25

— ¡ Dadme mis veinte duros ! — gritaba, quejándose. — ¡ Todo un verano trabajando bajo el sol ! ¡ Si supierais con qué trabajo los he ganado ! ¡ Todo un verano lejos de mi pueblo, de mi mujer y de mis hijos ! ¿ Con qué podremos vivir este invierno ? Y cuando esté yo de vuelta para abrazarlos y pagar todas las deudas que hayan hecho para comer, ¿ qué 30 voy a hacer ? ¡ Dadme mis veinte duros !

Todos se burlaban de él y yo temblaba de horror en el árbol a que estaba atado, porque los gitanos también tenemos familia.[2]

— No seas loco — exclamó al fin un bandido. — Haces mal en pensar en tu dinero cuando tienes cuidados mayores . . . ¡ Estás en poder de 35 Parrón !

---

[1] va a perdonarme la vida, *is going to spare my life*. [2] los gitanos también tenemos familia, *we gypsies also have families.*

— Parrón . . . No le conozco. Vengo de muy lejos. Yo soy de Alicante, y he estado trabajando en Sevilla.

— Pues, amigo mío, Parrón quiere decir la muerte. Todos los que caen en su poder mueren. Tienes cuatro minutos.

5 — Oídme. Tengo seis hijos . . . y una infeliz mujer. Leo en vuestros ojos que sois peores que fieras . . . ¡ Sí, peores ! Porque las fieras de una misma especie no se comen unas a otras. ¡ Ah ! ¡ Perdón ! . . . No sé lo que digo. ¡ Caballeros, alguno de ustedes será padre ! ¿ No hay un padre entre vosotros ? ¿ Sabéis lo que es una madre que ve morir a los hijos que 10 gritan : « Tengo hambre . . . tengo frío » ? ¡ Señores, yo no quiero mi vida sino por ellos ! ¿ Qué es para mí la vida ? ¡ Pero debo vivir para mis hijos ! ¡ Hijos míos !

Y el padre se arrastraba por el suelo, y levantaba hacia los ladrones una cara . . . ¡ Qué cara !

15 Los ladrones sintieron moverse algo dentro de su pecho, pues se miraron unos a otros . . . , y viendo que todos estaban pensando la misma cosa, uno de ellos se atrevió a decir . . .

— ¿ Qué dijo ? — preguntó el Capitán General, profundamente movido por aquella historia.

20 — Dijo : « Caballeros, lo que vamos a hacer no lo sabrá nunca Parrón . . . »

— Nunca . . . , nunca . . . — repitieron los compañeros.

— Márchese usted,[1] buen hombre — exclamó uno que lloraba.

Y yo hice también señas al labrador de que se fuese al instante. El 25 infeliz se levantó lentamente.

— Pronto . . . ¡ Márchese usted ! — repitieron todos.

El labrador extendió la mano.

— ¿ Te parece poco ? — gritó uno. — Váyase o vamos a perder la paciencia.

30 El pobre padre se fue llorando, y pronto desapareció.

Había pasado media hora, en que los ladrones se juraron no decir nunca a Parrón que habían perdonado la vida a un hombre, cuando de repente apareció Parrón, trayendo al labrador en su caballo. Los bandidos se quedaron asombrados. Parrón bajó despacio, cogió su escopeta y dijo :

35 — ¡ Imbéciles ! ¡ No sé por qué no os mato a todos ! ¡ Pronto ! ¡ Entregad a este hombre los duros que le habéis robado !

Los ladrones sacaron los veinte duros y se los entregaron al labrador, el cual se arrojó a los pies de aquel hombre que tenía tan buen corazón . . . Entonces Parrón le dijo :

---

[1] *Note that both formal and familiar forms of address are used in speaking to the peasant.*

— Sin las indicaciones de usted, yo nunca los habría encontrado. He cumplido mi promesa... Ahí tiene usted sus veinte duros... Conque... ¡ Márchese!

El labrador le abrazó varias veces y se fue lleno de alegría. Pero no había andado cincuenta pasos cuando Parrón le llamó, y el pobre hombre 5 se acercó rápidamente.

— ¿ Qué manda usted ? — le preguntó.

— ¿ Conoce usted a Parrón ?

— No le conozco.

— ¡ Te equivocas! Yo soy Parrón. 10

El labrador se quedó asombrado. Parrón, entonces, levantó su escopeta y descargó dos tiros y el pobre se cayó muerto.

— ¡ Maldito seas!¹ — fue lo único que pronunció.

En medio del terror, noté que el árbol a que yo estaba atado se movía ligeramente. Uno de los tiros había cortado la cuerda con que me habían 15 atado al árbol. No les dejé ver que estaba libre, y esperé una ocasión para escaparme.

Entretanto Parrón decía a los suyos,² señalando al labrador:

¹ ¡ Maldito seas! *Curses on you!*   ² los suyos, *his men.*

— Ahora podéis robarle. Sois unos imbéciles . . . ¡ Dejar a ese hombre, para que se fuera, como se fue, dando gritos por los caminos ! Si otra persona le hubiera encontrado, habría dado vuestras señas y las de nuestro campamento, como me las ha dado a mí, y estaríamos ya todos en la cárcel.
5 ¡ Ved lo que es robar sin matar !

Mientras que los ladrones enterraban al pobre labrador, Parrón se sentaba a comer. Como ya era de noche, me alejé poco a poco del árbol sin que me viesen. Corrí a mi burro, monté en él y no he parado hasta llegar aquí. Ahora, señor, déme usted los mil reales, y yo daré las señas
10 de Parrón, que se ha quedado con mis tres duros y medio . . .

El gitano dio las señas del bandido, cobró el dinero y salió, dejando asombrado al Capitán General.

III

Quince días después, a eso de las nueve de la mañana, muchísima gente estaba en la calle de San Juan de Dios, mirando la reunión de dos com-
15 pañías de soldados que habían de salir a las nueve y media en busca de Parrón.

El interés y la emoción del público eran extraordinarios y no menos la solemnidad con que los soldados se despedían de sus familias y amigos.

— Parece que ya vamos a formar — dijo un soldado a otro — y no veo
20 al cabo López . . .

— ¡ Extraño es, pues él llega siempre antes que nadie cuando se trata de salir en busca de Parrón !

— Pues, ¿ no sabéis lo que pasa ? — dijo un tercer soldado, tomando parte en la conversación.
25 — ¡ Hola ! Es nuestro compañero.

Era éste un hombre pálido que llevaba muy bien el traje de soldado.

— Conque ¿ decías ? — dijo el primer soldado.

— ¡ Ah ! ¡ Sí ! Que el cabo López ha muerto — respondió el soldado pálido.
30 — ¿ Qué dices, Manuel ? ¡ Eso no puede ser ! Yo mismo he visto a López esta mañana, como te veo a ti . . .

Manuel contestó fríamente:

— Pues hace media hora que le ha matado Parrón.

— ¿ Parrón ? ¿ Dónde ?
35 — ¡ Aquí mismo ! ¡ En Granada !

— ¡ Once soldados en seis días ! — exclamó uno de los soldados. — Pero, ¿ cómo es que está en Granada ? ¿ No íbamos a buscarle en las montañas ?

— Una vieja que vio el crimen — continuó Manuel fríamente — dice

que Parrón ofreció que, si íbamos a buscarle, tendríamos el gusto de verle . . .

— ¡ Amigo, con qué calma hablas !

— Pues, ¿ qué es Parrón más que [1] un hombre ?

— ¡ A la formación ! [2] — gritaron varias voces.

Formaron las dos compañías. En aquel momento el gitano Heredia se paró, como todos, a ver a los soldados.

Se notó entonces que Manuel, el nuevo soldado, dio un paso atrás como si quisiese esconderse detrás de sus compañeros . . . Al mismo tiempo Heredia fijó en él sus ojos; y dando un grito, se echó a correr hacia la Calle de San Jerónimo.

Manuel levantó la escopeta y apuntó al gitano . . . Pero otro soldado tuvo tiempo de cambiar la dirección del arma, y el tiro se perdió en el aire.

— ¡ Está loco ! ¡ Manuel se ha vuelto loco ! — exclamaron todos, al mismo tiempo que le rodeaban para quitarle su escopeta.

Entretanto cogieron a Heredia, que empezó a correr cuando sonó el tiro.

— ¡ Llevadme al Capitán General ! — decía el gitano. — Tengo que hablar con el Conde del Montijo.

— ¡ Ahí están los soldados, y ellos verán lo que hay que hacer con tu persona ! [3] — le respondieron.

— Pues lo mismo me da — contestó Heredia. — Pero tengan ustedes cuidado de que no me mate Parrón.

— ¿ Cómo Parrón ? . . . ¿ Qué dice este hombre ?

— Venid y veréis . . .

Diciendo esto, el gitano se hizo conducir [4] delante del comandante de los soldados y, señalando a Manuel, dijo:

---

[1] ¿ qué es Parrón más que . . . ? *what is Parrón other than . . . ?*   [2] ¡ A la formación ! *Fall in !*
[3] lo que . . . persona, *what must be done with you.*   [4] se hizo conducir, *had himself taken.*

— Mi Comandante, ¡ ése es Parrón, y yo soy el gitano que dio, hace quince días, sus señas al Conde del Montijo!

— ¡ Parrón! ¡ Parrón está preso! ¡ Un soldado era Parrón! — gritaron muchas voces.

5 — No me cabe duda [1] — decía el Comandante, leyendo las señas que le había dado el Capitán General. — ¡ Qué tontos hemos sido! Pero, ¿ a quién se le habría ocurrido buscar al capitán de los ladrones aquí entre los soldados ?

— ¡ Qué tonto he sido yo! — exclamaba al mismo tiempo Parrón, 10 mirando al gitano con ojos de león herido. — Es el único hombre a quien he perdonado la vida.[2] ¡ Merezco lo que me pasa!

A la semana siguiente ahorcaron a Parrón, y así se cumplió, pues, literalmente la buenaventura del gitano Heredia.

TRANSLATION AIDS

Note the change in meaning of certain verbs when used reflexively:

acostar   *to put to bed* — acostarse   *to go to bed*
alejar   *to remove, take away* — alejarse   *to move (draw) away*
cumplir   *to fulfill* — cumplirse   *to be realized, come true*
despedir   *to dismiss* — despedirse   *to take leave, say good-bye*
echar   *to throw* — echarse a   *to begin to*
encontrar   *to find* — encontrarse   *to be, be found;* encontrarse con   *to meet*
hacer   *to do, make* — hacerse   *to become*
ir   *to go* — irse   *to go away*
levantar   *to lift, raise* — levantarse   *to get up*
llamar   *to call, knock* — llamarse   *to be called, be named*
marchar   *to march, go ahead* — marcharse   *to leave, go away*
poner   *to put, place* — ponerse   *to put on, become;* ponerse a   *to begin to*
quedar   *to remain, be left over* — quedarse   *to be, remain*
quitar   *to take away, remove, deprive* — quitarse   *to take off*
reír   *to laugh* — reírse de   *to laugh at*
sentar   *to seat, be becoming, fit* — sentarse   *to sit down*
tratar   *to treat;* tratar de   *to try to* — tratarse de   *to be a question of*
ver   *to see* — verse   *to see onself, be*
volver   *to return* — volverse   *to become, turn around*

MODISMOS

al instante *immediately*	no hay remedio *it can't be helped*
lo mismo me da *it's all the same to me*	quedarse con *to keep*

[1] No me cabe duda, *There is no doubt.*   [2] a quien he perdonado la vida, *whose life I have spared.*

PREGUNTAS

I. 1. ¿ En qué año pasó este cuento? 2. ¿ Qué era el señor don Eugenio ?
3. ¿ Quién llegó a su puerta ? 4. ¿ Cómo se llamaba el gitano ? 5. ¿ Qué pidió
al Conde ? 6. ¿ Por qué los pidió ? 7. ¿ Quién era Parrón ? 8. ¿ Cómo trataba
a los viajeros ? 9. ¿ Dónde le había visto a Parrón ? 10. ¿ Cuándo había
caído en poder de los ladrones ? 11. ¿ Qué hizo el gitano cuando vio a Parrón ?
12. ¿ Qué ofreció hacer ? 13. Después de reírse del gitano, ¿ qué dijo Parrón ?
14. Según Heredia, ¿ cómo moriría Parrón ? 15. ¿ Cuándo iba a ser ? 16. ¿ Qué
contestó Parrón ?

II. 17. ¿ Qué hacía el gitano durante la semana siguiente ? 18. ¿ Qué solían hacer
los bandidos ? 19. ¿ A quién trajeron al campamento un día ? 20. ¿ Qué pedía
el labrador ? 21. ¿ De dónde era ? 22. ¿ Tenía familia ? 23. ¿ Qué hicieron
los ladrones al fin ? 24. Después de media hora, ¿ qué pasó ? 25. ¿ Qué llamó
Parrón a los otros bandidos ? 26. ¿ Conocía el labrador a Parrón ? 27. ¿ Qué
hizo éste al fin ? 28. ¿ Qué había hecho uno de los tiros ? 29. ¿ Qué hizo el gitano
después ? 30. ¿ Qué le dio el Capitán General ?

III. 31. ¿ Dónde estaban las dos compañías de soldados ? 32. ¿ Qué hora
era ? 33. ¿ Por qué estaban allí ? 34. ¿ A dónde iban ? 35. ¿ Quién no estaba
allí ? 36. ¿ Por qué no había venido ? 37. ¿ Qué exclamó un soldado ?
38. ¿ Quién se paró a ver a los soldados ? 39. ¿ En quién fijó los ojos ? 40. ¿ Qué
hizo en seguida ? 41. ¿ Qué trató de hacer Manuel ? 42. ¿ Qué hicieron los
soldados ? 43. ¿ Qué dijo Heredia cuando le cogieron ? 44. ¿ Qué dijo al comandante ? 45. ¿ Cómo se cumplió la buenaventura del gitano ?

This is the Court of the Myrtles in the Alhambra, Granada.

GOLPE DOBLE

Vicente Blasco Ibáñez (1867–1928) was one of Spain's outstanding writers of novels and short stories. He excelled in the realistic pictures of customs and manners of his native province of Valencia. Golpe doble *is a story of the* huerta, *an irrigated region which surrounds the provincial capital, Valencia. A court in the city controls the use of water for irrigation purposes and even sets the exact hour at which each user may turn water into his ditches. The simple white cottage of the farmer in this area is called a* barraca, *and his principal products are likely to be oranges and rice.*

As you read Golpe doble, *note the courage and self-sufficiency of the* campesino *Sento when he is faced with personal ruin and tragedy. Even though his neighbors have been unsuccessful in meeting threats made against them, Sento still has the courage and the will to defend the people and the things that he loves best.*

Al abrir la puerta de su barraca,[1] encontró Sento un papel debajo de la puerta.

Era anónimo y lleno de amenazas. Le pedían cuarenta duros y debía dejarlos aquella noche en el horno que tenía frente a la barraca.

5 Toda la huerta [2] estaba aterrada por aquellos bandidos. Si alguien se negaba a obedecer tales demandas, sus cosechas aparecían destruidas, y hasta podía despertar a medianoche sin tiempo apenas para huir de la techumbre de paja, que se venía abajo entre llamas.

Gafarró, que era un mozo valiente y fuerte, juró descubrir los bandidos, 10 y se pasaba las noches escondido en los campos, con la escopeta al brazo; pero una mañana le encontraron muerto en una acequia.

Hasta los periódicos de Valencia hablaban de lo que sucedía en la huerta, donde al anochecer se cerraban las barracas y reinaba un pánico egoísta, buscando cada uno su salvación, olvidando al vecino. Y a todo esto, el tío 15 Batiste, alcalde de aquel distrito de la huerta, aseguraba que él y su fiel alguacil, Sigró, bastaban para acabar con aquella calamidad.

A pesar de esto, Sento no pensaba acudir al alcalde. ¿ Para qué ? No quería oír en vano promesas y mentiras.

Lo cierto era que le pedían cuarenta duros, y si no los dejaba en el horno, 20 le quemarían su barraca, aquella querida barraca que miraba ya como un hijo próximo a perderse, con sus paredes blancas, el negro techo de paja con crucecitas en los extremos, las ventanas azules, la parra sobre la puerta, los macizos de geranios y otras flores; y más allá de la vieja higuera el horno, de barro y ladrillos. Aquello era toda su fortuna, el nido que cobijaba a 25 lo más amado:[3] su mujer, los tres hijos, el par de viejos caballos, fieles

---

[1] barraca, *farmhouse (typical of Valencia in eastern Spain; see description below).* [2] huerta, *truck-garden district (of Valencia, usually irrigated).* [3] cobijaba a lo más amado, *protected what he loved most.*

370

compañeros en la diaria batalla por el pan, y la vaca blanca que iba todas las mañanas por las calles de la ciudad despertando a la gente con su triste cencerro y dejando leche para los vecinos.

¡ Cuánto había tenido que trabajar sus tierras para juntar el puñado de duros que en un puchero guardaba debajo de la cama! Él era un hombre 5 pacífico; toda la huerta podía responder por él. Nunca reñía, ni visitaba la taberna, ni llevaba escopeta. Trabajar mucho para su mujer y sus tres hijos era su única afición; pero ya que querían robarle, sabría defenderse.

Como se acercaba la noche y nada tenía resuelto,[1] fue a pedir consejo al viejo de la barraca inmediata, un viejo que valía poco, pero de quien se 10 decía que en la juventud había matado más de dos.

Le escuchó el viejo con los ojos fijos en el grueso cigarro que estaba haciendo. Hacía bien en no querer soltar el dinero. ¿ Por qué no robaban en la carretera como los hombres, cara a cara ? Setenta años tenía, pero ¡ que viniesen [2] a él con tales amenazas! Pues, ¿ tenía valor para defender 15 lo suyo ? [3]

La firme tranquilidad tenía su efecto sobre Sento, que se sentía capaz de todo para defender el pan de sus hijos.

El viejo, con gran solemnidad, sacó de detrás de la puerta la joya de la casa, una vieja escopeta que acarició devotamente. La cargó él mismo, 20 que entendía mejor a aquel amigo.

Aquella noche dijo Sento a su mujer Pepeta que esperaba turno [4] para regar, y toda la familia le creyó, acostándose.

Cuando salió, dejando bien cerrada la barraca, vio a la luz de las estrellas, bajo la higuera, a su viejo vecino. Le daría a Sento la última lección, para 25 que no errase el golpe.[5] Apuntar bien a la boca del horno y tener calma. Cuando se inclinasen a buscar el dinero en el interior . . . ¡ Fuego! Era tan sencillo que podía hacerlo un niño.

Sento, por consejo del maestro, se tendió entre dos macizos de geranios a la sombra de la barraca. Con la escopeta apuntada a la boca del horno, no 30 podía perder el tiro. Creyó que quedaba solo en el mundo, que en toda la inmensa huerta no había más hombres que él y *aquellos* que iban a llegar. ¡ Ojalá no viniesen! No era frío, era miedo. Sus pies tocaban la barraca, y al pensar que tras aquella pared de barro dormían Pepeta y los niños, sin otra defensa que sus brazos, el pobre hombre se sintió otra vez fiera. 35

Al poco rato vibró el espacio. Era la campana de la catedral que daba las nueve. Se oía el ruido de un carro que pasaba por un camino lejano.

---

[1] nada tenía resuelto, *he had come to no decision.*   [2] ¡ que viniesen . . . ! *let them come . . . !*
[3] lo suyo, *what was his.*   [4] turno, *turn.* (*Each truck-gardener in the* huerta *took his turn in irrigating the fields.*)   [5] para que no errase el golpe, *in order that he not miss the shot* (*mark*).

Ladraban los perros de corral en corral; cantaban las ranas en la vecina acequia, y corrían cerca del horno . . .

Sento contaba las horas que iban sonando en la catedral. ¡ Las once! ¿ No vendrían ya ? [1] ¿ Les habría tocado Dios en el corazón ?

5 De repente se callaron las ranas. Por el camino avanzaban dos cosas obscuras que a Sento le parecieron dos perros enormes. Pronto vio que eran dos hombres que avanzaban encorvados, casi de rodillas.

— Ya están ahí — murmuró; y sus mandíbulas temblaban.

Los dos hombres miraban a todos lados, como temiendo una sorpresa. 10 Examinaron todo el terreno; después se acercaron a la puerta de la barraca, pasando dos veces cerca de Sento, sin que éste pudiese conocerlos. Iban embozados en mantas y llevaban escopetas. ¿ Serían los mismos que asesinaron a Gafarró ?

Ya iban hacia el horno. Uno de ellos se inclinó, metiendo las manos en 15 la boca. ¡ Magnífico tiro! Pero, ¿ y el otro que quedaba libre ?

El pobre Sento comenzó a sentir las angustias del miedo. Matando a uno, quedaba desarmado ante el otro. Si les dejaba ir sin encontrar nada, se vengarían quemándole la barraca.

---

[1] ¿ No vendrían ya? *Do you suppose they weren't coming?* (*The conditional perfect is used for conjecture in the next sentence, and the conditional in line 12.*)

El que estaba esperando se cansó de la torpeza de su compañero y fue a ayudarle en la busca. Los dos formaban una obscura masa frente a la boca del horno. Aquélla era la ocasión. ¡ Ánimo, Sento ! ¡ Fuego !

El trueno conmovió toda la huerta, despertando una tempestad de gritos y ladridos. Sento vio chispas y sintió quemaduras en la cara; dejó caer la escopeta y agitó las manos para convencerse de que estaban enteras. Estaba seguro de que la escopeta había reventado.

No vio nada en el horno; habrían huido; y cuando él iba a escapar también, se abrió la puerta de la barraca y salió Pepeta, con un candil. La había despertado el ruido y salía, temiendo por su marido.

La luz roja del candil llegó hasta la boca del horno. Allí estaban dos hombres en el suelo, uno sobre otro. No había errado el tiro. El golpe de la vieja escopeta había sido doble.

Y cuando Sento y Pepeta alumbraban los cadáveres para verles las caras, se quedaron muy sorprendidos.

Eran el tío Batiste, el alcalde, y su alguacil, Sigró.

MODISMOS

dejar caer   *to drop, let fall*   ya que   *since, now that*

PREGUNTAS

1. Al abrir la puerta, ¿ qué encontró Sento ? 2. ¿ Qué le pedían ? 3. ¿ Dónde debía dejar el dinero ? 4. ¿ Cómo estaba toda la huerta ? 5. ¿ Qué juró Gafarró ? 6. ¿ Dónde le encontraron una mañana ? 7. ¿ Quién era el tío Batiste ? 8. ¿ Cómo se llamaba su alguacil ? 9. ¿ Por qué no pensaba Sento hablar con el alcalde ? 10. ¿ Qué harían los bandidos si no dejaba el dinero en el horno ? 11. Describa usted la barraca de Sento. 12. ¿ De qué era el horno ? 13. ¿ Tenía familia Sento ? 14. ¿ Qué animales tenía ?

15. ¿ Dónde guardaba los pocos duros que tenía ? 16. ¿ Cómo era Sento ? 17. ¿ A quién pidió consejo una noche ? 18. ¿ Cuántos años tenía el viejo ? 19. Después de hablar con el viejo, ¿ cómo se sentía Sento ? 20. ¿ Qué sacó el viejo ? 21. ¿ Qué dijo Sento a su mujer aquella noche ? 22. Al salir de su barraca, ¿ a quién vio ? 23. ¿ Qué consejo le dio el viejo ?

24. ¿ Dónde se tendió Sento ? 25. ¿ Había ruidos esa noche ? 26. Después de dar las once, ¿ qué observó ? 27. ¿ Cómo le parecieron los dos hombres ? 28. ¿ Qué hicieron primero los dos ? 29. ¿ Qué llevaban ? 30. Después de un rato, ¿ qué hizo uno de ellos ? 31. ¿ Por qué no le mató Sento ? 32. Por fin, ¿ qué formaban los dos hombres ? 33. ¿ Qué pasó cuando Sento descargó la escopeta ? 34. ¿ Quién salió inmediatamente de la barraca ? 35. ¿ Qué llevaba ella ? 36. ¿ Qué vieron Sento y su esposa ? 37. ¿ Cómo había sido el golpe de la escopeta ? 38. ¿ Quiénes eran los dos hombres ?

The setting for El libro talonario, *another of Alarcón's stories, in many ways resembles that of* Golpe doble. *Here we have a story laid in a truck-gardening region in southwestern Spain. The scene is Rota, across the bay and on a point of land opposite to Cádiz. There, as throughout rural Spain, where small acreages must produce large quantities of food, the treasure of every farmer is his crop. His onions, his cucumbers, his squashes, and his tomatoes are his most familiar and most prized possessions. The farmer in this story has a treasure that is truly golden — the orange gold of the squash, or pumpkin — and one which he has no idea of surrendering to a passing thief.*

I

La acción comienza en Rota, la más pequeña de aquellas encantadoras poblaciones que están situadas en la bahía de Cádiz. A pesar de ser una pequeña población, de las huertas de Rota salen las frutas y las legumbres que llenan los mercados de Cádiz. Los tomates y las calabazas son muy
5 abundantes y de buena calidad. Aquella tierra de las huertas que produce tres o cuatro cosechas al año no es tierra, sino arena pura y limpia, esparcida por los furiosos vientos del Oeste sobre toda la región de Rota.

Yo no conozco, ni creo que haya en el mundo,[2] labrador que trabaje tanto como el roteño. Por los campos de Rota no corre ni siquiera un
10 arroyo... ¿Qué importa? El hortelano ha hecho muchos pozos de donde saca, ya a pulso, ya por medio de norias,[3] el agua que sirve de sangre a sus legumbres. Y pasa la mitad de su vida buscando substancias que puedan servir de abono para cada trozo de terreno donde siembra un grano de simiente de tomate o una pepita de calabaza,[4] que riega luego a mano
15 con un jarro muy pequeño, como quien da de beber a un niño.[5] Diariamente cuida una por una las plantas que allí nacen. Un día le añade a cada planta un poco de abono; otro le echa un pequeño jarro de agua; hoy mata los insectos que se comen las hojas; mañana cubre con hojas secas las plantas que no pueden resistir los rayos del sol o los vientos del mar.
20 Un día cuenta los tallos, las hojas, las flores o los frutos, y les habla, las acaricia, las besa, las bendice, y hasta les da expresivos nombres para distinguirlas en su imaginación. Sin exagerar, es ya un proverbio que el hortelano de Rota *toca por lo menos cuarenta veces con su propia mano a cada planta de tomates que nace en su huerta.* Y así se explica que los horte-

---

[1] libro talonario, *stub book (like a receipt book).* [2] ni creo que haya en el mundo, *nor do I believe that there is anywhere.* [3] ya a pulso... norias, *now by hand, now by water-wheels.* [4] siembra ... calabaza, *he plants a grain of tomato seed or a pumpkin seed.* [5] quien da de beber a un niño, *one who gives a little child something to drink.*

lanos viejos de aquella localidad lleguen a quedarse encorvados,¹ hasta tal
punto que casi se dan las rodillas con la barba.²

II

*El tío Buscabeatas,*³ que ya tenía sesenta años, pertenecía a este grupo de
hortelanos. Aquel año había criado unas enormes calabazas que ya em-
pezaban a ponerse de color de naranja, lo cual quería decir que era el mes 5
de junio. Las conocía perfectamente *el tío Buscabeatas* por la forma, por su
grado de madurez y hasta de nombre, sobre todo a las cuarenta más grandes
y se pasaba los días mirándolas tristemente, exclamando:

— ¡ Pronto tendremos que separarnos !

Al fin, una tarde se resolvió al sacrificio; y señalando a las mejores cala- 10
bazas, pronunció la terrible sentencia.

— Mañana — dijo — cortaré estas cuarenta, y las llevaré al mercado de
Cádiz. ¡ Feliz quien se las coma !⁴

Y se marchó a su casa lentamente y pasó la noche con las angustias del
padre que va a casar una hija al día siguiente. 15

— ¡ Mis pobres calabazas ! — suspiraba a veces sin poder dormir, pero
luego concluía por decir: — Y ¿ qué he de hacer,⁵ sino venderlas ? ¡ Para
eso las he criado ! Lo menos valen quince duros . . .

Figúrense, pues, cuánto sería⁶ su asombro y su desesperación cuando,
al ir a la mañana siguiente a la huerta, halló que, durante la noche, le 20
habían robado las cuarenta calabazas.

— ¡ Oh ! ¡ Si te encuentro ! ¡ Si te encuentro ! — repetía frenéticamente.

Se puso a calcular fríamente, y comprendió que sus amadas calabazas no
podían estar en Rota, donde sería imposible venderlas sin que él las 25
reconociese.

— ¡ Como si lo viera,⁷ están en Cádiz ! — dijo al fin. — El ladrón debió
de robármelas⁸ anoche a las nueve o las diez y se escaparía⁹ con ellas a las
doce en el *barco de la carga*¹⁰ . . . ¡ Yo saldré para Cádiz hoy por la mañana
en el *barco. de la hora,*¹¹ y sin duda cogeré al ladrón allí y recobraré las hijas 30
de mis trabajos !¹²

Permaneció todavía unos veinte minutos en el lugar del catástrofe,
contando las calabazas que faltaban. A eso de las ocho partió con dirección

---

¹ lleguen a quedarse encorvados, *become stooped.*   ² casi . . . barba, *their knees almost strike
their chin.*   ³ El tío Buscabeatas, *Uncle Buscabeatas = one who seeks pious things.*   ⁴ ¡ Feliz
. . . coma ! *Lucky (will be) the one who eats them!*   ⁵ ¿ qué he de hacer . . . ? *what can I
do . . . ?*   ⁶ cuánto sería, *how great must have been.*   ⁷ ¡ Como si lo viera . . . ! *Just as if I saw
it . . . !*   ⁸ debió de robármelas, *must have stolen them from me.*   ⁹ se escaparía, *must have escaped.*
¹⁰ barco de la carga, *freight boat.*   ¹¹ barco de la hora, *passenger boat.*   ¹² hijas de mis trabajos,
fruits of my labor.

al muelle a tomar el *barco de la hora,* que sale todas las mañanas para Cádiz a las nueve en punto, conduciendo pasajeros, así como el *barco de la carga* sale todas las noches a las doce, conduciendo frutas y legumbres ... Se llama *barco de la hora* el primero porque en este espacio de tiempo, y hasta
5 en cuarenta minutos algunos días, cruza las tres leguas que hay entre Rota y Cádiz.

III

Eran, pues, las diez y media de la mañana cuando aquel día se paraba *el tío Buscabeatas* delante de un puesto de verduras [1] del mercado de Cádiz, y le decía a un policía que iba con él:
10 — ¡ Éstas son mis calabazas! ¡ Prenda usted a ese hombre! — y señalaba al vendedor.

— ¡ Prender a mí! — exclamó el vendedor, lleno de sorpresa. — Estas calabazas son mías; yo las he comprado ...

— Eso podrá usted contárselo al alcalde — contestó *el tío Buscabeatas.*
15 — ¡ Que no! [2]

— ¡ Que sí! [3]

— ¡ Ladrón!

— ¡ Tunante!

— ¡ Hablen ustedes con más educación! [4] ¡ Los hombres no deben
20 insultarse de esa manera! — dijo con mucha calma el policía.

En esto [5] ya se habían acercado algunas personas, entre ellas el Juez de abastos,[6] encargado de la policía de los mercados públicos. Al saber éste lo que pasaba, preguntó al vendedor con majestuoso acento:

— ¿ A quién la ha comprado usted esas calabazas ?
25 — Al tío Fulano,[7] vecino de Rota ... — respondió el vendedor.

— ¡ Ése había de ser! [8] — grita *el tío Buscabeatas.* — ¡ Cuando su huerta, que es muy mala, le produce poco, roba en la del vecino!

— Pero, suponiendo que a usted le hayan robado anoche cuarenta calabazas — siguió preguntando el Juez — ¿ quién le asegura a usted que
30 éstas, y no otras, son las suyas ?

— ¡ Porque las conozco como usted conocerá a sus hijas, si las [9] tiene! — contestó *el tío Buscabeatas.* — ¿ No ve usted que las he criado ? Mire: ésta se llama *rebolanda;* [10] ésta, *cachigordeta;* ésta, *barrigona;* ésta, *coloradilla;* ésta, *Manuela* ... porque se parecía mucho a mi hija menor ...
35 Y el pobre viejo comenzó a llorar tristemente.

---

[1] puesto de verduras, *vegetable stand (stall).* [2] ¡ Que no! *I won't !* [3] ¡ Que sí! *You will!* [4] con más educación, *more politely.* [5] En esto, *At this point.* [6] Juez de abastos, *market inspector.* [7] Fulano, *So-and-So.* [8] ¡ Ése había de ser! *It would be that fellow!* [9] las, *any.* [10] *Names of the pumpkins are:* rebolanda, *Fatty;* cachigordeta, *Chubby;* barrigona, *Big-Stomach;* coloradilla, *Ruddy;* Manuela (*a proper name*).

—Todo eso está muy bien—dijo el Juez;—pero según la ley es necesario que usted las identifique con pruebas definitivas . . .

—¡Pues verá usted que pronto le pruebo yo a todo el mundo, sin moverme de aquí, que esas calabazas se han criado en mi huerta!—dijo *el tío Buscabeatas.* 5

Y arrodillándose, el viejo se puso a desatar las puntas de un pañuelo que llevaba en la mano.

—¿Qué va a sacar de ahí?—se preguntaban todos.

Al mismo tiempo llegó un nuevo curioso a ver qué ocurría en aquel grupo, y habiéndole visto el vendedor, exclamó: 10

—¡Me alegro de que llegue usted,[1] tío Fulano! Este hombre dice que las calabazas que me vendió usted anoche, y que están aquí, son robadas . . . Conteste usted . . .

El curioso se puso pálido y trató de irse, pero los otros se lo impidieron, y el Juez le mandó quedarse. 15

En cuanto al *tío Buscabeatas,* ya le decía al ladrón:

—¡Ahora verá usted lo que es bueno![2]

El tío Fulano le contestó con mucha calma:

—Usted es quien ha de ver lo que habla; porque si no prueba, y no podrá probar, su acusación, irá a la cárcel. Estas calabazas eran mías; yo 20 las he criado en mi huerta, como todas las que he traído este año a Cádiz, y nadie podrá probarme lo contrario.

[1] ¡Me . . . usted . . . ! *I'm glad you are here . . . !* [2] lo que es bueno, *something good.*

— ¡ Ahora verá usted ! — repitió *el tío Buscabeatas*, acabando de desatar [1] el pañuelo.

Y entonces se desparramaron por [2] el suelo una multitud de trozos de tallos de calabacera,[3] todavía verdes, mientras que el viejo hortelano,
5 sentado sobre sus piernas y muerto de risa,[4] decía al Juez y a los curiosos:

— Caballeros: ¿ no han pagado ustedes nunca contribución ? [5] ¿ Y no han visto aquel libro verde que tiene el recaudador,[6] de donde va cortando recibos, dejando allí un pedazo para que luego pueda comprobarse si tal o cual [7] recibo es falso o no lo es ?

10 — Lo que usted dice se llama el *libro talonario* — observó gravemente el Juez.

— Pues eso es lo que yo traigo aquí: el *libro talonario* de mi huerta, o sea [8] los cabos a que estaban unidas estas calabazas antes de que me las robasen. Y, si no,[9] miren ustedes. Este cabo era de esta calabaza...
15 Nadie puede dudarlo. Este otro..., ya lo están ustedes viendo, era de esta otra. Este más ancho debe de ser de aquélla... ¡ Justamente ! Y éste es de ésta... Ése es de ésa... Ésta es de aquél...

Y mientras que así decía, iba adaptando un cabo a cada calabaza. Todos veían con asombro que, en realidad, los cabos correspondían
20 exactamente a las calabazas. Entonces los curiosos, y hasta el policía y el Juez, comenzaron a ayudarle al *tío Buscabeatas*, exclamando todos a un tiempo:

— ¡ No hay duda ! ¡ Miren ustedes ! Éste es de aquí... Ése es de ahí... Aquélla es de éste... Ésta es de aquél...
25 Excusado es decir [10] que los curiosos tuvieron este gusto: que el tío Fulano, antes de ir a la cárcel, se vio obligado a devolver al vendedor los quince duros que de él había recibido; que el vendedor se los entregó inmediatamente al *tío Buscabeatas:* y que éste se marchó a Rota muy contento, diciendo:
30 — ¡ Qué hermosas estaban en el mercado ! ¡ He debido traerme [11] a *Manuela*, para comérmela esta noche y guardar las pepitas !

MODISMOS

al año *yearly*   dar de beber a *to give a drink to*

---

[1] acabando de desatar, *as he finished untying.*   [2] se desparramaron por, *were spread out on.*
[3] calabacera, *pumpkin vine.*   [4] muerto de risa, *dying of laughter.*   [5] contribución, *tax.*
[6] recaudador, *tax collector.*   [7] tal o cual, *this or that.*   [8] o sea, *or rather.*   [9] si no, *if you don't think so.*   [10] Excusado es decir, *It is needless to say.*   [11] ¡ He debido traerme...! *I should have brought ... with me!*

(*Below*) *Avenida de Ramón de Carranza passes near the harbor in the port of Cádiz, where* (*right*) *the steamer "Ciudad de Cádiz" is anchored.*

PREGUNTAS

1. ¿ Dónde está Rota ? 2. ¿ Es grande ? 3. ¿ Qué salen de las huertas de Rota ? 4. ¿ Cómo es la tierra ? 5. ¿ Trabajan mucho los roteños ? 6. ¿ Hay mucha agua por allí ? 7. ¿ Qué hace un hortelano diariamente ? 8. Según un proverbio, ¿ qué hace el hortelano de Rota ?

9. ¿ Cuántos años tenía el tío Buscabeatas ? 10. ¿ Qué había criado ? 11. ¿ Qué mes era ? 12. ¿ Cuántas calabazas decidió cortar ? 13. ¿ A dónde iba a llevarlas ? 14. ¿ Cuánto valían las calabazas ? 15. ¿ Pasó él la noche alegremente ? 16. ¿ Qué halló a la mañana siguiente ? 17. ¿ Dónde estarán las calabazas ? 18. ¿ Qué piensa hacer el tío Buscabeatas ? 19. ¿ A qué hora sale el barco de la hora ? 20. ¿ Por qué se llama así el barco ? 21. ¿ Qué conduce el barco de la carga ? 22. ¿ Qué distancia hay entre Cádiz y Rota ?

23. ¿ A qué hora llegó al mercado ? 24. ¿ Qué le dijo al policía que iba con él ? 25. ¿ Qué exclamó el vendedor ? 26. ¿ A quién las ha comprado ? 27. ¿ Conoce bien sus calabazas el tío Buscabeatas ? 28. ¿ A quién se parecía mucho Manuela ? 29. Según el Juez, ¿ qué tiene que hacer el tío Buscabeatas ? 30. ¿ Qué se puso a hacer ? 31. ¿ Quién se acercó en ese momento ? 32. ¿ Qué vieron todos en el suelo ? 33. ¿ Qué eran, en realidad, los cabos que tenía el tío Buscabeatas ? 34. ¿ Cómo probó que eran suyas las calabazas ? 35. ¿ Qué tuvo que hacer el tío Fulano ? 36. ¿ Qué decía el tío Buscabeatas mientras se marchaba a Rota ?

379

APPENDICES

Supplementary Drills

APPENDIX A

CAMINITO

Arranged by ELENA PAZ TRAVESÍ

1. Ca-mi-
2. Ca-mi-

ni - to que el tiem - po ha bo - rra - do, que jun-tos, un dí - a nos vis - te pa - sar; he ve-
ni - to que to - das las tar-des fe - liz re-co - rría, can-tan-do mi a - mor; no le

ni - do por úl - ti - ma vez,_____ he ve - ni-do a con-tar-te mi mal._____ Ca - mi-
di - gas si vuel-ve a pa - sar, _____ que mi llan-to tu sue-lo re - gó._____ Ca - mi-

ni - to que en-ton-ces es - ta-bas bor-da-do de tré-bol y jun-cos en flor,_____ u - na
ni - to cu-bier-to de car-dos, la ma-no del tiem-po tu hue-lla bo - rró,_____ yo a tu

1a-2a

som - bra ya pron-to se - rás, u - na som-bra lo mis-mo que yo.
la - do qui-sie-ra ca - er,_____ y que el tiem-po nos ma-te a los dos.

383

ESTRIBILLO

Des-de que se fue tris-te vi - vo yo,

ca - mi - ni - to a - mi - go, yo tam-bién me voy.

Des-de que se fue nun - ca más vol - vió,

se-gui - ré sus pa - sos, ca - mi - ni - to a - diós.

LA BAMBA

Arranged by ELENA PAZ TRAVESÍ

1. Pa - ra bai - lar la bam - ba, pa - ra bai - lar la
2. La mu - jer que yo quie - ro, la mu - jer que yo

bam - ba se ne - ce - si - ta u - na po - ca de gra - cia,
quie - ro es u - na mo - re - na por - que bai - la la bam - ba,

ESTRIBILLO

u - na po - ca de gra - cia y o - tra co - si - ta ya - rri - ba y a -
por - que bai - la la bam - ba que es co - sa bue - na ya - rri - ba y a -

rri - ba, y a - rri - ba y a - rri - ba y a - rri - ba i -
rri - ba, y a - rri - ba y más a - rri - ba y a - rri - ba

ré, yo no soy ma - ri - ne - ro, yo no soy ma - ri -
voy, yo no soy ma - ri - ne - ro, yo no soy ma - ri -

ne - ro, por ti se - ré, por ti se - ré, por ti se - ré.
ne - ro, por ti lo soy, por ti lo soy, por ti lo soy.

3. La mujer que yo quiero,
   la mujer que yo quiero sí es mexicana
   porque baila la bamba,
   porque baila la bamba veracruzana,
   y arriba y arriba,
   y arriba y arriba, y arriba iré,
   yo no soy marinero, yo no soy marinero,
   por ti seré, por ti seré, por ti seré.

4. Para bailar la bamba,
   para bailar la bamba
   se necesita una poca de gracia,
   una poca de gracia y otra cosita,
   y arriba y arriba,
   y arriba y arriba, y arriba iré,
   yo no soy marinero, yo no soy marinero,
   por ti seré, por ti seré, por ti seré.
   (*same as the first verse*)

5. ¡Ay! te pido, te pido,
   ¡Ay! te pido, te pido de corazón
   que se acabe la bamba,
   que se acabe la bamba y venga otro son,
   y arriba y arriba,
   y arriba y arriba, y arriba iré,
   yo no soy marinero, yo no soy marinero,
   por ti seré, por ti seré, por ti seré.

DOS PALOMITAS

Arranged by ELENA PAZ TRAVESÍ

3. Quiso el ingrato que yo mis alas
   le diera . . .
   para ir volando, los dos juntitos,
   al cielo.
   ¡Ay! ¡Ay! ¡Ay! Paloma, ¡ay!
   Para ir volando, los dos juntitos,
   al cielo.

4. Por su cariño le di mis alas
   y luego . . .
   abandonada, de desengaño
   me muero.
   ¡Ay! ¡Ay! ¡Ay! Paloma, ¡ay!
   Abandonada, de desengaño
   me muero. (Bis)

LOS CUATRO MULEROS

Arranged by ELENA PAZ TRAVESÍ

1. De los cua - tro mu - le - ros,____ de los cua - tro mu -
2. El de la mu - la tor - da,____ el de la mu - la

le - ros,____ de los cua - tro mu - le - ros, ma - mi - ta
tor - da,____ el de la mu - la tor - da, ma - mi - ta

mí - a, que van al rí - o, que van al rí - o.____
mí - a, es mi ma - rí - o,* es mi ma - rí - o.____

3. Hay que me he equivocao,*
   hay que me he equivocao,
   el de la mula torda, mamita mía,
   es mi cuñao,*
   es mi cuñao.

4. El de la gorra al lao,*
   el de la gorra al lao,
   el de la gorra al lao, mamita mía,
   ése es mi hermano,
   ése es mi hermano.

*marío = marido; equivocao = equivocado; cuñao = cuñado; lao = lado

LA SANMARQUEÑA

Arranged by Elena Paz Travesí

1. San Mar-cos tie-ne la fa - ma__
2. Un al - ba-ñil se ca - yó_____

de las mu-je-res bo - ni - tas,__ San Mar-cos tie-ne la fa - ma__
de la to-rre de u-na i-gle - sia, __ de la to-rre de u-na i-gle - sia__

de las mu-je-res bo - ni - tas.__ Tam-bién A - ca-pul-co tie - ne__
un al - ba-ñil se ca - yó._____ Na - da le pa só en los pies__

ESTRIBILLO

de di - fe - ren-tes ca - ri-tas. San - mar - que - ña de mi
por - que ca - yó de ca - be - za.

vi - da, San - mar - que - ña de mi a - mor.

3. ¡Cuántas naranjas, naranjas!
¡Cuántos limones, limones!
¡Cuántas naranjas, naranjas!
¡Cuántos limones, limones!
Morena, cuando te bañas,
¡qué bonita te me pones!
ESTRIBILLO

4. Quien te puso "Sanmarqueña"
no te supo poner nombre.
Quien te puso "Sanmarqueña"
no te supo poner nombre.
Valía más te hubieran puesto
"La locura de los hombres."
ESTRIBILLO

5. En la medianía del mar
se quejaba una tortuga,
se quejaba una tortuga
en la medianía del mar.
Y en el quejido decía:
"La más bonita se arruga."
ESTRIBILLO

6. Voy a dar la despedida
como la dio un marinero,
como la dio un marinero
voy a dar la despedida.
Con mi sombrero en la mano,
hasta luego, compañeros.
ESTRIBILLO

LIMONCITO

Arranged by ELENA PAZ TRAVESÍ

3. El limón ha de ser verde
   para que tiña morado,
   el limón ha de ser verde
   para que tiña morado;
   y el amor para que dure
   ha de ser disimulado,
   y el amor para que dure
   ha de ser disimulado.
   El limón ha de ser verde . . .

4. Limoncito, limoncito,
   pendiente de una ramita,
   limoncito, limoncito,
   pendiente de una ramita;
   dame un abrazo apretado
   y un beso de tu boquita,
   dame un abrazo apretado
   y un beso de tu boquita.
   Limoncito, limoncito . . .
   (*same as the first verse*)

TRANSLATION OF SONGS [1]

Caminito (Little road)

1. Little road which Time has erased,
   which saw us pass by here together one day;
   I've come for the last time,
   I've come to tell you my woes.
   Little road which then was
   covered with shamrock and flowering rush,
   you will soon be naught but a shadow,
   a shadow the same as I.
   (*Refrain*): Since she's gone I live in sadness,
               dear little road, I'm also going.
               Since she left she has never once returned,
               I shall follow in her footsteps,
               little road, good-bye.

2. Little road on which I merrily ran,
   every afternoon, singing of my love;
   don't tell her if she should pass by,
   that my grief dampened your soil.
   Little road covered with thistles,
   the hand of Time has erased your mark,
   how I wish to fall by your side,
   and that Time would do away with us both.
   (*Refrain*)

La bamba (The bamba, *a dance*)

1. To dance the bamba,
   to dance the bamba
   a little grace is needed,
   a little grace plus a little bit of "go,"
   (*Refrain*): and faster and faster,
               and faster and faster, and faster I'll go,
               I'm no sailor, I'm no sailor,
               but I will be for you, I will be for you, I will be for you!

2. The girl that I love,
   the girl that I love
   is a little brown girl
   because she dances the bamba,
   because she dances the bamba . . . a'way'out dance.
   (*Refrain*)

[1] No attempt has been made at a literal or poetic translation of these songs.

3. The girl that I love,
   the girl that I love is a Mexican girl
   because she dances the bamba,
   because she dances the bamba from Veracruz.
   (*Refrain*)
4. (*same as the first verse*)
5. I implore you, implore you,
   I implore you straight from the heart
   to end the bamba,
   to end the bamba and start another dance.
   (*Refrain*)

Dos palomitas (Two little doves)

1. Two little doves were wailing, crying,
   and one consoled the other, saying:
   Ay! Ay! Ay! Little dove, Ay!
   And one consoled the other, Ay! Ay! Ay!
2. Who has cut your beautiful wings, little dove?
   Has some cad attacked you in flight?
   Ay! Ay! Ay! Little dove, Ay!
   Has some cad attacked you in flight?
3. That ingrate wanted me to give him my wings . . .
   so that we might fly off together to far-off places.
   Ay! Ay! Ay! Little dove, Ay!
   So that we might fly off together to far-off places.
4. For his love I gave him my wings and now . . .
   abandoned, I shall die of deception.
   Ay! Ay! Ay! Little dove, Ay!
   Abandoned, I shall die of deception.

Los cuatro muleros (The four mule drivers)

1. About the four mule drivers,
   about the four mule drivers,
   about the four mule drivers, little Mother,
   who are heading towards the river,
   who are heading towards the river.
2. He who rides the speckled mule,
   he who rides the speckled mule,
   he who rides the speckled mule, little Mother,
   is my husband,
   is my husband.
3. Oh, but I'm mistaken,
   oh, but I'm mistaken,
   he who rides the speckled mule, little Mother,
   is my brother-in-law,
   is my brother-in-law.

4. He whose cap is on one side,
   he whose cap is on one side,
   he whose cap is on one side, little Mother,
   that is my brother,
   that is my brother.

La Sanmarqueña (The Sanmarqueñan)

1. San Marcos is famous for its beautiful women,
   San Marcos is famous for its beautiful women.
   Acapulco also has some . . .
   though they may look a little different.
   (*Refrain*): Sanmarqueñan of my life,
                 Sanmarqueñan of my heart.

2. A bricklayer tumbled from the tower of a church,
   from the tower of a church tumbled a bricklayer.
   Nothing happened to his feet . . .
   because he fell on his head.
   (*Refrain*)

3. How many oranges will it be?
   How many lemons, lemons?
   How many oranges will it be?
   How many lemons, lemons?
   Sweetie, when you take a bath,
   How beautiful you become!
   (*Refrain*)

4. Whoever named you "Sanmarqueñan"
   certainly didn't know how to name you.
   Whoever named you "Sanmarqueñan"
   certainly didn't know how to name you.
   You should have been called
   "The Folly of all men."
   (*Refrain*)

5. Out in the middle of the ocean
   a turtle was always complaining,
   a turtle was always complaining
   out in the middle of the ocean.
   And among his complaints was heard:
   "Even the prettiest girl gets wrinkled."
   (*Refrain*)

6. I'm going to bid farewell
   just as the sailor did,
   just as the sailor did
   I'm going to bid farewell.
   With my hat in hand,
   so long, my companions.
   (*Refrain*)

Limoncito (Little lemon)

1. Little lemon, little lemon,
   hanging from a little branch,
   little lemon, little lemon,
   hanging from a little branch;
   let me have a big bear hug
   and a kiss from your lips if you please,
   let me have a big bear hug
   and a kiss from your lips if you please.
   Little lemon, little lemon . . .

2. As I passed by your window,
   you tossed a lemon to me,
   as I passed by your window,
   you tossed a lemon to me;
   the lemon hit me right in the face
   but what hurt most was my heart,
   the lemon hit me right in the face
   but what hurt most was my heart.
   As I passed by your window . . .

3. The lemon has to be green
   in order to paint purple,
   the lemon has to be green
   in order to paint purple;
   and love, if it is to endure
   must also be disguised,
   and love, if it is to endure
   must also be disguised.
   The lemon has to be green . . .

4. (*same as the first verse*)

APPENDIX B

PRONUNCIATION

1. *The Alphabet*

Character	Name	Character	Name	Character	Name
a	*a*	j	*jota*	r	*ere*
b	*be*	k	*ka*	rr	*erre*
c	*ce*	l	*ele*	s	*ese*
ch	*che*	ll	*elle*	t	*te*
d	*de*	m	*eme*	u	*u*
e	*e*	n	*ene*	v	*ve*
f	*efe*	ñ	*eñe*	w	*doble ve*
g	*ge*	o	*o*	x	*equis*
h	*hache*	p	*pe*	y	*i griega*
i	*i*	q	*cu*	z	*zeta*

In addition to the letters used in the English alphabet, **ch, ll, ñ,** and **rr** represent single sounds in Spanish and are considered single letters. In dictionaries and vocabularies, words or syllables which begin with **ch, ll,** and **ñ** follow words or syllables that begin with **c, l,** and **n,** while **rr** is alphabetized as in English. **K** and **w** are not true Spanish letters. They appear only in words from other languages and have the sounds of the foreign language: **Wáshington** (English); **Wágner** (German), *Vágner.* The names of the letters are feminine: **la be,** (*the*) *b;* **la ere,** (*the*) *r.*

2. *Spanish Sounds*

Even though the Spanish alphabet is practically the same as the English, few of the letters have the same sounds in the two languages. It will be necessary, however, to make comparisons between the familiar English sounds and the unfamiliar Spanish sounds in order to show how Spanish is pronounced. The student should, nevertheless, *avoid the use of English sounds* in Spanish words and *imitate good Spanish pronunciation* if he is to acquire for himself good Spanish pronunciation.

Spanish pronunciation is much more uniform than the English. Certain rules govern the pronunciation of letters under practically all conditions. Vowel sounds are clipped short and there is none of the slurring that is so common in English: *so* (*so*ᵘ), *game* (*ga*ⁱ*me*), *fly* (*fly*ᵉ). Spanish consonants are usually not so strongly pronounced as English consonants. Most of them are pronounced farther forward in the mouth, with the tongue close to the upper teeth and gums, and they are never followed by the **h** sound frequently heard in English: *boat* (*boat*ʰ), *ship* (*ship*ʰ).

395

3. *Division of Words into Syllables*

a. A Spanish word has as many syllables as it has vowels, diphthongs, or triphthongs. All syllables end in vowels whenever possible. A single consonant (**ch, ll,** and **rr** are considered single consonants too) is placed with the vowel which follows: a-pa-ra-to, ni-ño, ra-dio, rui-do, no-che, ca-ba-llo, bu-rro.

b. Two consonants are divided unless they are pronounced together: doc-tor, dul-ces, on-da, pier-na, po-si-ble, a-brir. When two consonants are pronounced together, the second of the two is usually **l** or **r**.

c. Combinations of three consonants are usually divided after the first consonant: en-trar, tim-bre, tiem-blo.

4. *Word Stress*

a. The stress of words which end in vowels or in the consonants **n** and **s** falls on the next to the last syllable: ma-*le*-ta, es-*pe*-jo, pan-ta-*lo*-nes, per-*mi*-ten.

b. Words ending in consonants other than **n** and **s** are stressed on the last syllable: doc-*tor*, du-*dar*, co-mer-*cial*, ve-*nid*.

c. Words not pronounced according to these two rules have a written accent on the stressed syllable: *só*-ta-no, pa-*tín*, ja-*más*.

d. The accent mark is also used to show the difference in two words of similar spelling but different meanings. So used, the accent does not change the pronunciation of the word: **dé,** *give* (subjunctive of **dar**), **de,** *of, from;* **mí,** *me,* **mi,** *my;* **té,** *tea,* **te,** *you.*

5. *Vowels*

a is pronounced like *a* in *calm:* ma-*ña*-na, *cá*-ma-ra, *ga*-na
e is pronounced like *e* in *café:* *pe*-na, *be*-so, *me*-tro, pre-fe-*rir*
i (also final **y** and the word **y**) is pronounced like *i* in *machine:* a-*sí*, *dis*-co, *li*-so, *ri*-zo
o is pronounced like *o* in *obey:* *to*-mo, *co*-che, bo-*le*-to
u is pronounced like *oo* in *moon:* *tu*-bo, se-*gu*-ro, *luz*

The vowels **e** and **o** also have sounds like *e* in *get* and *o* in *corn.* These sounds, as in English, generally occur when the **e** and **o** are followed by a consonant in the same syllable: po-*ner*, sor-pren-*der*, es-*mal*-te, *pol*-vos, in-*for*-mes, pin-*tor*. In pronouncing the **e** in **poner** and the **o** in **polvos,** the mouth is opened wider than when pronouncing the **e** in **pena** and the **o** in **tomo.** There is a greater difference in the two sounds of **e** than in the two sounds of **o.**

6. *Consonants*

The consonants **f, l, m, p** are pronounced much as in English: *fal*-ta, en-*fren*-te, pla-*cer*, hos-pi-*tal*, *ma*-pa.

b and **v** are pronounced exactly alike. At the beginning of a word, or after **m** or **n**, the sound is that of a weakly pronounced English *b:* be-*sar*, bu-*zón*, ve-*ci*-no, via-*jar*, *ham*-bre, *som*-bra, en-*viar*. In other positions, particularly between vowels, the sound is much weaker than the English *b*. The lips touch lightly and the breath continues to pass between them. Avoid the English *v* sound. Try to hold a pencil between your lips as you pronounce these words: sa-*ber*, ha-bi-ta-*ción*, *u*-na⌣*bur*-la, ner-*vio*-so, tu-*vie*-ra, o-tra⌣*vez*.

c before **e** and **i**, and **z** (rarely used before **e** or **i**) are pronounced like the English soft *s* in *sale* throughout Spanish America and in southern Spain. In other parts of Spain **c** before **e** and **i**, and **z** are like *th* in *thin:* ha-*cer*, cen-*ta*-vo, *cie*-lo, de-*cir*, go-*zar*.

c before all other letters, and **qu** (found only before **e** and **i**) are like English *c* in *coat:* *cac*-to, con-duc-*tor*, *cur*-so, *cria*-do, fac-tu-*rar*, es-*qui*-na, sa-*qué*.

ch is considered a single letter and is pronounced like English *ch* in *chocolate:* cha-*le*-co, des-*pa*-cho, mu-*cha*-cho.

d is pronounced as follows: (1) At the beginning of a word or following **l** or **n** it is like a weak English *d:* da-*ré*, de-*re*-cho, *di*-go, sal-*drán*, en-ten-*der*. (2) Between vowels and at the end of a word the sound of **d** is softer and is made with the tip of the tongue touching the back of the upper teeth: *ra*-dio, *pue*-de, *pá*-li-do, e-du-ca-*ción*, e-*dad*, pe-*did*.

g before **e** and **i**, and **j** are pronounced like a strong English *h* in *hate:* ge-*ren*-te, in-ge-*nie*-ro, di-ri-*gir*, fi-*jar*, *jue*-go. The letter **x** in **México** and **mexicano** is pronounced like Spanish **j**. (In Spain the words are spelled **Méjico** and **mejicano**.)

g except before **e** and **i**, and **gu** before **e** and **i** are pronounced like a weak English *g* as in *go:* a-pa-*gar*, *gol*-pe, *gran*-de, *lle*-gue, se-*guir*.

gü before **e** is pronounced like English *gw:* ver-*güen*-za, a-ve-ri-*güé*.

h is always silent: *ha*-go, he-*ri*-da, *hi*-jo, *hom*-bre.

ll is considered a single letter and is pronounced like *y* in *yes* in Spanish America and in some sections of Spain, otherwise like *lli* in *million:* ha-*llar*, *lle*-var, a-*llí*, *llu*-via.

n is like English *n*, except before **b, v, m, p**, whether in the same word or in a following word, when it is pronounced like *m:* no-*ti*-cia, en-*can*-to, un⌣*bar*-co, sin⌣*ver*-le, con⌣*mu*-cho⌣*gus*-to.

ñ is like the English *ny* in *canyon:* *se*-ñas, *due*-ño, se-*ñor*.

r, rr. Single **r**, except at the beginning of a word, is pronounced with a single trill produced with the tip of the tongue against the gums and close to the upper teeth: es-ca-*le*-ra, pre-*ci*-so, *car*-ta. Initial single **r** and **rr** are strongly trilled: re-*cre*-o, *ro*-pa, *rum*-ba, co-*rre*-o, fe-rro-ca-*rril*.

s is pronounced like English *s* in *sent*, except before a voiced consonant (such as **b, v, d, g, l, m, n**, whether in a word or between words), when it is pronounced like English *s* in *rose:* in-te-re-*sar*, pre-si-*den*-te, *só*-lo, *mis*-mo, los⌣*dos*.

t, like most Spanish consonants, is pronounced farther forward than in English, with the tip of the tongue touching the upper teeth: ma-*le*-ta, per-ma-*nen*-te, *te*-ma, *pues*-to.

x is pronounced as follows: (1) Before a consonant, like English *s* in *sent* (sometimes like English *cs*): ex-pe-*rien*-cia, ex-pre-*sar*, ex-*tre*-mo. (2) Between vowels, like English *cs:* e-xa-mi-*nar*, é-xi-to. (3) Like English *h* in *halt* in: *Mé*-xi-co, me-xi-*ca*-no.

y at the beginning of a word, and the word **y**, combined with a following vowel, are pronounced like English *y* in *yes*: *ya*, *yen*-do, *yo*, *és*-tos‿*y*‿*o*-tros.

7. *Diphthongs*

When one of the strong vowels **a, e,** or **o** is combined with either of the weak vowels **i** or **u**, or when the weak vowels are combined, the two vowels are pronounced together, giving each one its own sound, but at the same time stressing the strong vowel or the second of the weak vowels. These combinations are called *diphthongs* and are not separated when a word is divided into syllables.

Vowels standing together at the end of one word and the beginning of a following word are usually pronounced as diphthongs. When **i,** or the consonant **y,** precedes another vowel, the **i** is pronounced like the *y* in *yes*. When **u** precedes another vowel it is pronounced like the *w* in *wall*.

Two strong vowels are in separate syllables, and if the weak vowel of a diphthong has a written accent, the letters are in different syllables. An accent on the strong vowel of a diphthong does not separate the vowels; it simply indicates a stressed syllable.

Examples of vowel combinations follow. Note the division into syllables:

ai	*nai*-pes	ia	*via*-je	ae	ca-*er*
ay	*hay*	ya	*ya*	ea	al-*de*-a
ei	pei-*nar*	ie	*nie*-ve	eo	co-*rre*-o
ey	*ley*	ye	*yer*-no	ee	*le*-en
oi	*boi*-na	io	*ra*-dio	oe	o-*es*-te
oy	es-*toy*	yo	*yo*	ío	en-*ví*-o
au	*cau*-sa	ua	guar-*dar*	ía	me-dio-*dí*-a
eu	*deu*-da	ue	*fuer*-te	ió	o-ca-*sión*
ou	*él* o‿*us*-*ted*	uo	a-fec-*tuo*-so	eí	cre-*í*-do
iu	*viu*-do	ui	*huir*	aí	ca-*í*-do
yu	y‿*us*-*ted*	uy	*muy*	ái	es-*táis*

8. *Triphthongs*

A triphthong is a combination of a stressed strong vowel between two weak vowels. It is considered a single syllable. The four combinations are **iai, iei, uai (uay), uei (uey)**: es-tu-*diáis*, cam-*biéis*, con-ti-*nuáis*, U-ru-*guay*, con-ti-*nuéis*, *buey* (ox).

9. *Linking of Words*

In reading and in speaking, Spanish words are linked together as English words are, so that two or more words may sound like one long word. Sounds are linked according to the same rules followed in dividing words into syllables. The sounds of final letters often depend upon the letters which follow and with which they are grouped. Frequently all the words of a short sentence are read together as one word, while the words of a longer sentence are linked in several groups.

El hombre está aquí.	E-*lom*-bre‿es-*tá*‿a-*quí*.
Ella va a buscar un perro.	E-lla‿*va*‿a‿bus-*car*‿um‿*pe*-rro.
¿ Tiene el libro un mapa ?	¿ *Tie*-ne‿el‿*li*-bro‿um‿*ma*-pa ?

PUNCTUATION

Spanish punctuation is much the same as the English. A few differences are: (1) Inverted question marks and exclamation points are placed at the beginning of a question or exclamation. The inverted mark is placed at the actual beginning of the question or exclamation, but not necessarily at the beginning of the sentence.

¿ Bailan Isabel y Felipe ?	*Are Betty and Philip dancing ?*
¡ Qué hombre más guapo !	*What a handsome man !*
Es colombiano, ¿ verdad ?	*He is a Colombian, isn't he ?*

(2) A dash is generally used instead of quotation marks to denote a change of speaker in dialogue. The dash appears at the beginning of each speech, but is omitted at the end.

— ¿ Es Vd. ingeniero ?	*Are you an engineer ?*
— No, señor, soy médico.	*No, sir, I am a doctor.*

(3) If quotation marks are used within a sentence, they are placed on the line, not above the quotation as in English:

María dijo: « Hola, Carlos ».	*Mary said: "Hello, Charles."*
Carlos contestó: « Buenos días, María ».	*Charles answered: "Good morning, Mary."*

CAPITALIZATION

Only proper names and the first word of a sentence begin with capital letters in Spanish. The subject pronoun **yo** (*I* in English), names of months and days of the week, adjectives of nationality and nouns formed from them, and titles are not capitalized. However, when titles are abbreviated, capitals are used as in the last example (**Vd.**=**vuestra merced**, **Sr.**=**señor**).

Dorotea y yo hablábamos.	*Dorothy and I were talking.*
Mañana será martes.	*Tomorrow will be Tuesday.*
Conozco a muchos mexicanos.	*I know many Mexicans.*
No lo tengo, señor López.	*I do not have it, Mr. López.*
¿ Ha visto Vd. al Sr. Pidal ?	*Have you seen Mr. Pidal ?*

APPENDIX C

Cardinal Numerals

0	cero	16	diez y seis	101	ciento un(o), ciento una
1	un(o), una	17	diez y siete	102	ciento dos
2	dos	18	diez y ocho	200	doscientos, –as
3	tres	19	diez y nueve	300	trescientos, –as
4	cuatro	20	veinte	400	cuatrocientos, –as
5	cinco	21	veinte y un(o), –a	500	quinientos, –as
6	seis	22	veinte y dos	600	seiscientos, –as
7	siete	30	treinta	700	setecientos, –as
8	ocho	40	cuarenta	800	ochocientos, –as
9	nueve	50	cincuenta	900	novecientos, –as
10	diez	60	sesenta	1000	mil
11	once	70	setenta	1010	mil diez
12	doce	80	ochenta	2000	dos mil
13	trece	90	noventa	100.000	cien mil
14	catorce	100	cien(to)	1.000.000	un millón (de)
15	quince				

a. **Uno** and numerals ending in **uno** drop **o** before a masculine noun; **una** is used before a feminine noun: **un soldado,** *one soldier;* **treinta y un hombres,** *thirty-one men;* **veinte y una repúblicas,** *twenty-one republics.*

b. **Ciento** becomes **cien** before nouns or the numerals **mil** and **millones**: **cien pesos,** *a (one) hundred dollars;* **cien mil habitantes,** *one hundred thousand inhabitants.* The full form is retained before numerals less than a hundred: **ciento setenta,** *170.*

c. **Un** is regularly not used with **cien(to)** and **mil**: **mil niños,** *1000 children;* however, one must say **ciento un mil habitantes,** *101,000 inhabitants.* **Un** is used with the noun **millón,** which requires **de** when a noun follows: **un millón de pesos.**

d. The hundreds agree with a feminine noun: **doscientas casas,** *200 houses;* **quinientas treinta mujeres,** *530 women.* Counting by hundreds is not carried beyond nine hundred: **mil novecientos sesenta y cinco,** *1965.*

e. Regardless of the English use of *and* in numbers, **y** is regularly used in Spanish only between multiples of ten and numbers less than ten: **diez y ocho,** *18;* **sesenta y tres,** *63;* but **setecientos tres,** *703.*

f. In writing numerals in Spanish a period is regularly used where a comma is used in English, and a comma is used for the decimal point. However, in current commercial practice the English method is often followed.

400

g. From 16 through 19, and 21 through 29 the numerals are often written as one word:

dieciséis	veintiuno (veintiún)	veintiséis
diecisiete	veintidós	veintisiete
dieciocho	veintitrés	veintiocho
diecinueve	veinticuatro	veintinueve
	veinticinco	

Ordinal Numerals

1st	primer(o), –a	4th	cuarto, –a	8th	octavo, –a
2nd	segundo, –a	5th	quinto, –a	9th	noveno, –a
3rd	tercer(o), –a	6th	sexto, –a	10th	décimo, –a
		7th	séptimo, –a		

a. The ordinals agree in gender and number with the nouns they modify. **Primero** and **tercero** drop final –o before a masculine singular noun: **el primer (tercer) viaje,** *the first (third) trip,* but **las primeras flores,** *the first flowers.*

Ordinal numerals may either precede or follow the noun. When a cardinal numeral replaces an ordinal, it follows the noun: **la lección tercera, la tercera lección, la lección tres,** *the third lesson, lesson three.* A cardinal number usually precedes an ordinal when both are used: **las cuatro primeras páginas,** *the first four pages.*

b. With titles, chapters of books, volumes, etc., ordinals are normally used up to and including *tenth;* for higher numbers, cardinals are regularly used. In these cases all numerals follow the noun: **Jorge Quinto,** *George the Fifth;* **el capítulo décimo,** *the tenth chapter;* **el siglo diez y siete,** *the seventeenth century.* With titles of royalty the article is omitted in Spanish.

Months

enero	January	julio	July
febrero	February	agosto	August
marzo	March	septiembre	September
abril	April	octubre	October
mayo	May	noviembre	November
junio	June	diciembre	December

Days of the Week

lunes	Monday	jueves	Thursday
martes	Tuesday	viernes	Friday
miércoles	Wednesday	sábado	Saturday
	domingo	Sunday	

APPENDIX D

I. *Summary of the Uses of the Subjunctive in Noun Clauses*

A. The subjunctive is used after certain verbs when the main verb in the sentence and the dependent verb have different subjects:

1. After verbs of will, such as wishing, asking, commanding, etc. (*See pages 106, 137, 154.*)

aconsejar *to advise*	pedir (i) *to ask*
decir *to tell* (command)	permitir *to permit*
dejar *to let, allow*	preferir (ie, i) *to prefer*
desear *to desire*	prohibir *to forbid*
escribir *to write* (command)	querer *to wish*
insistir (en) *to insist (on)*	recomendar (ie) *to recommend*
mandar *to order*	telefonear *to telephone* (request)

Le han aconsejado que vaya. — *They have advised him to go.*
Les escribiré que lo hagan. — *I shall write them to do it.*
Pídales Vd. que lo prohiban. — *Ask them to forbid it.*

2. After verbs of emotion. (*See page 121.*)

alegrarse de *to be glad to*	ser lástima *to be a pity*
esperar *to hope*	sorprender *to surprise*
sentir (ie, i) *to be sorry*	temer *to fear*
tener miedo de *to be afraid of*	

Esperan que esté aquí. — *They hope that he is here.*
Hemos temido que no vengan. — *We have feared that they won't come.*
Es lástima que no hayan llegado. — *It is a pity they haven't arrived.*

3. After verbs of doubt, belief in the negative, and denial. (*See page 129.*)

dudar *to doubt*	no creer *not to believe*
negar (ie) *to deny*	no estar seguro de *not to be sure of*

Dudamos que lo tengan. — *We doubt that they have it.*
No creen que esté muerto. — *They don't believe he is dead.*
Niega que lo sepamos. — *He denies that we know it.*

4. After impersonal expressions, except those of certainty. (*See page 129.*)

es difícil	*it is difficult*	es necesario ⎱ *it is necessary*	
es extraño	*it is strange*	es preciso ⎰	
es fácil	*it is easy*	es posible	*it is possible*
es importante ⎱ *it is important*		es probable	*it is probable*
importa ⎰		es mejor ⎱ *it is better*	
es imposible	*it is impossible*	más vale ⎰	
es lástima	*it is a pity*		

402

Es posible que lo traiga.	It is possible that he may bring it.
Es probable que lo haya visto.	It is probable that he has seen it.
Importará que yo vaya.	It will be important for me to go.

B. Order of Tenses. In clauses dependent upon a main verb in the present, future, or present perfect tense, or a command, the present or present perfect subjunctive is regularly used. (*See page 186.*)

Quiero ⎫		I want ⎫	
Querré ⎬ que venda la casa.		I shall want ⎬ him to sell the house.	
He querido ⎭		I have wanted ⎭	
Dudo que la hayan vendido.		I doubt that they have sold it.	

C. Ejercicios

a. The numbers of these exercises correspond to the numbers in Section A. Refer to those sections as you give the Spanish sentences in English and the English sentences in Spanish.

1. Insisten en que yo venga. Mi padre les ha pedido que vuelvan mañana. No querremos que Juan haga el viaje.
I want Isabel to buy the dress. Jane has advised her to wait. My mother will permit Jane to go to the dance.

2. Les sorprenderá que Vd. haya llegado. Es lástima que no estén en casa. Temo que hayan salido del teatro.
I regret that my uncle does not know him. I am glad that he has found a good hotel. He hopes that my aunt will be able to come.

3. Dudamos que la película sea buena. Mi hermano niega que él y sus amigos la hayan visto. No creo que él diga la verdad.
George does not believe that Henry and William have gone to Mexico. He denies that they have written to him. I doubt that he knows where they are.

4. Es probable que hayan bailado en la sala de recreo. Es posible que ahora escuchen el fonógrafo. Es importante que yo le hable a Ramón.
It will be necessary for us to go down to the basement (sótano). *It is a pity that the telephone doesn't ring in the recreation room. It will be impossible for them to hear it.*

b. Complete the sentences in Spanish as indicated, referring to Section B.

1. *I insist, I shall insist, I have insisted* en que salgan. 2. *He hopes, he will hope, he has hoped* que yo estudie más. 3. *We do not believe, we shall not believe, we haven't believed* que sean ricos. 4. *It is possible, it will be possible, it has been possible* que Carlos lave el coche. 5. *We fear, we have feared* que hayan comprado otra maleta.

II. *The Uses of the Subjunctive in Adjective and Adverbial Clauses*

A. The subjunctive is required in adjective clauses:

1. When the antecedent of the clause is indefinite. (*See pages 162, 228.*)

Quiero una criada que trabaje.	*I want a maid who will work.*
Busco una que sea inglesa.	*I am looking for one who is English.*
But: **Tengo una que habla español.**	*I have one who speaks Spanish.*

2. When the antecedent of the clause is negative. (*See page 162.*)

No hace nada que nos interese.	*He does nothing that interests us.*
No vemos a nadie que escuche.	*We see no one who is listening.*

B. The subjunctive is used in adverbial clauses:

1. Following such conjunctions as **antes (de) que**, *before;* **cuando**, *when;* **en cuanto**, *as soon as;* **después que**, *after;* **hasta que**, *until;* **mientras (que)**, *while, as long as,* when the clause indicates indefinite future time. **Antes (de) que** is always followed by the subjunctive. (*See page 169.*)

Esperaré hasta que lleguen.	*I shall stay until they arrive.*
¿ Estará aquí cuando vuelva yo ?	*Will he be here when I return ?*
But: **Estaba aquí cuando volví.**	*He was here when I returned.*

2. After **para que**, *in order that,* and after **de modo que** and **de manera que**, *so that,* in clauses which express purpose. However, the indicative is used after **de modo (manera) que** when result is indicated. The subjunctive is used after **aunque**, *even though, although,* when uncertainty is implied or the action is yet to happen, and the indicative when a fact is expressed. (*See pages 169–170.*)

Venga Vd. para que lo usen.	*Come in order that they may use it.*
Fuimos de modo que las viera.	*We went so that he might see them.*
Aunque llueva, saldré esta noche.	*Even though it may rain, I shall leave tonight.*
But: **Aunque vino, no le vi.**	*Although he came, I didn't see him.*
Habló de modo que le oí.	*He spoke so that I heard him.*

3. Always after the conjunctions **sin que**, *without;* **con tal que**, *provided that;* **a menos que**, *unless.* (*See page 170.*)

Iré con tal que ella cante.	*I shall go provided that she sings.*
No lo diré a menos que insistan.	*I shall not tell it unless they insist.*

4. In conditional sentences. If the action is contrary to fact in the present time, or if it indicates something unlikely to occur in the future, the imperfect subjunctive is used in the *if*-clause and the conditional indicative is used in the conclusion. To express conditions contrary to fact in the past, the pluperfect

subjunctive is used in the *if*-clause and the conditional perfect indicative is used in the conclusion. (*See pages 193–194.*)

Si lo tuviese, lo usaría.	*If he had it, he would use it.*
Si vinieran, me visitarían.	*If they should (were to) come, they would visit me.*
Si hubiera ido, lo habría visto.	*If he had gone, he would have seen it.*

C. Order of Tenses (*continued*)

1. In clauses dependent upon a main verb in the imperfect, preterite, conditional, or pluperfect tense, the imperfect or pluperfect subjunctive is used. (*See page 186.*)

Prefería	*He preferred*	
Recomendó	*He recommended*	
Insistiría en } **que vinieran.**	*He would insist* } *that they come.*	
Había pedido	*He had asked*	
Negó que lo hubieran visto.	*He denied that they had seen it.*	

2. The imperfect (or present perfect) subjunctive may follow the present or future tense when, as in English, the action of the clause takes place in the past. (*See page 186.*) Remember, however, that the present subjunctive never follows a main verb in one of the past tenses.

Espero que él la viera.	*I hope that he saw her.*
Dudo que se haya dormido.	*I doubt that he has gone to sleep.*

D. Ejercicios

a. Translate each set of sentences, referring to Section A, 1, 2:

1. Deseo un coche que tenga llantas nuevas. Buscaré uno que no use mucha gasolina. Mi tío necesitaba uno que mis primos pudieran usar.

My father hopes to find a house that is comfortable. My mother insists on buying one that has three bathrooms. My sister and I hoped to have one that had a recreation room in the basement.

2. Juan y Carlos no compraron nada que me interesara. No vieron a nadie que hubiera visto el partido de fútbol. No había ninguna película que quisiesen ver.

There was no one here who knew him. He was not selling anything that we wanted to buy. We did not have any old suits that we could give him.

b. Translate and explain each use of the subjunctive. Refer to Section B:

1. Déme Vd. el periódico antes de que él llegue. Cuando entre, estaré leyéndolo. En cuanto salga, se lo daré.

You will read it while I am writing. After you have read it, I shall take it. I shall not want it until we return home.

2. Roberto fue a la peluquería para que el peluquero le cortase el pelo. Su padre le acompañó de modo que alguien le afeitase. Enrique dijo que seguiría hasta la esquina aunque el limpiabotas no estuviera allí.

Mary entered the store so that her mother might see the watch that she had bought. Her mother had gone there in order that they might show her some dresses and shoes. She wanted Mary to wait even though it might be late.

3. ¿ Entró Vd. sin que la criada le oyera ? Ella nunca me abre la puerta a menos que yo toque el timbre. Ella trabaja bien con tal que yo le diga lo que debe hacer.

She is a good maid, although you may believe that she doesn't clean the kitchen well. Unless I ask her to go to the store, she never leaves the house. I don't do anything without her helping me.

4. Si hubieses comprado un traje de baño, habríamos podido ir al lago. Si yo tuviese uno nuevo,[1] preferiría bañarme en el río. No le gustaría a mi padre si yo fuese al río.

If Richard were here, Dad would let us take the car. Then, if we had enough money, we could buy gasoline. If Caroline and Jane were not busy, we would invite them to take a ride with us.

c. Complete:

1. *I was hoping, I denied, I should prefer, I had insisted* que vivieran aquí. 2. María *was looking for, looked for, would look for, had looked for* un sombrero que no costara mucho. 3. Ella no tenía ninguno que ella *would wear, had worn.* 4. Dorotea teme que Juan *did not come, has not come.* 5. Nos alegramos de que Vd. *wrote the letter, have written it.*

III. *Other Uses of the Subjunctive*

A. Uses of the Subjunctive as the Main Verb in a Sentence

1. In all formal commands (*see page 97*) and in negative familiar commands (*see page 219*):

Cómprelo Vd.	*Buy it.*
No nos los vendan Vds.	*Do not sell them to us.*
No le busques (tú).	*Don't look for him.*

2. In indirect commands (*see pages 153-154*):

Hagámoslo ahora.	*Let's do it now.*
Que entren pronto.	*May they come in soon.*
Que me lo diga Juan.	*Let John tell it to me.*

3. After ¡ **ojalá (que)** ! to show a strong wish unlikely to be fulfilled (*see page 202*):

¡ **Ojalá que viniese !**	*Would that he might come!*
¡ **Ojalá que no lo hubiese visto !**	*Would that he had not seen it!*

[1] uno nuevo, *a new one.*

4. After **tal vez** and **quizá(s)** when the sentence carries the idea of uncertainty (*see page 202*):

Tal vez Juan pueda hacerlo.	*Perhaps John can do it.*
Quizás hayan llegado.	*Perhaps they have arrived.*

5. To show a mild possibility, obligation, or wish by the use of the –ra form of the imperfect subjunctive of **deber, poder,** and **querer** (*see page 202*):

Debiéramos visitarla.	*We should (ought to) visit her.*
Ella pudiera venir.	*She could come.*
Yo quisiera ir con ellos.	*I should like to go with them.*

B. Ejercicios

a. Refer to the corresponding section in A as you translate the following sentences:

1. Pasen Vds. Siéntense Vds. aquí. Isabel, no sirvas el té ahora. Señores, no se pongan el sombrero todavía. Salgan Vds. por esta puerta y vuelvan muy pronto.

Mr. Salas, get on this bus. Do not sit (down) there. Give me your packages, sir. Do not insist on taking them, Charles. Follow us, Mr. Salas, and get off at the corner.

2. Hablemos un poco y luego acostémonos. No nos levantemos hasta las diez. Que Marta ayude a mamá con el desayuno y que la criada lave todos los platos.

Let's make the beds first. Let Dorothy clean the bathroom and let Caroline set the table. Let's not go to the movie. Let's play in the patio. Let's not sit down yet.

3. ¡ Ojalá que ella hubiese estado aquí ayer ! ¡ Ojalá que estuviese aquí ahora ! ¡ Ojalá que se quedase hasta el lunes !

Would that my father had not become ill! Would that my mother might return at once! Would that I knew more!

4. Tal vez ella no tenga hermanos. Quizás sea la única hija de los señores López. Tal vez ella piense acompañarlos a la Florida.

Perhaps they will visit their friends. Perhaps they will make a short trip to Mexico. Perhaps they may return by plane.

5. Yo quisiera visitar a mi abuela esta tarde. Yo pudiera ir por un rato, pero debiera estar en casa para las tres y media.

The maid would like to leave then. My aunt should be at home when her son returns from school. She could take a taxi but it costs a great deal.

b. Review the familiar commands (*see pages 219–220*), then express each of the following as a singular and plural familiar command, then as a singular formal command:

1. (Decir) la verdad. 2. (Sentarse) aquí. 3. No (irse) todavía. 4. No (ponerse) triste.

APPENDIX E

The Definite and Indefinite Articles

I. The definite article is used in Spanish:

a. With nouns in a general sense, indicating a whole class:

Ella no asistía a las fiestas.	*She didn't attend festivals.*
Nos gusta la música española.	*We like Spanish music.*

b. With abstract nouns:

la juventud, el arte	*youth, art*
Cedió a la tentación.	*He yielded to temptation.*

c. With proper names and names of places when modified, and with titles, except in direct address:

El tío Cándido volvió a casa.	*Uncle Candid returned home.*
Conocemos la España moderna.	*We know modern Spain.*
El capitán Blanco viene.	*Captain White is coming.*
But: Buenos días, señor Pidal.	*Good morning, Mr. Pidal.*

Note that the titles **don, doña, san, santo, santa** do not require the definite article.

d. With days of the week, dates, seasons, meals, hours of the day, and with expressions of time that have modifiers:

Lo perdió el jueves.	*He lost it (on) Thursday.*
Se casaron el quince.	*They were married the fifteenth.*
Hace frío en el invierno.	*It is cold in winter.*
Dieron las cuatro.	*It struck four o'clock.*
Vine la semana pasada.	*I came last week.*

e. Instead of the possessive adjective with parts of the body, articles of clothing, and other things closely associated with a person:

Ella abrió la boca.	*She opened her mouth.*
Tiene el pelo negro.	*He has black hair (His hair is black).*
Se pusieron los zapatos.	*They put on their shoes.*
Perdió el reloj.	*He lost his watch.*

f. With the name of a language, except after **de** and **en** and directly after **hablar**:

El español es interesante.	*Spanish is interesting.*
But: No habla portugués.	*He doesn't speak Portuguese.*
Están escritas en francés.	*They are written in French.*

g. Frequently with an infinitive used as subject of a sentence, particularly when it begins the sentence:

El viajar vale mucho.	*Traveling is worth much.*

408

h. Instead of a demonstrative before **de** and **que**:

Mi casa y la de Carlos.	*My house and that of Charles.*
Los que Vd. tiene son míos.	*Those which you have are mine.*

i. With adjectives to form nouns:

El joven no me conoce.	*The young man doesn't know me.*
Ella prefiere la roja.	*She prefers the red one.*

j. With nouns of rate, weight, and measure (English uses the indefinite article):

Cuestan diez dólares el par.	*They cost ten dollars a pair.*
Pagué sesenta centavos la docena.	*I paid sixty cents a dozen.*

k. With names of rivers and mountains, and of certain countries and cities, forming a part of the name:

el Perú	*Peru*	**la Habana**	*Havana*
la Argentina	*Argentina*	**el Amazonas**	*the Amazon*

l. In certain set phrases:

en (a) la escuela	*in, at (to) school*
a los dos años	*after (in) two years*

m. The article **el** is used for **la** before feminine nouns which begin with stressed **a–** or **ha–**:

el hambre, el águila	*hunger, the eagle*
But: **las aguas**	*the waters*

II. The neuter article **lo** is used:

a. With adjectives, adverbs, and past participles used as adjectives, to form an expression almost equivalent to an abstract noun:

Lo malo es que no viene.	*What is bad (The bad thing) is that he isn't coming.*
Hicieron lo contrario.	*They did the opposite.*
Lea Vd. lo escrito.	*Read what is written.*

b. With adverbs expressing possibility, and with certain adjectives and adverbs to form set phrases:

Haré lo mejor posible.	*I'll do the best I possibly can.*
a lo lejos	*in the distance*

c. With an adjective or adverb plus **que** to mean *how:*

Vd. no sabe lo contentos que están.	*You don't know how pleased they are.*

III. The definite article is omitted:

a. Before titles in direct address, and the titles **don, doña, san, santo,** and **santa:**

Señor Salas, ¿ dónde está San Luis ?   *Mr. Salas, where is Saint Louis?*

b. Before nouns in apposition, when identification or distinction is not stressed:

Madrid, capital de España, es una ciudad grande.	*Madrid, the capital of Spain, is a large city.*
But: **Madrid, la ciudad que visité, es grande.**	*Madrid, the city I visited, is large.*

c. In many prepositional phrases, especially after **a, con, de, en:**

en casa, con calma, de noche   *at home, calmly, at night*

d. With days of the week after **ser,** and with titles of rulers, etc.:

Hoy es viernes.	*Today is Friday.*
Jorge Sexto (VI)	*George the Sixth*

Supply the definite article, if necessary:

1. Desean —— paz. 2. Nos gusta —— música. 3. Está escrito en —— español. 4. Se lavan —— manos. 5. Eran —— siete de la mañana. 6. Buenos días, —— señorita Pidal. 7. Saldrán —— domingo. 8. Vivían en —— Argentina. 9. —— águila volaba sobre las montañas. 10. Pagué diez dólares —— par. 11. Es de —— San Francisco. 12. —— bueno es que lo sabe. 13. Ella no sabe —— cansados que estamos. 14. —— jóvenes ya han llegado. 15. Vendrán —— semana próxima.

IV. The indefinite article **un, una,** *a, an,* is usually omitted in Spanish in the following instances, even though it may be a part of the English meaning:

a. With an *unmodified* predicate noun which shows rank, profession, or nationality:

Era natural de Carmona.	*He was a native of Carmona.*
But: **Luis era un buen médico.**	*Louis was a good doctor.*

b. In an unemphatic negative sentence:

No tenía hijo.	*He didn't have a son (He had no son).*
Volvió a casa sin burro.	*He returned home without a burro.*

c. With such adjectives as **cien(to), cierto, medio, mil, otro, tal:**

Cierto estudiante le vio.	*A certain student saw him.*
Compró otro burro.	*He bought another burro.*

d. With **qué** in exclamations and with **como** or **de** meaning *as (a)*:

¡ Qué sorpresa !	*What a surprise!*
Ella sirve de criada.	*She serves as a maid.*
Han quedado como refrán.	*They have remained as a proverb.*

e. With nouns in apposition if they do not add emphasis:

El tío Cándido, natural de Carmona.	*Uncle Candid, a native of Carmona.*

f. In many prepositional phrases:

Me vi convertido en burro.	*I was changed into a donkey.*
en forma de burro	*in the form (shape) of a donkey*
en voz baja	*in a low voice*

APPENDIX F

1. *Regular Verbs*

INFINITIVE

tomar, *to take* **comer**, *to eat* **vivir**, *to live*

PRESENT PARTICIPLE

tomando, *taking* **comiendo**, *eating* **viviendo**, *living*

PAST PARTICIPLE

tomado, *taken* **comido**, *eaten* **vivido**, *lived*

THE SIMPLE TENSES

INDICATIVE MOOD

PRESENT

I take, do take, am taking, etc.	*I eat, do eat, am eating, etc.*	*I live, do live, am living, etc.*
tomo	como	vivo
tomas	comes	vives
toma	come	vive
tomamos	comemos	vivimos
tomáis	coméis	vivís
toman	comen	viven

IMPERFECT

I was taking, used to take, took, etc.	*I was eating, used to eat, ate, etc.*	*I was living, used to live, lived, etc.*
tomaba	comía	vivía
tomabas	comías	vivías
tomaba	comía	vivía
tomábamos	comíamos	vivíamos
tomabais	comíais	vivíais
tomaban	comían	vivían

PRETERITE

I took, did take, etc.	*I ate, did eat, etc.*	*I lived, did live, etc.*
tomé	comí	viví
tomaste	comiste	viviste
tomó	comió	vivió
tomamos	comimos	vivimos
tomasteis	comisteis	vivisteis
tomaron	comieron	vivieron

FUTURE

I shall (will) take, etc.	*I shall (will) eat, etc.*	*I shall (will) live, etc.*
tomaré	comeré	viviré
tomarás	comerás	vivirás
tomará	comerá	vivirá
tomaremos	comeremos	viviremos
tomaréis	comeréis	viviréis
tomarán	comerán	vivirán

CONDITIONAL

I should (would) take	*I should (would) eat*	*I should (would) live*
tomaría	comería	viviría
tomarías	comerías	vivirías
tomaría	comería	viviría
tomaríamos	comeríamos	viviríamos
tomaríais	comeríais	viviríais
tomarían	comerían	vivirían

SUBJUNCTIVE MOOD

PRESENT

(that) I may take, etc.	*(that) I may eat, etc.*	*(that) I may live, etc.*
tome	coma	viva
tomes	comas	vivas
tome	coma	viva
tomemos	comamos	vivamos
toméis	comáis	viváis
tomen	coman	vivan

—ra IMPERFECT

(that) I might take, etc.	*(that) I might eat, etc.*	*(that) I might live, etc.*
tomara	comiera	viviera
tomaras	comieras	vivieras
tomara	comiera	viviera
tomáramos	comiéramos	viviéramos
tomarais	comierais	vivierais
tomaran	comieran	vivieran

−se IMPERFECT [1]

(*that*) *I might take, etc.*	(*that*) *I might eat, etc.*	(*that*) *I might live, etc.*
tomase	comiese	viviese
tomases	comieses	vivieses
tomase	comiese	viviese
tomásemos	comiésemos	viviésemos
tomaseis	comieseis	vivieseis
tomasen	comiesen	viviesen

IMPERATIVE

take	*eat*	*live*
toma (tú)	come (tú)	vive (tú)
tomad (vosotros)	comed (vosotros)	vivid (vosotros)

THE COMPOUND TENSES

PERFECT INFINITIVE

haber tomado (comido, vivido), *to have taken (eaten, lived)*

PERFECT PARTICIPLE

habiendo tomado (comido, vivido), *having taken (eaten, lived)*

INDICATIVE MOOD

PRESENT PERFECT	PLUPERFECT	PRETERITE PERFECT
I have taken, eaten, lived, etc.	*I had taken, eaten, lived, etc.*	*I had taken, eaten, lived, etc.*

he	había	hube
has	habías	hubiste
ha — tomado	había — tomado	hubo — tomado
hemos — comido	habíamos — comido	hubimos — comido
habéis — vivido	habíais — vivido	hubisteis — vivido
han	habían	hubieron

[1] There is also a future subjunctive, used rarely today except in proverbs, legal documents, etc. The forms for **tomar** are: **tomare, tomares, tomare, tomáremos, tomareis, tomaren**; for **comer: comiere, comieres, comiere, comiéremos, comiereis, comieren**; and for **vivir: viviere, vivieres, viviere, viviéremos, viviereis, vivieren.** The present subjunctive has largely replaced this tense.

FUTURE PERFECT

I shall (will) have taken, etc.

habré
habrás
habrá ⎫
habremos ⎬ tomado
habréis ⎮ comido
habrán ⎭ vivido

CONDITIONAL PERFECT

I should (would) have taken, etc.

habría
habrías
habría ⎫
habríamos ⎬ tomado
habríais ⎮ comido
habrían ⎭ vivido

SUBJUNCTIVE MOOD

PRESENT PERFECT

(that) I may have taken, etc.

haya
hayas
haya ⎫
hayamos ⎬ tomado
hayáis ⎮ comido
hayan ⎭ vivido

−ra AND −se PLUPERFECT

(that) I might have taken, etc.

hubiera *or* hubiese
hubieras *or* hubieses
hubiera *or* hubiese ⎫
hubiéramos *or* hubiésemos ⎬ tomado
hubierais *or* hubieseis ⎮ comido
hubieran *or* hubiesen ⎭ vivido

IRREGULAR PAST PARTICIPLES OF REGULAR VERBS

abrir:	**abierto**	descubrir:	**descubierto**
cubrir:	**cubierto**	escribir:	**escrito**
describir:	**descrito**	romper:	**roto**

2. Comments Concerning Forms of Verbs

a. From five forms (infinitive, present participle, past participle, first person singular present indicative, and third person plural preterite) all other forms may be derived.

b. The first and second persons plural of the present indicative of all verbs are regular except in the cases of **haber, ir, ser.**

c. The third person plural is formed by adding −n to the third person singular in all tenses except the preterite and in the present indicative of **ser.**

d. All familiar forms (second person singular and plural) end in −s, except the second person singular preterite and the imperative.

e. The imperfect indicative is regular in all verbs except ir (**iba**), ser (**era**), ver (**veía**).

f. If the first person singular preterite ends in unaccented −e, the third person singular ends in unaccented −o; the other endings are regular, except that after j the ending for the third person plural is −**eron**. Eight verbs of this group, excluding those which end in −**ducir**, have a u-stem preterite (**andar, caber, estar, haber, poder, poner, saber, tener**); four have an i-stem (**decir, hacer, querer, venir**); **traer** has a regular stem with the above endings. **Ir** and **ser** have the same preterite, while **dar** has second-conjugation endings in this tense.

g. The conditional always has the same stem as the future. Only twelve verbs have irregular stems in these tenses. Five drop **e** of the infinitive ending (**caber, haber, poder, querer, saber**); five drop **e** or **i** and insert **d** (**poner, salir, tener, valer, venir**); and two (**decir, hacer**) retain the Old Spanish stems **dir–, har–**.

h. The stem of the present subjunctive of all verbs is the same as that of the first person singular present indicative, except for the verbs **dar, estar, haber, ir, saber, ser.**

infinitive decir	*pres. part.* diciendo	*past part.* dicho	*pres. ind.* digo	*preterite* dijeron
imp. ind. decía *future* diré *conditional* diría	*progressive tenses* estoy, *etc.* diciendo	*compound tenses* he, *etc.* dicho	*pres. subj.* diga *imperative* di decid	*imp. subj.* dijera dijese

i. The imperfect subjunctive of all verbs is formed by dropping **–ron** of the third plural preterite and adding the **–ra** or **–se** endings.

j. The singular imperative is the same in form as the third person singular present indicative, except in the case of ten verbs (**decir, di; haber, he; hacer, haz; ir, ve; poner, pon; salir, sal; ser, sé; tener, ten; valer, val (vale); venir, ven**). The plural imperative is always formed by dropping final **–r** of the infinitive and adding **–d.**

k. The compound tenses of all verbs are formed by using the various tenses of the auxiliary **haber** with the past participle.

3. *Irregular Verbs*

(Participles are given with the infinitive; tenses not listed are regular; the infinitive and irregular forms appear in heavy type.)

1. **andar,** andando, andado, *to go, walk*

PRETERITE **anduve anduviste anduvo anduvimos anduvisteis anduvieron**
IMP. SUBJ. **anduviera,** etc.   **anduviese,** etc.

2. **caber,** cabiendo, cabido, *to fit, be contained in*

PRES. IND. **quepo** cabes cabe cabemos cabéis caben
PRES. SUBJ. **quepa quepas quepa quepamos quepáis quepan**
FUTURE **cabré cabrás,** etc.   COND. **cabría cabrías,** etc.
PRETERITE **cupe cupiste cupo cupimos cupisteis cupieron**
IMP. SUBJ. **cupiera,** etc.   **cupiese,** etc.

3. **caer, cayendo, caído,** *to fall*

PRES. IND.	**caigo**	caes	cae	caemos	caéis caen
PRES. SUBJ.	**caiga caigas caiga caigamos caigáis caigan**
PRETERITE	caí	caíste	**cayó**	caímos	caísteis **cayeron**
IMP. SUBJ.	**cayera,** etc.				**cayese,** etc.

4. **dar,** dando, dado, *to give*

PRES. IND.	**doy** das da damos dais dan
PRES. SUBJ.	**dé** des **dé** demos deis den
PRETERITE	**di diste dio dimos disteis dieron**
IMP. SUBJ.	**diera,** etc.				**diese,** etc.

5. **decir, diciendo, dicho,** *to say, tell*

PRES. IND.	**digo dices dice** decimos decís **dicen**
PRES. SUBJ.	**diga digas diga digamos digáis digan**
IMPERATIVE	**di**		decid
FUTURE	**diré dirás,** etc.	COND. **diría dirías,** etc.
PRETERITE	**dije dijiste dijo dijimos dijisteis dijeron**
IMP. SUBJ.	**dijera,** etc.		**dijese,** etc.

Like **decir:** bendecir, *to bless;* maldecir, *to put a curse on.*

6. **estar,** estando, estado, *to be*

PRES. IND.	**estoy estás está** estamos estáis **están**
PRES. SUBJ.	**esté estés esté** estemos estéis **estén**
PRETERITE	**estuve estuviste estuvo estuvimos estuvisteis estuvieron**
IMP. SUBJ.	**estuviera,** etc. **estuviese,** etc.

7. **haber,** habiendo, habido, *to have* (auxiliary)

PRES. IND.	**he has ha hemos** habéis **han**
PRES. SUBJ.	**haya hayas haya hayamos hayáis hayan**
IMPERATIVE	**he** habed
FUTURE	**habré habrás,** etc. COND. **habría habrías,** etc.
PRETERITE	**hube hubiste hubo hubimos hubisteis hubieron**
IMP. SUBJ.	**hubiera,** etc. **hubiese,** etc.

8. **hacer,** haciendo, **hecho,** *to do, make*

PRES. IND.	**hago** haces hace hacemos hacéis hacen
PRES. SUBJ.	**haga hagas haga hagamos hagáis hagan**
IMPERATIVE	**haz** haced
FUTURE	**haré harás,** etc. COND. **haría harías,** etc.
PRETERITE	**hice hiciste hizo hicimos hicisteis hicieron**
IMP. SUBJ.	**hiciera,** etc. **hiciese,** etc.

Like **hacer:** satisfacer, *to satisfy.*

9. **ir, yendo,** ido, *to go*

PRES. IND.	**voy vas va vamos vais van**
PRES. SUBJ.	**vaya vayas vaya vayamos vayáis vayan**
IMPERATIVE	**ve** id

IMP. IND.	iba ibas iba íbamos ibais iban
PRETERITE	fui fuiste fue fuimos fuisteis fueron
IMP. SUBJ.	fuera, etc.　　　　　　　　　fuese, etc.

10. oír, oyendo, oído, *to hear*

PRES. IND.	oigo oyes oye oímos oís oyen
PRES. SUBJ.	oiga oigas oiga oigamos oigáis oigan
PRETERITE	oí oíste oyó oímos oísteis oyeron
IMP. SUBJ.	oyera, etc.　　　　　　　　　oyese, etc.

11. poder, pudiendo, podido, *to be able*

PRES. IND.	puedo puedes puede podemos podéis pueden
PRES. SUBJ.	pueda puedas pueda podamos podáis puedan
FUTURE	podré podrás, etc.　　　COND. podría podrías, etc.
PRETERITE	pude pudiste pudo pudimos pudisteis pudieron
IMP. SUBJ.	pudiera, etc.　　　　　　　pudiese, etc.

12. poner, poniendo, puesto, *to put, place*

PRES. IND.	pongo pones pone ponemos ponéis ponen
PRES. SUBJ.	ponga pongas ponga pongamos pongáis pongan
IMPERATIVE	pon　　　　　　　　　　poned
FUTURE	pondré pondrás, etc.　　COND. pondría pondrías, etc.
PRETERITE	puse pusiste puso pusimos pusisteis pusieron
IMP. SUBJ.	pusiera, etc.　　　　　　　pusiese, etc.

Like **poner:** componer, *to compose;* disponer, *to dispose;* exponer, *to expose;* imponer, *to impose;* oponer, *to oppose;* proponer, *to propose;* suponer, *to suppose.*

13. querer, queriendo, querido, *to wish, want*

PRES. IND.	quiero quieres quiere queremos queréis quieren
PRES. SUBJ.	quiera quieras quiera queramos queráis quieran
FUTURE	querré querrás, etc.　　COND. querría querrías, etc.
PRETERITE	quise quisiste quiso quisimos quisisteis quisieron
IMP. SUBJ.	quisiera, etc.　　　　　　quisiese, etc.

14. saber, sabiendo, sabido, *to know*

PRES. IND.	sé sabes sabe sabemos sabéis saben
PRES. SUBJ.	sepa sepas sepa sepamos sepáis sepan
FUTURE	sabré sabrás, etc.　　COND. sabría sabrías, etc.
PRETERITE	supe supiste supo supimos supisteis supieron
IMP. SUBJ.	supiera, etc.　　　　　　supiese, etc.

15. salir, saliendo, salido, *to go out, leave*

PRES. IND.	salgo sales sale salimos salís salen
PRES. SUBJ.	salga salgas salga salgamos salgáis salgan
IMPERATIVE	sal　　　　　　　　　salid
FUTURE	saldré saldrás, etc.　　COND. saldría saldrías, etc.

16. ser, siendo, sido, *to be*

PRES. IND.	soy eres es somos sois son
PRES. SUBJ.	sea seas sea seamos seáis sean

IMPERATIVE	**sé**				sed	
IMP. IND.	**era**	**eras**	**era**	**éramos**	**erais**	**eran**
PRETERITE	**fui**	**fuiste**	**fue**	**fuimos**	**fuisteis**	**fueron**
IMP. SUBJ.	**fuera,** etc.				**fuese,** etc.	

17. **tener,** teniendo, tenido, *to have*

PRES. IND.	**tengo**	**tienes**	**tiene**	tenemos	tenéis	**tienen**
PRES. SUBJ.	**tenga**	**tengas**	**tenga**	**tengamos**	**tengáis**	**tengan**
IMPERATIVE	**ten**				tened	
FUTURE	**tendré**	**tendrás,** etc.		COND.	**tendría**	**tendrías,** etc.
PRETERITE	**tuve**	**tuviste**	**tuvo**	**tuvimos**	**tuvisteis**	**tuvieron**
IMP. SUBJ.	**tuviera,** etc.				**tuviese,** etc.	

Like **tener:** contener, *to contain;* detener, *to stop;* obtener, *to obtain;* sostener, *to support.*

18. **traer, trayendo, traído,** *to bring*

PRES. IND.	**traigo**	traes	trae	traemos	traéis	traen
PRES. SUBJ.	**traiga**	**traigas**	**traiga**	**traigamos**	**traigáis**	**traigan**
PRETERITE	**traje**	**trajiste**	**trajo**	**trajimos**	**trajisteis**	**trajeron**
IMP. SUBJ.	**trajera,** etc.				**trajese,** etc.	

Like **traer:** atraer, *to attract.*

19. **valer,** valiendo, valido, *to be worth*

PRES. IND.	**valgo**	vales	vale	valemos	valéis	valen
PRES. SUBJ.	**valga**	**valgas**	**valga**	**valgamos**	**valgáis**	**valgan**
IMPERATIVE	**val (vale)**				valed	
FUTURE	**valdré**	**valdrás,** etc.		COND.	**valdría**	**valdrías,** etc.

20. **venir, viniendo,** venido, *to come*

PRES. IND.	**vengo**	**vienes**	**viene**	venimos	venís	**vienen**
PRES. SUBJ.	**venga**	**vengas**	**venga**	**vengamos**	**vengáis**	**vengan**
IMPERATIVE	**ven**				venid	
FUTURE	**vendré**	**vendrás,** etc.		COND.	**vendría**	**vendrías,** etc.
PRETERITE	**vine**	**viniste**	**vino**	**vinimos**	**vinisteis**	**vinieron**
IMP. SUBJ.	**viniera,** etc.				**viniese,** etc.	

Like **venir:** convenir, *to suit, be fitting.*

21. **ver, viendo, visto,** *to see*

PRES. IND.	**veo**	ves	ve	vemos	veis	ven
PRES. SUBJ.	**vea**	**veas**	**vea**	**veamos**	**veáis**	**vean**
PRETERITE	**vi**	viste	**vio**	vimos	visteis	vieron
IMP. IND.	**veía**	**veías**	**veía**	**veíamos**	**veíais**	**veían**

4. *Verbs with Changes in Spelling*

Changes in spelling are required in certain verbs in order to preserve the sound of the final consonant of the stem. The changes occur in only seven forms: in the first four types on the following page the change is in the first person singular preterite, and in the remaining types in the first person singular present indicative, while all types change throughout the present subjunctive.

a. Verbs ending in –**car** change **c** to **qu** before **e**: **buscar,** *to look for.*

PRETERITE **busqué** buscaste buscó, etc.
PRES. SUBJ. **busque busques busque busquemos busquéis busquen**

Like **buscar:** acercarse, *to approach;* ahorcar, *to hang;* aplicar, *to apply;* arrancar, *to tear out;* atacar, *to attack;* certificar, *to register;* colocar, *to place;* convocar, *to call together;* embarcarse, *to embark;* equivocarse, *to be mistaken;* explicar, *to explain;* indicar, *to indicate;* multiplicar, *to multiply;* platicar, *to chat;* practicar, *to practice;* predicar, *to preach;* provocar, *to provoke;* publicar, *to publish;* sacar, *to take out;* tocar, *to play* (music).

b. Verbs ending in –**gar** change **g** to **gu** before **e**: **llegar,** *to arrive.*

PRETERITE **llegué** llegaste llegó, etc.
PRES. SUBJ. **llegue llegues llegue lleguemos lleguéis lleguen**

Like **llegar:** apagar, *to put out;* arrugar, *to wrinkle;* cargar, *to carry;* colgar, *to hang;* descargar, *to discharge;* encargar, *to order;* entregar, *to deliver;* jugar (ue),[1] *to play* (a game); navegar, *to sail;* negar (ie), *to deny;* obligar, *to oblige;* pagar, *to pay for;* pegar, *to stick;* regar (ie), *to irrigate;* rogar (ue), *to ask, beg;* vengar, *to avenge.*

c. Verbs ending in –**zar** change **z** to **c** before **e**: **gozar,** *to enjoy.*

PRETERITE **gocé** gozaste gozó, etc.
PRES. SUBJ. **goce goces goce gocemos gocéis gocen**

Like **gozar:** abalanzarse, *to rush;* abrazar, *to embrace;* alcanzar, *to overtake;* almorzar (ue), *to take lunch;* alzar, *to raise;* analizar, *to analyze;* avanzar, *to advance;* bostezar, *to yawn;* colonizar, *to colonize;* comenzar (ie), *to commence;* cruzar, *to cross;* empezar (ie), *to begin;* forzar, *to force;* lanzar, *to hurl;* organizar, *to organize;* realizar, *to carry out;* sintonizar, *to tune in.*

d. Verbs ending in –**guar** change **gu** to **gü** before **e**: **averiguar,** *to find out.*

PRETERITE **averigüé** averiguaste averiguó, etc.
PRES. SUBJ. **averigüe averigües averigüe averigüemos averigüéis averigüen**

Like **averiguar:** atestiguar, *to bear witness to.*

e. Verbs ending in –**ger** or –**gir** change **g** to **j** before **a** and **o**: **coger,** *to catch.*

PRES. IND. **cojo** coges coge, etc.
PRES. SUBJ. **coja cojas coja cojamos cojáis cojan**

Like **coger:** afligirse, *to worry;* dirigir, *to direct;* encogerse, *to shrug;* escoger, *to choose;* exigir, *to demand;* fingir, *to pretend;* recoger, *to pick up.*

f. Verbs ending in –**guir** change **gu** to **g** before **a** and **o**: **distinguir,** *to distinguish.*

PRES. IND. **distingo** distingues distingue, etc.
PRES. SUBJ. **distinga distingas distinga distingamos distingáis distingan**

Like **distinguir:** conseguir (i), *to get;* perseguir (i), *to pursue;* seguir (i), *to follow.*

[1] See section 6 for stem changes.

g. Verbs ending in –**cer** or –**cir** preceded by a consonant change **c** to **z** before **a** and **o**: **vencer**, *to overcome.*

PRES. IND.   **venzo**   vences   vence, etc.
PRES. SUBJ.   **venza venzas venza venzamos venzáis venzan**

Like **vencer**: convencer, *to convince.*

h. Verbs ending in –**quir** change **qu** to **c** before **a** and **o**: **delinquir**, *to be guilty.*

PRES. IND.   **delinco**   delinques   delinque, etc.
PRES. SUBJ.   **delinca delincas delinca delincamos delincáis delincan**

5. *Verbs with Special Endings*

a. Verbs ending in –**cer** or –**cir** following a vowel insert **z** before **c** in the first person singular present indicative and throughout the present subjunctive: **conocer**, *to know, be acquainted with.*

PRES. IND.   **conozco**   conoces   conoce, etc.
PRES. SUBJ.   **conozca conozcas conozca conozcamos conozcáis conozcan**

Like **conocer**: agradecer, *to be thankful for;* amanecer, *to dawn;* aparecer, *to appear;* complacer, *to please;* crecer, *to grow;* desaparecer, *to disappear;* ejercer, *to exercise;* establecer, *to establish;* favorecer, *to favor;* languidecer, *to languish;* merecer, *to merit;* nacer, *to be born;* obedecer, *to obey;* ofrecer, *to offer;* parecer, *to seem;* permanecer, *to remain;* pertenecer, *to belong to;* reconocer, *to recognize.*

b. Verbs ending in –**ducir** have the same changes as **conocer**, with additional changes in the preterite and imperfect subjunctive: **conducir**, *to conduct.*

PRES. IND.   **conduzco**   conduces   conduce, etc.
PRES. SUBJ.   **conduzca   conduzcas   conduzca   conduzcamos   conduzcáis conduzcan**
PRETERITE   **conduje condujiste   condujo   condujimos   condujisteis con-dujeron**
IMP. SUBJ.   **condujera**, etc.   **condujese**, etc.

Like **conducir**: introducir, *to introduce;* producir, *to produce;* traducir, *to translate.*

c. Verbs ending in –**uir** (except –**guir**) insert **y** except before **i**, and change unaccented **i** between vowels to **y**: **huir**, *to flee.*

PARTICIPLES   **huyendo**   huido
PRES. IND.   **huyo   huyes   huye**   huimos   huis   **huyen**
PRES. SUBJ.   **huya   huyas   huya   huyamos   huyáis   huyan**
IMPERATIVE   **huye**   huid
PRETERITE   huí   huiste   **huyó**   huimos   huisteis   **huyeron**
IMP. SUBJ.   **huyera**, etc.   **huyese**, etc.

Like **huir**: concluir, *to conclude;* construir, *to construct;* contribuir, *to contribute;* destruir, *to destroy;* disminuir, *to diminish;* distribuir, *to distribute;* influir, *to influence.*

d. Certain verbs ending in –**er** preceded by a vowel replace unaccented **i** of the ending by **y**: **creer**, *to believe.*

PARTICIPLES   **creyendo**   **creído**

PRETERITE   creí creíste **creyó** creímos creísteis **creyeron**
IMP. SUBJ.   **creyera,** etc.   **creyese,** etc.

Like **creer:** leer, *to read;* poseer, *to possess.*

e. Some verbs ending in –iar require a written accent on the i in the singular and third person plural in the present indicative and present subjunctive and in the singular imperative: **enviar,** *to send.*

PRES. IND.   **envío envías envía** enviamos enviáis **envían**
PRES. SUBJ.   **envíe envíes envíe** enviemos enviéis **envíen**
IMPERATIVE   **envía**   enviad

Like **enviar:** criar, *to bring up;* esquiar, *to ski;* guiar, *to guide.*

However, such common verbs as **anunciar,** *to announce;* **apreciar,** *to appreciate;* **cambiar,** *to change;* **estudiar,** *to study;* **iniciar,** *to initiate;* **pronunciar,** *to pronounce,* do not have the accented **i.**

f. Verbs ending in –uar have a written accent on the u in the same forms as verbs in section *e:* **continuar,** *to continue.*

PRES. IND.   **continúo continúas continúa** continuamos continuáis **continaún**
PRES. SUBJ.   **continúe continúes continúe** continuemos continuéis **continúen**
IMPERATIVE   **continúa**   continuad

6. *Stem-changing Verbs*

CLASS I

Many verbs of the first and second conjugations change the stem vowel e to ie and o to ue when the vowels e and o are stressed, *i.e.,* in the singular and third person plural of the present indicative and present subjunctive and in the singular imperative. Class I verbs are designated: **cerrar (ie), volver (ue).**

cerrar, *to close*

PRES. IND.   **cierro cierras cierra** cerramos cerráis **cierran**
PRES. SUBJ.   **cierre cierres cierre** cerremos cerréis **cierren**
IMPERATIVE   **cierra**

Like **cerrar:** atravesar, *to cross;* comenzar, *to commence;* confesar, *to confess;* despertar, *to awaken;* empezar, *to begin;* enterrar, *to bury;* errar,[1] *to miss;* gobernar, *to govern;* manifestar, *to manifest;* negar, *to deny;* pensar, *to think;* recomendar, *to recommend;* sembrar, *to sow;* sentar, *to seat;* temblar, *to tremble.*

[1] Spanish words do not begin with **i** followed by **a, e,** or **o;** thus ie is written **ye** in forms of **errar:**

PRES. IND.   **yerro yerras yerra** erramos erráis **yerran**
PRES. SUBJ.   **yerre yerres yerre** erremos erréis **yerren**
IMPERATIVE   **yerra**

perder, *to lose*

PRES. IND.	**pierdo**	**pierdes**	**pierde**	perdemos	perdéis	**pierden**
PRES. SUBJ.	**pierda**	**pierdas**	**pierda**	perdamos	perdáis	**pierdan**
IMPERATIVE	**pierde**

Like **perder:** defender, *to defend;* descender, *to descend;* encender, *to light;* entender, *to understand;* extender, *to extend;* tender, *to stretch out.*

contar, *to count*

PRES. IND.	**cuento**	**cuentas**	**cuenta**	contamos	contáis	**cuentan**
PRES. SUBJ.	**cuente**	**cuentes**	**cuente**	contemos	contéis	**cuenten**
IMPERATIVE	**cuenta**

Like **contar:** acordarse, *to remember;* acostarse, *to go to bed;* almorzar, *to take lunch;* forzar, *to force;* costar, *to cost;* demostrar, *to demonstrate;* encontrar, *to find;* mostrar, *to show;* probar, *to prove;* recordar, *to recall;* rogar, *to ask;* soltar, *to let go;* sonar, *to sound;* soñar, *to dream;* volar, *to fly.*

volver,[1] *to return*

PRES. IND.	**vuelvo**	**vuelves**	**vuelve**	volvemos	volvéis	**vuelven**
PRES. SUBJ.	**vuelva**	**vuelvas**	**vuelva**	volvamos	volváis	**vuelvan**
IMPERATIVE	**vuelve**

Like **volver:** conmover, *to move;* devolver, *to give back;* doler, *to ache;* envolver, *to wrap;* cocer,[2] *to cook;* llover, *to rain* (impersonal); mover, *to move;* oler,[3] *to smell;* resolver, *to resolve;* soler, *to be accustomed to.*

jugar, *to play* (a game)

PRES. IND.	**juego**	**juegas**	**juega**	jugamos	jugáis	**juegan**
PRES. SUBJ.	**juegue**	**juegues**	**juegue**	juguemos	juguéis	**jueguen**
IMPERATIVE	**juega**

CLASS II

Certain verbs of the third conjugation have the changes in the stem indicated below. Class II verbs are designated: **sentir (ie, i), dormir (ue, u)**.

Pres. Ind.	1, 2, 3, 6	
Pres. Subj.	1, 2, 3, 6	e > ie
Imperative Sing.		o > ue

Pres. Part.		
Preterite	3, 6	e > i
Pres. Subj.	4, 5	o > u
Imp. Subj.	1, 2, 3, 4, 5, 6	

---

[1] The past participles of **volver, devolver,** and **resolver** are: **vuelto, devuelto,** and **resuelto.**
[2] In **cocer,** c changes to z in the first person singular present indicative and throughout the present subjunctive. [3] Spanish words do not begin with u followed by **a, e,** or **o;** thus h is written before **ue** in forms of **oler:**

PRES. IND.	**huelo**	**hueles**	**huele**	olemos	oléis	**huelen**
PRES. SUBJ.	**huela**	**huelas**	**huela**	olamos	oláis	**huelan**
IMPERATIVE	**huele**

sentir, *to feel*

PRES. PART.	**sintiendo**					
PRES. IND.	**siento**	**sientes**	**siente**	sentimos	sentís	**sienten**
PRES. SUBJ.	**sienta**	**sientas**	**sienta**	**sintamos**	**sintáis**	**sientan**
IMPERATIVE	**siente**					
PRETERITE	sentí	sentiste	**sintió**	sentimos	sentisteis	**sintieron**
IMP. SUBJ.	**sintiera,** etc.				**sintiese,** etc.	

Like **sentir:** advertir, *to warn;* consentir, *to consent;* convertir, *to convert;* divertirse, *to amuse oneself;* herir, *to wound;* mentir, *to lie;* preferir, *to prefer;* referir, *to refer.*

dormir, *to sleep*

PRES. PART.	**durmiendo**					
PRES. IND.	**duermo**	**duermes**	**duerme**	dormimos	dormís	**duermen**
PRES. SUBJ.	**duerma**	**duermas**	**duerma**	**durmamos**	**durmáis**	**duerman**
IMPERATIVE	**duerme**					
PRETERITE	dormí	dormiste	**durmió**	dormimos	dormisteis	**durmieron**
IMP. SUBJ.	**durmiera,** etc.				**durmiese,** etc.	

Like **dormir:** morir,[1] *to die.*

Class III

Certain verbs in the third conjugation change **e** to **i** in all forms in which changes occur in Class II verbs. These verbs are designated: **pedir (i).**

pedir, *to ask*

PRES. PART.	**pidiendo**					
PRES. IND.	**pido**	**pides**	**pide**	pedimos	pedís	**piden**
PRES. SUBJ.	**pida**	**pidas**	**pida**	**pidamos**	**pidáis**	**pidan**
IMPERATIVE	**pide**					
PRETERITE	pedí	pediste	**pidió**	pedimos	pedisteis	**pidieron**
IMP. SUBJ.	**pidiera,** etc.				**pidiese,** etc.	

Like **pedir:** concebir, *to conceive;* conseguir, *to get;* despedir, *to dismiss;* impedir, *to hinder;* perseguir, *to pursue;* rendir, *to surrender;* reñir,[2] *to scold;* repetir, *to repeat;* seguir, *to follow;* servir, *to serve;* vestir, *to dress.*

reír, *to laugh*

PARTICIPLES	**riendo**			**reído**		
PRES. IND.	**río**	**ríes**	**ríe**	reímos	reís	**ríen**
PRES. SUBJ.	**ría**	**rías**	**ría**	**riamos**	**riáis**	**rían**
IMPERATIVE	**ríe**					
PRETERITE	reí	reíste	**rió**	reímos	reísteis	**rieron**
IMP. SUBJ.	**riera,** etc.				**riese,** etc.	

Like **reír:** sonreír, *to smile.*

---

[1] Past participle: **muerto.**   [2] Verbs whose stems end in **ñ** (also **ll**) drop the **i** of the diphthongs **ie** and **ió.** This occurs in the present participle (**riñendo**), in the third person singular and plural preterite (**riñó, riñeron**), and throughout the imperfect subjunctive (**riñera** or **riñese,** etc.).

Supplementary Drills

This section contains a variety of supplementary drills in Spanish for each of the seven groups of three regular lessons in the text. In most cases about six new exercises are given for each group, providing additional oral drill on the major points presented in the preceding three lessons. These drills may be assigned for study outside of class, or preferably, used for rapid drill in class or in the laboratory after the three lessons of the group have been studied. All of these exercises are recorded on tape.

LECCIONES 1-3

I. Repeat the sentence, then when you hear the cue give another sentence, following the example.

EXAMPLE: *Me gusta* viajar.   Me gusta viajar.
   Quiero   Quiero viajar.

1. *Piensa* dar un paseo. (Quiere)
2. *Sé* jugar al golf. (Espero)
3. ¿ *Puede* Vd. ir a ver a Juan ? (Debe)
4. *Empiezan* a hablar español. (Aprenden)
5. *Me invitó* a jugar a los naipes. (Me enseñó)
6. *Al abrir* la puerta, nos sentamos. (Después de abrir)
7. *Tendrán oportunidad de* ir allá. (Tendrán tiempo para)
8. *Me gusta* viajar en avión. (Necesito)
9. *Es fácil* comprender lo que dicen. (Es necesario)
10. *Fui* a ayudarle a hacer el trabajo. (Comencé)
11. *Me alegro de* estar aquí con Vds. (Me gusta)
12. *Después de* verla, tuve que irme. (Antes de)

II. Repeat the sentence then say it again, changing both verbs to the preterite tense.

1. Me levanto a las siete y me desayuno en seguida.
2. Salgo de casa y me doy prisa para coger el autobús.
3. Llego a tiempo y entro en la escuela.
4. Voy a la sala de clase y me siento.
5. Otros alumnos llegan y todos charlamos unos minutos.
6. La profesora entra y nos saluda.

425

III. Repeat each sentence, then say it again using the preterite or imperfect tense as required.

EXAMPLE: Juan dice que quiere ir al cine.   Juan dice que quiere ir al cine.
Juan dijo que quería ir al cine.

1. Son las cuatro cuando vuelvo a casa.
2. Hace mucho viento y yo tengo frío.
3. Cuando entro en la casa mi prima ya está allí.
4. Ella dice que me espera para charlar conmigo.
5. Le pregunto a ella si quiere dar un paseo por el parque.
6. Me contesta que más tarde tiene que ayudar a su mamá.

IV. Repeat each phrase, then say it again making each one singular.

EXAMPLE: mis hermanos menores   mis hermanos menores
mi hermano menor

1. sus buenos amigos. 2. tus buenas amigas. 3. aquellos malos caminos. 4. esos muchachos malos. 5. los primeros días. 6. las primeras canciones. 7. aquellas ciudades grandes. 8. los grandes hombres. 9. aquellas grandes mujeres. 10. algunas buenas oportunidades. 11. algunos jóvenes mexicanos. 12. estos sombreros pequeños. 13. unos jardines hermosos. 14. otras revistas españolas. 15. otros árboles muy altos. 16. unas lecciones fáciles. 17. mis hermanas mayores. 18. algunos partidos de fútbol. 19. aquellos señores españoles. 20. unas muchachas felices.

V. Repeat the sentence, then say it again substituting the correct pronoun for each noun or each noun and modifier.

EXAMPLE: Abro *la puerta* y entro en *la casa*.   Abro la puerta y entro en la casa.
La abro y entro en ella.

1. Cuando tengo *flores* se las llevo a *Bárbara*.
2. Traigo *este libro* para dárselo a *Juan*.
3. Ella y yo practicamos *el español* con *nuestros amigos*.
4. Busco a *mi mamá* para decirle que he perdido *el reloj*.
5. Lleve Vd. consigo *esta revista* porque es para *su hermano*.
6. Voy a jugar con *los muchachos* porque quiero aprender *el juego*.

VI. Listen carefully to the question, then give both an affirmative and a negative answer, using the object pronoun for the noun.

EXAMPLE: ¿ Ha visto Vd. a Tomás ?   Sí, le he visto.
No, no le he visto.

1. ¿ Ve Vd. a sus amigos ?
2. ¿ Van Vds. a ver al señor Martín ?
3. ¿ Están Vds. practicando el diálogo ?
4. ¿ Le llevarán Vds. el regalo ?

5. ¿ Pueden Vds. lavarse las manos ?
6. ¿ Está ella probándose el vestido ?
7. ¿ Quieres ponerte los zapatos ?
8. ¿ Le dieron Vds. las flores ?
9. ¿ Me han traído Vds. sus composiciones ?
10. ¿ Les escribió ella una tarjeta ?

VII. Listen to the question, then reply with both an affirmative and a negative command.

EXAMPLE: ¿ Me pongo el sombrero ?   Sí, póngase Vd. el sombrero.
No, no se ponga Vd. el sombrero.

1. ¿ Me levanto ahora ?
2. ¿ Me siento aquí ?
3. ¿ Me las lavo ?
4. ¿ Se lo llevo a ella ?
5. ¿ Se los devuelvo a ellos ?
6. ¿ Nos quedamos un rato ?
7. ¿ Nos lo ponemos en la playa ?
8. ¿ Se las mandamos hoy ?

LECCIONES 4–6

I. Repeat the sentence, then say it again using **se**, following the examples.

EXAMPLES: En México hablan español.   En México hablan español.
En México se habla español.

Compramos libros en la librería.   Compramos libros en la librería.
Se compran libros en la librería.

1. En la América del Sur viajan mucho en avión.
2. ¿ Cómo pueden pasar tanto tiempo en el café ?
3. ¿ A qué hora cierran el edificio ?
4. ¿ Cuándo abren las puertas ?
5. Saben que el señor Espinosa ya ha salido.
6. En España no llevan paquetes en la mano.
7. ¿ Cómo dicen eso en español ?
8. Comemos bien en este restaurante.
9. Oímos mucho español en la Florida.
10. No venden libros en la biblioteca.
11. ¿ Por dónde vamos para llegar al parque ?
12. Allí vemos muchos pájaros bonitos.

II. Repeat the question, then when you hear the cue, answer in a complete sentence.
1. ¿ Para qué estudiamos el español ? (para aprenderlo)
2. ¿ Para dónde han partido ? (para Venezuela)
3. ¿ Para quién escribió él la carta ? (para mi padre)
4. ¿ Para quiénes trajo ella el disco ? (para los alumnos)

5. ¿ Para cuándo estarán de vuelta ? (para el sábado)
6. ¿ Para quién son todas estas rosas ? (para la profesora)
7. ¿ Para qué trabajan tanto ? (para ganar dinero)
8. ¿ Para cuál de sus hijas es la falda ? (para su hija menor)

III. Repeat the sentence, then say it again using the indefinite words in the negative.

1. Hay algo en la mesa.
2. Tienen algo en las manos.
3. Alguien ha llamado a la puerta.
4. Hemos visto a alguien en la calle.
5. Alguno de los libros es mío.
6. Van a escoger alguna de las casas.
7. ¿ Viene alguno de los muchachos ?
8. Han invitado a alguna de las jóvenes.
9. Algún niño puede traer las flores.
10. Siempre nos traen algo.
11. Siempre viene alguien a vernos.
12. Siempre dice algo a alguien.
13. ¿ Ha estado Vd. alguna vez en Chile ?
14. Mi hermano juega en el parque también.
15. Alguno de sus amigos le ha buscado.
16. Han visto a María o a Carolina.

IV. Repeat the sentence, then say it twice more using the present and imperfect progressive forms of the verb and substituting an object pronoun for each noun.

EXAMPLE: Leo el libro.   Leo el libro.
                         Estoy leyéndolo.   Estaba leyéndolo.

1. Busca a su amigo Tomás.
2. Llaman a los niños.
3. Pone la mesa.
4. Hacen planes para el domingo.
5. Oímos la música.
6. Nos traen las fotografías.
7. Lleva las flores a su mamá.
8. Escribe la tarjeta a su tía.

V. Listen to the question and the cue, then answer affirmatively, following the example.

EXAMPLE: ¿ De quién era el coche ? ¿ De Juan ?   Sí, el coche era de Juan.

1. ¿ Dónde habían estado los muchachos ? ¿ En el campo ?
2. ¿ Quién estaba muy ocupada ? ¿ María ?
3. ¿ Qué es la tía de José ? ¿ Profesora ?
4. ¿ Cuándo estarán los dos aquí ? ¿ A las cuatro ?
5. ¿ Qué estaban haciendo ? ¿ Tocando discos ?
6. ¿ De dónde era el señor Espinosa ? ¿ De Chile ?
7. ¿ Para quién es la pulsera de oro ? ¿ Para Bárbara ?

8. ¿ De qué color era la casa de ella ? ¿ Blanca ?

9. ¿ Qué ha sido aquel señor toda su vida ? ¿ Médico ?

10. ¿ Quiénes están jugando en la calle ? ¿ Tus hermanos ?

11. ¿ De qué están Vds. cansados ? ¿ Del ruido ?

12. ¿ Quién estuvo aquí esta mañana ? ¿ Tu abuelo ?

13. ¿ Qué es fácil ?   ¿ El español ?

14. ¿ Cómo ha estado Carmen ? ¿ Muy contenta ?

15. ¿ De quién es esta cámara ? ¿ De nuestro tío ?

LECCIONES 7–9

I. Repeat the sentence, then say it again using the preterite tense.

1. Nunca duermo la siesta por la tarde.

2. María duerme hasta las cuatro y media.

3. Los niños duermen diez horas.

4. Mi mamá sirve helado y pastel.

5. Isabel y María sirven chocolate caliente.

6. Me visto después de levantarme.

7. Anita se viste rápidamente.

8. Se divierten mucho en casa de Roberto.

9. ¿ Se divierte Vd. tocando la guitarra ?

10. Juan pide comida mexicana en ese restaurante.

11. Mis hermanos piden varias cosas para su cumpleaños.

12. Él no siente haberles dicho eso.

II. Repeat the sentence, then say it again using the correct form of **suyo** for the prepositional phrase.

EXAMPLES: Este libro es de él.

Este libro es de él.
Este libro es suyo.

Esta cámara es de mi amigo.

Esta cámara es de mi amigo.
Esta cámara es suya.

1. Este abrigo es de Vd.

2. Estos guantes son de Vd.

3. Este reloj es de mi mamá.

4. Juanita es amiga de ellos.

5. Ese sombrero no es de Carolina.

6. Esos paquetes no son de Juan.

7. ¿ Son de Vd. estos zapatos ?

8. ¿ Es de Vd. esta camisa ?

9. ¿ Son del profesor estos mapas ?

10. Ana Ruiz es amiga de mis hermanas.

11. Un amigo de mi padre vendrá pronto.

12. Juegan con Elena y dos primas de ella.

III. Repeat the sentence, then make first an affirmative command, substituting an object pronoun for the noun, and finally a negative one, following the examples.

EXAMPLES: Quiero leer el libro.

Quiero leer el libro.
Léalo Vd. No lo lea.

¿ Le damos a él estas cosas ?

¿ Le damos a él estas cosas ?
Dénselas Vds. No se las den.

1. Quiero abrir las ventanas.
2. Voy a escribir las frases.
3. Puedo hacer la maleta ahora.
4. ¿ Pongo los papeles allí ?
5. ¿ Me pongo el sombrero ?
6. Espero enseñarles el traje.
7. Quiero darle una corbata.
8. Voy a prestarles el dinero.
9. ¿ Puedo quitarme el saco ?
10. ¿ Nos lavamos las manos ?
11. ¿ Nos quedamos aquí ?
12. ¿ Le traigo a Vd. el disco ?
13. ¿ Te preparo el chocolate ?
14. Quiero decirles la verdad.
15. Puedo abrirles la puerta.
16. ¿ Le doy a Vd. estos calcetines ?

IV. Listen to the question, then answer it negatively substituting a demonstrative pronoun for the demonstrative adjective and noun.

EXAMPLES: ¿ Le gusta a Vd. esta maleta ?
¿ Es de Vd. esa blusa ?

No, no me gusta ésa.
No, ésta no es mía.

1. ¿ Le gusta a Vd. este disco ?
2. ¿ Le gustan a Vd. estas revistas ?
3. ¿ Quiere Vd. comprar ese vestido ?
4. ¿ Es de Vd. esa falda ?
5. ¿ Son de Vd. esos zapatos ?
6. ¿ Es mío este libro ?
7. ¿ Son míos esos cuadernos ?
8. ¿ Les gusta a Vds. aquel parque ?
9. ¿ Vas a comprar aquellas flores ?
10. ¿ Es de tu mamá aquel jardín ?

V. After you hear the question, answer it first using an affirmative command, then make a new sentence beginning with **Quiero que.**

EXAMPLES: ¿ Compro el radio ?

Sí, compre Vd. el radio.
Quiero que Vd. compre el radio.

¿ Llegamos temprano ?

Sí, lleguen Vds. temprano.
Quiero que Vds. lleguen temprano.

1. ¿ Escucho el discurso ?
2. ¿ Busco un tocadiscos ?
3. ¿ Pongo este disco mexicano ?
4. ¿ Toco el otro disco también ?
5. ¿ Pago la cuenta ahora ?
6. ¿ Canto la canción ?
7. ¿ Vamos al centro hoy ?
8. ¿ Volvemos en autobús ?
9. ¿ Jugamos con Carlos y Juan ?
10. ¿ Esperamos un rato ?

VI. Repeat the sentence, then when you hear the cue make a new sentence, following the example.

EXAMPLE: Prefiero hacerlo.
que Vd.

Prefiero hacerlo.
Prefiero que Vd. lo haga.

1. Preferimos esperar hasta las dos. (que Vds.)
2. Prefieren lavar el coche ahora. (que yo)

3. ¿ Quiere Vd. venir mañana ? (que ella)
4. ¿ Quiere Vd. ir a bailar ? (que nosotros)
5. ¿ Quieres oír la música ? (que yo)
6. Desea visitar a nuestro abuelo. (que nosotros)
7. ¿ Prefiere Vd. comprar el regalo ? (que ellos)
8. Deseamos comenzar a leer. (que tú)
9. Queremos llevárselo a él. (que Juan)
10. No queremos traérselos a ellos. (que Vd.)
11. No quieren sentarse allí. (que Vd. y yo)
12. No deseo escribírsela a ella. (que tú)

LECCIONES 10–12

I. Repeat the sentence, then when you hear the cue make a new sentence, following the example.

EXAMPLE: Temo no llegar a tiempo.   Temo no llegar a tiempo.
　　　　que él   　　　　　　　　Temo que él no llegue a tiempo.

1. Me alegro de poder ir. (de que María)
2. Se alegran de estar aquí. (de que nosotros)
3. Tengo miedo de esperar allí. (de que tú)
4. Tememos perder el autobús. (que los niños)
5. Me sorprende no encontrarlos. (que Vd.)
6. Siento tener que llamar a Bárbara. (que tú)
7. Es lástima no conocerlos bien. (que nosotros)
8. Juan espera tener suerte en el partido. (que Vds.)
9. Sentimos no estar de acuerdo. (que ellos)
10. Ella prefiere quedarse un rato. (que nosotros)
11. Ellos no quieren apagar el tocadiscos. (que Carlos)
12. Esperamos divertirnos mucho. (que tú)
13. Los muchachos esperan tocar algunos discos. (que ella)
14. Queremos tratar de aprender los pasos nuevos. (que ellas)
15. Nos alegramos de enseñárselos a Carlos. (que Tomás)

II. Repeat the sentence, then make a new sentence using the infinitive instead of a clause, following the example.

EXAMPLE: Importa que Vds. aprendan eso.   Importa que Vds. aprendan eso.
　　　　　　　　　　　　　　　　　　Importa aprender eso.

1. Es preciso que Vd. escuche con cuidado.
2. Es posible que Juan vaya al cine.
3. Es lástima que yo tenga que insistir en eso.
4. Es mejor que Vds. pasen la noche allí.
5. Es extraño que no los veamos aquí hoy.

6. Es necesario que me siente en esta silla.
7. Es imposible que hagan la excursión hoy.
8. No es importante que ella les explique todo eso.
9. No es fácil que aprendas la canción en una hora.
10. No es necesario que se cambien de ropa.
11. ¿ Importa que sepas lo que dicen ?
12. ¿ Es difícil que hablemos bien sin practicar ?

III. Repeat the sentence, then when you hear the cue make a new sentence, following the example.

EXAMPLE: Han ido al café.   Han ido al café.
        Dudo que   Dudo que hayan ido al café.

1. Han vuelto de España. (Es posible que)
2. Ella le ha escrito a Carmen. (Espero que)
3. Hemos hecho una excursión. (Dudan que)
4. No han traído los esquíes. (Siento que)
5. Has comprado un par de patines. (No creen que)
6. Vd. ha visto al señor Molina. (Nos alegramos de que)
7. No has leído la obra. (Nos sorprende que)
8. Ellos no han dicho nada. (Tengo miedo de que)
9. Ella no ha puesto la mesa. (Es lástima que)
10. Tú no te has puesto el abrigo. (Temen que)
11. Vds. se lo han llevado. (No estoy seguro de que)
12. Elena no me ha devuelto la revista. (Es extraño que)

IV. Repeat the sentence, then when you hear the cue make a new sentence, following the examples.

EXAMPLES: Juan irá allá.   Juan irá allá.
        Permítale Vd.   Permítale Vd. a Juan que vaya allá.

        Volveremos antes de la una.   Volveremos antes de la una.
        Nos dirán   Nos dirán que volvamos antes de la una.

1. Ana servirá el té. (Pídale Vd.)
2. Carlos traerá los boletos. (Dígale Vd.)
3. Luis hará el trabajo. (No le ruegue Vd.)
4. Anita buscará un vestido. (Aconséjenle Vds.)
5. Marta se paseará en trineo. (No le permitan Vds.)
6. María se vestirá pronto. (Le diré)
7. Veremos ese sitio hermoso. (Nos aconsejan)
8. Tocaremos unos discos españoles. (Nos pedirán)
9. No vendrán mañana por la tarde. (Dígales Vd.)
10. Dormirán la siesta. (Pídales Vd.)

LECCIONES 13–15

I. Repeat the sentence, then make a new sentence using an indirect command and substituting a pronoun for the noun object when one is expressed.

EXAMPLE: José quiere buscar un regalo.   José quiere buscar un regalo.
Que José lo busque.

1. Jorge quiere comprar una camisa.
2. El dependiente desea enseñarle unos zapatos.
3. Carlos sigue mirando los estilos nuevos.
4. Enrique quiere probarse un traje.
5. José quiere sentarse un rato.
6. Todos van a seguir buscando ropa.
7. El dependiente puede envolver los paquetes.
8. Ella va a entregarles las compras.

II. When you hear the sentence, give an indirect command substituting a pronoun for the noun when one is expressed. When you hear the cue, make a new sentence using a noun clause.

EXAMPLE: Desea pagar la cuenta.   Que la pague.
Quiero que   Quiero que la pague.

1. Puede entregarnos el dinero.   5. Quieren sentarse a la izquierda.
Le diré que   Esperamos que
2. Quieren seguir buscando las maletas. 6. Puede venir al mediodía.
Les pediré   Me alegro de que
3. Ella no puede mirar los vestidos.   7. Ella puede servirles refrescos.
Prefiero que   Dígale Vd. que
4. No quiere esperar mucho tiempo.   8. Cuestan veinte dólares el par.
Aconséjele Vd.   Temo que

III. Repeat the sentence, then say it affirmatively and negatively, following the example.

EXAMPLE: Vamos a sentarnos.   Vamos a sentarnos.
Sentémonos.   No nos sentemos.

1. Vamos a levantarnos.   4. Vamos a ponernos los guantes.
2. Vamos a quitarnos el abrigo.   5. Vamos a quedarnos un rato.
3. Vamos a lavarnos las manos.   6. Vamos a seguir a los niños.

IV. Repeat each sentence, then when you hear the cue give a new sentence, following the example.

EXAMPLE: Busca al niño que habla español.   Busca al niño que habla español.
Busca un niño   Busca un niño que hable español.

1. Tiene una secretaria que escribe bien. (Quiere una secretaria)
2. Tiene un puesto que le gusta. (Busca un puesto)

3. Voy al restaurante en que sirven comida mexicana. (Quiero ir a un restaurante)
4. Busco al niño que quiere ir al museo. (Busco un niño)
5. Ven la casa que tiene cuatro alcobas. (Quieren ver una casa)
6. Espera ver a la señorita que habla dos lenguas. (Espera ver una señorita)
7. Busco al muchacho que ha estudiado el español. (Busco un muchacho)
8. Veo a un joven que ha vivido en México. (Necesito un joven)

V. Repeat each question, then answer it making the first clause negative.

EXAMPLE: ¿ Ve Vd. a alguien que lea bien ?   ¿ Ve Vd. a alguien que lea bien ?
                                               No veo a nadie que lea bien.

1. ¿ Ve Vd. a alguien que le conozca ?
2. ¿ Busca Vd. alguna casa que tenga dos pisos ?
3. ¿ Viene algún hombre que pueda ayudarnos ?
4. ¿ Hay alguien que sepa escribir en español ?
5. ¿ Estudia Vd. con alguien que pronuncie bien ?
6. ¿ Conoce Vd. a alguien que haya viajado allá ?
7. ¿ Ve Vd. algo que yo pueda comprar ?
8. ¿ Hay alguna cosa aquí que le guste ?

VI. Listen to the sentence, then the cue. Give a new sentence, following the example.

EXAMPLE: Lee el libro. (Hace media hora) Hace media hora que lee el libro.

1. Viven en México. (Hace tres años)
2. Estudio el español. (Hace más de un año)
3. Esperamos en la estación. (Hace veinte minutos)
4. Carlos está con su abuelo. (Hace una semana)
5. Conocemos al señor Molina. (Hace mucho tiempo)
6. Escucha los discos. (Hace una hora y media)
7. Juega al golf. (Hace varios años)
8. Ella está enferma. (Hace dos días)

VII. Repeat the sentence, then after you hear the cue give a new sentence, following the example.

EXAMPLE: Le saludé cuando le vi.   Le saludé cuando le vi.
         Le saludaré   Le saludaré cuando le vea.

1. Charlé con él cuando estaba aquí. (Voy a charlar con él)
2. Volvieron en cuanto los llamé. (Volverán)
3. Tuvimos que salir aunque llovía. (Tendremos que salir)
4. Hablé despacio de modo que me entendieron. (Voy a hablar despacio)
5. Nos quedamos hasta que llegaron Juan y él. (Nos quedaremos)
6. Le di el dinero después que terminó el trabajo. (Le daré el dinero)
7. No pudo ir allá aunque consiguió el puesto. (No podrá ir allá)
8. Fuimos a verlos en cuanto fue posible. (Iremos a verlos)

LECCIONES 16–18

I. Repeat the sentence, then when you hear a new verb form or expression give a new sentence using the **–ra** imperfect subjunctive form in the clause.

EXAMPLE: Quiero que lo traigan.   Quiero que lo traigan.
Quería   Quería que lo trajeran.

1. Queremos que ella lave los platos. (Queríamos)
2. Siento que no piensen visitarnos. (Sentía)
3. No creo que vendan la casa. (No creí)
4. Me pide que pase por su casa. (Me pidió)
5. Le diré que compre una cámara. (Le dije)
6. Es preciso que meta un rollo de película en ella. (Fue preciso)
7. No estoy seguro de que vuelvan mañana. (No estaba seguro)
8. Buscan una casa que sea más grande que la mía. (Buscaban)
9. No conozco a nadie que pueda limpiar mi coche. (No conocía)
10. Les traigo el cheque para que lo cobren. (Les traje)
11. Será mejor que esperemos un rato. (Sería)
12. No será posible que lleguen pasado mañana. (No sería)
13. Espero encontrar otra maleta que me guste más. (Esperaba)
14. Temo que tú te canses mucho haciendo eso. (Temía)
15. Dice que saldrá en cuanto vuelvan. (Dijo que saldría)
16. No vemos a nadie que conozca a ese señor. (No vimos)

II. After you hear the question, give a sentence beginning with **Sí, quiero que Vd.** followed by the words in the question.

EXAMPLE: ¿ Le regalo el reloj ?   Sí, quiero que Vd. le regale el reloj.

1. ¿ Escojo el regalo ?   6. ¿ Pienso en ella ?
2. ¿ Se lo envío a ella ?   7. ¿ Continúo pensando en eso ?
3. ¿ Continúo leyendo ?   8. ¿ Pruebo la cámara ?
4. ¿ La meto en la cámara ?   9. ¿ Uso la cámara de cine ?
5. ¿ Guardo el dinero ?   10. ¿ Miro las transparencias ?

III. Repeat the sentence, then when you hear the cue give a new sentence using the **–se** imperfect subjunctive form in the clause.

EXAMPLE: Temo que no venga.   Temo que no venga.
Temía   Temía que no viniese.

1. Me alegro de que estén aquí. (Me alegraba de)
2. Prefiero que Ana lea otro libro. (Prefería)
3. Pídale Vd. que se ponga el sombrero. (Le pedí)
4. Siento mucho que ella no pueda jugar. (Sentí)
5. ¿ Hay alguien que pueda llevar la maleta ? (Había)
6. Es lástima que Elena no sepa la canción. (Fue)
7. Dudo que su padre le dé permiso para usar el coche. (Dudaba)
8. Dice que esperará hasta que traigan el equipaje. (Dijo que esperaría)

In the following sentences change the verb in the clause to the –ra form of the pluperfect subjunctive.

9. No creo que hayan vuelto. (No creí)
10. No estamos seguros de que hayan hecho el viaje. (No estábamos)
11. Se alegran de que hayas dicho la verdad. (Se alegraban de)
12. Sienten que yo no los haya visto. (Sentían)
13. Es lástima que Vd. no haya podido pintar. (Fue)
14. Buscan una persona que haya tenido experiencia. (Buscaban)

IV. Listen to the sentence, then give a conditional sentence, following the example. Use the –ra imperfect subjunctive in the first four sentences and the –se form in the last four.

EXAMPLE: Lo haría, pero no está aquí.   Si estuviera aquí, lo haría.

1. Vendrían hoy, pero no tienen tiempo.
2. Le daría este libro, pero no le veo.
3. Iríamos con Vd., pero no estamos listos.
4. Me pondría el abrigo, pero no hace frío.
5. Compraría una maleta, pero no voy a México.
6. Haría el viaje, pero no gano bastante dinero.
7. Me gustaría ir al cine, pero la película no es buena.
8. Llegaría a tiempo, pero no se da prisa.

V. Repeat each question, then give the answer, following the example.

EXAMPLE: ¿ Se vieron Vds. anoche ?   ¿ Se vieron Vds. anoche ?
                                       Sí, nos vimos anoche.

1. ¿ Vds. van a verse mañana ?   4. ¿ Se compraron Vds. regalos ?
2. ¿ Vds. se encuentran en el café ?   5. ¿ Se han escrito Vds. cartas ?
3. ¿ Vds. se miraron sorprendidos ?   6. ¿ Se conocieron Vds. ayer ?

VI. Repeat each sentence, then when you hear the cue substitute it in a new sentence.

EXAMPLE: Lo *importante* es hablar mucho.   Lo importante es hablar mucho.
              Lo bueno   Lo bueno es hablar mucho.

1. Lo *mejor* es practicar mucho. (Lo principal)
2. Ahora viene lo *interesante*. (lo peor)
3. Hay que recordar lo *dicho*. (lo hecho)
4. Tratan de hacer lo *imposible*. (lo difícil)
5. Repita Vd. lo *escrito*. (lo leído)
6. Hicieron lo *mismo*. (lo necesario)
7. Lo *primero* es empezar. (Lo único)
8. Sabemos lo *contentos que* están. (lo tristes que)
9. Sé lo *interesante que* es el libro. (lo difícil que)
10. Volvió lo *más pronto* posible. (lo más tarde)
11. Caminan lo *más despacio* posible. (lo más rápidamente)

12. *Quiero* dar un paseo con ellos. (Quisiera)
13. *Debemos* ir a verlos. (Debiéramos)
14. *Tal vez* vuelvan mañana. (Quizás)
15. ¡ Ojalá que *durmieran bien* los niños ! (no me pidieran nada)
16. ¡ Ojalá que *nos hubieran llamado!* (nos hubieran visto)

LECCIONES 19–21

I. Repeat each sentence, then give it twice more using the polite affirmative command and then the familiar affirmative command, substituting a pronoun object when a noun is expressed.

EXAMPLE: Ana levanta la mano.   Ana levanta la mano.
                                            Ana, levántela Vd.   Ana, levántala.

1. Miguel baja en seguida.
2. Elena coge las flores.
3. Ricardo les pide permiso.
4. Marta se viste de prisa.
5. Antonio se va pronto.
6. Bárbara se lava las manos.

II. Repeat each sentence, then give it using the familiar plural affirmative and negative commands.

EXAMPLE: Lo hacen ahora.   Lo hacen ahora.
                                          Hacedlo ahora.   No lo hagáis ahora.

1. Las escriben en español.
2. Las envían todos los días.
3. Se levantan temprano.
4. Se ponen los guantes.
5. Se duermen pronto.
6. Se van en seguida.

III. Repeat each sentence, then say it again using the future tense for the present, the future perfect for the present perfect, or the conditional for the imperfect to express probability.

EXAMPLE: Está en casa.   Está en casa.
                                       Estará en casa.

1. ¿ Quién es ?
2. Son las once.
3. ¿ A dónde van ?
4. Ella tiene mucho miedo.
5. Su mamá está enferma.
6. Están jugando en el parque.
7. Han vuelto de España.
8. ¿ Han ido al cine ?
9. ¿ Han escrito las cartas ?
10. Eran las cuatro.
11. Ella estaba cansada.
12. ¿ A dónde fueron ?

IV. Repeat each sentence, then give it again using the passive voice.

EXAMPLE: Juan cerró la puerta.   Juan cerró la puerta.
                                               La puerta fue cerrada por Juan.

1. Los muchachos cerraron las ventanas.
2. Los alumnos abrieron los libros.

3. Bárbara escribió las dos cartas.
4. Juan puso la película en la cámara.
5. ¿ Sacó José estas fotografías ?
6. El gobierno envió a mi padre a México.

V. Repeat each phrase, then repeat each one a second time, following the examples.

EXAMPLES: estas flores y las flores que Vd. tiene
estas flores y las flores que Vd. tiene
estas flores y las que Vd. tiene

esta blusa y la blusa de María
esta blusa y la blusa de María
esta blusa y la de María

1. estos lápices y los lápices que él tiene
2. este equipaje y el equipaje que Vd. compró
3. estos anteojos y los anteojos que ella encontró
4. esta entrevista y la entrevista que tuvieron ayer
5. estas tarjetas y la tarjeta que recibí
6. este coche y los coches que pasaron
7. esta muchacha y las muchachas del pelo rubio
8. este joven y el joven del sombrero negro
9. estos jardines y el jardín de mi mamá
10. estas mujeres y la mujer del vestido rojo

VI. Listen carefully to each sentence, then answer the question based on it.
1. Juan partió de aquí ayer y fue a México.
   ¿ Para dónde partió Juan ?
2. José tiene una entrevista con él mañana.
   ¿ Para cuándo tiene José la entrevista ?
3. Roberto quiere ir a México y por eso guarda su dinero.
   ¿ Para qué guarda Roberto su dinero ?
4. Tengo este regalo y se lo daré a Carlos.
   ¿ Para quién es el regalo ?
5. Luis me vendió un libro y le pagué dos dólares.
   ¿ Cuánto le pagué a Luis por el libro ?
6. Ricardo estuvo aquí por tres días antes de salir.
   ¿ Por cuántos días estuvo aquí Ricardo ?
7. Isabel necesitaba un vestido y su madre le hizo éste.
   ¿ Para quién hizo ella un vestido ?
8. Tomaron un autobús para ir a casa de Tomás.
   ¿ Qué tomaron para ir a casa de Tomás ?
9. Quieren hacer un viaje por la América del Sur.
   ¿ Por dónde quieren hacer un viaje ?
10. El señor Molina escribió la carta de presentación.
    ¿ Por quién fue escrita la carta ?

VII. Repeat the sentence or question, then give it again using a possessive pronoun, following the examples.

EXAMPLES: Tengo el libro de Juan.

Tengo el libro de Juan.
Tengo el suyo.

¿ Van Vds. a nuestra casa ?

¿ Van Vds. a nuestra casa?
¿ Van Vds. a la nuestra ?

1. Quieren mi cámara.
2. Les gustan mis maletas.
3. ¿ Tiene Juan su billete ?
4. ¿ Tienen los dos sus billetes ?
5. ¿ Lleva Vd. su equipaje ?
6. Traigo el equipaje de María.
7. Nuestra casa es de piedra.
8. Nuestros jardines son bonitos.
9. ¿ Compró Vd. el coche de mi tía ?
10. No conduzca Vd. el coche de él.

11. Estacione Vd. el coche de Ana.
12. Póngase Vd. su sombrero.
13. Quítese Vd. sus guantes.
14. Dame tus paquetes.
15. Trae tu cámara.
16. Deja aquí nuestras flores.
17. Fui por mi coche.
18. Me gusta tu traje.
19. Tus amigos están aquí.
20. Nuestros amigos no vienen.

VIII. Listen to the question, then reply affirmatively using the correct possessive pronoun.

EXAMPLE: ¿ Es de Vd. este libro ?   Sí, es mío.

1. ¿ Es de él este sombrero ?
2. ¿ Es de María esta blusa ?
3. ¿ Son de Vd. esos guantes ?
4. ¿ Son tuyas estas corbatas ?
5. ¿ Es de ellos esta cámara ?

6. ¿ Es nuestro este equipaje ?
7. ¿ Son nuestros esos billetes ?
8. ¿ Es de Vds. ese paquete ?
9. ¿ Son de Vds. esas cartas ?
10. ¿ Es mía esa maleta ?

IX. Repeat the sentence, then when you hear a cue, give a new sentence following the example.

EXAMPLE: Le *dejé* ir al parque.
permití

Le dejé ir al parque.
Le permití ir al parque.

1. La oyó *tocar* algunas canciones. (cantar)
2. Le he oído *gritar* varias veces. (llamar)
3. Los *oímos* salir de la casa. (vimos)
4. La han visto *pasar* por la calle. (correr)
5. *Déjame* explicarte esto. (Permíteme)
6. No le *permiten* usar el coche. (dejan)
7. Le *dejé* jugar con los muchachos. (permití)
8. *Mandó* facturar sus maletas. (Hizo)
9. Nos *hizo* ir al banco. (mandó)
10. Ella se puso *enferma*. (triste)
11. Mi primo *se hizo* médico. (llegó a ser)
12. *Cuando* hubo entrado, nos vio. (En cuanto)
13. *Apenas* hubo vuelto, me llamó. (Después que)
14. *Después de salir el tren*, subimos al coche. (Salido el tren)
15. *Al hacer todo eso*, me cansé mucho. (Hecho todo eso)

VOCABULARY

VOCABULARY

Spanish-English

A

a at, to, in, into, from, for, against, after; *not translated when used before a personal direct object*

abajo down, below

  de arriba abajo up and down

  escalera abajo down (the) stairs

abalanzarse (c) to spring, rush

abandonado, –a de abandoned by

abandonar to abandon, leave, give up, let go

el **abanico** fan

los **abastos** provisions

  juez de abastos market inspector

abierto, –a (*p.p. of* **abrir** *and adj.*) open(ed)

el **abono** fertilizer

abrasar to burn

abrazado, –a a embracing, clasping

abrazar (c) to embrace

el **abrazo** embrace

  dar un abrazo a to embrace

el **abrigo** (over)coat, top coat; protection, shelter

  al abrigo de protected from

abril April

abrir(se) to open

absolutamente absolutely

absurdo, –a absurd

la **abuela** grandmother

el **abuelo** grandfather; *pl.* grandparents

la **abundancia** abundance

abundante abundant

aburrirse to become bored

el **abuso** abuse

acá here

  por acá (around) here

acabar (de) to end, finish; *reflex.* end, be over

  acabar con to put an end to

  acabar de + *inf.* to have just + *p.p.*

  acabó de subir (it) finally rose

acariciar to caress, fondle

acaso perhaps, by chance

la **acción** action, deed

el **acento** accent, tone

aceptar to accept

la **acequia** irrigation ditch

la **acera** sidewalk

acerca de about, concerning

acercarse (qu) (**a** + *obj.*) to approach, draw near (to)

el **acero** steel; spirit

acompañado, –a de accompanied by

acompañar to accompany, go with

acompasadamente rhythmically

acongojado, –a distressed, in anguish

aconsejar to advise

el **acontecimiento** event, happening

acordarse (ue) (de) to remember

acostar (ue) to put to bed; *reflex.* go to bed, lie down

acostumbrado, –a accustomed

acostumbrar(se) (a) to be (become) accustomed (to)

la **actitud** posture, position

activo, –a active

el **acto** act, deed

  en el acto at once

actual present, of the present time

acudir (a) to appear, turn (to); arrive, come

acuerdo: estar de —, to agree, be in agreement

la **acusación** (*pl.* **acusaciones**) accusation

acusar to acknowledge

  acusar (de) to accuse (as a)

la **adaptación** adaptation

adaptar to adapt, fit

adelantar to advance, set forward

  adelantarse a to get ahead of

adelante ahead

  de ese día en adelante thereafter, from that day on

el **ademán** gesture

además besides, furthermore

  además de *prep.* besides, in addition to

adiós good-bye

adivinar to divine, guess

el **adjetivo** adjective

adjunto, –a enclosed

la **administración** administration

el **adobe** adobe (*sun-dried brick*)

adolescente young

¿ adónde ? where ?

adoptar to adopt, assume

adorado, –a adored

adornado, –a adorned, decorated

adornar to adorn, decorate

adquirir to acquire

el **adverbio** adverb
advertir (**ie,i**) to warn, notice, note, remark
aéreo, –a air
    sello de correo aéreo airmail stamp
el **aeropuerto** airport
la **afectación** affectation, pride
afectar to affect, pretend
afectísimo, –a: su — y s. s. sincerely yours
el **afecto** (*also pl.*) fondness, affection, love
afeitado, –a shaven
afeitar(se) to shave (oneself)
    máquina de afeitar safety razor
la **afición** (**a**) fondness, liking (for); hobby
aficionado, –a (**a**) fond (of)
    ser aficionado, –a a to be fond of
afilar to make keen, sharpen
afirmar to affirm; *reflex.* reassure oneself
afligirse (**j**) to worry
afmo. (**afma.**) = **afectísimo** (**–a**)
afortunadamente fortunately
África Africa
africano, –a African
las **afueras** outskirts
agacharse to stoop down, bend over
agarrar to grasp, grab
ágil agile, nimble
la **agitación** agitation
agitar to agitate, move, shake, wave
agosto August
agradable pleasant, agreeable
agradecer (**zc**) to be grateful, thank for
    agradecer mucho to be very grateful
agradecido, –a grateful
agrícola (*m. and f.*) agricultural, farm
la **agricultura** agriculture
el **agua** (*f.*) water
el **aguacero** shower, downpour
aguardar to await, wait (for)
agudo, –a sharp, brisk
el **águila** (*f.*) eagle
el **agujero** hole
Agustín Augustine
ah ah
ahí there
    de ahí from that (fact)
    por ahí around there (then)
ahora now
    ahora mismo right away (now)

ahorcado, –a hanged, by hanging
ahorcar (**qu**) to hang
ahorita right away (now)
ahorrar to save
el **aire** air
    al aire in (into) the air
aislado, –a isolated
el **aislamiento** isolation
el **ajedrecista** chess player
el **ajedrez** chess
ajeno, –a of somebody else
al = a + el to the, in the
    al + inf. on, upon + *pres. part.*
el **ala** (*f.*) brim (*of a hat*), wing
alabar to praise
    ¡ alabado sea Dios ! (may) God (the Lord) be praised !
el **alacrán** scorpion
el **alambique** still
Albéniz, Isaac (1860–1909) *Spanish pianist and composer*
el **álbum** album
    álbum de sellos stamp album
el **alcalde** mayor
la **Alcaldía** mayor's office
alcanzar (**c**) to overtake, catch
la **alcoba** bedroom
la **aldea** village
alegrarse (**mucho**) (**de**) to be (very) glad (to)
    ¡ cuánto me alegro (de) ! how glad I am (to) !
    me alegro (**mucho**) I am (very) glad
alegre happy, gay; clear, bright
alegremente happily
la **alegría** happiness, joy
alejar to remove, take away; *reflex.* move (go, draw) away, withdraw, leave
alemán, –ana German
el **alfiler** pin
Alfredo Alfred
algo something, anything; *adv.* somewhat
el **algodón** cotton
el **alguacil** constable, bailiff
alguien someone, somebody, anybody
alguno, –a (**algún** *before m. sing. nouns*) some(one), any; *pl.* some, several, a few, quite a few
la **alhaja** jewel
Alicante *city in southeastern Spain*

el **aliento** breath, encouragement
   sin aliento breathless, out of breath
el **alimento** (*also pl.*) food
el **alma** (*f.*) soul, heart
la **almohada** pillow
   almorzar (**ue; c**) to take (have, eat) lunch
   a la hora de almorzar at lunch time
el **almuerzo** lunch
   tomar el almuerzo to take (eat, have) lunch
   ¡aló! hello! (*telephone*)
   alojarse to lodge, live
el **alquimista** alchemist
   alrededor: a su —, around him
   alrededor de around
   alternativamente alternately, in turn
   alterno, –a alternate, alternating
   altivo –a proud, high-handed, over-bearing, haughty
   alto, –a tall, high; upper
la **altura** height
la **alucinación** hallucination
   alumbrar to light up, throw light upon
la **alumna** pupil, student (*f.*)
el **alumno** pupil, student (*m.*)
   nosotros los alumnos we students
   alzar (**c**) to raise, lift
   allá there
   más allá de beyond
   allí there
   amable kind
   amado, –a beloved
   amanecer (**zc**) to dawn; be (appear) at daybreak
el **amanecer** dawn
   al amanecer at dawn
   amante loving
el **amante** lover
   amar to love
   amarillo, –a yellow
el **ámbar** amber (color)
la **ambición** ambition
el **ambiente** atmosphere, air
   ambos, –as both
   amén amen
la **amenaza** threat
   amenazador, –ora threatening
   América America
   América del Sur (española) South (Spanish) America
   americano, –a American; (*as used by Camba*) North American, Yankee

la **amiga** friend (*f.*)
el **amigo** friend (*m.*)
el **amiguito** (my) dear (little) friend
el **amo** master
   amontonar to pile up, store up
el **amor** love; *pl.* love affairs
   esos amores that love
   amplio, –a large
   Ana Anna, Anne, Ann
   analizar (**c**) to analyze
   anciano, –a old, ancient
   ancho, –a broad, wide, large
   Andalucía Andalusia (*southern part of Spain*)
   andar to go (on), walk; be; run (*as a watch*)
   anda come (now)
   ¡anda! go ahead (on)! all right! come now (on)!
   andando el tiempo as time passed
   andar a pie to go on foot, walk
el **andén** platform
los **Andes** Andes (*mountains in South America*)
   Andrés Andrew
la **anécdota** anecdote
el **ángel** angel
el **ángulo** angle, corner
la **angustia** (*also pl.*) anguish, pang
   angustiado, –a in anguish
el **anillo** ring
el **animal** animal
el **animalito** little creature (animal)
   animar to encourage, incite
el **ánimo** courage, spirit
   ¡buen ánimo! cheer up!
   Anita Anna, Anne, Ann
   anoche last night
   anochecer: al —, at nightfall
   anonado, –a overwhelmed, embarrassed
   anónimo, –a anonymous
   ansioso, –a anxious, eager
   ante before, in front of, in the presence of
los **anteojos** spectacles, eyeglasses
   antes *adv.* before, formerly, first, rather
   antes de *prep.* before
   antes (de) que *conj.* before
   anticipar las gracias to thank in advance
   antiguo, –a ancient, old
las **Antillas** Antilles

Antillas Mayores (Menores)
Greater (Lesser) Antilles
Antonio Anthony
anunciar to announce, proclaim
añadir to add
el **año** year
   a los dos años after (in) two years, two years later
   al año yearly
   al año siguiente the following year
   modelo de este año this year's model
   tener ... años to be ... years old
   todo el año the whole year, all year
   una muchacha de catorce años a fourteen-year-old girl
   apagar (gu) to turn off, put out
el **aparato** set, apparatus, instrument
   aparato de radio (televisión) radio (television) set
   aparecer (zc) to appear, be
el **aparejo** harness
   aparente apparent
la **apariencia** appearance
   apartado, –a secluded
el **apartamiento** apartment
   casa de apartamientos apartment house
el **apellido** family name
   apenas scarcely, hardly, no sooner than
el **aperitivo** apéritif, appetizer
el **apetito** appetite, hunger
   tener apetito to be hungry, have an appetite
   apisonadora: máquina —, road roller
   aplicar (qu) to apply, put on; *reflex.* apply oneself
   apoderarse de to seize, take hold of
el **apóstol** apostle
   apoyado, –a leaning
   apoyar to confirm, support
   apreciable estimable, worthy of esteem
   aprender (a + inf.) to learn (to)
   apresurado, –a fast, hurriedly
   apresurarse to hurry, hasten, run
   apropiado, –a appropriate, correct
   aprovechar to take advantage of, make use of
   apuntar to aim, point at
el **apuro** difficulty
   aquel, aquella, –os, –as *dem. adj.* that, those

aquél, aquélla, –os, –as *dem. pron.* that (one), those; the former
aquello (*neuter*) that, that part
aquí here
   aquí mismo right here
   de aquí a mañana from now until tomorrow
   desde aquí hereafter
   por aquí (around) here, this way
   ¡ tú por aquí ! you here !
el **árbol** tree
   ardiente ardent, burning, hot
la **arena** sand
el **arete** earring
la **Argentina** Argentina
   argentino, –a (*also noun*) Argentine
el **argumento** argument
   aristocrático, –a aristocratic
el **arma** (*f.*) arm, weapon
   armas de fuego firearms
   armado, –a de armed with
el **armario** chest, wardrobe
la **armonía** harmony
el **aroma** aroma, odor
la **arquitectura** architecture
   arrancar (qu) to tear out, pull, break (down)
el **arranque** (sudden) start
   arrastrar to drag, draw (out); *reflex.* drag (pull) oneself
   arrebatar(se) (a) to snatch (from)
   arreglar to fix
   arreglar las uñas to have a manicure
   arriba above, up
   allá arriba up there
   de arriba abajo up and down
   arrodillarse to kneel
   arrogante arrogant
   arrojar to throw
el **arroyo** stream, brook
   arrugar (gu) to wrinkle
   arrullar to lull (to sleep)
el **arte** (*also f. pl.*) art
el **artículo** article
   artificial artificial
el (la) **artista** artist
   artístico, –a artistic
Arturo Arthur
   asaltar to attack; occur suddenly
   asegurar to assure, affirm, say; put on, fasten
   asentir (ie,i) to assent, agree

asesinar to assassinate, kill
así so, this, (in) this way, like that
  así, así so-so
  así como as well as, just as
  así es (fue) que so, and so, so that, thus
  así fue como so this was how
el asiento seat
  tomar asiento to take a seat
asimilado, -a assimilated
asistir a to attend
asomar (a) to appear (on); *reflex.* look out of, appear on (at), look into
asombrado, -a amazed, astonished
el asombro astonishment, surprise
asombroso, -a amazing, astonishing
el aspecto aspect, appearance
astuto, -a astute, clever
el asunto matter, affair, business
asustar to scare, frighten
atacar (qu) to attack
Atahualpa *Inca leader at time of Spanish conquest*
atar to tie (up)
el atardecer nightfall
  al atardecer at nightfall
la atención attention
  llamar la atención (a) to attract one's attention (to)
atender (ie) a to attend (to), wait on
la atenta letter
atentamente sincerely yours, attentively
atento, -a attentive, kind
  sus atentos y ss. ss. sincerely yours
atenuado, -a softened, toned down
aterrado, -a terrified, frightened
atestiguar (gü) to bear witness (to)
el atleta athlete
la atracción attraction
atractivo, -a attractive
el atractivo charm, attraction
atraer to attract
atrás back, behind
  hacia atrás backwards
atravesar (ie) to cross
atreverse a to dare to
atrevido, -a bold, daring
el atrevido bold one (thing)
la atrocidad atrocity, outrage
el atropello insult, outrage
  ¡ ni atropello ni nada ! insult, nothing !

atto(s). = atento(s)
aumentar to enlarge, increase
aún even, still, yet
aunque although, even though
auténticamente authentically
auténtico, -a authentic, real
el autobús bus
  en autobús by (in a) bus
el automóvil automobile, car
la autoridad authority
avanzado, -a advanced
avanzar (c) to advance, move forward
el avaro miser
aventajar to surpass
la aventura adventure
el aventurero adventurer
averiguar (gü) to find out, learn
Ávila *walled city about 115 kilometers northwest of Madrid*
el avión plane, airplane
  en avión by (air)plane
avisar to advise, warn
¡ ay ! ah ! oh ! alas !
ayer yesterday
la ayuda aid, help
ayudar (a + *inf.*) to help, aid
el ayuntamiento city government
el azote lash
el azteca (*m. and f.; also adj.*) Aztec
azul blue

B

¡ bah ! bah !
la bahía bay
bailar to dance
  se bailará there will be dancing
la bailarina dancer
el baile dance
bajar to go down(stairs), get off (out), lower, put down
bajo, -a low, short, lower; *prep.* under, in, beneath
el balance balance
Balboa, Vasco Núñez de *discoverer of the Pacific Ocean in 1513*
balbucear to stammer
el balcón balcony
el banco bank, bench
la bandada flock
la bandera flag, banner
el bandido bandit, thief
bañarse to bathe (oneself), take a bath

el **baño** bath
   cuarto de baño bathroom
   barato, –a cheap, inexpensive
la **barba** chin
   Bárbara Barbara
la **barbarie** barbarism
la **barbería** barber shop
el **barbero** barber
el **barco** boat
la **barraca** farmhouse (*typical of Valencia in Spain*)
   barrigona Big Stomach
el **barril** barrel
el **barro** clay, mud; pottery
él **básquetbol** basketball
   bastante *adj.* enough, sufficient, quite a bit of; *adv.* quite, enough
   bastar to be enough (sufficient)
   basta enough
el **bastón** cane
la **batalla** battle
la **batista** batiste, fine cambric
   Batiste *proper name*
el **baúl** trunk, chest
   beatífico, –a blissful, beatific
   beber to drink
   dar de beber to give a drink to
la **bebida** drink
el **béisbol** baseball
la **belleza** beauty
   bello, –a pretty, beautiful
   bendecir to bless
la **bendición** blessing
   echar una bendición a to bless
   bendito, –a blessed
   beneficioso, –a beneficial
   Bernardo Bernard
   besar to kiss
la **Biblia** Bible
la **biblioteca** library
la **bicicleta** bicycle
   en bicicleta by bicycle, on their (one's) bicycle(s)
   bien well, very well. fine, all right, yes, certainly
   está bien all right, fine, very well, O.K.
   hombre de bien good (honest) man
   ¡ qué bien ! how fine (good, wonderful) !
   ¡ se está tan bien aquí ! it is so very pleasant here !
   si bien although

la **bienaventuranza** bliss, blessedness
el **billete** ticket, bill (*bank note*); note, love letter
   billete de ferrocarril railroad ticket
   billete de (veinte) dólares (twenty-)dollar bill
   Bimini *supposed site of Fountain of Youth*
la **bisutería** costume jewelry
el **bizcocho** cookie
   blanco, –a (*also noun*) white
   blando, –a soft, gentle
la **blusa** blouse
la **boca** mouth, opening
la **boda** wedding
   bofe: echando el —, out of breath
el **boleto** ticket (*Mex.*)
la **bolsa** bag, purse
el **bolsillo** pocket, purse
   de bolsillo pocket
el **bolso** purse
la **bomba** bomb
el **bombón** (*pl.* **bombones**) bonbon, candy
   bonachón, –ona good-natured
la **bondad** kindness
   tenga(n) Vd(s). la bondad de + *inf.* please
   bondadoso, –a kind
   bonito, –a pretty, beautiful
   bordado, –a embroidered
   borrar to erase, wipe out, obliterate
el **bosque** forest, woods
el **bosquecillo** thicket
   bostezar (c) to yawn
la **bota** boot, shoe
   sacudirse las botas to dust one's shoes
la **botella** bottle
la **botica** drugstore
el **boticario** druggist
el **boxeador** boxer
   boxear to box, fight
el **Brasil** Brazil
el **brazo** arm
   al brazo on his arm
   del brazo de on the arm (of)
   en brazos in one's arms
   breve brief, short, curt
   brevemente briefly
   brillante brilliant, shining, bright
el **brillante** diamond
   brillar to shine

brincar (qu) to jump, leap
la brocha brush
el broche clasp, pin, brooch
buen *used for* bueno *before m. sing. nouns*
la buenaventura fortune; prediction of fortuneteller, prophecy
bueno *adv.* well, well now, fine, all right, nice, good, wonderful
¡ bueno ! hello ! (*telephone*)
¡ qué bueno ! how fine (wonderful) !
bueno, –a good, well, very well
muy buenas good afternoon (evening)
muy buenos good morning (day)
el buey ox
el buhonero peddler
la burla trick, joke
hacer una burla (a) to play a trick (on)
burlarse de to make fun of
el burro burro, donkey
la busca search
en busca de in search of
buscar (qu) to look (for), seek
la butaca (easy) chair
el buzón mailbox

C

la caballería cavalry
el caballero gentleman; sir (*as a title*)
el caballo horse; knight (*in chess*)
a caballo on horseback
los cabellos hair
caber to be contained in
no me cabe duda there is no doubt
ya no cabía duda there was no longer any doubt
la cabeza head; mind
Cabeza de Vaca *Spanish explorer of the Southwest of the United States*
el cabo end, stem; corporal
al cabo finally
al cabo de after, at the end of
la cabra goat
la cacerola pot, pan
el cacique Indian chief
cachigordeta Chubby
cada (*m. and f.*) each, every
el cadáver body
la cadena chain
caer(se) to fall (off, down)
dejar caer to drop, let fall

el café coffee, café
de color café (claro) (light) brown
caído, –a down, fallen (down)
la caja box
el cajón (*pl.* cajones) drawer
la calabacera pumpkin vine
la calabaza pumpkin, squash
la calamidad calamity
calceta: hacer —, to knit
el calcetín (*pl.* calcetines) sock
calcular to calculate, figure
el caldo broth
la calidad quality
caliente warm, hot
la calma calm, calmness
con mucha calma very calmly
con qué calma how calmly
tener calma to keep calm
calmar to calm; *reflex.* become calm, calm oneself
el calor heat, warmth
hacer calor to be warm (*weather*)
caluroso, –a warm, enthusiastic
callado, –a silent, still
callar(se) to silence, become (keep) quiet (still), remain (be) silent, hush
¡ calle ! hush !
la calle street
(salir) a la calle (to go out) into the street
la calleja lane, narrow street
la cama bed; berth
cama de operaciones operation table
la cámara camera
cámara de cine movie camera
cámara de treinta y cinco milímetros 35 millimeter camera
el camarero waiter
cambiar to change, exchange
cambiar de opinión to change one's mind
cambiarse de ropa to change clothes
el cambio change, exchange
en cambio on the other hand
letra de cambio draft, bill of exchange
la camelia camellia
caminar to walk, go, travel
caminar a pie to walk, go on foot
el camino road, way

la **camisa** shirt, jacket, chemise
    camisa de noche nightshirt
el **campamento** camp
la **campana** bell
la **campanilla** (small) bell; bell flower
el **campesino** countryman, peasant
el **campo** country, field
el **Canadá** Canada
la **canción** (*pl.* **canciones**) song
    cándido, –a candid, innocent; (*also proper name*)
el **candil** lamp
    cansado, –a tired
    cansar to tire
    cansarse (mucho) to get *or* become (very) tired *or* weary
    cantar to sing, chant; croak
la **cantidad** quantity
el **canto** song, chant, singing
el **cantor** minstrel
    gaucho cantor gaucho singer
el **cañón** (*pl.* **cañones**) cannon
la **capa** layer
    capaz capable
la **capital** capital
el **capitán** (*pl.* **capitanes**) captain
el **capítulo** chapter
la **captura** capture
    capturar to capture
la **cara** face
el **carácter** character, disposition, nature
la **característica** characteristic, feature
    característico, –a characteristic, typical
    ¡ **caramba** ! gosh !
la **cárcel** prison, jail
la **carga** load, burden; freight
    barco de la carga freight boat
    cargado, –a heavy, overloaded, filled
    cargar (gu) to carry, load
    Caribe Caribbean
la **caridad** charity
el **cariño** affection, liking
    con cariño affectionately
    cariñosamente affectionately
    Carlitos Charlie
    Carlos Charles
    Carlota Charlotte
    Carmona *town in southern Spain*
el **Carnaval** carnival (*three days of festivity before Ash Wednesday*)
la **carne** meat
    caro, –a expensive, dear

    Carolina Caroline
el **carpintero** carpenter
la **carrera** career
    a la carrera on the run, running
la **carretera** highway, open road
el **carro** cart, wagon
la **carta** letter
el **cartel** poster, placard
la **cartera** wallet, pocketbook
el **cartero** postman, mailman
el **cartón** cardboard
el **cartucho de papel** paper cone
la **casa** house, home, family; firm, shop
    a casa de (María) to the house (home) of (Mary), to (Mary's)
    en casa at home
    en casa de (Roberto) at (Robert's), in the house of (Robert)
    (ir) a casa (to go) home
    (salir) de casa (to leave) home
    casado, –a married
    casar (con) to marry, give in marriage (to); *reflex.* to marry, get married
    casi almost
la **casita** small house, cottage
el **caso** case, fact, example
    es el caso the fact is
    poner por caso to take *or* offer for (as) an example
el **castellano** Castilian
el **castillo** castle
la **casualidad** chance, coincidence
    por casualidad by chance
la **catástrofe** catastrophe
la **catedral** cathedral
    católico, –a Catholic
    catorce fourteen
el **caudillo** leader, chief, caudillo
la **causa** cause
    a causa de because of
    causar to cause
el **cautiverio** captivity
    cautivo, –a captive, caught
    cavar to dig
    cayó *see* **caer**
el **cazador** hunter
    cazar (c) to hunt, chase, catch
    ceder to yield, cede
    Celaya *town in Mexico*
la **celda** cell
    celebrado, –a celebrated, held
    celebrar to celebrate, hold
    célebre celebrated, famous

celoso, –a jealous
la cena supper
    tomar la cena to take (eat) supper
    cenar to eat (take) supper
el cencerro bell (*worn by animals*)
el centavo cent
    central central
el centro center, downtown
    en el centro downtown
    (ir) al centro (to go) downtown
    Centroamérica Central America
    cepillar to brush
el cepillo brush
    cerca *adv.* near
    cerca de *prep.* near, about, approximately
    de cerca at close range, closely
la cerca fence
    cercado, –a surrounded
    cercano, –a nearby, neighboring
    cerciorarse (de que) to make sure (that)
    cerquita very close
    cerrado, –a closed, locked, enclosed
    cerrar(se) (ie) to close
    cerrar el paso a to block one's way
el cerro hill
la cerveza (*also pl.*) beer
    Cíbola: Siete Ciudades de —, *supposed cities in southwestern United States for which the Spaniards searched in vain*
    ciego, –a blind
el ciego blind man
el cielo sky, heaven
    científico, –a scientific
    cien(to) one (a) hundred
    ciento (setenta) one hundred (seventy)
    cierto, –a certain, true
la cifra figure
la cigarra locust
el cigarro cigar, cigarette
    cinco five
    cincuenta fifty
el cine movie(s)
    cámara de cine movie camera
la cinta tape
el cinturón belt
la circunstancia circumstance
la cita appointment, date
    citarse to make an appointment
la ciudad city

el ciudadano citizen
    civil civil
la civilización civilization
    claramente clearly
la claridad light
    claro, –a clear, bright, light (*color*); *adv.* of course, certainly
    ¡ claro ! certainly ! of course !
    claro está of course, to be sure
    claro que + *verb* of course
    ¡ claro que no ! certainly (indeed) not !
la clase class, classroom; kind
    dar clases to teach
    ¿ qué clase de ? what kind of ?
    sala de clase classroom
    toda clase de every kind (all kinds) of
la clavellina carnation plant
el cliente client, customer
la clientela clientele, clients
el clima climate
el club club
el cobertizo covering, shelter
    cobijar to cover, shelter, protect
    cobrar to cash, collect
la coca cola Coca-Cola, coke
el cocinero cook
el coche car, coach
    coche cama Pullman
    dar un paseo en coche to take a ride, go riding
    en coche by car
el cochero coachman, driver
la codicia greed, covetousness, envy
    con codicia greedily, enviously
    codicioso, –a covetous, greedy
    coger (j) to catch, pick (up), gather, take, seize
la cohesión cohesion
    cohibirse to restrain oneself
la cola tail
el colchón mattress
    colear to pull an animal's tail
    colear perros to pull dogs' tails
la colección collection
el coleccionista collector
el colegio (private) school
    colgado, –a hanging
    colgar (ue; gu) to hang (up)
    colgarse de to hang by
    colocar (qu) to place, put
    Colón Columbus
la colonia colony
    colonial colonial

el **colonizador** colonizer
colonizar (**c**) to colonize
el **color** color
   de colores colored
   coloradilla Reddy
   colorado, –a red
   ponerse colorado to blush
el **collar** necklace
el **comandante** commander, major
   combinado, –a combined
la **comedia** play, comedy
el **comedor** dining room
   comenzar (**ie; c**) (**a** + *inf.*) to com-
     mence, begin (to)
   comer to eat, dine; *reflex.* eat (up),
     devour
   comercial commercial, business
el **comerciante** merchant, businessman
el **comercio** commerce, business
   cometer to commit
la **comida** meal, food, dinner
   hora de la comida dinner time, time
     to eat
   como since, as, like, just as, as if, if,
     about
   como para as if to
   como si as if
   ¿ cómo ? how? what? what do you
     mean? how come?
     ¿ cómo que . . . ? what do you
      mean by . . . ?
     ¡ cómo ! what (do you mean) !
     ¡ cómo + *verb!* how !
     ¡ cómo nada ! what do you mean by
      nothing !
     ¡ cómo no ! of course ! certainly !
   cómodamente comfortably
la **comodidad** convenience
   cómodo, –a comfortable
el **compañero** companion
la **compañía** company
   en compañía de accompanied by,
     in the company of
la **comparación** (*pl.* **comparaciones**)
   comparison
   compararse to be compared
   comparecer (**zc**) to appear, show up
el **compás** time (*of music*), beat
   complacer (**zc**) to please, satisfy
   completamente completely
   completar to complete
   completo, –a complete
   por completo completely

   complicado, –a complicated
   componer to compose
   comportarse to behave
la **composición** (*pl.* **composiciones**)
   composition, theme
el **compositor** composer
la **compra** purchase
   ir de compras to go shopping
el **comprador** buyer, purchaser
   comprar (**a**) to buy (from)
   comprender to understand, compre-
     hend; comprise, include
   comprobarse (**ue**) to be verified
   compuse *see* **componer**
   común common, general
   en común in common, together
la **comunicación** communication
   con with
   concebir (**i**) to conceive, build up
   conceder to concede, grant
   concentrarse to concentrate
   concibió *see* **concebir**
la **conciencia** conscience
el **concierto** concert
   conciliador, –ora conciliatory
   concluir (**y**) to conclude, finish, end
   Conchita Fannie .
el **conde** count
la **condecoración** decoration
   condecorado, –a decorated (*with hon-
     ors*)
   condenar to condemn
la **condesa** countess
la **condición** condition, state, nature
   conducir (**zc; j**) to drive, conduct, lead,
     take, carry
la **conducta** conduct
el **conductor** conductor
   condujeron *see* **conducir**
la **confección** making, filling
la **confederación** confederation
la **conferencia** conference
   confesar (**ie**) to confess
la **confianza** confidence
   con confianza confidently
   confiar (**í**) to confide, entrust
la **confusión** confusion
   confuso, –a confused
la **conga** conga
el **congreso** congress
la **conjunción** conjunction
el **conjunto** ensemble (*music*)
   conmigo with me

conmover (**ue**) to move, shake
conocedor, –ora expert, skilled
conocer (**zc**) to know (*persons*), meet, be acquainted with, recognize
   ya se conoce it is evident
conocido, –a known
el **conocimiento** consciousness
   perdido el conocimiento unconscious
conque so, and so
la **conquista** conquest; (winning the) affection of a girl
el **conquistador** conqueror
conquistar to conquer, overcome
la **consecuencia** consequence
conseguir (**i; g**) to get, obtain, find, succeed in
el **consejo** advice; court
   por consejo de on the advice of
consentir (**ie,i**) **en** to consent to
conservar to conserve, keep, hold, retain, preserve
la **consideración** consideration
considerar to consider
consigo with him(self), *etc.*
consiguió *see* **conseguir**
el **conspirador** conspirator
constantemente constantly
constituir (**y**) to constitute
constituye *see* **constituir**
la **construcción** (*pl.* **construcciones**) construction
construir (**y**) to construct, build
construyendo, construyeron, construyó *see* **construir**
consumado, –a completed
el **contacto** contact, touch
contar (**ue**) to count, relate, tell
   contar con to count on, have
contemplar to contemplate, look at
contemporáneo, –a (*also noun*) contemporary
contener (*like* **tener**) to contain
contento, –a contented, happy, pleased
contestar to answer, reply
   contestar que sí (no) to answer yes (no)
contigo with you (*fam.*)
el **continente** continent; expression, bearing
continuar (**ú**) to continue, go on
contra against
   en su contra against him

contradictorio, –a contradictory
la **contrariedad** annoyance
contrario: al —, on the contrary
   lo contrario the opposite (contrary)
   todo lo contrario just (quite) the opposite
el **contraste** contrast
contratar to contract for, get
la **contribución** tax
contribuir (**y**) to contribute
contribuyó *see* **contribuir**
convencer (**z**) (**de que**) to convince (that); *reflex.* be convinced, convince oneself (that)
convencido, –a (**de que**) convinced (that)
convenir (*like* **venir**) to be fitting, proper, suitable
el **convento** monastery
la **conversación** (*pl.* **conversaciones**) conversation
convertir (**ie,i**) to convert, change; *reflex.* be converted (changed)
convocado, –a called
convocar (**qu**) to convoke, call together
la **copa** (wine) glass
la **copla** couplet, popular song
el **corazón** heart
la **corbata** necktie
   alfiler para corbata tie pin
cordial cordial
cordialmente cordially
Córdoba *city in southern Spain*
el **cordón** cord
el **coro** chorus
el **coronel** colonel
el **corral** yard, farm yard, corral
   de corral en corral from yard to yard
correcto, –a correct
corregir (**i; j**) to correct
el **correo** mail
   correo aéreo airmail
   echar al correo to mail
   oficina de correos post office
   por correo aéreo by airmail
   sello de correo postage stamp
correr to run
   salir corriendo to run
la **correspondencia** correspondence
corresponder to correspond; match, fall to one's share

correspondiente corresponding
la **corriente** current
el **corro** circle (*of people*)
cortar to cut (off)
Cortés, Hernán *conqueror of Mexico*
la **cortesía** courtesy
la **cortina** curtain
corto, –a short
    corto de vista nearsighted
la **cosa** thing, object
    alguna (ninguna) otra cosa something (anything) else
    otra cosa something else
    ¿ **qué otra cosa** ? what else?
    una cosa something
la **cosecha** crop, harvest
coser to sew
la **costa** coast
costar (ue) to cost
    costar trabajo to be hard (difficult)
la **costumbre** custom
    de costumbre usual
la **costura** sewing
cotidiano, –a daily
la **cotización** (*pl.* **cotizaciones**) quotation
craneano, –a of the scalp (head)
crear to create, establish, make
crecer (zc) to grow, increase
creciente growing
    luna creciente crescent moon
crédulo, –a credulous
creer (y) to believe
    creer que sí (no) to believe so (not)
    ¡ **ya lo creo** ! yes, indeed ! of course ! certainly !
la **criada** maid
el **criado** servant
criar (í) to raise, bring up, grow
la **criatura** creature, baby, child
el **crimen** crime
èl **criollo** creole (*son of Spaniards born in the New World*)
el **crisol** melting pot
el **cristal** glass, crystal
cristalino, –a crystalline, transparent, clear
el **cristianismo** Christianity
cristiano, –a (*also noun*) Christian
Cristóbal Christopher
la **crucecita** little cross
el **crucifijo** crucifix
cruel cruel

la **crueldad** cruelty
la **cruz** cross
    cruzar (c) to cross
el **cuaderno** notebook
la **cuadrilla** band, gang
    cuadritos: a —, checked
    cuadros: a —, plaid, checked
cual *adv.* as, like, as if; *adj. and rel. pron.* as
    a cual más y mejor each trying to outdo the other
    el (la) cual, los (las) cuales that, which, who, whom
    lo cual what, which (fact)
    tal o cual this or that
    tan . . . cual as . . . as
¿ **cuál** ? which (one) ? what ?
la **cualidad** quality
cualquier, –a any (anyone) (at all)
    un cualquiera a nobody
cuando when
    cuando menos at least
¿ **cuándo** ? when ?
cuanto, –a all that (who); *pl.* all those who (which)
    cuanto antes as soon as possible
    en cuanto as soon as
    en cuanto a as for, concerning
¿ **cuánto, –a** ? how much (many) ?
    ¿ **cuánto tiempo (hace)** ? how long (is it) ?
¡ **cuánto + *verb*** ! how !
cuarenta forty
el **cuarto** room; quarter
    cuarto de baño bathroom
    (son las ocho) y cuarto (it is) a quarter after (eight)
cuatro four
cubano, –a Cuban
cubierto, –a (de) covered (with)
cubrir to cover
el **cuello** collar; neck
la **cuenta** account, bill
    darse cuenta de to realize
    hacer de cuenta to notice
    perder la cuenta to lose count (of)
    por nuestra cuenta on our account, on us
    tener en cuenta to bear in mind
    tomar en cuenta to take into account (consideration)
el **cuento** (short) story, tale
la **cuerda** rope, cord

el **cuero** leather
   (**tacón**) **de cuero** leather (heel)
el **cuerpo** body
la **cuesta** slope
la **cuestión** (*pl.* **cuestiones**) question,
   problem
el **cuestionario** series of questions
la **cueva** cave
el **cuidado** care, worry, attention
   con cuidado carefully
   ¡ **cuidado** ! (be) careful !
   pierda Vd. (**pierde**) **cuidado** don't
     worry
   tener (**mucho**) **cuidado** (**de que**)
     to be (very) careful (that)
   cuidadosamente carefully
   cuidar to take care of
el **cultivo** cultivation
   culto, –a cultured, educated
   cultural cultural
la **cumbre** summit
el **cumpleaños** birthday
   regalo de cumpleaños birthday gift
el **cumplimiento** fulfilment
   cumplir to fulfil, carry out, keep
     (*promise*); *reflex.* be realized, come
     true
la **cuna** cradle
la **cúpula** cupola, top
el **cura** priest
el **curandero** medicine man
   curioso, –a curious, rare
   lo más curioso the funniest thing
el **curioso** curious fellow (person)
   un nuevo curioso another curious
     fellow
   Currín Frank
el **curso** course
la **curva** curve
   cuyo, –a whose
el **Cuzco** Cuzco (*city in Peru*)

Ch

el **chaleco** vest
el **champú** shampoo
la **chaqueta** jacket, coat
la **chaquetilla** short jacket
el **charco** pool
   charlar to chat
el **charol** patent leather
el **cheque** check
   chico, –a small

el **chico** boy; *pl.* children
   chileno, –a Chilean
el **chino** Chinese
la **chiquilla** little child (girl)
el **chiquillo** small child (boy)
   ¡ **chis** ! kerchoo ! (*sound one makes
     when sneezing*)
la **chispa** spark
el **chocolate** chocolate
   soda de chocolate chocolate soda

D

D. = **don** (*title not translated*)
Dª. = **doña** (*title not translated*)
la **dádiva** gift, donation
la **dama** woman, lady
el **daño** harm
   hacer daño a to harm, cause (do)
     harm to
   dar to give, offer, produce, present,
     show
   dar a to face
   dar clases to teach
   dar de sí to last
   dar golpecitos to tap
   dar la mano a to shake hands with
   dar (**las**) **gracias a** to thank
   dar (**las tres**) to strike (three o'clock)
   dar muerte a to kill
   dar palmadas to clap one's hands
   dar un paseo (**en coche**) to take a
     walk; stroll (take a ride, go riding)
   dar un paso to take a step
   dar(se) con to run into, strike
   darse cuenta de to realize
   darse por vencido to give up
   darse prisa to hurry
   lo mismo (**me**) **da** it's all the same
     (to me)
   no me da la gana I don't want
     (wish) to
   no se da importancia he doesn't
     assume any importance for himself
de of, from, in, as, to, by, with, for,
   than (*before numerals*)
debajo de under, beneath
   por debajo de (out) from under,
     under, beneath
deber to owe; should, must, ought to;
   be due (to)
   deber de + *inf.* must (*probability*)
   (**yo**) **debiera** (I) should

débil weak

la **debilidad** weakness

decidido, –a decided, determined

decidir(se) (a) to decide (to)

decir to say, tell

  como si dijéramos as it were

  ¡ **diga (dígame) !** hello ! (*telephone*)

  digo I mean

  es decir that is, that is to say

  ¡ **he dicho que fuera !** I have said to get out !

  no me lo dijeron they didn't tell me

  oír decir que to hear that

  querer decir to mean

la **declaración** declaration, statement

declarar to declare

la **decoración** decoration

decorar to decorate

dedicar to dedicate, devote

  dedicarse a to devote oneself to, interest oneself in

el **dedillo: al —,** perfectly

el **dedo** finger

  dedo del pie toe

el **defecto** defect

defender (ie) to defend

la **defensa** defense

el **defensor** defender

definitivo, –a definite

defraudar to defraud, disillusion

dejar to leave (*behind*), let, allow, permit

  dejar caer to drop, let fall

  déjese Vd. de + *inf.* stop + *pres. part.*

  (no) dejar de + *inf.* (not) to fail to, stop, cease + *verb*

  se deja conducir (he) allows himself to be taken

delante *adv.* in front, ahead

  delante de *prep.* in front (ahead) of, before

  por delante ahead, in front

la **delegación** police station

delgado, –a thin, slender

la **demanda** demand

demás: lo —, the rest

  los demás the rest (others)

  y demás and others

demasiado, –a (*also adv.*) too, too much

la **democracia** democracy

democrático, –a democratic

demostrar (ue) to demonstrate, show

el **dentista** dentist

dentro *adv.* inside, within

  dentro de *prep.* within, in

  dentro de poco (tiempo) in a little while (short time)

  por dentro on the inside

el **departamento** compartment

el **dependiente** clerk

la **derecha** right side (hand)

  a (de, por) la derecha to (on) the right

derecho, –a right; *adv.* straight

el **derecho** right, privilege

  no hay derecho you have no right to do that

derivar to derive

derramar to pour down

derribar to overthrow, knock down

la **derrota** defeat, rout

derrotado, –a defeated, unsuccessful

derrotar to defeat

el **desafío** duel, challenge

desafortunado, –a unfortunate

el **desaliento** discouragement

desaparecer (zc) to disappear

desarmado, –a unarmed, defenseless

el **desarrollo** development

el **desastre** disaster

desatar to untie; *reflex.* break out

desayunarse to eat (take) breakfast

el **desayuno** breakfast

  tomar el desayuno to take (eat) breakfast

descansar to rest

descargar (gu) to discharge, fire; clear, relieve

descender (ie) to descend, go down

desconocido, –a unknown, strange

desconsolado, –a disconsolate, downhearted

el **descontento** discontentment

describir to describe

descubierto, –a *p.p. of* **descubrir**

el **descubridor** discoverer

el **descubrimiento** discovery

descubrir to discover, find; *reflex.* make oneself known, take off one's hat

desde from, since

  desde hace (seis años) for (six years)

  desde luego of course, certainly

desear to desire, wish, want

el **deseo** desire, wish

la **desesperación** despair, desperation

desesperado, -a desperate, in despair
desesperar to despair, give up hope
desfilar to file by
la **desgracia** misfortune
    por desgracia unfortunately
desgraciado, -a unfortunate
desierto, -a deserted
el **desierto** desert
desilusionado, -a disillusioned
despacio slowly
despacito very slowly
despachar to wait on, give
el **despacho** office, study
    despacho de billetes ticket office
    edificio de despachos office building
desparramar to scatter, spread out
la **despedida** farewell
despedir (i) to dismiss, send away
    despedirse (de) to take leave (of),
    say good-bye (to)
el **despertador** alarm clock
despertar (ie) to awaken, wake up,
    arouse, stir up; *reflex.* wake up
    (oneself)
despierto, -a awake
despojar to strip, take off
el **despojo** stripping
despreciar to scorn, look down upon,
    disregard
desprendido, -a broken loose
después *adv.* afterwards, later
    después de *prep.* after
    después (de) que *conj.* after
    poco después shortly afterward
    poco después de shortly after
destacar(se) (qu) to stand out clearly
destinado, -a destined
la **destreza** skill, dexterity
destruido, -a destroyed
destruir (y) to destroy
destruyó *see* **destruir**
el **detalle** detail
detener (*like* **tener**) to stop, detain,
    hold back; *reflex.* stop
detestar to detest, hate
detrás *adv.* behind
    detrás de *prep.* behind
la **deuda** debt
devolver (ue) to return, give back
devorar to devour, eat up
devotamente devoutly
devoto, -a devout, religious
devuelto *p.p. of* **devolver**

D.F. = Distrito Federal Federal District
el **día** day
    al día siguiente (on) the following day
    buenos días good morning (day)
    cada día más more and more
    de día by day, in the daytime
    día de fiesta holiday
    el español al día Spanish up to date
    hoy día nowadays
    ocho días a week
    quince días two weeks
el **diablo** devil
    diablo de muchacho that confounded boy
    ¡ qué diablo ! what the deuce !
el **diálogo** dialogue
el **diamante** diamond
la **diapositiva** slide, transparency
diariamente daily
diario, -a daily
diciembre December
dictado: al —, at dictation
el **dictador** dictator
dicho *p.p. of* **decir**
    dicho y hecho no soooner said than done
el **dicho** saying
Diego James
el **diente** tooth
    entre dientes muttering to himself
    meter el diente a to begin to eat
diez ten
    diez y seis sixteen
la **diferencia** difference
diferenciar to differentiate
diferente different
difícil difficult, hard
la **dificultad** difficulty
difundirse to be diffused, be spread
¡ diga ! *see* **decir**
digno, -a worthy
la **diligencia** stagecoach
    dime = di + me tell me
el **dinero** money
Dios God
    ¡ Dios mío ! heavens ! my goodness (gracious) !
    Dios Padre God the Father
    ¡ gracias a Dios ! thank goodness !
    ¡ hombre de Dios ! man alive ! for heaven's sake, man !

¡ **por Dios** ! for heaven's sake ! good heavens !

¡ **santo Dios** ! good heavens ! heavens above !

el **dios** god

el **diputado** deputy

la **dirección** direction, address

con dirección a in the direction of, toward

directo, –a direct, straight (through)

dirigir (**j**) to direct, address, speak; conduct, lead

dirigir la palabra (**a**) to talk (to)

dirigirse (**a, hacia**) to direct oneself (to), go (to, towards)

el **discípulo** pupil

el **disco** record (*music*)

discreto, –a discreet, prudent, light

disculparse (**con**) to apologize (to), excuse oneself (with)

el **discurso** speech, discourse, talk

la **discusión** discussion

discutir to discuss

el **diseño** design

disgustado, –a displeased

disgustarse to become displeased

disminuir (**y**) to reduce, diminish

disparar to fire, shoot

dispensar to excuse

dispensa (**tú**), **dispense Vd.** excuse me

disponerse a (*like* **poner**) to get ready to, prepare to

la **disposición** disposition, service

la **distancia** distance

a la distancia in the distance

distinguido, –a distinguished, famous

distinguir (**g**) to distinguish, make (pick) out; *reflex.* distinguish oneself

distinto, –a different

la **distracción** (*pl.* **distracciones**) distraction

distraído, –a distracted

distribuir (**y**) to distribute, pass out

el **distrito** district, section

diverso, –a diverse, different

divertir (**ie,i**) to amuse; *reflex.* amuse oneself, have a good time

dividir to divide

divino, –a divine; *adv.* divinely

doblar to turn (*a corner*)

doble double

por doble for twice that amount

doce twelve

la **docena** dozen

el **doctor** doctor

el **doctorado** doctorate, doctor's degree

la **doctrina** doctrine

el **documento** document

el **dólar** dollar (*U.S.*)

doler (**ue**) to hurt, ache, pain

me duele la cabeza my head aches

la **dominación** domination, rule, command

dominar to dominate, rule, control, overcome

Domingo Dominic

el **domingo** Sunday

Domingo de Resurrección Easter Sunday

dominicano, –a (*also noun*) Dominican

don *untranslated title used before first name of men*

la **doncella** maid

donde where, (in) which

a donde (to) where, to which

en donde where, in which

¿ **dónde** ? where ?

¿ **a dónde** ? where ?

¿ **por dónde se va a** ? how does one go (get) to ?

doña *untranslated title used before first name of women*

dormido, –a asleep

dormir (**ue,u**) to sleep; *reflex.* go to sleep

Dorotea Dorothy

dos two

los (**las**) **dos** both, the two

doscientos, –as two hundred

el **drama** drama

la **duda** doubt

no me cabe duda there is no doubt

sin duda doubtless, without a doubt

dudar to doubt

dudar (**de**) **que** to doubt (distrust) that

duele *see* **doler**

el **duelo** duel

el **dueño** owner, master

dulce sweet, pleasant, soft

dulcemente softly, sweetly

los **dulces** sweets, candy

la **dulzura** sweetness, gentleness, pleasure

el **duplicado** duplicate

durante during, for, in

durar to last
duro, -a hard
el duro Spanish dollar (*five pesetas*)

E

e and (*before* i-, hi-)
¡ ea ! hey ! come now !
la economía política economics, political
  economy
económico, -a economic
la ecuanimidad equanimity, poise
  echar to put, throw, pour
    echando el bofe out of breath
    echar (al correo) to mail
    echar a tierra to knock to the ground
    echar una bendición a to bless
    echar(se) a + *inf.* to begin to
la edad age
el edificio building
    edificio de despachos office building
  Eduardo Edward
la educación education, politeness, breed-
  ing
    con más educación more politely
el educador educator
el efecto effect
    en efecto actually, in fact
  eficaz efficient
  Egipto Egypt
  egoísta (*m. and f.*) selfish
  ¿ eh ? eh ?
la ejecución execution
el ejemplo example
    por ejemplo for example
  ejercer (z) to exercise
el ejercicio exercise
    hacer ejercicio to (take) exercise
el ejército army
  el the
    el de that (the one) of (with, in)
    el que the one who, he who
  él he, him, it (*m.*)
  elástico, -a elastic
  eléctrico, -a electric
la elegancia elegance
    con elegancia elegantly
  elegante elegant, gallant, nice
  elegantemente elegantly
el elemento element
  Elena Helen
  elevar to elevate, raise
el elogio praise

ella she, her, it (*f.*)
ello it (*neuter*)
ellos, -as they, them
el embajador ambassador
  embarcarse (qu) to embark
  embargo: sin —, nevertheless
el emblema emblem
  embozado, -a muffled, with their faces
    covered
  embrutecer (zc) to make one stupid
    (a brute)
el embustero liar, deceiver
  eminente imminent
la emisora broadcasting station
la emoción emotion
  empapado, -a soaked
  empeñar to pawn
    empeñarse en to insist on
el emperador emperor, ruler
  empezar (ie; c) (a + *inf.*) to begin (to)
el empleado employee
  emplear to employ, use
el empleo employment, job
  emprender to undertake
  en in, on, at, by, to, for
  enamorado, -a (de) enamored (of),
    in love (with)
el enamorado lover
  enamorarse (de) to fall in love (with)
el encaje (*also pl.*) lace
  encaminarse a to go, walk to, make
    one's way to
  encantado, -a delighted, pleased
  encantador, -ora enchanting, delight-
    ful
  encargado, -a de in charge of
el encargo commission, order
  encender (ie) to light, turn on
  encima de on top of
    por encima de above, beyond
  encogerse (j) de hombros to shrug
    one's shoulders
  encontrar (ue) to encounter, find,
    meet; *reflex.* be, be found
    encontrarse con to meet, run across
      (into)
  encorvado, -a bent over, stooped
  encuadernado, -a bound
el encuentro encounter, meeting
el enemigo enemy
la energía energy
  enérgico, -a energetic, forceful
  enero January

enfermar to become sick (ill)
enfermo, –a sick, ill
enfrente *adv.* in front, opposite
  de enfrente in front, opposite
  enfrente de *prep.* in front of
engañar to deceive
engolfarse con to take up with
engomado, –a gummed
enojar to make angry, irritate; *reflex.*
  become angry
el **enojo** anger
enorme enormous, large
Enrique Henry
la **ensalada** salad
ensayar to practice, rehearse, try (out)
enseñar (a + inf.) to teach, show
los **enseres** implements
ensillar to saddle
entender (ie) to understand
  entender de to know, be a judge of
enterarse (de que) to find out, learn
  (that)
enternecido, –a moved with pity
entero, –a entire, whole
enterrado, –a buried
enterrar (ie) to bury
entonces then, at that time
entrar (en) to enter, come (go) in
entre between, among
entregado, –a delivered
  entregado, –a a lost in, given over to
entregar (gu) to hand over, deliver,
  give
entretanto meanwhile, in the meantime
la **entrevista** interview, meeting, conference
entrometido, –a meddlesome
el **entusiasmo** enthusiasm
enumerar to enumerate, list
envanecerse (zc) to be proud (vain),
  boast
enviar (í) to send
la **envidia** envy
envidiable enviable
envidioso, –a envious
envolver (ue) to wrap (up)
envuelto, –a (*p.p. of* **envolver** *and
  adj.*) wrapped, enveloped
la **Epifanía** Epiphany (*January 6*)
la **época** epoch, period, time
el **equipaje** baggage
la **equivocación** mistake, error

equivocarse (qu) to be mistaken, be
  wrong
errabundo, –a wandering, moving
errar (*pres. ind.* **yerro**) to miss (*a target*)
esbelto, –a slender
la **escalera** stairs, stairway
  escalera abajo down (the) stairs
escamotear to make off with
escapar(se) to escape, run away, slip
  out, be free
el **escaparate** show window
la **escarapela** badge
la **escena** scene, stage
el **escepticismo** scepticism
la **esclavitud** slavery
el **esclavo** slave
escoger (j) to choose, select
esconder(se) to hide
la **escopeta** gun
el **Escorial** *town about 50 kilometers northwest of Madrid*
escribir to write
  máquina de escribir typewriter
  papel de escribir stationery
escrito, –a (*p.p. of* **escribir** *and adj.*)
  written
  lo escrito what is written
el **escritorio** writing desk
  artículos de escritorio stationery
  (articles), writing materials
escuchar to listen (to)
la **escuela** school
  a la escuela to school
  en la escuela at school
ese, esa, –os, –as *dem. adj.* that, those
ése, ésa, –os, –as *dem. pron.* that (one),
  those
la **esencia** essence
esencial essential
el **esfuerzo** effort
el **esmalte** enamel
la **esmeralda** emerald
eso that, that matter (fact) of
  a eso de at about
  eso de que the idea that
  eso es that's it (right)
  por eso because of that, for that
  reason, therefore
el **espacio** space, period
la **espalda** back
  a su espalda behind him
espantado, –a frightened, scared

espantar to frighten, scare
España Spain
español, –ola Spanish
el español Spanish; Spaniard
   (clase) de español Spanish (class)
la Española Hispaniola
esparcido, –a scattered
especial special
especialmente especially
la especie kind, species
el espejo mirror
espera: en — de awaiting
la esperanza hope
esperar to wait (for), hope, expect
   esperar mucho to wait a long time
   esperar que sí (no) to hope so (not)
el espíritu spirit
espléndido, –a splendid, gorgeous
la esposa wife
el esposo husband
el esquí (pl. esquíes) ski
esquiar (í) to ski
la esquina corner (street)
establecer (zc) to establish, settle;
   reflex. settle, establish oneself
el establecimiento establishment
el establo stable
la estación (pl. estaciones) station;
   season
estacionar to park
las estadísticas statistics
el estado state
   los Estados Unidos United States
la estancia stay
estar to be
   está bien all right, fine, very well,
   O.K.
   ¿está (Marta)? is (Martha) at
   home?
   estamos a (diez) it is the (tenth)
   estar para to be about to, be on the
   point of
la estática static
la estatura stature
   bajo de estatura short (in stature)
este, esta, –os, –as dem. adj. this, these
éste, ésta, –os, –as dem. pron. this
   (one), these; the latter
el estilo style
estimar to esteem
   estimar en mucho to esteem highly
estirar to stretch (out)

esto this (neuter)
   en esto at this point
   esto es that is
el estómago stomach
estornudar to sneeze
el estornudo sneeze
estrechar to tighten
   estrechar las relaciones to improve
   (strengthen) relations
estrecho, –a narrow, tight
la estrella star
el estudiante student
estudiar to study
el estudio study
   viaje de estudio study trip
eterno, –a eternal
la etiqueta etiquette; label
   traje de etiqueta formal attire
Eugenio Eugene
Europa Europe
europeo, –a (also noun) European
la exactitud exactitude, exactness
exagerar to exaggerate
examinar to examine
Excelencia: su —, his (your) Highness
excelente excellent
excelentísimo, –a most excellent
la excepción exception
la excitación excitement
la exclamación exclamation
exclamar to exclaim
la excursión (pl. excursiones) excursion,
   trip, tour
   hacer una excursión to take (make)
   an excursion
excusado, –a needless, unnecessary
exigir (j) to demand
la existencia existence, life
existir to exist, be
   llegar a existir to come into existence
el éxito success
   tener (mucho) éxito to be (very)
   successful
la expansión expansion, reign
la expedición (pl. expediciones) expedition, voyage
la experiencia experience
experimentar to experience, feel
la explicación (pl. explicaciones) explanation
explicar (qu) to explain
la exploración exploration
el explorador explorer

explorar to explore

la **explotación** exploitation

exponer (*like* **poner**) to show, exhibit, expose

exponerse a to expose oneself to

expresar to express

la **expresión** (*pl.* **expresiones**) expression

expresivo, –a expressive, affectionate

extender (**ie**) to extend, stretch out

extendido, –a extended, stretched (out)

la **extensión** expanse, area

extranjero, –a foreign

el **extranjero** foreigner

extraño, –a strange

extraordinario, –a extraordinary, unusual

la **extremidad** extremity

el **extremo** end

al otro extremo at the end opposite

en extremo extremely, to an extreme

F

el **fabricante** manufacturer

fabuloso, –a fabulous

facial facial

fácil easy

fácilmente easily

facturar to check (*baggage*)

el **fajo** roll

la **falda** skirt

el **faldón** (*pl.* **faldones**) tail (*coat*)

falso, –a false, incorrect, counterfeit

la **falta** lack

hacer falta a to need, be lacking (needed)

por (a) falta de for lack of, lacking

sin falta without fail

faltar to be lacking, be missing, miss, need

faltar a to fail in

Falla, Manuel de (1876–1946) *Spanish composer*

la **fama** fame, reputation, name

la **familia** family

famoso, –a famous

fantástico, –a fantastic

la **farmacia** pharmacy, drugstore

el **farol** street light

el **favor** favor, compliment; letter

hacer un favor to pay a compliment, do a favor

haga (hágame) Vd. el favor de + *inf.* please

por favor please

favorecer (**zc**) to favor, help

el **favorito** favorite

la **fe** faith

febrero February

la **fecha** date

federal federal

la **felicidad** happiness

felicitar to congratulate

Felipe Philip

feliz happy; lucky, fortunate

femenino, –a feminine

la **femineidad** femininity

la **feria** fair, market

Fernando Ferdinand

feroz fierce, ferocious

férrea: línea —, railway

el **ferrocarril** railroad

(billete) de ferrocarril railroad (ticket) ·

los **festejos** entertainment, celebration

el **festín** feast

fiel faithful

la **fiera** (wild) beast

fiero, –a fierce, ferocious

la **fiesta** fiesta, festival, party

día de fiesta holiday

la **figura** figure, shape

figurar(se) to imagine

fijar to fix, set

fijarse (bien) en to observe (carefully)

fíjese usted bien think carefully

fijo, –a fixed

la **fila** row, line

en fila in a row

el **filósofo** philosopher

el **fin** end

en fin in short

por (al) fin finally, at last

final final

el **final** ending

la **finca** farm

Finita Josie

fino, –a fine, delicate, sharp

la **firma** signature

firmar to sign

firme firm

Tierra Firme Mainland

físico, –a physical

fisionómico, –a facial

la **flor** flower, blossom, bloom
    en flor in bloom
la **florecilla** small flower (blossom)
la **Florida** Florida
el **fondo** background, bottom, depth
    de uno en fondo in a single file
el **fonógrafo** phonograph
la **forma** form, shape, way, manner
    en forma de in the form (shape) of
la **formación** formation
    ¡ a la formación ! fall in !
formalmente formally
formar to form, make up, line up
    formar la tropa to line up the troops
la **fortaleza** fortress, fort
la **fortuna** fortune, good luck, wealth
forzar (ue; c) to force
la **fotografía** photograph
    sacar (tomar) fotografías to take
    photographs
el **frac** tail (dress) coat
fracasar to fail
la **fracción** fraction
el **fraile** friar, priest
francés, –esa French
el **francés** French, Frenchman
Francia France
franciscano, –a (*also noun*) Franciscan
Francisco Francis
el **franco** franc
la **franela** flannel
la **franqueza** frankness
la **frase** sentence, phrase, comment
Fray Friar (*title*)
el **fray** brother (*of a religious order*)
la **frecuencia** frequency
    con (mucha) frecuencia (very)
    frequently
    frecuencia modulada FM
frecuentar to frequent, attend
frecuentemente frequently
frenéticamente frantically
la **frente** forehead
    frente a in front of, opposite
fresco, –a cool, fresh
    estar fresco to be "hooked"
el **fresco** fresco (*painting*); cool, coolness
    hacer fresco to be cool (*weather*)
    tomar el fresco to go out for some
    fresh air
fríamente coldly
el **frijol** kidney bean

el **frío** cold
    hacer (mucho) frío to be (very) cold
    (*weather*)
    tener (mucho) frío to be (very) cold
    (*living beings*)
la **frivolidad** frivolity
    con frivolidad frivolously
la **frontera** frontier, border
frotar to rub
las **frutas** fruit(s)
el **fruto** fruit (*any produce of the soil*)
el **fuego** fire
    armas de fuego firearms
la **fuente** fountain, source, spring
fuera *adv.* out, outside
    fuera de *prep.* out(side) of
    por fuera (on the) outside
fuerte strong, heavy
la **fuerza** force, strength, energy
    a fuerza de by means of, on account
    of
    con más fuerza more violently,
    harder
    en fuerza de as a result of, on ac-
    count of
    tener fuerza to be strong
el **fugitivo** fugitive
Fulano So-and-So
fumar to smoke
la **función** performance, show
funcionar to function, work, run
la **funda** slip
la **fundación** founding
el **fundador** founder
fundar to found, settle
furioso, –a furious(ly), strong
fusilar to shoot
el **fútbol** football
    partido de fútbol football game
futuro, –a future

G

la **gabardina** gabardine
Gafarró *proper name*
las **gafas** eyeglasses, spectacles
el **galán** suitor, gallant man
galopar to gallop
gallardo, –a gallant
la **gana** desire, inclination
    no me da la gana I don't want to
    ¡ qué ganas tengo de ir ! how eager
    I am to go !

tener ganas de to desire (wish, be eager) to

tener muchas ganas de to be very eager to (desirous of)

ganar to gain, earn, win, make up; surpass, beat

ganarse la buena voluntad to earn (gain) the good will

ganarse la vida to earn one's living

la **ganga** bargain

gangoso, –a nasal

el **garaje** garage

la **garganta** throat

la **gasolina** gasoline

estación de gasolina gasoline station

gastar to spend, waste

el **gasto** expense

el **gaucho** gaucho, cowboy, skilled horseman

el **gemelo** cuff link

gemelo de los puños cuff link

general general

en general in general, generally

el **general** general

los **géneros** materials

la **generosidad** generosity

generoso, –a generous

el **genio** genius

la **gente** people

la **geografía** geography

el **geranio** geranium

el **gerente** manager

germano-americano, –a German-American

girar to revolve, move (around)

el **giro** draft

giro postal money order

el **gitano** gypsy

glotón, –ona gluttonous, greedy

el **gobernador** governor

gobernar (ie) to govern; *reflex.* govern oneself

el **gobierno** government

el **golf** golf

el **golfillo** little ragamuffin

el **golfo** gulf

el **golpe** blow, stroke, mark, shot

golpe de muerte death blow

golpear to beat, strike

el **golpecito** (light) knock, rap, tap

dar golpecitos to tap

la **goma** rubber; gum, stick of gum

goma de mascar chewing gum

(tacón) de goma rubber (heel)

gordo, –a fat, stout

la **gorra** cap

el **gorro corto** skull cap

la **gota** drop

gozar (c) (de + obj.) to enjoy

grabado, –a engraved, cut

el **grabador** recorder (*tape*)

grabador de cinta tape recorder

grabar to carve, cut; record (*tape*); impress, fix

la **gracia** grace, charm; *pl.* thanks, thank you

dar (las) gracias a to thank

gracias a Dios thank goodness (God)

graciosamente graciously, kindly

gracioso, –a graceful, extravagant

el **grado** degree

la **gramática** grammar

gran (*used for* **grande** *before sing. nouns*) great

Granada *city and old province in southern Spain*

Granados, Enrique (1867–1916) *Spanish composer*

grande large, big, great

el **granizo** hailstone(s), hail

el **grano** grain

gratificar (qu) to reward

la **gratitud** gratitude

grato, –a kind, good

(nos) es grato (we) are pleased to

grave grave, serious

gravemente gravely, seriously

Gregorio Gregory

gris gray

gritar to shout, cry

el **grito** cry, shout, scream, shriek

dar gritos to shout

grosero, –a rude, discourteous

grueso, –a heavy, thick, fat

gruñir to grumble

el **grupo** group

Guadalajara *city in Mexico*

el **guante** glove

guapo, –a handsome, pretty, good looking

el **guarda** guard, keeper

guardar to guard, save, keep, put, watch

la **guardia** guard

la **guerra** war
guiar (í) to guide, lead
Guillermo William
la **guirnalda** garland, wreath
la **guitarra** guitar
gustar to like, be pleasing
el **gusto** pleasure
  con mucho gusto with much pleasure, gladly
  tanto (mucho) gusto (I'm) pleased (glad) to meet you
  tener mucho gusto en to be very glad to

H

haber to have (*aux.*)
  ¡ **ése había de ser !** it would be that fellow !
  haber de + *inf.* to be (be supposed) to, have to, must, probably; *used for future*
  había there was (were)
  habrá there will be
  hay there is (are)
  hay que + *inf.* one must, it is necessary to
  hay sol it is sunny, the sun is shining
  haya there may be
  hubo there was (were)
  no hay de qué don't mention it, you are welcome
  no hay tiempo que (perder) there is no time to (lose)
  ¿ **por qué había de . . . ?** why should (was) I to . . . ?
  ¿ **qué hay de nuevo ?** what's new ?
  ¿ **qué he de hacer ?** what can I do ?
  te he de decir una cosa there is something I must tell you
la **habitación** (*pl.* **habitaciones**) room
habitado, –a inhabited
el **habitante** inhabitant
el **hábito** habit, dress; custom
habla: de — española Spanish-speaking
hablar to speak, talk, say
  ¿ **con quién hablo ?** who is speaking ? with whom am I speaking ?
  habla (Pablo) this is (Paul), (Paul) is speaking
  oír hablar de to hear of
hacer to do, make, cause, have, perform
  hace (una hora) (an hour) ago

hace (una hora) que (habla) (he has been talking) for (an hour)
hace usted su gusto you can do as you like
hacer + *inf.* to have, make, cause
hacer buen tiempo to be good (fine) weather
hacer daño a to harm
hacer de cuenta to notice
hacer ejercicio to (take) exercise
hacer falta a to need, be lacking
hacer la maleta to pack the suitcase
hacer mal to do wrong
hacer (mucho) frío (calor, fresco) to be (very) cold (warm, cool) (*weather*)
hacer preguntas to ask questions
hacer un favor to do a favor
hacer un viaje to take (make) a trip
hacer una burla (a) to play a trick (on)
hacer una conquista to win the affection of a girl
hacerse + *noun* to become
haga(n) Vd(s). el favor de + *inf.* please
no hacer más que to do nothing but
se hace tarde it is becoming (getting) late
hacia toward, about (*time*)
la **hacienda** ranch, hacienda, estate, property
hallar to find; find oneself, be
el **hallazgo** find, discovery
el **hambre** (*f.*) hunger
  tener (tanta) hambre to be (so) hungry
  tener un hambre de lobo to be as hungry as a wolf
la **hamburguesa** hamburger
hasta *prep.* until, (up) to, as far as; *adv.* even
  hasta que *conj.* until
Hawaí Hawaii
hay there is (are)
haz *see* **hacer**
la **hazaña** deed
he aquí here is (you have)
hecho *p.p. of* **hacer** *and adj.*
  dicho y hecho no sooner said than done
el **hecho (de que)** fact (that)
helado, –a frozen

el **helado** ice cream
    tomar(se) un helado to take (a dish of) ice cream
el **hemisferio** hemisphere
    heredar to inherit
    herido, –a struck, wounded
    herir (ie,i) to wound, strike, hurt
la **hermana** sister
el **hermanito** little brother
el **hermano** brother; *pl.* brother(s) and sister(s)
    hermoso, –a beautiful, pretty
    Hernán (Hernando) Ferdinand
el **héroe** hero
el **hidalgo** nobleman
el **hielo** ice
la **hierba** grass
el **hierro** iron
el **higo** fig
la **higuera** fig tree
la **hija** daughter
    las hijas de mis trabajos the fruits of my labors
el **hijo** son, child; *pl.* children
la **hilera** row
    hispánico, –a Hispanic
    hispanoamericano, –a Spanish American
la **historia** history, story, account
    libro de historia history book
    histórico, –a historic(al)
el **hocico** (*also pl.*) nose (*of an animal*)
la **hoja** leaf
    hojear to turn the pages of, leaf through
    hola hello
la **holgazanería** laziness
el **hombre** man
    ¡ hombre ! man (alive) !
    hombre de bien good (honest) man
    ¡ hombre de Dios ! for heaven's sake, man ! man alive !
el **hombro** shoulder
el **honor** honor
    honradamente honestly
la **honradez** honesty, uprightness
    honrado, –a honest, honorable, respected
    honrar to honor
la **hora** hour, time; definite time
    a la hora de almorzar at lunch time
    ¿ a qué hora ? at what time ?
    el barco de la hora passenger boat
    entre horas between meals

    hora de la comida dinner time, the time to eat
    ¿ qué hora (es) ? what time (is it) ?
    ser hora de to be time to
el **horizonte** horizon
el **horno** oven
    horrible horrible
el **horror** horror
el **hortelano** gardener
la **hostería** inn, hostelry
la **hostilidad** hostility
el **hotel** hotel
    hoy today
    hoy día nowadays
    hoy no not today
    hoy por la mañana this morning
    hubo there was (were)
    huela *see* **oler**
la **huerta** *truck-garden district* (*usually irrigated*)
el **huerto** orchard, fruit garden
el **hueso** bone
el **huevo** egg
    huir (y) to flee
la **humanidad** humanity
    humano, –a human
    húmedo, –a damp
    humilde humble, modest
    humildemente humbly
la **humillación** humiliation
el **humor** humor, temper, mood
    de mal humor in a bad humor
    hundido, –a low, deep
    ¡ hurra ! hurrah !

I

la **ida** departure, trip out
    de ida y vuelta round-trip
la **idea** idea
    (es) buena idea (it is) a good idea
    ideal (*also m. noun*) ideal
    identificar (qu) to identify
    ido *p.p. of* **ir**
la **iglesia** church
    a la iglesia to church
    de iglesia church
la **ignorancia** ignorance
    igual equal, the same, alike, similar
    igual que as, the same as
    igualar to equal, make equal
    igualmente equally, the same to you
la **ilusión** illusion

la **imagen** image
la **imaginación** imagination, mind
imaginario, –a imaginary
imaginarse to imagine
el **imbécil** imbecile, fool
la **impaciencia** impatience
   con impaciencia impatiently
impaciente impatient(ly)
impedir (i) to impede, hinder, prevent
el **imperfecto** imperfect
el **imperio** empire
el **impermeable** raincoat
impertinente impertinent
imponerse a (*like* **poner**) to be imposed
   on
la **importancia** importance
importante important
   lo importante the important thing
importar to matter, be important
   ¿ **qué importa ?** what does it matter ?
imposible impossible
la **impresión** impression
improviso: de —, unexpectedly, suddenly
impuso *see* **imponer**
inadvertido, –a unnoticed
el **inca** Inca
incalculable incalculable
el **incidente** incident, detail
inclinarse to lean (bend) over
incluso, –a, including
incompatible incompatible
el **inconveniente** objection
   tener inconveniente (en) to object
   (to)
indeciso, –a indecisive, hesitating
la **independencia** independence
independiente independent
la **indicación** (*pl.* **indicaciones**) indication, information
indicar (qu) to indicate, tell, point out
la **indiferencia** indifference
indiferente indifferent
indígena (*also noun*) native, Indian
la **indignación** indignation
   con indignación indignant(ly)
indignado, –a indignant, indignantly
el **indio** Indian
individualista individualistic
el **individuo** individual
indudablemente undoubtedly
la **industria** industry
inesperado, –a unexpected

inevitable inevitable
la **infame** infamous creature *or* wretch
   (*woman*)
el **infante** child, infant
infantil infantile, child's
infeliz unfortunate, unhappy
   el infeliz the unfortunate (poor) man
inferior inferior
el **infinitivo** infinitive
infinito, –a infinite
la **influencia** influence
influir (y) to influence
informar to inform, tell
los **informes** information, data
el **ingeniero** engineer
Inglaterra England
inglés, –esa English
el **inglés** English
   profesor(a) de inglés English teacher
la **ingrata** ungrateful one (wretch)
la **ingratitud** ingratitude
el **ingrato** ungrateful man (one)
la **inicial** initial
iniciar to initiate, start, begin
la **injusticia** injustice
inmediatamente immediately
inmediato, –a adjoining, near by
inmenso, –a immense, great
inmóvil immobile, motionless
inocente innocent, unsuspecting
el **insecto** insect
insistentemente insistently
insistir (en) to insist (on)
   insistir (en que) to insist (that)
la **insolencia** insolence
la **inspiración** inspiration
inspirado, –a inspired
el **instante** instant
   a cada instante continually
   al instante immediately
el **instinto** instinct
la **institución** (*pl.* **instituciones**) institu-
   tion
el **instituto** institute
la **instrucción** (*pl.* **instrucciones**) instruction
el **instrumento** instrument
insultar to insult; *reflex.* insult one
   another
integrar to integrate
el **intelecto** intellect
la **inteligencia** intelligence
inteligente intelligent

la **intención** intention, purpose
  intentar to try, attempt
  interceptar to intercept
el **interés** interest
    interés por (en) interest in
  interesante interesting
  interesar to interest
    interesarse (mucho) por to be (very) interested in
el **interior** interior, inside
    ropa interior underclothing
  interpretar to interpret
el **intérprete** interpreter
  interrumpir to interrupt
  intolerable intolerable, unbearable
  introducir (zc; j) to introduce, put in
  introdujeron *see* **introducir**
  inútil useless
  invadir to invade
  inventar to invent
  inventivo, –a inventive
  invertir (ie,i) to invest
el **invierno** winter
la **invitación** invitation
el **invitado** guest
  invitar (a + *inf.*) to invite (to)
  ir to go, be; *reflex.* to go (away), leave
    ir de compras to go shopping
    ir por to go for
    no vaya a irse for fear (lest) it go
    ¿ por dónde se va a ? how does one go (get) to ?
    vamos let's go; well, come now
    vamos a (entrar) let's (enter)
    ¡ vaya un(a) . . . ! what a . . . !
  Isabel Isabel, Isabelle, Betty
la **isla** island
el **istmo** isthmus
  Italia Italy
  izquierdo, –a left
    a (de, por) la izquierda to (on) the left (hand, side)

J

el **jabalí** wild boar
el **jabón** soap
  jactancioso, –a boastful
  Jaime James
  jamás ever, never, (not) . . . ever
el **jamón** ham
el **jarabe** syrup
el **jardín** (*pl.* **jardines**) garden

el **jarro** pitcher, jar
  ¡ je ! ha ! (*laughter*)
el **jefe** head, leader, boss
  Jeromo Jerome
  Jerónimo Jerome
  jesuita Jesuit
  ¡ Jesús ! heavens ! bless you ! (*said after a sneeze*)
    ¡ Jesús, María y José ! heavens above !
  jilotear to tassel
  Jorge George
  José Joseph, Joe
  joven (*pl.* **jóvenes**) young
el **joven** young man
la **joven** young woman
la **joya** jewel
la **joyería** jewelry store (shop)
  Juan John
  Juanita Jane, Juanita
  Juanito Johnnie
el **juego** game, set (*of matching articles*)
    hacer juego con to match, make a set with
el **jueves** Thursday
el **juez** (*pl.* **jueces**) judge, inspector
    juez de abastos market inspector
la **jugada** play, move
  jugar (ue; gu) (a + *obj.*) to play (*a game*)
el **jugo** juice
el **juguete** toy, plaything
    es de juguete is like a plaything
  julio July
  junio June
  juntar to get together
  junto a near (next) to
    junto con along with
  juntos, –as together
  jurar to swear
  justamente exactly, precisely
  justo, –a just
la **juventud** youth

K

el **kilómetro** kilometer ($\frac{5}{8}$ *mile*)

L

  la (*pl.* **las**) the
    la de that of (with, in)
    la que she who, the one who (which)
  la it (*f.*); her, you (*f.*)

el **labio** lip
    lápiz de (para) labios lipstick
el **labrador** farmer, peasant, working man
    labrar to make, build
    lacio, –a straight
el **lado** side
    a (por) todos lados on all sides, all
      around
    al lado at (one's) side
    al lado de beside, at the side of
    al otro lado on the other side, beyond
    ladrar to bark
el **ladrido** bark, barking
el **ladrillo** brick
el **ladrón** (*pl.* **ladrones**) thief, robber,
    bandit
la **ladrona** thief (*woman*)
el **lago** lake
la **lágrima** tear
la **lamentación** lamentation, complaint
la **lana** wool
    (una) de lana a woolen (one), (one)
      of wool
la **langosta** locust(s)
    languidecer (zc) to languish
    lanzar (c) to hurl, throw, make
    lanzarse a to rush, run to
el **lápiz** (*pl.* **lápices**) pencil
    con lápiz with (a) pencil
    largo, –a long
    larguísimo, –a very long
    las the; them (*f.*), you (*formal f. pl.*)
    las de those of
    las que those who (which), the ones
     who (which)
la **lástima** pity
    ser lástima to be a pity (too bad)
    latino, –a Latin
    latinoamericano, –a Latin American
    lavar to wash; *reflex.* wash (oneself)
el **lazo** lasso
    le (to) him, her, you (*formal*), it
    leal loyal
la **lección** (*pl.* **lecciones**) lesson
la **lectura** reading
la **leche** milk
la **lechuga** lettuce
    leer (y) to read
    legítimo, –a legitimate
la **legua** league (*about* $3\frac{1}{2}$ *miles*)
la **legumbre** vegetable
    leído *p.p. of* **leer**
    lejano, –a distant, far away

    lejos *adv.* far, far away
    a lo lejos in the distance
    lejos de *prep.* far from
la **lengua** language, tongue
    lentamente slowly
la **lente** reading (magnifying) glass
    lento, –a slow, sluggish
el **león** lion
    les (to) them, you (*formal pl.*)
la **lesa femineidad** lese-femininity
la **Letanía** Litany
la **letra** letter, handwriting, inscription
    letra de cambio draft, bill of ex-
     change
el **letrero** sign, placard
    levantar to raise, lift, stir up; *reflex.*
     get up, rise (up)
    leve light, slight
la **levita** (frock) coat, Prince Albert coat
la **ley** law
la **leyenda** legend
    liberal liberal, generous
    Liberia *republic on west coast of Africa*
la **libertad** liberty, freedom
    con libertad freely
el **libertador** liberator
la **libra** pound
    librarse to free oneself
    libre free
    libremente freely
la **librería** bookstore
la **libreta de cheques** checkbook
el **libro** book
    puesto de libros bookstand
la **liebre** hare
la **liga** garter
    ligeramente lightly, slightly
    ligero, –a light, slight
    limitado, –a limited
    limitar to limit
la **limonada** lemonade
el **limonero** lemon tree
el **limpiabotas** bootblack, shoeshine boy
    limpiar(se) to clean, dry, wipe, shine
    límpido, –a clear
    limpio, –a clean
    lindo, –a pretty, beautiful
la **línea férrea** railway
el **lino** linen
el **lirio** lily
    listo, –a ready; clever
la **litera** litter
    literalmente literally

la **literatura** literature
lo (*neuter article*) the
  de lo que than
  lo (**bueno**) the *or* what is (good), the (good) part
  lo (+ *adj. or adv.*) **que** how
  lo it; so
el **lobo** wolf
la **loca** crazy woman
  vestidas de locas dressed as crazy women
el **local** place, site
la **localidad** locality, place
  loco, –a crazy, wild, false; *pl. noun* crazy people
  loco de wild with
la **locomotora** locomotive
la **locura** folly, madness
  lógico, –a logical
  lo lógico the logical thing
lograr to succeed in, obtain, get, attain
el **lomo** back (*of an animal*)
el **loro** parrot
  los the; them, you (*formal pl.*)
  los de those of (with, in)
  los que whose who (which), the ones who (which)
el **lucero** (bright) star
  Lucía Lucy, Lucille
la **lucha** struggle, battle
  luchar to struggle, fight
  luego then, next, later, afterwards
  desde luego of course, certainly
  hasta luego until later, see you later
el **lugar** place, site, spot
  en lugar de in place of, instead of
  tener lugar to take place
  Luis Louis
la **Luisiana** Louisiana
el **lujo** luxury
  con mucho lujo very elegantly
  de mucho lujo very elegant
  lujoso, –a elegant, showy, luxurious
la **luna** moon
el **lunes** Monday
la **luz** (*pl.* **luces**) light
  a buena luz in a good light
  a la luz de in the light of

Ll

la **llama** flame
  llamado, –a called, named

llamar to call, knock; *reflex.* be called, be named
  ¿ cómo se llama (él) ? what is (his) name ?
  llamar la atención (a) to attract one's attention
  llamar por teléfono to telephone
el **llanto** weeping, wail, lament
la **llanura** plain
la **llave** key
la **llegada** arrival
  llegar (**gu**) (**a**) to arrive (at), reach, come (to), get
  llegar a conocer(se) to come (get) to know (one another)
  llegar a quedarse to become
  llegar a ser to become, come to be
  llegar tarde to arrive (be) late
  llenar (**de**) to fill (with); *reflex.* fill, be filled
  lleno, –a de full of, filled with
  llevar to take, carry, wear, have, bear, lead; *reflex.* take with oneself, put
  llorar to weep, cry
  llover (**ue**) to rain
la **lluvia** rain

M

el **macizo** bed, flower bed
el **machete** machete (*long knife*)
la **madama** madame
la **madera** wood
  de madera wooden
el **madero** board, beam
la **madre** mother
  madre mía my dear mother
el **madrileño** *native of Madrid*
la **madurez** ripeness, maturity
  maduro, –a ripe, mature
  maestra: la obra —, masterpiece
el **maestro** teacher, master
  mágico, –a magic
  magnífico, –a magnificent, fine, wonderful
el **mago** magician
el **maíz** maize, corn
  mata del maíz cornstalk
  majestuosamente majestically
  majestuoso, –a majestic
  mal *adv.* bad(ly); *adj. used for* **malo** *before m. sing. nouns*
el **mal** harm, damage, evil; malady, illness
  hacer mal to do wrong

malamente badly
maldecir (*like* decir) to put a curse on
maldijo *see* maldecir
maldito, –a cursed
   maldito seas curses on you
la maleta suitcase, bag
   hacer la maleta to pack the suitcase
malhumorado, –a in a bad humor
malo, –a bad, evil
   lo malo the bad thing (part), what is
   bad
maltratar to mistreat
Mallorca *Spanish island off the east
   coast of Spain*
la mamá mama, mother
mamacita mother, dear
mandar to send, order, have, command
   ¿ qué manda Vd. ? what would you
   like ? what do you wish, sir ?
mandarín, –ina mandarin
la mandíbula jaw
manejar to handle
la manera manner, way
   a manera de like (a), in the style
   of (a)
   de esta (esa) manera in this (that)
   way
   de la (misma) manera in the (same)
   way (manner)
   de manera que so, so that
   de ninguna manera by no means,
   not at all
   de otra manera otherwise
la manga sleeve
la manía mania, whim
la manicura manicurist
manifestar (ie) to manifest, show
la mano hand
   a mano by hand
   dar la mano a to give (extend) one's
   hand to, shake hands with
   de la mano by the hand
   de una mano a otra in the deal
   en manos de in the hands of
   unos de segunda mano some sec-
   ondhand (used) ones
la manta blanket, cape, cloak
el mantel tablecloth
el manto cloak, robe, mantle
Manuel Manuel, Emmanuel
Manuela *proper name*
la manzana apple
el manzano apple tree

mañana tomorrow
   hasta mañana until (see you) tomorrow
   pasado mañana day after tomorrow
la mañana morning
   de la mañana in the morning, A.M.
   hoy por la mañana this morning
   (el sábado) por la mañana (Saturday) morning
   por la mañana in the morning
el mapa map
la máquina machine
   máquina de afeitar safety razor
   máquina de escribir typewriter
la maquinaria machinery
el mar sea
la maravilla marvel, wonder
maravilloso, –a marvelous, wonderful
la marca brand, make, kind, mark
   hace marcas con el pie (he) shuffles
   his feet
el marco frame
la marcha march, journey
   poner(se) en marcha to start
marchar to march, go ahead; *reflex.* go
   away, leave
   marcharse a to leave for, go to
la marea tide
la margarita daisy
María Mary
Maricela *name of an estate*
la mariposa butterfly
el mármol marble
la marquesa marchioness
Marta Martha
el martes Tuesday
Martinica Martinique (*an island in the
   French West Indies*)
marzo March
mas but
más more, most; better, best; longer
   más o menos more or less, approximately
   nadie más no one (anyone) else
   no . . . más no . . . longer
   no . . . más que only, no(t) . . . more
   than
   otra más still another
   sin esperar más without waiting any
   longer
la masa mass, bulk
el masaje massage

mascar (qu) to chew
   goma de mascar chewing gum
la máscara mask; masked person
   vestirse de máscara to put on masks
   masculino, –a masculine
la masticación chewing
   masticar (qu) to chew
la mata stalk
   matar to kill
el mate checkmate (*in chess*)
   Mauricio Maurice
el maya Maya
   mayo May
la mayonesa mayonnaise
   mayor older, oldest; greater, greatest
   Antillas Mayores Greater Antilles
   la mayor parte de most (of)
la mayoría majority
   en su mayoría for the most part
   la mayoría de the majority (most) of
me (to) me; myself
   mecánico, –a mechanical
   mecer (*pres. ind.* mezo) to rock, swing
la medalla medal; gold coin
la media stocking
la medianoche midnight
el medicamento medicine, drug
la medicina medicine
el médico doctor
la medida measurement
   a medida que as
   medio, –a (a) half
   (a las siete) y media at half past
    (seven), (at seven-)thirty
   media hora a half hour
el medio medium, means
   en medio de in the middle (midst) of
   por medio de by means of
el mediodía noon
   al mediodía at noon
la meditación meditation
   meditar to meditate, think
la mejilla cheek
   mejor better, best
   es mejor it is better
   lo mejor the best (thing, part)
el mejoramiento improvement, betterment
la melancolía melancholy, gloom
el melocotón peach
la melodía melody
   melodioso, –a melodious
la memoria memory, mind

(para) aprender de memoria (to) learn from memory (by heart)
   saber de memoria to know by heart
   mencionar to mention
   menor younger, youngest, least
   Antillas Menores Lesser Antilles
   menos less, except
   (a las ocho) menos cuarto (at) a quarter to (eight)
   a menos que unless
   cuando menos at least
   nada menos que no (nothing, none) other *or* less than
   no poder menos de not to be able to help
   (por) lo menos at least
   mental mental
   mentir (ie,i) to lie
la mentira lie
   parecer mentira to seem impossible (incredible)
   menudo: a —, often
el mercado market
la merced mercy, favor, kindness
   vuesa (su) merced your grace, you
   merecer (zc) to merit, deserve, have
   merecido, –a deserved, merited
   merendar (ie) to lunch, have a snack
la merienda light lunch, snack
el mérito merit
el mes month
   a los dos meses two months later
la mesa table, desk
la meseta tableland, plateau
la mesita small table
el metal metal
   meter to put (in), place, insert; *reflex.* get (go) into
   meter el diente a to begin to eat
el método method
el metro meter (*39.3 inches*)
   mexicano, –a Mexican
   México Mexico, Mexico City
   Mexitli *Aztec god of war*
la mezcla mixture
   mezclar to mix, mingle
   mezo *see* mecer
   mi, mis my
   mí me, myself
   a mí también I, too; so do I
el microbio microbe
el miedo fear
   tener miedo (de) to be afraid (to, of)

tener miedo de que to be afraid that

mientras (que) while, as long as
   mientras tanto meanwhile, in the meantime

el **miércoles** Wednesday

la **miga** crumb

Miguel Michael, Mike

mil (a) thousand, many; *pl. noun* thousands
   mil veces (cosas) many (a thousand) times (things)

el **milagro** miracle

el **milímetro** millimeter

militar military

el **militar** military man, soldier

la **milpa** (*Mex.*) cornfield

el **millar** thousand; *pl.* thousands, many

el **millón** (*pl.* **millones**) **(de)** million
   un millón de (cosas) many *or* a million (things)

el **millonario** millionaire

el **mimbre** wicker

mimoso, –a (*also adv.*) spoiled, tender(ly)

minar to undermine

el **ministro** minister, Secretary

mintiendo *see* **mentir**

el **minuto** minute

mío, –a *poss. adj.* mine, of mine
   con todos los míos with all my family
   (el) mío *poss. pron.* mine

la **mirada** look, glance, gaze
   mirar to look (at, upon), watch, see, observe

la **misa** Mass (*church*)

el **miserable** wretch

la **miseria** misery

la **misión** (*pl.* **misiones**) mission

el **misionero** missionary

Misisipí Mississippi

mismo, –a same, self, very
   a sí mismo to oneself
   ahora mismo right away (now)
   al mismo tiempo at the same time
   aquí mismo right here
   el (lo) mismo . . . que the same (thing) . . . as
   ellos mismos they themselves
   lo mismo the same thing
   lo mismo (me) da it's all the same (to me)
   yo mismo I myself

miss Miss

míster Mr.

el **misterio** mystery
   con misterio mysteriously

misterioso, –a mysterious

Misurí Missouri

la **mitad** half

Moctezuma *leader of the Aztecs at time of the Spanish conquest*

el **modelo** model
   modelo de este año this year's model

moderno, –a modern
   de los más modernos of the latest

modesto, –a modest

el **modismo** idiom

el **modo** manner, means, way
   de modo que so, so that
   de todos modos at any rate, anyway
   de un modo in a way

modulada: frecuencia —, FM

mojado, –a soaked

mojar to wet, dampen, moisten; *reflex.* get wet

molestar to bother, molest

el **momento** moment
   en este (ese, aquel) momento at this (that) moment

la **monarquía** monarchy

la **moneda** money, coin, currency

el **monólogo** monologue

la **monotonía** monotony

monótono, –a monotonous(ly)

la **montaña** mountain
   montar to mount, ride
   ir montado to ride (*an animal*)
   montar en to mount, get on

la **montura** trappings (*of a horse*), saddle

morado, –a purple

moral moral

moreno, –a dark, brown, brunet(te)

moribundo, –a dying

morir(se) (ue, u) to die
   morir de viejo to die of old age

el **moro** Moor

mortificado, –a discouraged, annoyed

mortificar (qu) to mortify, vex; *reflex.* be discouraged

el **mosaico** mosaic

moscatel muscatel (*kind of grape*)

el **mosquete** musket

el **mostrador** counter

mostrar (ue) to show, demonstrate

el **motivo** motive, reason
  con motivo de because of
mover(se) (ue) to move, stir
el **movimiento** movement
el **mozo** porter; young man
la **muchacha** girl
el **muchacho** boy; *pl.* boy(s) and girl(s)
mucho *adv.* much, hard, very, a great deal, a long time
mucho, –a much, many, very
mudarse to change
  mudarse de ropa to change clothes
el **mueble** piece of furniture; *pl.* furniture
la **muela** molar, tooth
el **muelle** wharf, pier
la **muerte** death
  condenar a muerte to condemn to death
  dar muerte a to kill, put to death
  golpe de muerte death blow
  pena de muerte death penalty
muerto (*p.p. of* **morir** *and adj.*) dead
  muerto de risa dying of laughter
el **muerto** dead man (person)
la **muestra** sample
la **mujer** woman, wife
la **mula** mule
el **mulo** mule
la **multa** fine
multiplicar (qu) to multiply
la **multitud** multitude, crowd, large number
el **mundo** world
  en el mundo anywhere
  todo el mundo everybody
municipal municipal, city
mural (*also m. noun*) mural
murió *see* **morir**
murmurar to murmur, mutter
el **muro** wall
el **museo** museum
  museo de arte art museum
la **música** music
  de música music(al)
  lección de música music lesson
musical musical
el **músico** musician
muy very

N

nacer (zc) to be born, sprout
nacido, –a born

la **nación** (*pl.* **naciones**) nation
nacional national
nada nothing, (not) . . . anything, nothing (at all), no
  nada más only
nadie no one, nobody, (not) . . . anyone (anybody)
  nadie más no one (anyone) else
el **naipe** card (*playing*)
Napoleón Napoleon
la **naranja** orange
  de color de naranja orange-colored
  jugo de naranja orange juice
el **naranjo** orange tree
la **nariz** nose
nativo, –a (*also noun*) native
natural natural
el **natural** native
la **naturaleza** nature
naturalmente naturally
la **navaja** razor, knife
la **nave** boat
navegar (gu) to sail
la **Navidad** Christmas
necesario, –a necessary
la **necesidad** necessity
necesitar to need
negar (ie; gu) to deny, refuse
  negarse a to refuse to
los **negocios** business
  (viaje) de negocios business (trip)
negro, –a black, dark
el **negro** Negro, black one
nervioso, –a nervous(ly)
el **nervioso** nervous one
el **neumático** tire
ni nor, (not) . . . or, (not) even
  ni . . . ni neither . . . nor
el **nido** nest
la **nieve** snow
el **nilón** nylon
ningún *used for* **ninguno** *before m. sing. nouns*
ninguno, –a no, no one, none, (not) . . . any (anybody)
la **niña** little girl
la **niñera** nursemaid
el **niño** little boy, child; *pl.* children
no no, not
noble noble
la **noche** night, evening
  buenas noches good evening (night)
  de la noche in the evening, P.M.

de noche at (by) night, night
(el sábado) por la noche (Saturday) night
esta noche tonight
mañana por la noche tomorrow night
pasar una noche to spend an evening
por la noche in the evening, at night
traje de noche evening dress
la **Nochebuena** Christmas Eve
nombrar to name, appoint
el **nombre** name; noun
a mi nombre in my name
de nombre by name
en nombre de in the name of
el **nopal** cactus, prickly-pear tree
el **nor(d)este** northeast
la **noria** water-wheel
el **norte** north
América del Norte North America
Norteamérica North America
norteamericano, –a (North) American
el **norteamericano** North American
nos (to) us; ourselves
nosotros, –as we, us, ourselves
nosotros los alumnos we students
la **nota** note
notable notable
notablemente notably
notar to note, observe
la **noticia** notice, news, piece of information; *pl.* news
tener noticias de to have (receive) news of, hear from
la **novela** novel
noventa ninety
la **novia** sweetheart, fiancée
noviembre November
el **novio** sweetheart, fiancé, lover; *pl.* "boy and girl friends"
la **nube** cloud, swarm, flock, multitude
nublado, –a cloudy
nuestro, –a *poss. adj.* our, of ours
(el) nuestro *poss. pron.* our
Nueva Orleáns New Orleans
Nueva York New York
nuevamente again, anew
nueve nine
nuevo, –a new, another
de nuevo again, anew
¿qué hay de nuevo? what's new?
una nueva a new one

el **número** number, size
numeroso, –a numerous, many, large
nunca never, (not) . . . ever

O

o or
obedecer (zc) to obey
el **objeto** object, purpose
la **obligación** obligation, duty
obligado, –a obliged, forced
obligar (gu) to oblige, force
la **obra** work (*literary or artistic*)
obra maestra masterpiece
la **obscuridad** darkness
obscuro, –a dark
obsequiar (con) to treat (with), present (with), make a present (of)
observar to observe, note, see
el **obstáculo** obstacle
obstante: no —, nevertheless
obtener (*like* **tener**) to obtain, get
obtuvo *see* **obtener**
la **ocasión** (*pl.* **ocasiones**) occasion, chance, opportunity
el **océano** ocean
Octaviano Octavian
octubre October
ocultar (a) to hide (from)
oculto, –a hidden
ocupado, –a busy, occupied
ocupar to occupy, take
la **ocurrencia** strange idea
ocurrencia es that's a strange idea
ocurrir to occur, happen
ocurrirse a uno to occur to one
ochenta eighty
ocho eight
ochocientos, –as eight hundred
el **oeste** west
oficial (*also noun*) official
la **oficina** office
oficina de correos post office
el **oficio** craft, trade
ofrecer (zc) to offer
oh oh
oído *p.p. of* **oír**
el **oído** (inner) ear
oír to hear
oiga(n) Vd(s). listen
oír decir que to hear that
oír hablar de to hear about
oye (tú) listen

¡ ojalá (que) ! would that ! I wish
(hope) that !

la **ojeada** glance
　　dar una ojeada a to glance at

el **ojo** eye

la **ola** wave (*water*)
　　oler (hue) (a) to smell (of, like)

el **olivar** olive grove

el **olivo** olive tree

el **olor** odor, smell
　　olvidar to forget
　　olvidarse (de + *obj*.) to forget (to)
　　once eleven

la **onda** wave
　　de onda corta short-wave

la **onza** ounce
　　onza de oro doubloon (*gold coin worth about $16*)

la **ópera** opera

la **operación** (*pl.* **operaciones**) operation
　　opinar to think, believe

la **opinión** opinion, mind
　　cambiar de opinión to change one's mind

el **opio** opium
　　oponerse a (*like* **poner**) to oppose, object

la **oportunidad** opportunity
　　tener oportunidad de to have an opportunity to

la **oposición** opposition
　　opuso *see* **oponer**

la **orden** (*pl.* **órdenes**) order, command
　　a sus órdenes at your service
　　ordenar to order, ordain

la **oreja** (outer) ear

el **orfeón** singing society

la **organización** organization
　　organizar (c) to organize

el **origen** origin
　　original original

la **orilla** shore, bank, side
　　a la orilla de on (by) the shore of

el **ornamento** ornament

el **oro** gold
　　de oro golden
　　(pulsera) de oro gold (bracelet)

la **orquesta** orchestra
　　os you (*fam. pl.*), yourselves
　　oscuro, –a dark, gloomy

el **otoño** fall, autumn
　　otro, –a another, next; *pl.* other

　　otra cosa something else
　　¿ qué otra cosa ? what else ?

la **oveja** sheep
　　oye *see* **oír**

el **oyente** auditor, listener
　　oyó *see* **oír**

P

Pablo Paul

la **paciencia** patience
　　pacífico, –a, pacific, peaceful

el **padre** father, priest; *pl.* parents
　　pagar (gu) to pay, pay for

la **página** page

el **pago** payment, paying

el **país** country (*nation*)

el **paisaje** countryside, landscape

la **paja** straw, thatch

el **pájaro** bird

la **palabra** word
　　dirigir la palabra (a) to talk to (one)

la **palabrería** empty talk, chattering

el **palacio** palace

el **palco** box (*theater*)
　　pálido, –a pale

la **palma** palm, palm tree

la **palmada** hand clap
　　dar palmadas to clap one's hands

el **palo** club, stick
　　palo de golf golf club
　　palpar to feel
　　palpitante palpitating(ly)

la **pampa** pampa, grassy plain

el **pan** bread

la **pana** corduroy
　　Panamá Panama
　　panamericano, –a Pan American

el **panecillo** roll

el **pánico** panic

el **pantalón** (*pl.* **pantalones**) trousers
　　pantalones cortos shorts, trunks

la **pantalla** screen (*movie*)

el **pañuelo** handkerchief

el **papá** father, dad, papa; *pl.* parents

el **papel** paper; role; note
　　papel de seda tissue paper

el **paquete** package

el **par** pair, couple
　　(quince dólares) el par (fifteen dollars) a (per) pair
　　un par de two, a couple of

para for, to, in order to, by
 para que in order that
 ¿ **para qué ?** why ? for what purpose ?
el **paraguas** umbrella
el **paraíso** paradise
paralelamente in a parallel way to,
 parallel to
paralelo, –a parallel
parar(se) to stop
parecer (zc) to seem, appear, look like
 al parecer apparently
 ¿ **le parece a usted . . . ?** what do
  you think about . . . ? is that all
  right with you ?
 (me) parece bien (it, that) is all
  right (with me)
 me parece que it seems to me, I
  think that
 ¿ **no te parece ?** don't you think so ?
 parecer mentira to seem impossible
  (incredible)
 parecerse a to resemble, seem like
 ¿ **qué le(s) parece ?** what do you
  think of (it) ?
 ¿ **te (le) parece bien ?** is that (it) all
  right (O.K.) ?
la **pared** wall
el **pariente** relative
París Paris
parisiense Parisian, of Paris
el **parque** park
la **parra** grapevine
la **parte** part
 a (en, por) todas partes everywhere
 en cualquier parte somewhere
 la mayor parte de most (of)
 por parte de on the part of
particular private
la **partida** departure
el **partido** game, match
partir (**de** + *obj.*) to depart, leave;
 share, divide
pasado, –a past, last
 pasado mañana day after tomorrow
el **pasado** last month
el **pasajero** passenger
pasar(se) to pass, spend, come in, go,
 go by; happen
 pasar por to go (come, pass) by (for)
 pasar una noche to spend an evening
 pase(n) Vd(s). come in
 ¡ **que lo pases bien !** good-bye !

¿ **qué pasa ?** what's the matter ?
 what's going on ?
la **Pascua Florida** Easter
pasear to stroll, walk, roam, wander;
 reflex. take a walk, ride, stroll
 pasearse en trineo to go sledding,
  sleigh riding
el **paseo** walk, drive, ride, stroll, prome-
 nade, boulevard
 al paseo for a walk
 dar un paseo to take a walk
 dar un paseo en coche to take a
  ride, go riding
la **pasión** passion, love
pasivo, –a passive
el **paso** step, pass, pace, passage
 cerrar el paso a to block one's way
 dar un paso to take a step
el **pastelillo** small cake, pastry
la **pastilla** tablet, cake, stick
el **pastor** shepherd
la **pata** foot (*of an animal*)
 en cuatro patas on all fours
la **patada** stamp
 dar una patada to stamp one's foot
la **patata** potato
 ensalada de patatas potato salad
paternal paternal, fatherly
paternalmente paternal, fatherly, in a
 fatherly way
paternidad: su —, your reverence
 (grace), you
el **patín** (*pl.* **patines**) skate
patinar to skate
el **patio** patio, courtyard
la **patria** fatherland, country
el **patriota** patriot
la **pausa** pause
el **payador** minstrel
la **paz** peace
el **pecado** sin
el **pecho** breast, chest
el **pedacito** small piece (plot)
pedagógico, –a pedagogical
el **pedazo** piece
 hecho pedazos beaten to pieces
el **pedido** order
 hacer un pedido (a) to place an
  order (with)
pedir (i) to ask, ask for, request, order
 pedir prestado (a) to borrow (from)
Pedro Peter
pegado, –a stuck, pasted

pegar (gu) to stick, glue
peinarse to comb one's hair
el **peine** comb
la **película** film
   dar una película to show (present) a film
el **peligro** danger
el **pelo** hair
la **pelota** ball
peludo, –a hairy
la **peluquería** barbershop
el **peluquero** barber
la **pena** trouble; penalty
   pena de muerte death penalty
   ¡ qué pena ! what a pity !
   valer la pena to be worthwhile
el **pendiente** earring; slope
penitente penitent
penoso, –a laborious, hard
el **pensamiento** thought
pensar (ie) to think; + *inf.* intend, plan
   pensar en to think of (about)
la **peña** rock
peor worse, worst
   lo peor the worst part
Pepeta *nickname for* **Josefa,** Josephine
la **pepita** seed (*of a melon*)
pequeño, –a small, little
el **percal** percale
percibir to perceive, see, notice
la **percha** perch
perder (ie) to lose, miss; waste
   pierda Vd. (pierde) cuidado don't worry
   usted se lo pierde you are the one who is losing out
la **pérdida** loss
la **perdiz** (*pl.* **perdices**) partridge
perdón pardon, pardon me
perdonar to pardon, forgive, spare
la **peregrinación** (*pl.* **peregrinaciones**) wandering
la **perfección** perfection
perfectamente perfectly, very well
   perfectamente bien fine, perfectly well
perfumado, –a perfumed
el **perfume** perfume
el **perfumista** *dealer in perfumes*
Perico Pete
el **periódico** newspaper
el **periodismo** journalism

el **periodista** journalist
el **período** period, time
la **perla** pearl
permanecer (zc) to remain
permanente permanent
el **permiso** permission
permitir to permit, let, allow; *reflex.* permit oneself, take the liberty to
   ¿ me permites (presentarte) ? may I (introduce to you) ?
   ¡ no lo permita Dios ! God forbid !
pero but
la **perra** (female) dog
el **perrito** (little) dog
   perrito caliente hot dog
el **perro** dog
la **persecución** (*pl.* **persecuciones**) persecution, pursuit
perseguir (i; g) to pursue
perseverar to persevere, keep on
la **persona** person; *pl.* people
   otra persona anyone else, any other person
el **personaje** character, important person
personal personal
pertenecer (zc) to belong to
el **Perú** Peru
peruano, –a Peruvian
pesado, –a heavy
pesar to weigh
   a pesar de (que) in spite of (the fact that)
la **pesca** fishing
   pueblo de pesca fishing village
el **pescador** fisherman
la **peseta** peseta (*Spanish monetary unit*)
el **peso** weight
la **petaca** cigarette case; suitcase (*Mex.*)
el **pez** (*pl.* **peces**) fish
piadoso, –a pious
el **pianista** pianist
el **piano** piano
picar to burn, bite
el **pícaro** rogue, rascal
el **pico** beak
el **pie** foot
   a pie on foot, walking
   al pie at the bottom (foot)
   de pie standing
   ir (caminar, andar) a pie to walk, go on foot
la **piedra** stone
   (casa) de piedra stone (house)

la **piel** skin
la **pierna** leg
la **pieza** piece, selection; man (*in chess*); room
el **pino** pine (tree)
pintar to paint, picture, describe
el **pintor** painter
pintoresco, –a picturesque
la **pintura** painting
 sin pintura unpainted
la **piña** pine cone
la **pirámide** pyramid
el **piso** floor
 con (de) tacón de piso low-heeled, flat-heeled
la **pistola** pistol
Pizarro, Francisco *conqueror of Peru*
el **placer** pleasure
el **plan** plan
planchar to press, iron
la **planta** plant
la **plata** silver
la **plataforma** platform
Platero *silvery gray-colored donkey*
platicar (qu) to chat
el **platillo** dish (*Mex.*)
el **plato** plate, dish
platónico, –a Platonic
la **playa** beach
la **plaza** plaza, square
el **plazo** period of time
plegado, –a pleated
la **pluma** pen, feather
el **plural** plural
la **población** population, town
poblar (ue) to populate, inhabit
pobre poor
el **pobre** poor man
la **pobrecilla** poor woman
el **pobrecillo** poor fellow (man, thing)
el **pobrecito** poor (little) thing
la **pobreza** poverty
la **poción** potion
poco, –a (*also pron.*) little (*quantity*); *pl.* (a) few
 al poco rato in (after) a short while
 al poco tiempo after a short time
 dentro de poco in a little while
 un poco (de) a little (of)
 unos (–as) pocos (–as) a few
poco *adv.* little, only a short distance
 a poco shortly afterwards, immediately

poco a poco little by little
poco después (de) shortly after(ward)
poder to be able, can
 no poder menos de not to be able to help
 puede ser que it may be that
 ¿ se puede entrar ? may I come in ?
el **poder** power; hands
 en poder de in the hands (power) of
el **poderío** power, dominion
poderoso, –a (*also noun*) powerful
el **poema** poem
la **poesía** poetry
el **poeta** poet
poético, –a poetic
el **policía** policeman
la **policía** policing
político, –a political
 economía política economics
el **político** politician
el **polvito** pinch of snuff
el **polvo** dust
polvoriento, –a dusty
la **pomada** face cream
Ponce de León *Spanish explorer*
poner to put, place; turn on; make, cause one to be; *reflex.* put on
 poner por caso to take *or* offer as (for) an example
 poner un telegrama to send a telegram
 ponerse + *adj.* to become
 ponerse a to begin to
 ponerse de rodillas to kneel
 poner(se) en marcha to start
 ponerse rojo (colorado) to blush, become red
popular (*also noun*) popular
la **popularidad** popularity
poquito very little
por through, along, for, by, about, in, as, because of, on behalf of, for the sake of, in exchange for, during, over, on
 por ahí around there (then)
 por aquí (around) here, this way
 por eso for that reason, because of that, therefore
 ¿ por qué ? why ? for what reason ?
porque because
el **portal** doorway, vestibule
portátil portable
el **portero** doorman, janitor

el **portugués** Portuguese
el **porvenir** future
la **posada** inn
poseer (**y**) to possess, own
poseído *p.p. of* **poseer**
la **posesión** possession
posible possible
postal postal
giro postal money order
el **pozo** well
la **práctica** practice (exercise)
practicar (**qu**) to practice
práctico, –a practical
el **prado** meadow, field
el **Prado** *the boulevard in Madrid on which is situated the Prado Museum*
el **precio** price
¿ qué precio tienen (éstos) ? what is the price of (these) ?
precioso, –a precious
precisamente precisely, exactly, just
la **precisión** precision, exactitude
preciso, –a necessary
predicar (**qu**) to preach
predilecto, –a favorite
predominar to predominate, stand out
preferir (**ie,i**) to prefer
la **pregunta** question
hacer una pregunta to ask a question
preguntar to ask (a question), inquire; *reflex.* ask oneself, wonder
preguntar por to ask (inquire) about
prehispánico, –a pre-Hispanic
prehistórico, –a prehistoric
la **prenda** part, article
el **prendedor** pin, brooch
prender to arrest
preocupado, –a preoccupied, worried
preocuparse to worry
la **preparación** preparation
preparado, –a prepared, ready
preparar(se) to prepare (oneself), get ready
el **preparativo** preparation
preparatorio, –a preparatory
la **preposición** (*pl.* **preposiciones**) preposition
la **presa** hold, dam, prey
la **presencia** presence
la **presentación** presentation, introduction
presentado, –a introduced

presentar to present, give, introduce; display; *reflex.* present oneself
presente present, before one, here
del presente of this month
la **presente** this letter
el **presidente** president
preso, –a caught
el **préstamo** loan
prestar to lend, give
se pide prestado one can borrow it
el **prestigio** prestige
el **pretérito** preterite
el **pretexto** pretext
previamente previously
la **prima** cousin (*f.*)
la **primavera** spring
primer *used for* **primero** *before m. sing. nouns*
primero *adv.* first
primero, –a first
dos de primera two first-class tickets
el **primo** cousin
principal principal, main
el **principal** = **piso principal** main (first) floor
el **principio** beginning
a principios de at the beginning of
al principio at first, in the beginning
hasta principios de until the beginning (first) of
la **prisa** haste, hurry
darse prisa to hurry
de prisa quickly, in a hurry, fast, hastily
más a prisa faster
más que de prisa very hastily
la **prisión** prison
el **prisionero** prisoner
el **privilegio** privilege
probable probable
probablemente probably
probar (**ue**) to try, test, prove, taste; *reflex.* try on
el **problema** problem
la **procedencia** origin, background
proceder to proceed
el **procedimiento** procedure, process
proclamar to proclaim
procurar to try
producido, –a produced, caused
producir (**zc; j**) to produce
el **producto** product
produjo *see* **producir**

el **profesor** teacher (*man*)
la **profesora** teacher (*woman*)
   profundamente deeply, soundly
el **programa** program
el **progreso** progress
   prohibir to forbid, prohibit
la **promesa** promise
   prometer to promise
   prominente prominent
el **pronombre** pronoun
   pronto soon, quickly
     de pronto quickly, suddenly
   pronunciar to pronounce, say
la **propaganda** propaganda
la **propiedad** property, estate
la **propina** tip
   propio, –a own, one's own, original, proper
   proponer(se) (*like* **poner**) to propose, plan, intend
   propongo *see* **proponer**
   proporcionar to offer
el **propósito** purpose, plan
     a propósito by the way
     muy a propósito para very ready to
   propuso *see* **proponer**
la **prosa** prose
   prosperar to prosper
el **protector** protector
   protestar to protest
   provecho: buen —, may it benefit you, to your health
   proverbial proverbial
el **proverbio** proverb, saying
la **provincia** province
     de provincia provincial
la **provisión** (*pl.* **provisiones**) provision
   provocar (**qu**) to provoke, incite, excite
   próximo, –a next, close, near
     próximo a about to, near to
el **proyecto** project, plan
el **proyector** projector
la **prueba** proof
   publicar (**qu**) to publish
   público, –a (*also noun*) public
el **puchero** earthen pot
   pudieran (they) could
el **pueblecito** little town, (small) village
el **pueblo** town, village, people, nation, country
     de pueblo en pueblo from village to village
la **puerta** door, gate

Puerta del Sol *large square in the center of Madrid*
   pues well, well then, then; since, because, for, as
la **puesta** setting
   puesta del sol sunset
   puesto *p.p. of* **poner** *and adj.*
     puesto que since
     tener puesto, –a to have on, wear
el **puesto** position, place, job, post; shop, stand
     puesto de libros bookstand
la **pulsera** bracelet
   pulso: a —, by hand
el **Pullman** Pullman
la **punta** point, corner, tip, end
el **punto** point
     a punto de on the point of, about to
     en punto sharp, exactly (*time*)
la **puntualidad** punctuality
   puntualizar (**c**) to be more definite
   puntualmente punctually
el **puñado** handful
el **puñetazo** blow of the fist
el **puño** cuff
     gemelo de los puños cuff link
   puro, –a pure

Q

   que that, which, who, whom; when; than, to, for, because, as; *sign of indirect command*
   creer que sí (**no**) to believe so (not)
   del (**de la, de lo,** *etc.*) **que** than
   el (**la, los, las**) **que** who, which, that; he who, the one(s) who (that, which)
   el mismo . . . que the same . . . as
   en que in which, when
   lo que what, that which
   no . . . más que only, no(t) . . . more than
   para (a) que in order that
   sí (que) + *verb* indeed, certainly
   todo lo que all that
   todos los que all (those) who
   ya que now that, since
   ¿ qué ? what ? which ?
     ¿ para qué ? why ? for what purpose ?
     ¿ por qué ? why ? for what reason ?
   ¡ qué ! how ! what (a) !
     no hay de qué don't mention it, you are welcome

quedar to remain, have (be) left, be;
reflex. stay, remain, be, stand
llegar a quedarse to become
me queda bien it fits me well
me quedo con (ellos) I'll take (them)
nos queda (tiempo) we have (time)
quedar (de Vd.) como su atto. y s. s. to remain, sincerely yours
quedar en to agree, decide
quedarse con to keep
quejarse (de que) to complain (that)
la **quemadura** (powder) burn
quemar to burn
querer to wish, want; try
no quiso (quisieron) he (they) refused to, would not
querer (a) to love, like
querer decir to mean
¿ **quiere Vd.** ? will you take some ?
¿ **quiere Vd.** *or* **quieres (leer)** ? will you (read) ?
quisiera (I) should like
sin querer unintentionally
querido, -a dear, darling
muy querido very well liked
querida mía my dear
querido de beloved by
el **queso** cheese
¡ **quiá !** nonsense !
quien (*pl.* **quienes**) who, whom; he (those) who, the one(s) who
hay quien dice there are those who say
¿ **quién(es)** ? who ? whom ?
¿ **de quién(es)** ? whose ?
quieto, -a quiet
quince fifteen
quince días two weeks
quinientos, -as five hundred
la **quinina** tonic
quisiera *see* **querer**
quitar (a) to take away (off, from), remove; *reflex.* take off, remove
quizá(s) perhaps

R

la **rabia** rage, anger
con rabia angrily
el **racimo** bunch, cluster
el **radio** radio (set)
la **radio** radio (*means of communication*)

la **raíz** root
la **rama** branch, limb
rama de diamantes diamond spray
el **ramo** bouquet
Ramón Raymond
la **rana** frog
el **rapé** snuff
rápidamente rapidly
rápido, -a rapid
raro, -a rare, strange
uno muy raro a very rare one
el (los) **rascacielos** skyscraper
el **rasgo** trait, characteristic
el **raso** satin
la **rata** rat
el **rato** while, (short) time, period
al poco rato after (in) a short time
un buen rato a long (good) while
rayado, -a striped
el **rayo** ray, flash of lightning, thunderbolt
la **raza** race
la **razón** (*pl.* **razones**) reason; right
con razón rightly, correctly
tener razón to be right
el **real** real ($\frac{1}{4}$ *peseta*)
realidad: en —, in fact (reality)
realizar (c) to realize, carry out
realmente really
la **rebelión** rebellion
rebolanda Fatty
rebuznar to bray
el **rebuzno** braying (*of a donkey*)
el **recado** message
el **recaudador** tax collector
la **recepción** reception
la **receta** prescription
recibir to receive
el **recibo** receipt
acusar recibo de to acknowledge receipt of
reciente recent
recobrar to recover
recoger (j) to pick up, catch
la **recomendación** (*pl.* **recomendaciones**) recommendation
recomendar (ie) to recommend
reconciliar to reconcile, cause to make up
reconocer (zc) to recognize; examine closely
recordar (ue) to recall, remember
recorrer to run over, traverse, retrace
recorrer de arriba abajo to run up and down

recreo: sala de —, recreation room
el **recuerdo** memory; *pl.* regards
redoblar to redouble
redondo, –a round
referir (ie,i) to relate, tell, refer
  referirse a to refer to
reflejar to reflect
reflexionar to reflect, think
la **reforma** reform
el **refrán** proverb
el **refresco** cold drink, refreshment
refugiarse to take refuge (from)
refunfuñar to mutter, mumble
regalar to give (*as a gift*)
el **regalo** gift
regar (ie; gu) to irrigate, water
el **regimiento** regiment
la **región** region
la **regla** rule
regresar to return
regular fair, not bad, so-so
la **reina** queen
reinar to reign
reír(se) (i) to laugh
  reírse de to laugh at
rejuvenecer (zc) to rejuvenate, make
  young
la **relación** (*pl.* **relaciones**) relation
  estrechar las relaciones to improve
  (strengthen) relations
el **relato** tale, story, account
la **religión** religion
religioso, –a religious
el **reloj** watch, clock
remascar (qu) to chew again
remediar to remedy, help
el **remedio** remedy, aid
  no había más remedio que there
    was nothing to do but
  no hay remedio it can't be helped
remitir to remit, send
remoto, –a remote, distant
el **renacimiento** regeneration
la **rendija** crack
renunciar to renounce, give up
reñir(se) to quarrel, scold
reparar en to notice
repartir to divide; *reflex. pl.* divide
  among themselves
repasar to review
  para repasar for review
el **repaso** review
repente: de —, suddenly

repentino, –a sudden
repetir (i) to repeat
repitiendo *see* **repetir**
el **reporterismo** newspaper reporting
reposar to rest
reprender to reprimand, scorn, scold
el **representante** representative
representar to represent
representativo, –a representative
la **república** republic
el **rescate** ransom
reservar to reserve
el **resfriado** cold (*disease*)
el **residente** resident
la **resistencia** resistence
resistir to resist, stand
resolver (ue) to resolve, decide, solve
  (*a problem*)
  resolverse a to make up one's mind,
    decide on
el **respaldo** back (*of a chair*)
respectivo, –a respective
respecto: con — a concerning, with
  respect to
respetable respectable, considerable,
  adequate
respetar to respect
respirar to breathe
resplandeciente resplendent
responder to respond, reply, answer,
  correspond
la **respuesta** reply, answer
el **restaurante** restaurant
el **resto** rest; *pl.* remains
resueltamente resolutely
resuelto (*p.p. of* **resolver** *and adj.*)
  settled, solved, decided
el **resultado** result
resultar to result, turn out (to be); be
el **resumen** summary
Resurrección: Domingo de—, Easter
  Sunday
el **retintín** tinkle
retirar to withdraw; *reflex.* retire, withdraw, go (away)
la **retorta** retort
retrasarse to be late
retroceder to step back, back up
la **reunión** reunion, gathering
reunir to get together, collect; *reflex.*
  gather, meet
  reunirse con to join
la **revelación** revelation

revelar to reveal, develop (*film*)
reventar (**ie**) to burst
la **reverencia** bow
revisar to examine
la **revista** magazine
revolar (**ue**) to fly around
la **revolución** revolution
revolucionario, –a revolutionary
el **rey** king
    los Reyes the Wise Men (Kings)
    Reyes Católicos Catholic Monarchs
    (Ferdinand and Isabella)
rezagado, –a straggler, one left behind
Ricardo Richard
rico, –a rich
riendo, rieron *see* **reír**
el **rincón** (*pl.* **rincones**) corner (*of a room*)
riñendo, riñeron *see* **reñir**
el **río** river
la **riqueza** (*also pl.*) wealth, riches
riquísimo, –a very rich
la **risa** (*also pl.*) laughter
risueño, –a smiling
rizarse to curl, ruffle
el **rizo** curl (*of hair*)
robado, –a stolen
robar (**a**) to rob, steal, take (from)
Roberto Robert
el **robo** robbery, theft
la **roca** rock
rodar (**ue**) to roll
rodear to surround
rodeos: sin —, without beating around the bush
la **rodilla** knee
    de rodillas on (their) knees
    ponerse de rodillas to kneel
rogar (**ue; gu**) to beg, ask, request
rojo, –a red
    ponerse rojo to blush, become red
el **rollo** roll (*of film*)
romántico, –a romantic
romper to break
la **ropa** clothes, clothing
    cambiarse (**mudarse**) **de ropa** to change clothes
    ropa interior underclothing
    tienda de ropa clothing store
el **rosal** rose bush
el **rostro** face
Rota *town near Cádiz, Spain*
roteño, –a native of Rota

roto (*p.p. of* **romper** *and adj.*) broken, torn, worn
el **rubí** ruby
rubio, –a blond(e)
rudimentario, –a unfinished
rudo, –a rough, crude
el **ruibarbo** rhubarb
el **ruido** noise
    sin ruido silently, noiselessly
la **rumba** rumba
el **rumbo** direction
    por el rumbo de in the direction of
    rumbo a in the direction of, headed for
rural rural

S

el **sábado** Saturday
la **sábana** sheet
saber to know, know how; find out, learn; can (*mental ability*)
    ¡qué sé yo! how should I know! I don't know!
    ¿sabe usted? do you see?
sacar (**qu**) to take, take out, get (out), draw (out), put (stick) out
    sacar fotografías to take photographs
el **sacerdote** priest
el **saco** coat, jacket
el **sacrificio** sacrifice
sacudir to shake, fan
    sacudirse las botas to dust one's shoes
sagaz wise, shrewd
sagrado, –a sacred
la **sala** living room
    sala de clase classroom
    sala de recreo recreation room
Salamanca *city in western Spain*
la **salchicha caliente** (*Mex.*) hot dog
la **salida** departure
la **salina** salt flat
salir (**de** + *obj.*) to leave, go (come) out, set out; rise (*as the sun*)
    salir a la calle to go out into the street
    salir corriendo to run
el **salón de té** tearoom
saltar to jump, leap
la **salud** health
saludar to greet, speak to

el **saludo** greeting, bow, gesture
la **salvación** salvation
salvaje savage, wild
salvar to save
san *used for* **santo** *before m. saint name not beginning with* **Do–** *or* **To–**
el **sandwich** sandwich
sandwiches tostados de queso toasted cheese sandwiches
la **sangre** (life) blood
sangriento, –a bloody
santo, –a holy, saint
¡ **santo Dios** ! good heavens ! heavens above!
el **santo** saint
día de santo saint's day
el **saqueo** sacking, plundering
la **sarta** string (*of beads, etc.*)
la **satisfacción** satisfaction
satisfacer to satisfy
satisfecho, –a satisfied
se *used for* **le** *or* **les** (to) him, her, it, them, you; *reflex. pron.* himself, herself, *etc.*; *reciprocal pron.* (to) each other, one another; *indefinite subject* one, people, *etc.*
secamente dryly
seco, –a dry, dried up; curt
la **secretaria** secretary
el **secreter** writing desk, secretary
secreto, –a secret
el **secreto** secret
la **sed** thirst
tener (mucha) sed to be (very) thirsty
la **seda** silk
papeles de seda tissue paper
seguida: en —, at once, immediately
seguido, –a de followed by
seguir (i; g) to continue, follow, keep (go) on
allí siguen they are still there
según according to; that depends
segundo, –a second
de segunda second-class
el **segundo** second, second in command, assistant
seguramente surely, certainly
la **seguridad** certainty, assurance
seguro, –a sure, certain, safe, steady
de seguro surely
estar seguro, –a (de que) to be sure (that)

seis six
seiscientos, –as six hundred
la **selección** (*pl.* **selecciones**) selection
el **sello** stamp (*postage*)
sello de correo postage stamp
sello de correo aéreo airmail stamp
la **semana** week
a la semana siguiente the following (next) week
sembrar (ie) to plant, sow
el **senador** senator
sencillo, –a simple, one-way
sentado, –a seated
sentar (ie) to seat; be becoming, fit; *reflex.* sit down, sit up (*in bed*)
la **sentencia** sentence
el **sentido** sense
sentir (ie,i) to regret, be sorry, feel, hear, sense; *reflex.* feel
lo siento (mucho) I'm (very) sorry
Sento *contraction for Vicente*
la **seña** sign, signal; *pl.* description, address, whereabouts
la **señal** sign, indication
señalar to point to (out)
señor sir, Mr.; *sometimes not translated as in* **señor maestro**
el **señor** gentleman; *pl.* Mr. and Mrs.
el **Señor** Lord
señora Mrs., madam
la **señora** lady, woman
señorita Miss
la **señorita** young lady
el **señorito** master, young man
separado, –a separated
separar to separate; *reflex. pl.* separate (from one another)
septiembre September
la **sepultura** tomb, grave
ser to be
así es (fue) que so, and so, so that, thus
así fue como so this was how
era ella it was she
es decir that is, that is to say
es que the fact is (that); *not translated at beginning of a question*
llegar a ser to become
o sea or rather
puede ser que it may be that
ser de to belong to, become of, happen to
Serafina *proper name*

la **serie** series
serio, –a serious, grave
la **serpiente** serpent
Serra, Junípero *founder of many California missions*
el **servicio** service
al servicio in the service
el **servidor** servant
servidor (de Vd.) at your service
servir (i) to serve; *reflex.* be so kind as to, be pleased to
¿ en qué puedo servirle(s) ? what can I do for you ?
servir de to serve as (a)
sesenta sixty
setecientos, –as seven hundred
setenta seventy
Sevilla Seville (*in southwestern Spain*)
si if, whether
sí yes; *reflex. pron.* himself, herself, *etc.*
a sí mismo to oneself
creer que sí to believe so
para sí to himself
sí (que) + *verb* indeed, certainly
la **siembra** sown field
siempre always
como siempre as usual (always)
para (por) siempre forever, for always
por siempre jamás forever and ever
Sierra Madre *mountain ranges in Mexico*
la **siesta** nap, siesta
dormir la siesta to take a nap
siete seven
el **siglo** century
el **signo** sign, symbol
Sigró *proper name in Valencia*
siguiente following, next
al año (día) siguiente the following year (day)
siguió *see* **seguir**
la **sílaba** syllable
el **silbido** whistle
dar silbidos to whistle
el **silencio** silence
silenciosamente silently
silencioso, –a silent
la **silla** chair
el **sillón** (*pl.* **sillones**) armchair
simbolizado, –a symbolized
el **símbolo** symbol

la **simiente** seed
similar similar
la **simpatía** sympathy, liking, friendly feeling
simpático, –a charming, nice, congenial, likable
simplificar (qu) to simplify
simultáneamente simultaneously
sin *prep.* without
sin embargo nevertheless
sin que *conj.* without
la **sinceridad** sincerity
sinfónico, –a symphonic
sino but, except
no . . . sino only
no sólo . . . sino también not only . . . but also
sino que but
el **sinónimo** synonym
sintonizar (c) to tune in
siquiera even
ni siquiera (not) even
el **sistema** system
el **sitio** site, place, spot
la **situación** situation
situado, –a situated, located
el **smoking** smoking jacket
soberbio, –a proud
sobre on, upon, about, concerning, above, over
el **sobre** envelope
sobresaltado, –a startled
la **sobrina** niece
el **sobrino** nephew
social social
el **socio** member
la **soda** soda
sofocado, –a choked, blushing
el **sol** sun
con sol with sunshine (fair weather)
hay (hace) sol the sun shines (is shining), it is sunny
mañana de sol a bright (sunny) morning
solamente only
solas: a —, alone, to oneself
el **soldado** soldier
traje de soldado uniform
la **soledad** solitude
solemne solemn
la **solemnidad** solemnity, seriousness
con gran solemnidad very solemnly (seriously)

soler (ue) to be accustomed to, be in the habit of

solicitar to solicit, ask for, beg

solidarizarse (c) to identify oneself

sólido, –a solid

solitario, –a solitary, lonely

solo, –a alone, single, lone

  a solas alone, to oneself

sólo only

  no sólo ... sino también not only ... but also

soltar (ue) to let go (loose), give up, drop in

la **solución** solution

la **sombra** shade, shadow

  a la sombra in the shade (shadow)

el **sombrero** hat

la **sombrilla** parasol

sombrío, –a dark, gloomy

  lo sombrío the darkness (shadow)

someter to subject, submit

sonar (ue) to ring, sound; *reflex.* blow one's nose

el **sonido** sound

sonreír (i) to smile

sonríe, sonriendo, sonrió *see* **sonreír**

sonriente smiling

la **sonrisa** smile

soñar (ue) (con) to dream (of)

la **sopa** soup

soplar to blow

sórdido, –a sordid

sorprender to surprise, catch; *reflex.* be surprised

  me (le) sorprende I am (he is) surprised, it surprises me (him)

  se sorprende tanto he is so surprised

sorprendido, –a surprised

la **sorpresa** surprise

sospechar to suspect

sostener (*like* **tener**) to sustain, support, carry on

Srta. = **señorita**

s(s).   s(s). = **seguro(s)   servidor(es)** yours truly

Stradivarius *valuable old make of violin*

su, sus his, her, your, its, their

suave soft, smooth

suavemente softly, slightly

el **súbdito** subject

subir (a + *obj.*) to get on (in, into), climb (on), go up, rise

la **sublevación** uprising, revolt

la **substancia** substance

substituir (y) to substitute, replace

suceder to happen; follow

el **suceso** event, happening

sucio, –a dirty

la **sucursal** branch (*business*)

sudamericano, –a South American

el **sudor** perspiration

el **sueldo** salary

el **suelo** ground, floor

suelto, –a loose

el **sueño** dream, sleep

la **suerte** luck

  tener (mucha) suerte to be (very) lucky (fortunate)

el **suéter** sweater

suficiente sufficient, enough

sufrir to suffer, endure, meet with, stand

sugerir (ie, i) to suggest

sujeto, –a held (grasped) by

el **sujeto** subject, person

la **suma** sum, amount

sumamente very, extremely

superar to surpass, exceed

el **superhombre** superman

superior superior, beyond

supersticioso, –a superstitious

el **suplicio** torture

suponer(se) (*like* **poner**) to suppose

supóngase *see* **suponerse**

supremo, –a supreme

supuesto: por —, of course, certainly

el **sur** south; *adj.* southern

  América del Sur South America

  Mar del Sur Southern Sea

el **surco** furrow

suspirar to sigh

el **susto** fright

  lleno de susto frightened

suyo *poss. adj.* his, her, their, your, of his (hers, *etc.*)

  a los suyos to his men

  (el) suyo *poss. pron.* his, hers, yours, theirs

  lo suyo what was his

T

la **taberna** tavern

la **tabla de multiplicar** multiplication table

el **tablero** chessboard
el **tacón** (*pl.* **tacones**) heel
  de (**con**) **tacón alto** high-heeled
  de (**con**) **tacón de piso** low-heeled,
    flat-heeled
la **táctica** (military) tactics
el **tafetán** taffeta
el **tafilete** Morocco leather
  tal such (a)
    con tal que provided that
    ¿ qué tal ? how are you ? how goes it ?
    tal o cual this or that
    tal vez perhaps
el **talento** talent
  talonario: libro —, stub book, receipt
    book
el **tallo** stem, sprout
el **tamaño** size, length
  también also, too
  tampoco neither, (not) ... either
    yo tampoco sé I don't know either,
    neither do I know
  tan so, as, such (a)
    tan ... como as (so) ... as
    un (**sitio**) **tan** (**hermoso**) such a
    (beautiful place)
el **tango** tango
  tanto, -a *adj. and pron.* as (so) much
    (many); *adv.* so (much)
    mientras tanto meanwhile, in the
    meantime
    no tanto not that bad
    por lo tanto therefore
    tanto ... como as (so) much (many)
    ... as
    tanto gusto (I'm) pleased (glad) to
    meet you
    tener tanta hambre to be so hungry
  tapar to cover
  tardar to delay, be long
    tardar (**mucho**) **en** + *inf.* to delay
    (much) in, be (very) long in, take
    (long) ... to
  tarde late
    más tarde later
la **tarde** afternoon
    ayer por la tarde yesterday after-
    noon
    buenas tardes good afternoon
    de la tarde in the afternoon, P.M.
    por la tarde in the afternoon
    todas las tardes every afternoon
la **tarjeta** card

el **taxi** taxi
  en taxi by (in a) taxi
la **taza** cup
  te (to) you, yourself
el **té** tea
  tomar un té to take tea
el **teatro** theater
la **techumbre** roof
la **teja** tile
  telefonear to telephone
el **teléfono** telephone
  llamar por teléfono to telephone
  por teléfono by (on the) telephone
el **telegrama** telegram
  poner un telegrama to send a tele-
    gram
el **telescopio** telescope
la **televisión** television
el **televisor** television set
el **tema** theme
  temblar (**ie**) to tremble
  temer to fear, be afraid
el **temor** fear
  por temor a for fear of
  temoroso, -a fearful, afraid
la **temperatura** temperature
la **tempestad** tempest, storm
  templado, -a mild
la **temporada** short time, while, spell,
    period of time
  temprano early
    temprano y con sol early and with
    sunshine (*fair weather*)
la **tendencia** tendency
  tenderse (**ie**) to stretch out, extend
  tener to have (*possess*); get, receive
    aquí (**ahí**) **tiene Vd.** here (there)
    is
    ¿ qué precio tienen (**éstos**) **?** what
    is the price of (these) ?
    ¿ qué tienes (**tiene Vd.**) **?** what's
    the matter with you ?
    tener (**doce**) **años** to be (twelve)
    years old
    tener éxito to be successful
    tener lugar to take place
    tener miedo (**de**) to be afraid (of)
    tener (**mucho**) **cuidado** to be (very)
    careful
    tener mucho gusto en to be very
    glad to
    tener noticias de to have (receive)
    news of, hear from

tener oportunidad de to have an opportunity to
tener que + *inf.* to have to, must
tener ... que to have ... to
tener suerte to be lucky (fortunate)
tener tiempo para (de) to have time to
el **tenis** tennis
Tenochtitlán *Aztec capital on site of present Mexico City*
la **tentación** (*pl.* **tentaciones**) temptation
la **teoría** theory
tercer *used for* **tercero** *before m. sing. nouns*
tercero, –a third
de tercera third-class
el **terciopelo** velvet
la **terminación** end
terminar to end, finish
el **término** term
Terranova Newfoundland
la **terraza** terrace
terreno, –a earthly
el **terreno** terrain, land, ground
terrible terrible
territorial territorial, of land
el **territorio** territory
el **terror** terror
la **tertulia** party, social gathering
el **tesorero** treasurer
el **tesoro** treasure
testarudo, –a stubborn, obstinate
ti you, yourself
la **tía** aunt
tibio, –a lukewarm, balmy
el **tiempo** time (*general sense*); weather; *pl.* days
a tiempo on time
a un tiempo at one (the same) time
al mismo tiempo at the same time
al poco tiempo after (in) a short time
al tiempo que at the (same) time that, while, when
andando el tiempo as time passed
con el tiempo in (in the course of) time
¿ cuánto tiempo (hace) ? how much time (long) (is it) ?
dentro de poco tiempo within a short time
en aquel tiempo at that time

en mucho tiempo in (for) a long time
hace poco tiempo a short time ago
hacer buen tiempo to be good (fine) weather
mucho tiempo long, a long time
¿ qué tiempo hace ? what kind of weather is it ?
tener tiempo para (de) to have time to
la **tienda** store, shop
tierno, –a tender, affectionate
la **tierra** land, earth
echar a tierra to knock to the ground
Tierra Firme Mainland
el **tigre** tiger
el **timbre** (door)bell; ring, tone
la **tinta** ink
la **tintorería** cleaners, cleaning shop
el **tío** uncle; *pl.* uncle(s) and aunt(s)
típicamente typically
el **tipo** type
el **tirador** rifleman, marksman
la **tiranía** tyranny
el **tirano** tyrant
tirar to throw, pull
tirar de to pull on
el **tiro** shot
el **título** title
la **toalla** towel
el **tocadiscos** record player
tocar (qu) to touch; play (*music*); ring
tocar a (uno) to fall to (one's) lot, be (one's) turn
todavía still, yet
todo, –a all, everything; *pron.* everything
de todo everything, a bit of everything
sobre todo especially, above all
todo el verano all (the whole) summer
todo lo (los) que all that (those which, who)
todo un verano a (one) whole summer
todos (los días) every (day)
la *toilette* (*French*) toilet, dress
la **tolerancia** tolerance, indulgence
tomar to take, eat, drink; *reflex.* take
toma (tú), tome Vd. take it, here
tomar el fresco to go out for some fresh air

Tomás Thomas, Tom
el **tomate** tomato
el **tono** tune, tone
   en tono de in a tone of
la **tontería** foolish thing
  tonto, –a stupid, foolish
el **tonto** fool, stupid person
el **torero** bullfighter
la **tormenta** storm
el **tormento** torment
  torno: en — (de) around, round about
la **torpeza** slowness, stupidity
la **torre** tower; castle (*in chess*)
el **torrente** torrent
la **tortura** torture
  toser to cough
  tostado, –a toasted
  trabajador, –ora industrious
  trabajar to work
    trabajar de to work as (a)
    trabajar mucho to work hard
el **trabajo** (*also pl.*) work, job, effort, labor
    costar trabajo to be hard (difficult)
la **tradición** (*pl.* **tradiciones**) tradition, legend
  tradicional traditional
  traducir (**zc; j**) to translate
  traer to bring
  trágico, –a tragic
la **traición** treason, treachery
  traído *p.p. of* **traer**
el **traidor** traitor
el **traje** suit, uniform
    traje de etiqueta formal attire
    traje de noche evening dress
    traje de soldado uniform
  tranquilamente quietly, tranquilly
la **tranquilidad** tranquility, calmness
  tranquilizarse (**c**) to calm oneself
  tranquilo, –a tranquil, peaceful, quiet, smooth
  transformarse to be changed (transformed)
la **transmisión** (*pl.* **transmisiones**) transmission, broadcast
la **transparencia** transparency, slide
  transparente transparent
el **tranvía** street car
  tras after, behind
la **trascendencia** transcendency, result
  tratar to treat
    tratar de to deal with; try to
    tratarse de to be a question of

el **trato** dealing
  través: a — de across, over, through
  trece thirteen
  treinta thirty
  trémulo, –a (de) trembling (with)
el **tren** train
    el tren (de las seis) the (six o'clock) train
    en tren by train
  tres three
  trescientos, –as three hundred
el **triángulo** triangle
la **tribu** tribe
el **trigo** wheat; *pl.* wheat fields
el **trineo** sled, sleigh
    pasearse en trineo to go sledding, sleigh riding
  triste sad
  tristemente sadly
la **tristeza** sadness
el **triunfo** triumph
el **tronco** trunk
la **tropa** troop(s)
  tropezar (**ie; c**) **con** to come upon, meet, run into
  tropical tropical
  trotar to trot
el **trote** trot
el **trotecillo** little trot
el **trozo** piece, bit
el **trueno** thunder, report (*of a gun*)
  tu your (*fam.*)
  tú you (*fam.*)
el **tubo** tube
la **tumba** tomb
el **tunante** rascal, rogue
la **turbación** confusion
  turbado, –a disturbed, upset
  turbar to confuse, disturb, upset
el **turno** turn
  tuyo *poss. adj.* your, of yours (*fam.*)
  (el) tuyo *poss. pron.* yours

U

u or (*used before* o–, ho–)
último, –a last (*in a series*), ultimate, final
  en estos últimos años in recent years
  este último this last one
  por último finally, ultimately
un, una a, an, one; *pl.* some

único, -a only, unique
   lo único the only thing
unido, -a united, joined
   los Estados Unidos United States
la **unificación** unification
la **unión** union
unir to unite, bring together; *reflex.*
   unite, join together
   unirse a (con) to join
la **universidad** university
universitario, -a university
uno (un), una one
   a la una at one o'clock
unos, -as some, a few; about (*before numeral*)
   unos (-as) a otros (-as) one another, each other
   unos de segunda mano some used (second-hand) ones
la **uña** fingernail
urbano, -a urban
urgente urgent, special
uruguayo, -a Uruguayan
usar to use, wear
usted(es) you (*formal*)
el **usurero** usurer, miser, money lender
útil useful
la **utilidad** utility, usefulness
utilizado, -a utilized, used
la **uva** grape

V

la **vaca** cow
las **vacaciones** vacation
vacilar to hesitate
vacío, -a empty
el **vacío** space
vago, -a vague
el **vago** loafer, idler
el **vagón** coach (*train*)
Valencia *seaport and province on east coast of Spain*
valenciano, -a Valencian
valer to be worth, be of use, serve, mean
   vale más (más vale) (it) is better
   valer la pena to be worthwhile
   valer poco to be worth little, have little strength
valiente valiant, brave
valioso, -a valuable
el **valor** value, amount, valor, courage
   por valor de (in) the amount of

el **valle** valley
vano, -a vain
la **variedad** variety
varios, -as various, several
la **varita** little stick
el **vaso** glass
vaya *see* **ir**; *interj.* come (now)! well!
   ¡ vaya un(a) . . . ! what a . . . !
Vd(s). = usted(es) you (*formal*)
la **vecindad** neighborhood, nearness, proximity
vecino, -a neighboring, nearby
el **vecino** neighbor, inhabitant
   hijo de vecino person
la **vega** plain
la **vegetación** vegetation
veinte twenty
veinticuatro twenty-four
veintidós twenty-two
veintitrés twenty-three
la **vela** candle
velar to watch over
la **velocidad** speed
vencer (z) to conquer, overcome
   darse por vencido to give up
vencido, -a overcome, conquered
el **vendedor** vendor, seller
vender to sell
   vender de todo to sell (a little of) everything
venerable venerable
venerado, -a venerated
el **venezolano** Venezuelan
vengarse (gu) to avenge oneself, seek vengeance
venir(se) to come
   (el otoño) que viene next (fall)
   venga lo que venga come what may
la **venta** sale
la **ventana** window
la **ventanilla** ticket (small) window
ventilar to air; discuss
ver to see; *reflex.* see oneself, be
   a ver let's see
   bien se ve it is evident (apparent)
   nos vemos we'll be seeing each other
   se la vio she was seen (they saw her)
   tener que ver con to have to do with
Veracruz *city on gulf coast of Mexico*
el **verano** summer
   vacaciones de verano summer vacation
veras: de —, really, truly

el **verbo** verb
la **verdad** truth
    es verdad, verdad es it is true
    ¿ **(no es) verdad** ? isn't it true ? *etc.*
  verdaderamente truly, really
  verdadero, –a real, true
  verde green
las **verduras** green (fresh) vegetables
    puesto de verduras vegetable stand
      (stall)
la **veredilla** little path
la **vergüenza** shame
    dar vergüenza a to make one
      ashamed
el **verso** verse; *pl.* poetry
  vestido, –a (de) dressed (as)
el **vestido** dress
  vestir (i) to dress; *reflex.* dress (oneself),
    get dressed, put on
  vete *see* **irse**
la **vez** (*pl.* **veces**) time, occasion
    a la vez at a (the same) time
    a su vez in his turn
    a veces at times
    alguna vez ever, sometime, any time
    algunas veces sometimes
    de vez en cuando from time to time,
      occasionally
    dos veces twice
    en vez de instead of, in place of
    muchas veces often
    otra vez again
    otra vez y otra más again and again
    por primera (tercera) vez for the
      first (third) time
    rara vez, raras veces rarely, seldom
    tal vez perhaps
    una vez once
la **vía** way, means
    la Gran Vía *today also known as the*
      Avenida de José Antonio, is the main
      street in Madrid for shopping, busi-
      ness, and hotels
  viajar to travel
el **viaje** trip, voyage; *pl.* trips, travels
    ¡ **feliz viaje** ! (have a) happy trip !
    hacer un viaje to take (make) a
      trip
    viaje de negocios business trip
el **viajero** traveler
    ¡ **señores viajeros, al tren** ! all
      aboard, travelers !
  vibrar to vibrate

  vibratorio, –a vibrating
el **vice presidente** vice president
  Vicente Vincent
el **vicio** vice
  victorioso, –a victorious
la **vida** life
la **vieja** old lady (woman)
la **viejecita** little old lady (woman)
  viejo, –a old
el **viejo** old man
el **viento** wind
    al viento in the wind
el **vigor** vigor, strength, force
el **vino** wine
la **viña** vineyard
  violento, –a violent
la **violeta** violet
el **violín** violin
el **violinista** violinist
  virgen (*pl.* **vírgenes**) *adj. and f. noun*
    virgin
la **virtud** virtue, power, strength
la **visión** vision
  visitar to visit, go to, call on
la **vista** sight, view; eyes, eyesight
    corto de vista nearsighted
    de vista by sight
    hasta la vista until I see you, I'll
      be seeing you
  visto *p.p. of* **ver**
la **vitrina** showcase
el **viudo** widower; *pl.* widow and widower
  vivir to live
    dar de vivir to provide a living
  vivo, –a live
el **vocabulario** vocabulary
  volar (ue) to fly; *reflex.* fly away
la **voluntad** will
el **voluntario** volunteer
  volver (ue) to return, come back; *reflex.*
    turn around, return, go back; be-
    come
    volver a (tomar) (to take) again,
      return to (take)
    volverse (loco) to become (crazy)
  vosotros, –as you, to you, yourselves
    (*fam. pl.*)
el **voto** vote
la **voz** (*pl.* **voces**) voice, shout, cry
    en voz alta in a loud voice, aloud
    en voz baja in a low voice, softly
el **vuelo** flight
la **vuelta** return

dar una vuelta (por) to take a trip (around)

de ida y vuelta round-trip

estar de vuelta to be back

vuelto *p.p. of* **volver**

el **vuelto** change

vuestro, –a *poss. adj.* your, of yours (*fam. pl.*)

(**el**) **vuestro** *poss. pron.* yours

W

Wáshington Washington

Y

y and

ya now, already; then, later; *sometimes* *not translated and used for emphasis*

ya . . . ya now . . . now

¡ ya lo creo ! yes, indeed ! of course ! certainly !

ya no no longer

ya que since, now that

ya sé I (already) know

ya veré I'll see later

el **yerno** son-in-law

yo I, me

yo mismo I myself

la **yunta** yoke

Z

la **zapatería** shoe store (shop)

el **zapato** shoe

VOCABULARY

English-Spanish

A

a, an un, una; *often not translated*
able: be —, poder
aboard: all —, al tren
about de, acerca de, por, sobre, (*quantity*)
  unos, –as
  at about (*time*) a eso de
accompany acompañar
ache doler (ue)
acknowledge receipt acusar recibo
acquainted: be — with conocer (zc)
addition: in — to además de
address dirigir (j)
advance: thank in —, anticipar las gracias
advise aconsejar
afraid: be — that tener miedo de que,
  temer que
after *prep.* después de; *conj.* después que
  shortly after poco después de
afternoon la tarde
  good afternoon buenas tardes
  in the afternoon por la tarde
again otra vez, de nuevo, volver a + *verb*
ago: (an hour) —, hace (una hora)
agree estar de acuerdo
agriculture la agricultura
air aéreo, –a
airport el aeropuerto
all todo, –a; *pron.* todo
  all (summer) todo el (verano)
  all that todo lo que, cuanto
  not at all de ninguna manera
alone solo, –a
already ya
although aunque
always siempre
America América
American: South —, sudamericano, –a
and y
anniversary el aniversario
another otro, –a
  (to talk) to one another (hablar)se
answer contestar
anyone alguien, (*after negative or comparative*) nadie
anything algo, (*after negative*) nada
approach acercarse (qu) (a + *obj.*)
Argentina la Argentina
arrive llegar (gu) (a)
art el arte

artist el (la) artista
as tan, como, de
  as . . . as tan . . . como
  as if como si
  as much (many) . . . as tanto, –a, –os,
    –as . . . como
ask (question) preguntar; (*favor, request*)
  pedir (i); (*beg*) rogar (ue; gu)
  ask for pedir
at a, en
  at (John's) en casa de (Juan)
attend asistir a
August agosto
aunt la tía
avenue la avenida
awaken despertar (ie), (*oneself*) despertarse
away: go —, irse

B

back: be —, estar de vuelta
baggage el equipaje
bank el banco
Barbara Bárbara
basement el sótano
bathroom el cuarto de baño
be estar, ser; quedarse, encontrarse
  be able poder
  be back estar de vuelta
  be worth valer
  is (Richard) at home ? ¿está (Ricardo) ?
    ¿está en casa (Ricardo) ?
  isn't it ? ¿(no es) verdad ? ¿no ?
  it may be that puede ser que
  there is (are) hay
  there might (would) be hubiera
  there will be habrá
beautiful hermoso, –a, bonito, –a, lindo,
  –a, bello, –a
because *conj.* porque
  because of *prep.* por, a causa de
  because of that por eso
become + *adj.* ponerse; + *noun* hacerse,
  llegar a ser
bed la cama
  go to bed acostarse (ue)
  make the bed hacer la cama
before *prep.* antes de; *conj.* antes (de) que
begin empezar (ie; c) *or* comenzar (ie; c)
  (a + *inf.*); ponerse a

494

magazine la revista
maid la criada
mail el correo; echar al correo
  by airmail por correo aéreo
  by return mail a vuelta de correo
make hacer
man el hombre
  young man el joven
manager el gerente
many mucho, –a, –os, –as
  how many ? ¿ cuánto, –a, –os, –as ?
  many (things) mil (cosas)
  so many tanto, –a, –os, –as
map el mapa
March marzo
marvelous maravilloso, –a
Mary María
matter importar
  what does it (what's the) matter ?
    ¿ qué pasa ? ¿ qué importa ?
  what's the matter with you ? ¿ qué
    tienes (tiene Vd.) ?
may *sign of pres. subj.*
  it may be that puede ser que
  may I come in ? ¿ se puede entrar ?
  may I (sit down) ? ¿ me permite *or*
    puedo (sentarme) ?
May mayo
me me, *(after prep.)* mí
  with me conmigo
meal la comida
means: by no —, de ninguna manera
meet conocer (zc)
mention: don't — it no hay de qué
Mexican mexicano, –a
Mexico México
  Mexico City México, D.F.
midnight la medianoche
might *sign of imp. subj.*
Mike Miguel
milk la leche
mine (el) mío, (la) mía
  of mine mío, –a
minute el minuto
miss perder (ie)
Miss (la) señorita, Srta.
moment el momento
  at this (that) moment en este (ese)
    momento
Monday el lunes
money el dinero
month el mes
more más

morning la mañana
  in the morning por la mañana
  on Saturday morning el sábado por la
    mañana
most of la mayor parte de
mother la madre, la mamá
movie el cine
  movie camera cámara de cine
Mr. (el) señor, Sr.
Mrs. (la) señora, Sra.
much *adj.* mucho, –a; *adv.* mucho
  as much . . . as tanto, –a . . . como
  how much ? ¿ cuánto, –a ?
  too much *adj.* demasiado, –a
music la música
must tener que + *inf.*, haber de + *inf.*,
  deber; *for probability use future*
my mi(s), *(after noun)* mío, –a

N

name nombrar
national nacional
near *prep.* cerca de
necessary necesario, –a, preciso, –a
need necesitar, faltar
  I need (suitcases) me faltan (male-
    tas)
neighbor el vecino
nephew el sobrino
nervous nervioso, –a
never nunca, jamás
new nuevo, –a
news las noticias
  receive news recibir (tener) noticias
newspaper el periódico
next próximo, –a
night la noche
  at night de noche, por la noche
  last night anoche
  Saturday night el sábado por la noche
nine nueve
no, not *adv.* no; *adj.* ninguno, –a, *(before*
  m. sing. nouns) ningún; *often not trans-*
  lated
  no longer ya no
  no one nadie
noise el ruido
nor ni
not no
  (hope) not (esperar) que no
  not at all de ninguna manera
nothing nada

now ahora
number el número

O

obtain obtener, conseguir (i; g)
occasion la ocasión (*pl.* ocasiones)
o'clock: at (five) —, a (las cinco)
  it is (eleven) o'clock son (las once)
October octubre
of de, a
office la oficina
often a menudo, muchas veces
old antiguo, –a, viejo, –a
on en, sobre
  on + *pres. part.* al + *inf.*
  on (Sundays) los (domingos)
once: at —, en seguida
one un, una, uno; *indefinite subject* se, uno
  no one nadie
  the one who el (la) que, quien
  the one with el (la) de
  the ones who los (las) que, quienes
  the smaller one el más pequeño
  (to talk) to one another (hablar)se
  which one ? ¿ cuál ?
one-way sencillo, –a
only solamente, no . . . más que
open abrir
opportunity la oportunidad
  have an opportunity to tener oportunidad de
or o, (*after negative*) ni
orchestra la orquesta
order el pedido
  in order to para
other otro, –a
otherwise de otra manera
our nuestro, –a
ours (el) nuestro, (la) nuestra
own propio, –a

P

pack (*suitcase*) hacer
package el paquete
paint pintar
painter el pintor
painting la pintura
pair el par
paper el papel
parcel: (by) — post paquete postal
parents los padres, los papás
park el parque

part la parte
party la fiesta
pass pasar
patio el patio
Paul Pablo
pay pagar (gu)
  you are paying me a great compliment es gran favor que me hace
payment el pago
pencil el lápiz (*pl.* lápices)
people la gente, las personas
perhaps tal vez, quizá(s)
permission el permiso
permit permitir
person la persona
Peru el Perú
piano el piano
pick coger (j)
pity la lástima
  it is a pity es lástima
  what a pity ! ¡qué lástima (pena) !
place el sitio, el lugar; poner
  place an order hacer un pedido
plan el plan
plane el avión
  by plane en avión
platform (*station*) el andén
play (*game*) jugar (ue; gu) (a + *obj.*); (*music*) tocar (qu)
player: record —, el tocadiscos
pleasant agradable
please + *inf.* haga(n) Vd(s). el favor de + *inf.*, sírva(n)se Vd(s). + *inf.*, (*after request*) por favor
pleased: I am — to me es grato
P.M. de la tarde (noche)
possible posible
post: (by) parcel —, paquete postal
potato la patata
  potato salad ensalada de patatas
prefer preferir (ie, i), gustar más
preparation el preparativo
prepare preparar
price el precio
  price list lista de precios
probable probable
professor el profesor, la profesora
program el programa
projector el proyector
promise prometer
Pullman el coche cama
put poner, meter
  put on ponerse

Q

quickly de prisa

R

radio la radio, (*set*) el radio
railroad el ferrocarril
  railroad (ticket) (billete) de ferrocarril
rain llover (ue)
raincoat el impermeable
ranch la hacienda
reach llegar (a)
read leer (y)
ready listo, –a
real verdadero, –a
realize darse cuenta de
reason: for that —, por eso
recall recordar (ue)
receipt el recibo
receive recibir
recommend recomendar (ie)
record el disco
record player el tocadiscos
recreation room la sala de recreo
Reforma Boulevard Paseo de la Reforma
  (*in Mexico City*)
refreshment el refresco
regards los recuerdos
regret sentir (ie,i)
relation la relación (*pl.* relaciones)
remain quedarse
  we remain, sincerely *see section on
  letter writing, p. 246*
remember recordar (ue)
reply: in — to en contestación a
reserve reservar
restaurant el restaurante
return volver (ue); (*give back*) devolver
  (ue)
  by return mail a vuelta de correo
rich rico, –a
Richard Ricardo
ride: take a —, pasearse, dar un paseo
  (en coche)
right derecho, –a
  to the right a la derecha
ring sonar (ue), tocar (qu)
Robert Roberto
roll el rollo
room el cuarto
round-trip de ida y vuelta
run into dar con

S

sad triste
safe seguro, –a
saint el santo
  saint's day día de santo
salad la ensalada
same mismo, –a
  at the same time al mismo tiempo, a un
  tiempo
  the same thing lo mismo
sandwich el sandwich
Saturday el sábado
  on Saturday morning el sábado por la
  mañana
save guardar
say decir
  say good-bye to despedirse (i) de
school la escuela
  (go) to school (ir) a la escuela
  in school en la escuela
seat el asiento
secretary la secretaria
see ver
  let's see a ver
seem parecer (zc)
select escoger (j)
sell vender
send enviar (í), mandar, remitir
  send a telegram poner un telegrama
separate: under — cover por separado
September septiembre
serve servir (i)
  serve as (a) servir de
service: at your —, a sus órdenes
set el aparato; (*table*) poner
seven siete
  seven-thirty las siete y media
several varios, –as
sharp (*time*) en punto
shave (oneself) afeitarse
she ella
shining: the sun is —, hace sol
shipment el envío
shirt la camisa
shoe el zapato
shop: cleaning —, la tintorería
shopping: go —, ir de compras
short corto, –a
  a short time una temporada
shortly after poco después de
should deber, *sign of imp. subj.*
shout gritar

show mostrar (ue), enseñar
sick enfermo, –a
sight la vista, los ojos
since como, puesto que
sincerely yours *see section on letter writing*
sir señor
    dear sir muy señor (Sr.) mío (nuestro)
sister la hermana
sit down sentarse (ie)
six seis
sixteen diez y seis
skate el patín (*pl.* patines); patinar
ski el esquí (*pl.* esquíes); esquiar (í)
sledding: go —, pasearse en trineo
sleep dormir (ue,u)
slide la transparencia
slowly despacio
small pequeño, –a ·
    the smaller one el más pequeño
snow la nieve
so tan
    (believe) so (creer) que sí
sock el calcetín (*pl.* calcetines)
some *adj. and pron.* alguno, –a, (*before m. sing. noun*) algún; *pl.* algunos, –as; unos, –as; *often not translated*
someone alguien
something algo, alguna cosa
son el hijo
soon pronto
    as soon as en cuanto
    as soon as possible a la mayor brevedad posible
sorry: be —, sentir (ie,i)
south el sur
    South America la América del Sur
    South American sudamericano, –a
Spain España
Spanish el español; *adj.* español, –ola
speak hablar
spend (*time*) pasar
square la plaza
start poner en marcha
station la estación
stay quedarse
step el paso
    dance step paso de baile
still todavía, aún
stone la piedra
store la tienda
strange extraño, –a
street la calle
strengthen estrechar

study estudiar
suit el traje
suitcase la maleta
    pack the suitcase hacer la maleta
summer el verano
sun el sol
Sunday el domingo
    on Sundays los domingos
sunny: it is —, hay (hace) sol
suppose suponer (*like* poner)
sure seguro, –a
    be sure (that) estar seguro, –a (de que)
surprise la sorpresa; sorprender
sweater el swéter

T

table la mesa
take tomar, (*along*) llevar
    I'll take (them) me quedo con (ellos), (los) tomo
    take a trip hacer un viaje (una excursión)
    take long to tardar mucho en + *inf.*
    take lunch almorzar (ue; c)
    take off quitarse
    take out sacar (qu)
talk hablar
taxi el taxi
teacher el profesor, la profesora
telegram el telegrama
    send a telegram poner un telegrama
telephone el teléfono; telefonear, llamar por teléfono
    by (on the) telephone por teléfono
television la televisión
    television program programa de televisión
    television set aparato de televisión, el televisor
tell decir
ten diez
than que
thank dar las gracias a
that *rel. pron.* que
that *dem. adj.* ese, esa; aquel, aquella
    that (one) *dem. pron.* ése, ésa; aquél, aquélla; (*neuter*) eso, aquello
the el, la, los, las
their su(s); su(s) *or* el (la, los, las) de ellos, –as
theirs (el) suyo, (la) suya, *etc.;* (el, la, *etc.*) de ellos, –as
them *dir. obj.* los, las; *indir. obj.* les; *after prep.* ellos, –as

then luego, entonces
there allí, (*often after verbs of motion*) allá
  there is (are) hay
  there was (were) había
these *dem. adj.* estos, –as; *pron.* éstos, –as
they ellos, ellas
thing la cosa
  the same thing lo mismo
think pensar (ie)
  think of (about) pensar en
  what do you think of it ? ¿ qué le (te)
    parece ?
third tercero,–a, (*before m. sing. nouns*) tercer
this *dem. adj.* este, esta
  this (one) *pron.* éste, ésta, (*neuter*) esto
those *dem. adj.* esos, –as; aquellos, –as;
  dem. pron. ésos, –as; aquéllos, –as
  those of (with) los (las) de
  those who (which) los (las) que
thousand: a (one) —, mil
three tres
through por
Thursday el jueves
ticket el billete, (*Mex.*) el boleto
  ticket window la ventanilla
time (*in general sense*) el tiempo; (*series*)
  la vez (*pl.* veces); (*of day*) la hora
  a long time mucho tiempo
  a short time una temporada
  at the same time a un tiempo, al mismo
    tiempo
  at times a veces
  be time to ser hora de
  from time to time de vez en cuando
  have a (very) good time divertirse
    (ie,i) (mucho)
  have time left quedar tiempo a uno
  have time to tener tiempo para (de)
tired cansado, –a
to a, para, de
  to (Mary's) a casa de (María)
toasted tostado, –a
  toasted cheese sandwiches sandwiches
    tostados de queso
today hoy
Tom Tomás
tomorrow mañana
tone el tono
tonight esta noche
too también
  too much *adv.* demasiado; *also adj.*
train el tren
  by train en tren

travel viajar
traveler el viajero
  all aboard, travelers ! ¡ señores viajeros,
    al tren !
trip el viaje, la excursión
  business trip viaje de negocios
  (have a) happy trip ! ¡ feliz viaje !
  take a trip hacer un viaje (una excur-
    sión)
try tratar de + *inf.*
  try on probarse (ue)
Tuesday el martes
turn off apagar (gu)
  turn on poner
twelve doce
two dos
typewriter la máquina de escribir

U

umbrella el paraguas
uncle el tío
under separate cover por separado
understand comprender, entender (ie)
unfortunately por desgracia
university la universidad
unless a menos que
until *prep.* hasta; *conj.* hasta que
up: get —, levantarse
  go up subir (a + *obj.*)
upon + *pres. part.* al + *inf.*
upper alto, –a
us nos, (*after prep.*) nosotros, –as
use usar

V

very muy, (*before noun or alone*) mucho, –a
  be very glad to alegrarse mucho de
vice president el vice presidente
village el pueblo
visit visitar

W

wait (for) esperar, aguardar
  **I have been waiting for you ten
    minutes** hace diez minutos que le espero
want querer, desear
wash lavar(se)
watch el reloj; mirar
wave la onda
  short wave onda corta
way: by the —, a propósito
we nosotros, –as

wear llevar, usar
weather el tiempo
  be (good) weather hacer (buen) tiempo
Wednesday el miércoles
week la semana, ocho días
weep llorar
well *adv.* bien; *adj.* bueno (buen), –a
  it is well es bueno
  well (then) pues
what lo que, qué
  what ? ¿ qué ? ¿ cuál(es) ?
  what a ! ¡ qué !
when cuando, en que
  when ? ¿ cuándo ?
where donde
  where ? ¿ (a) dónde ?
which que, el (la, los, las) que, el (la) cual,
  los (las) cuales, (*neuter*) lo que (cual)
  the one which el (la) que
  which ? ¿ cuál ? ¿ qué ?
  which one(s) ? ¿ cuál(es) ?
while *conj.* mientras (que)
  a while un rato
  be worthwhile valer la pena
white blanco, –a
who que, quien(es), el (la, los, las) que, el
  (la) cual, los (las) cuales
  the one who el (la) que, quien
  those which los (las) que
  those who los (las) que, quienes
  who ? ¿ quién(es) ?
whom que, quien, a quien(es)
  whom ? ¿ (a) quién(es) ?
whose ? ¿ de quién(es) ?
why ? ¿ por qué ?
wide ancho, –a
wife la esposa
will querer; *sign of future*
  will you (go) ? ¿ quiere Vd. (ir) ?

William Guillermo
window la ventana
  ticket window la ventanilla
wish querer, desear
with con, de
without *prep.* sin; *conj.* sin que
woman la mujer
wood la madera
work el trabajo; trabajar
  work as (a) trabajar de
world el mundo
worth: be —, valer
  be worthwhile valer la pena
would *sign of conditional*
  would that ! ¡ ojalá (que) !
wrap up envolver (ue)
write escribir
written *p.p. and adj.* escrito

Y

year el año
yes sí
yesterday ayer
yet todavía
you (*fam.*) *subject pron.* tú, vosotros; *dir.*
  and indir. obj. te, os; *after prep.* ti,
  vosotros, –as
you (*formal*) *subject pron. and after prep.*
  usted (Vd.), ustedes (Vds.); *dir. obj.*
  le, la, los, las; *indir. obj.* le, les, se
young joven (*pl.* jóvenes)
  young man el joven
younger menor, más joven
your *poss. adj.* (*fam.*) tu, vuestro, –a;
  (*formal*) su(s), de Vd(s).
yours *poss. pron.* (*fam.*) (el) tuyo, –a, (el)
  vuestro, –a; (*formal*) (el) suyo, *etc.*,
  (el, la, *etc.*) de Vd(s).

INDEX

(References are to page numbers)

505

PHOTOGRAPH CREDITS

ii, iii Courtesy Pan American World Airways

ix Photos Courtesy Pan American Union

x *top and middle*, Courtesy Pan American Union; *bottom*, Courtesy American Museum of Natural History, New York

xi *top and middle*, Courtesy Pan American Union; *bottom*, Courtesy Pan American Museum

xii Courtesy The Hispanic Society of America, New York

xv Courtesy Moore-McCormack Lines

xvi A Shell Photo

1 Delta Air Lines Photo

2 Photos Courtesy Edith M. Allen

3 *top left*, Courtesy Socony Mobil Oil Company, Inc.; *top right*, Courtesy American Airlines; *bottom left*, Courtesy Puerto Rico News Service; *bottom right*, Courtesy Martial and Company

4 *top*, United Nations; *bottom photos*, Courtesy Edith M. Allen

5 United Nations

6 Courtesy United Fruit Company

7 *top left*, Courtesy National Federation of Coffee Growers of Colombia; *bottom left*, Courtesy Pan American World Airways; *bottom right*, Courtesy Puerto Rico News Service

8 Photos, United Nations

10 Galaxy (Charles Perry Weimer)

11 Ewing Galloway, N.Y.

16 Photo Courtesy Guillemo Palacios, Caracas, Venezuela

17 Courtesy Moore-McCormack Lines

19 *top*, Courtesy Panagra; *bottom*, Courtesy Martial and Company

22 Guillermo Zamora

23 Cushing (Huish)

26 San Diego Convention and Tourist Bureau

31 FPG (K. B. Roche)

32 *top*, Cushing (Hoit); *bottom*, Courtesy Pan American World Airways

34 *top*, FPG (Forbert); *bottom*, Courtesy University of Venezuela

38 *top*, United Nations; *bottom*, FPG (Weidmann)

41 Delta Air Lines Photo

42 Courtesy Maureen A. Cunningham

43 *left*, Spanish National Tourist Office Photo; *right*, Courtesy Maureen A. Cunningham

47 *insert*, Courtesy Maureen A. Cunningham; *main photo*, Courtesy Edith M. Allen

50 *left and right*, Radio Times Hulton Picture Library; *middle*, Courtesy Pan American Union

55 Cushing (Sawders)

58 Photos Courtesy Standard Fruit and Steamship Company

63 Bernadine Bailey

64 United Nations

70 *top*, United Nations; *bottom*, Bernadine Bailey

74 Photo by Pan American Airways

75 Courtesy Pan American World Airways

78 Photos, Radio Times Hulton Picture Library

86 Courtesy University of Venezuela

90 Cushing (Sawders)

94 *top*, Courtesy Edith M. Allen; *bottom*, Cushing (Boesen)

107 Bernadine Bailey

110 *top right*, Courtesy St. Augustine and St. Johns County Chamber of Commerce; *bottom left*, Courtesy All-Year Club of Southern California

113 Courtesy Tucson Sunshine Climate Club Visitors and Convention Bureau

115 Mullarky Photo, Gallup, New Mexico

118 Courtesy Varig Airlines

121 Courtesy Argentine Consulate, Boston

125 Courtesy Argentine Consulate, Boston

126 Por cortesía de la Revista "IN" del Instituto Nacional de Industria de España

131 Spanish National Tourist Office Photo

132 Courtesy Maureen A. Cunningham

134 Photos Courtesy Braniff International Airways

139 Photos Courtesy Consulado General de Chile, N.Y.

141 Courtesy Consulado General de Chile, N.Y.
142 *top*, Radio Times Hulton Picture Library; *bottom*, Delta Air Lines Photo
148 Courtesy Hamilton Wright
150 Photos Courtesy Colombia National Tourist Board
157 Courtesy Colombia National Tourist Board
158 Photos Courtesy Pan American Union
166 *top and bottom left*, Courtesy American Airlines; *middle and bottom right*, Courtesy Hamilton Wright
173 Photos, United Nations
175 Courtesy Hamilton Wright
176 *top*, Courtesy Argentine Consulate, Boston; *bottom*, Courtesy Braniff International Airways
181 Radio Times Hulton Picture Library
182 Courtesy Grace Line, Inc.
183 Harold M. Lambert
188 Bernadine Bailey
190 Photos Courtesy Hamilton Wright
198 Photos Courtesy of the Artists
201 Courtesy American Airlines
204 Courtesy División de Turismo, República Dominicana
205 Courtesy División de Turismo, República Dominicana
207 Courtesy Puerto Rico News Service
208 Courtesy Pan American Union
210 Photos, FPG (K. B. Roche)
211 *top*, Rapho Guillumette (Silberstein); *bottom*, Rugs by V'Soske — Courtesy Economic Development Administration, Commonwealth of Puerto Rico (Photo by Tom Hollyman)

216 Cushing (Sawders)
223 Charles Perry Weimer
224 *top left and bottom*, Courtesy Hamilton Wright; *top right*, Courtesy American Airlines
227 *top left and right*, Courtesy Edith M. Allen; *bottom*, Courtesy Maureen A. Cunningham
234 Photos, Charles Perry Weimer
242 Charles Perry Weimer
254 Photos Courtesy Foto Ribera
270 Spanish National Tourist Office Photo
275 Spanish National Tourist Office Photos
283 Courtesy American Airlines
289 Delta Air Lines Photos
297 Spanish National Tourist Office Photos
304 *top*, Courtesy Brazilian Government Trade Bureau; *bottom*, Courtesy Varig Airlines
305 *top left*, Courtesy Braniff International Airways; *top right and bottom*, Courtesy Varig Airlines
309 Courtesy Maureen A. Cunningham
313 Photos Courtesy Colombia National Tourist Board
316 Courtesy Edith M. Allen
329 Photos Courtesy Braniff International Airways
335 Courtesy Braniff International Airways
349 Spanish National Tourist Office Photo
369 Photo, Laurent
379 Spanish National Tourist Office Photos

10 11 12 13 14 15 16